¿Sabías
que...?

¿Sabías que...?

Félix H. Cortez

Relatos y anécdotas para jóvenes

APIA GEMA EDITORES

¿Sabías que…? Relatos y anécdotas para jóvenes
es una coproducción de

APIA
Asociación Publicadora Interamericana
2905 NW 87 Ave. Doral, Florida 33172 EE.UU.
tel. 305 599 0037 – fax 305 599 8999
mail@iadapa.org – www.iadpa.org

Agencia de Publicaciones México Central, A.C.
Uxmal 431, Col. Narvarte, 03020 México D.F.
tel. (55) 5687 2100 – fax (55) 5543 9446
ventas@gemaeditores.com.mx – www.gemaeditores.com.mx

Presidente: **Pablo Perla**
Vicepresidente Editorial: **Francesc X. Gelabert**
Vicepresidente de Producción: **Daniel Medina**
Vicepresidenta de Atención al Cliente: **Ana L. Rodríguez**
Vicepresidenta de Finanzas: **Elizabeth Christian**

Presidente: **Erwin A. González**
Vicepresidente de Finanzas: **Fernando Quiroz O.**
Vicepresidente Editorial: **Alejandro Medina V.**
Vicepresidente de Producción: **Abel Sánchez Á.**
Vicepresidente de Ventas: **Hortencio Vázquez V.**

Edición del texto
Daniel Bosch Queralt

Diseño de la portada
Cristhel Medina

Diseño
Kathy Polanco

Diagramación
Jaime Gori

Copyright © 2012
Asociación Publicadora Interamericana
GEMA Editores

En esta obra las citas bíblicas han sido tomadas de la Nueva Versión Internacional: **NVI** © Sociedad Bíblica Internacional. También se ha usado la versión Reina-Valera, revisión de 1995: **RV95** © Sociedades Bíblicas Unidas, la Reina-Valera Contemporánea: **RVC** © Sociedades Bíblicas Unidas, la revisión de 1960: **RV60** © Sociedades Bíblicas Unidas, la Nueva Reina-Valera: **NRV** © Sociedad Bíblica Emanuel, la versión popular Dios Habla Hoy: **DHH** © Sociedades Bíblicas Unidas.

Las citas de los obras de Ellen G. White han sido tomadas de las ediciones renovadas de GEMA / APIA, que hasta la fecha son: *Patriarcas y profetas, Profetas y reyes, El Deseado de todas las gentes, Los hechos de los apóstoles, El conflicto de los siglos, El camino a Cristo, Así dijo Jesús (El discurso maestro de Jesucristo), Testimonios para la iglesia* (9 tomos), *La educación, Eventos de los últimos días, Hijas de Dios, Mensajes para los jóvenes, Mente, carácter y personalidad* (2 tomos), *La oración, Consejos sobre la obra de la Escuela Sabática, Consejos sobre alimentación (Consejos sobre el régimen alimenticio), El hogar cristiano, Conducción del niño, Fe y obras*. El resto de las obras se citan de las ediciones clásicas de la Biblioteca del Hogar Cristiano.

ISBN 13: 978-1-61161-047-5

Impresión y encuadernación
Corporación en Servicios Integrales de Asesoría Profesional, S.A. de C.V.

Impreso en México
Printed in Mexico

1ª edición: agosto 2012

Procedencia de las imágenes: ©Thinkstock

Dedicatoria

a

Hadid J. Cortez
y *Alma N. Cortez,*
con gran admiración y gratitud.
Es mi deseo que dondequiera que vayan y miren,
encuentren que Dios está cerca
y que los ama profundamente.

y a

Elann J. Cortez (2002–2003),
con la seguridad de que Dios es siempre fiel.

Si subiera al cielo, allí estás tú; si tendiera mi lecho en el fondo del abismo, también estás allí. Si me elevara sobre las alas del alba, o me estableciera en los extremos del mar, aun allí tu mano me guiaría, ¡me sostendría tu mano derecha! (Salmo 139: 8-10).

—¿Cree usted en Dios? —le preguntó George Sylvester Biereck a Albert Einstein. La respuesta del genio siempre me ha cautivado.

—No soy ateo —respondió el científico—. El problema que conlleva es demasiado vasto para nuestras limitadas mentes. Estamos en la posición de un niño dentro de una enorme biblioteca con cientos de libros escritos en diversos idiomas. El pequeño sabe que alguien debió haber escrito esos textos, pero no sabe cómo sucedió. Tampoco entiende los idiomas en los que están escritos. Además, intuye que existe un orden misterioso en su disposición, pero no sabe cuál es. Esa, me parece, es la actitud que un hombre inteligente debiera mantener respecto de Dios. Vemos el universo maravillosamente ordenado y obedeciendo ciertas leyes, pero solo entendemos escasamente dichos códigos.

Albert Einstein nunca perdió la capacidad de asombrarse ante la grandeza y el orden del universo. En 1923 visitó a su amigo Niels Bohr en Copenhague. Ambos habían recibido pocos meses antes el premio Nobel de Física. Entonces, subieron al tranvía y empezaron a conversar sobre mecánica cuántica, un tema en el que discrepaban, pero que se encuentra en el centro mismo de la esencia del universo y de la creación de Dios. La discusión era tan animada que se pasaron un buen trecho de la parada donde debían bajar. Descendieron y tomaron el tranvía de regreso; pero el diálogo era tan intenso y absorbente que volvieron a pasarse de parada. Volvieron a tomar el tranvía por tercera vez… pero, en esta ocasión, Niels Bohr, quien cuenta la historia, no nos dice si bajaron en el lugar correcto.

¿Te has sentido alguna vez como un niño en una gran biblioteca? Yo sí. Quiero invitarte para que este año leas conmigo algunas páginas de esa maravillosa biblioteca. Algunas de ellas fueron escritas en el libro de la naturaleza, otras en el de la Providencia, pero todas nos revelan la grandeza y el amor de Dios. No importa a dónde vayas o qué mires, allí está Dios para decirte que te ama y se interesa por ti. Quizá, conforme leamos juntos, empieces a confiar en él y admirarlo todavía más. Entonces, quizá, él escribirá el libro más bello de su biblioteca en tu propia vida.

Un año para aprender más

«Ama al Señor tu Dios con todo tu corazón, con todo tu ser y con toda tu mente», le respondió Jesús. «Este es el primero y el más importante de los mandamientos. El segundo se parece a este: "Ama a tu prójimo como a ti mismo". De estos dos mandamientos dependen toda la ley y los profetas» (Mateo 22: 37-40).

Hace algunos años, A. J. Jacobs, director de la revista *Esquire*, realizó un experimento extraordinario: se propuso obedecer todas las reglas de la Biblia de forma estrictamente literal durante un año. Deseaba experimentar una vida espiritual genuina. Se introduciría a la raíz misma de la espiritualidad de las religiones judeocristianas.

Al principio, escribió una lista de sugerencias, consejos e instrucciones que consideró oportunos e hizo un plan para obedecerlos al pie de la letra. El resultado fue una larga lista de 72 páginas y más de setecientas reglas, además de un plan de vida con características un tanto ridículas. Pronto se dejó crecer la barba (Lev. 19: 27), se vistió de blanco todo el tiempo (Ecle. 9: 8), llevaba su propio asiento adondequiera que iba para evitar contaminarse (Lev. 15: 20), no usaba ropa hecha con fibras mezcladas (Lev. 19: 19), ejercitaba la paciencia (Prov. 19: 11); además apedreó a un adúltero (Lev. 20: 27), pagó en efectivo a la niñera al terminar cada día (Deut. 24: 15) durante todo un año. Luego publicó su experiencia en *La Biblia al pie de la letra* (Barcelona, España: Ediciones B, 2008), un libro muy entretenido que, en inglés, estuvo en la lista de los más leídos del *New York Times* durante varias semanas.

La singularidad del experimento residía en el hecho de que Jacobs no es religioso. Creció en un hogar judío extremadamente secular. No logró discernir, sin embargo, la esencia de la obediencia genuina. La Biblia presenta a Jesucristo como un ejemplo de obediencia a las reglas bíblicas. El significado de una norma se pervierte cuando su esencia se desvincula de Cristo. Las leyes ceremoniales, civiles y rituales del Antiguo Testamento son una aplicación de los Diez Mandamientos a las circunstancias culturales, sociales y políticas del pueblo de Israel. Una vez que lo asimilamos, entendemos su profundo significado. La vida de Cristo nos demostró cuál es la esencia de los Diez Mandamientos y todas las leyes de la Biblia: un profundo amor a Dios sobre todas las cosas, y al prójimo. De eso dependen «toda la ley y los profetas».

¿Por qué no decides amar profundamente a Dios y permitir que este año el Espíritu Santo reproduzca la vida de Cristo en tu vida?

Yo amo al Señor porque él escucha mi voz suplicante (Salmo 116: 1).

Henry Feyerabend, evangelista adventista canadiense de radio y televisión en inglés y portugués, cuenta en su libro *Born to Preach* [Nacido para predicar] la siguiente historia:

«"Señor, tú has contestado mis oraciones antes", le dije al Señor mientras me arrodillaba en ferviente oración junto a mi cama. Había comenzado el curso escolar. Todo era nuevo y emocionante… Mi primo Don Neufeld y mi hermana Annamarie enseñaban en la misma institución. Todo parecía estar a mi favor, pero había algo que me faltaba. Algo que yo deseaba más que cualquier otra cosa.

»Cuando llegué al colegio supe que dos talentosos jóvenes, Gery Friesen y Elmer Koronko, querían formar un cuarteto musical masculino para cantar en un programa de radio local y en campañas de evangelización. Sentí que formar parte de aquel cuarteto sería el gozo supremo de mi estancia en un colegio cristiano. Pero había un problema: yo era nuevo, totalmente desconocido y, por lo tanto, un candidato muy improbable. Mi única esperanza radicaba en la intervención divina. Con esto en mente, me arrodillé al lado de mi cama: "Querido Padre que estás en los cielos, mi mayor alegría sería formar parte de ese cuarteto. Ojalá me lo pudieras conceder…"

»La puerta de la habitación se abrió de golpe, interrumpiendo mi oración. Ahí estaban de pie tres jóvenes, Gery Friesen, Elmer Koronko y Norman Matiko. "Discúlpanos por interrumpir tu oración. Estamos formando un cuarteto y queremos saber si te gustaría intentarlo, a ver si puedes ser el primer tenor", dijo Gery».

¡Qué emocionante! La respuesta fue inmediata, como la de Daniel cuando pidió la liberación del cautiverio babilónico en Daniel 9: 21. Pero ahí no termina el relato, porque hubo muchos otros candidatos que hicieron la prueba. A la semana siguiente Henry vio a los tres jóvenes ensayar con otro primer tenor. Se fue a su cuarto y se arrodilló para orar: «Señor, tú sabes lo duro que es esto para mí. Ayúdame a soportar esta desilusión».

Otra vez se abrió la puerta de golpe y allí estaban los tres muchachos. «Parece que cada vez que venimos a tu cuarto estás orando», dijo Elmer Koronko. Habían ido a decirle que lo habían elegido para ser el primer tenor del cuarteto.

La oración es una de las armas más poderosas que tienes a tu alcance. ¡Úsala! Recuerda que vives en medio de una cruenta batalla y no te puedes permitir el lujo de salir desarmado a luchar.

Cincuenta ovejas se suicidan

No imites la maldad de las mayorías. No te dejes llevar por la mayoría en un proceso legal. No perviertas la justicia tomando partido con la mayoría (Éxodo 23: 2).

Sucedió en Turquía. Un rebaño avanzaba tranquilamente por una montaña, al borde de un desfiladero, rumbo a su redil. Todo iba bien. Nada hacía suponer la existencia de un problema. Nadie, al ver el sereno rebaño que conducía su pastor, habría podido adivinar lo que estaba a punto de ocurrir. De repente, una oveja se lanzó al precipicio. No resbaló. No fue a buscar algo. Sin razón alguna, simplemente, saltó al vacío.

Lo increíble fue lo que pasó después. El resto del rebaño, una oveja a la vez, se lanzó al precipicio detrás de ella. Sin titubear, sin pausas y sin darse cuenta, las ovejas se lanzaron a la muerte. El suceso causó gran sorpresa, aunque no era la primera vez que ocurría. En 2005, un rebaño de mil quinientas ovejas se lanzó a un precipicio. En aquella ocasión murieron cuatrocientos cincuenta animales; el resto se salvó porque cayó encima de los cadáveres de las que habían caído primero. El suicidio colectivo causó una pérdida de cien mil dólares a los dueños del rebaño.

¿Por qué se lanzó al vacío la primera oveja? ¿Un impulso repentino? ¿Una travesura, quizá? ¿Un salto juguetón? Nadie lo sabe. ¿Acaso se trató de un suicidio? ¿Sabía con certeza que saltar al precipicio era lanzarse a la muerte? Resulta escalofriante pensar que ni siquiera sabía lo que eran un precipicio y la muerte. Sencillamente saltó al vacío y las otras la siguieron sin vacilar, sin saber lo que hacían.

Al parecer, las ovejas son animales muy caprichosos y excesivamente gregarios, es decir, siguen a la que va delante sin el menor cuestionamiento. ¿Por qué? Pues porque así son las ovejas y nada más.

La Biblia dice que Dios es el Buen Pastor y sus seguidores las ovejas, porque ellas confían en su pastor. Él nunca las conducirá a un despeñadero ni las llevará por un camino de muerte.

El versículo de hoy sugiere que es muy fácil dejarse influir por la mayoría. Sin embargo, piénsalo bien, seguir a la mayoría puede conducir tu vida a un precipicio. ¿Te has involucrado en algunas prácticas que pueden llevar tu salud física o espiritual a la ruina sencillamente porque «todos lo hacen»? Recuerda: ser diferente requiere valentía, pero vale la pena. Hacerlo te puede acarrear cierta impopularidad y aparentemente te hará perder algunas oportunidades. Pero al final te dará atractivos resultados.

> Olvida los pecados y transgresiones que cometí en mi juventud. Acuérdate de mí según tu gran amor, porque tú, Señor, eres bueno (Salmo 25: 7).

No sé si tú has cometido errores. Yo sí; algunos que preferiría borrar de mi propia memoria y de la memoria pública. Muchas veces esto no es posible, pero déjame decirte que sí podemos «enterrarlos».

Edward Kennedy era el hermano menor en una conocida familia estadounidense en el mundo de la política que casi se fue a la ruina debido a las malas decisiones de algunos de sus miembros. El hermano mayor, John F. Kennedy, fue condecorado varias veces por su heroísmo en la Segunda Guerra Mundial, fue reconocido por su capacidad intelectual (ganó un premio Pulitzer) y fue uno de los más exitosos y queridos presidentes de la historia de los Estados Unidos Otro hermano, Robert F. Kennedy, fue procurador general de la nación, un destacado líder en materia de derechos civiles y habría sido presidente si no lo hubiesen asesinado mientras los sondeos lo señalaban como candidato favorito.

Por su parte, Edward Kennedy tenía mal pronóstico. Lo expulsaron de la Universidad de Harvard durante su primer año de estudios, cuando le pidió a un compañero que hiciera un examen de español en su lugar. Se unió al ejército, pero no combatió gracias a la influencia de su padre. Fue nombrado senador a los treinta años de edad sin méritos propios, gracias al tremendo poder político de su familia. Sin embargo, su gran error ocurrió la noche del 18 de julio de 1969 en Chappaquiddick. Después de una fiesta de dudosos propósitos, el automóvil que Edward conducía volcó en un puente y su acompañante, Mary Jo Kopechne, murió ahogada. Siempre quedó la sospecha de que Edward iba borracho.

Edward no se pudo recuperar de tal error y nunca fue presidente de los Estados Unidos. Sin embargo, su vida no fue un fracaso. Decidió dedicarse a luchar por los derechos de los menos afortunados. Llegó a ser conocido como el «León del Senado», en el que permaneció durante 47 años. Cuando murió, el 25 de agosto de 2009, la revista *Time* publicó un artículo dedicado a él titulado «The Brother Who Mattered Most» [El hermano que más influyó].

Dios está dispuesto a perdonar tus errores y enterrarlos para siempre. Te da la oportunidad de reconstruir tu vida usando tus dones y talentos en favor de otros, así como Edward en el momento más importante de su vida.

La bruja
de Wall Street - 1

No te afanes acumulando riquezas; no te obsesiones con ellas (Proverbios 23: 4).

Dios ha pronunciado serias advertencias contra la avaricia. Dice que es «idola-tría» (Col. 3: 5), que ni siquiera debemos mencionar la palabra (Efe. 5: 3) y que quienes aman la verdad la aborrecen (Éxo. 18: 21).

Durante muchos años, «la bruja», vestida de harapos, con el cabello desgreñado y masticando una cebolla cruda, iba cada día al Chemical and National Bank para con-tar sus dividendos. Se encerraba en la cámara acorazada hasta que terminaba de contar sus activos, aunque para eso obligara a los empleados del banco a quedarse después de la hora de cerrar.

Pero nadie se atrevía a quejarse. La excéntrica cliente era nada menos que Hetty Green, la legendaria «bruja de Wall Street», considerada la mujer más rica, tacaña y avariciosa de los Estados Unidos. La codicia parecía correr por las venas de la señora Green. En su hogar, de lo único que se hablaba era de dinero. Su padre, Edward Robinson, fue tan tacaño, que una vez rehusó aceptar un cigarrillo muy fino que le ofrecieron, temeroso de que le gustara y así perdiera su gusto por los de marca muy barata que fumaba.

Los padres y los abuelos de «la bruja» habían sido riquísimos. Pero, a pesar de su enorme riqueza, preparaban comidas frugales en una vieja cocina de leña. Asimismo, usaban los fósforos más de una vez y normalmente compraban ropa de segunda mano.

«La bruja» heredó esas dos inmensas fortunas. Desde los seis años de edad ya leía y analizaba los periódicos especializados en finanzas. Además, dominaba el arte de negociar y administrar acciones y bonos financieros. Era tan tacaña que encendió las velitas de su vigésimo primer cumpleaños solamente por un instante para así poder devolverlas al almacén donde las había comprado. Para economizar, escribía cheques en hojas de papel usado, se acostaba antes de la puesta del sol para no gastar las velas con que alumbraba su casa y, para que no se desluciera, solo lavaba las partes de su ropa que se manchaban. El anecdotario popular dice que una vez pasó toda la noche buscando un sello de correos de dos centavos que se le había extraviado. Lo único que le gustaba hacer era contar su dinero y hallar nuevas formas de ganar más.

Afanarte por la riqueza te conduce a una vida vacía; siempre quieres más pero nunca te sacias. Solamente Dios puede convertir nuestro corazón egoísta en un cora-zón generoso. Usa las bendiciones materiales que Dios te ha dado en favor de otros.

Por eso mismo pagan ustedes impuestos, pues las autoridades están al servicio de Dios, dedicadas precisamente a gobernar (Romanos 13: 6).

El *Comentario bíblico adventista* dice, refiriéndose a Romanos 13: 6: «Es evidente que los primeros cristianos consideraban como una cuestión de principio el pagar impuestos, quizá como obediencia a las enseñanzas de Cristo (Luc. 20: 20-25), lo que se refleja en Romanos 13: 7». La cuestión es sumamente seria y requiere cuidadosa consideración. Los cristianos pagan impuestos, incluso cuando no están de acuerdo con las directrices que sigue el gobierno de su país.

Pero «la bruja» de Wall Street, que te presenté ayer, no pensaba lo mismo. Era extremadamente avara. Cambiaba a menudo de lugar de residencia para evitar el pago de impuestos de sus numerosas propiedades. Cuando tenía treinta y tres años se casó con Edward Henry Green, otro multimillonario. Edward sentía que su matrimonio con Hetty era un acuerdo muy «interesante». Detectó en su esposa una sagacidad innata para los negocios, y se propuso enseñarle los secretos de la prosperidad financiera. Jamás se imaginó con quién se había juntado. Un año le bastó a «la bruja» para arrebatarle a su marido el control de todos sus negocios. Hasta que un día en que su esposo no siguió su consejo en una operación de compra de acciones de una empresa ferroviaria, lo echó a la calle. El desdichado Edward terminó sus días en una pensión para pobres.

Así continuó la historia, hasta que finalmente «la bruja» se fue a vivir con una amiga rica, la condesa Anne Leary. Aquella fue la última vez que vivió en un ambiente agradable, comió tres veces al día y durmió en una cama cómoda y limpia. Pero no fue la amistad la que la llevó a vivir con su amiga, sino consumar su plan de no pagar impuestos al gobierno. Después de una larga y costosa lucha por parte del gobierno para cobrarle los impuestos por su fortuna, «la bruja» se salió con la suya. Puesto que había dejado todo a su único hijo Ned y que no tenía domicilio registrado, fue imposible para el Estado de Nueva York identificar su residencia.

La fidelidad del cristiano se refleja en los pequeños detalles de la vida. Aunque nuestra ciudadanía está en los cielos (Fil. 3: 20) aún vivimos en esta tierra. Por lo tanto, tenemos una serie de responsabilidades que debemos cumplir fielmente. ¿Eres un ciudadano responsable para con tu país? Que al final de nuestras vidas Dios pueda decirnos: «¡Hiciste bien, siervo bueno y fiel! En lo poco has sido fiel; te pondré a cargo de mucho más. ¡Ven a compartir la felicidad de tu señor!» (Mat. 25: 21).

13

Dichosos los pacificadores

Dichosos los que trabajan por la paz, porque serán llamados hijos de Dios (Mateo 5: 9).

El famoso presidente de los Estados Unidos, Abraham Lincoln, fue asesinado el 14 de abril de 1865. A la mañana siguiente, la ciudad de Nueva York presentaba una escena de la más peligrosa efervescencia. Se colocaron anuncios en las esquinas de las calles de Nueva York, Brooklyn y Jersey que convocaban a los ciudadanos leales a reunirse frente a la oficina de la Bolsa en Wall Street, a las once de la mañana.

Cincuenta mil hombres se presentaron armados, listos para vengar la muerte del primer mandatario. Los oradores arengaban a la multitud. Los ánimos se caldeaban por momentos. Algunos voluntarios presentaron una horca portátil al tiempo que gritaban: «¡Venganza, venganza!», mientras la pasaban entre la gente.

Parecía que las oficinas del periódico *The World*, simpatizante de las ideas confederadas y opuestas a Lincoln, que estaban frente al lugar donde se llevaba a cabo la manifestación, quedarían devoradas por el fuego de la pasión de aquella multitud. Todo parecía indicar que toda esa gente colgaría a varios prominentes partidarios de los rebeldes del sur que estaban allí.

Parecía que aquellas sangrientas escenas que las multitudes airadas habían realizado en Francia, durante la Revolución Francesa, iban a repetirse aquel día en Nueva York. Para agravar la situación, llegó un telegrama desde Washington que decía: «Seward [el secretario de Estado del presidente Lincoln] agoniza». La multitud se enardeció y comenzó a avanzar hacia las oficinas del periódico. La muerte se cernía, sedienta de sangre, sobre aquel edificio y sus ocupantes. Pero en ese momento una figura imponente, que portaba una pequeña bandera en la mano, avanzó hacia la multitud y demandó su atención. Levantó el brazo derecho al cielo y dijo con una voz clara: «¡Conciudadanos! ¡Nubes y oscuridad están alrededor de él! ¡Aguas oscuras y espesa oscuridad son su pabellón! ¡Justicia y juicio son el asiento de su trono! ¡Misericordia y verdad van delante de su rostro! Conciudadanos, Dios reina, y el gobierno en Washington todavía está vivo».

El que hablaba era el general James Garfield, que todos los ciudadanos admiraban y respetaban. Se puede afirmar que el efecto de su pequeña arenga fue un auténtico milagro. Las palabras oportunas de un hombre sabio, justo y honorable, pacificaron al instante a aquellos turbulentos vengadores.

Permite que hoy Dios te pueda utilizar como un instrumento de paz en el ambiente en que te desenvuelves: tu hogar, la escuela o el vecindario. No fomentes el odio, la división o la crítica. Busca la paz y compártela con los que más la necesitan.

La ley del Señor es perfecta: infunde nuevo aliento. El mandato del Señor es digno de confianza: da sabiduría al sencillo (Salmo 19: 7).

Después de la muerte de los apóstoles, es probable que no haya existido un predicador más poderoso que George Whitefield, fundador del metodismo. Predicó 180,000 veces durante sus 34 años de ministerio (es decir, un promedio de diez sermones por semana) y sus oyentes podían alcanzar hasta las veinte o treinta mil personas. Esos sermones duraban entre cuatro y cinco horas; las multitudes soportaban horas de pie bajo la lluvia, mientras George utilizaba los truenos y relámpagos como ejemplos y metáforas. ¿De dónde procedía aquel portentoso poder para predicar de George Whitefield?

George nació en Gloucester, Inglaterra, en 1714, en la cantina de su padre. Su madre enviudó cuando él tenía quince años. Lo sacó de la escuela y lo puso a trabajar como cantinero. Allí aprendió a beber, robar, mentir y maldecir. Pero George no se sentía a gusto. Poseía una Biblia que leía a la luz de una vela después de cerrar la taberna. Tras luchar con su conciencia durante año y medio, abandonó el negocio familiar y entró a estudiar en una escuela parroquial. Fue la Palabra de Dios la que lo transformó y le dio poder. En un mes la hubo leído de tapa a tapa. Ahí encontró profundo placer buscando sus tesoros escondidos. Más tarde sintió la necesidad de estudiar libros de otros pensadores cristianos y le pidió a John Wesley que le recomendara los mejores. Así fue como leyó varias veces el famoso comentario bíblico de Matthew Henry.

George Whitefield entregó su vida a la obra de la predicación del evangelio sin reservas. Con el tiempo, predicó al aire libre, a los mineros de Bristol. Se hizo tan famoso que le pedían que predicara varias veces al día. Cierta noche, después de haber predicado a una gran multitud, la gente lo siguió a la casa del señor Parsons, donde le rogaron que les predicara una vez más. George aceptó a pesar de estar enfermo. De pie, en las escaleras que conducían hasta su habitación y con una vela en la mano, predicó a la multitud hasta que la cera se consumió por completo. Fue el último sermón de Whitefield. Exhausto, subió a la cama para descansar y nunca despertó. Murió esa misma noche.

Tú y yo podemos tener el mismo poder si nos alimentamos profundamente de la Palabra de Dios y nos entregamos a él sin reservas. Decídete a dedicar tiempo al estudio de la Biblia. Es la fuente del poder para convertirte en un mensajero de la verdad.

Conspiración contra la verdad

> Por la rebeldía de nuestro pueblo, su ejército echó por tierra la verdad y quitó el sacrificio diario. En fin, ese cuerno hizo y deshizo (Daniel 8: 12).

Cuando uno analiza las cosas a la luz de la Palabra de Dios, comprende que en el mundo hay una conspiración contra la verdad. Es evidente que la conspiración contra la verdad en las cuestiones espirituales es alarmante. Pero también podríamos decir que hay una conspiración contra la verdad en todas las manifestaciones de la realidad. Por ejemplo, la naturaleza ha sido objeto de las más profundas reflexiones de parte de brillantes pensadores. Nada hay más cercano y terrible que la naturaleza para los seres humanos desde el principio de los tiempos.

La verdad con respecto a la naturaleza también fue echada por tierra. Durante mucho tiempo los antiguos pobladores del planeta creyeron que la Tierra era plana y que era el centro del universo. Los universos de Eudoxo, Aristóteles y Ptolomeo eran pequeños. Creían que los objetos celestes eran de escaso tamaño y estaban al alcance de la mano. Heráclito y Lucrecio pensaban que el Sol tenía más o menos el tamaño de un escudo, y Anaxágoras, el atomista, fue desterrado por impiedad cuando conjeturó que el astro rey podía ser mayor que el Peloponeso.

Los griegos tenían muchas ideas erróneas porque desconocían el concepto de fuerza gravitatoria y muchas leyes físicas que no se descubrieron hasta los días de Isaac Newton. Pero lo asombroso no es que los griegos percibieran el universo en términos geométricos, pues tenían una comprensión aún limitada de la física y la astronomía. Lo asombroso es que no todos lo concibieran así.

La gran excepción fue Aristarco de Samos, que creía en una cosmología heliocéntrica y se adelantó a Nicolás Copérnico unos 1,700 años. Se sabe que, si bien sus métodos eran correctos, sus cálculos cuantitativamente no lo fueron. Como dice el profesor Timothy Ferris en su libro *La aventura del universo*: «Si el mundo lo hubiese escuchado, hoy hablaríamos de una revolución aristarquiana en vez de una revolución copernicana en la ciencia, y la cosmología habría podido ahorrarse un milenio de errores. En cambio, la obra de Aristarco fue casi olvidada; el babilonio Seleuco defendió el sistema de Aristarco un siglo más tarde, pero parece haber estado solo en su entusiasmo por él. Luego llegó el triunfo del universo contraído y geocéntrico de Ptolomeo, y el mundo se detuvo» (3ª ed., Barcelona: Crítica, 2009, p. 39).

¿Por qué no escuchó el mundo a Aristarco? Su libro se perdió y lo conocemos solamente porque Arquímedes lo mencionó y lo defendió en el año 212 a. C.

La verdadera ciencia siempre nos conducirá hacia el Dios de la naturaleza. Respeta a Dios, su verdad y su pueblo. Pero también respeta la verdad de la naturaleza. No olvides que hay una conspiración contra la verdad.

Ajimaz hijo de Sadoc insistió: «Pase lo que pase, déjame correr con el cusita». «Pero muchacho», respondió Joab, «¿para qué quieres ir? ¡Ni pienses que te van a dar una recompensa por la noticia!» «Pase lo que pase, quiero ir». «Anda, pues». Ajimaz salió corriendo por la llanura y se adelantó al cusita (2 Samuel 18: 22, 23).

Quizá podríamos llamar a Ajimaz, el «Forrest Gump» del Antiguo Testamento. Su jefe le dijo que no corriera, pero él se empeñó en hacerlo. Correr era como un imperativo para él. Tú sabes que ahora se le llama «Forrest Gump» al que corre, más por un misterioso impulso, que por hacer ejercicio o por recompensa.

Esto se debe, como te imaginarás, a la película *Forrest Gump* de Robert Zemeckis, protagonizada por Tom Hanks, basada en la novela de Winston Groom. La película se refiere a Forrest Gump, un sencillo personaje de Alabama que corre por todo su país, se encuentra con personajes famosos, influye en la cultura popular y participa en relevantes acontecimientos históricos.

El 13 de octubre de 2010, el diario *El Universal* de la Ciudad de México publicó lo siguiente: «Edison Peña […], quien puede ser comparado con el personaje cinematográfico Forrest Gump por su afán de correr por lo menos diez kilómetros diarios, fue hoy el duodécimo minero rescatado desde la mina San José, en el norte de Chile».

Seguramente recordarás el emocionante rescate de los treinta y tres mineros chilenos que quedaron atrapados en una mina a casi setecientos metros de profundidad. El drama duró setenta días. La angustia de las familias, el interés popular, la ayuda de todo el mundo, culminaron finalmente en el espectacular rescate de todos los mineros sanos y salvos, durante los días 12 y 13 de octubre de 2010.

Cada uno de los salvados era un milagro «rescatado de las redes del infierno», como dijo uno de ellos. Cada uno tenía su propia historia, pero Edison Peña se destacó porque, a pesar de todos los inconvenientes, se empeñó en correr diez kilómetros diarios dentro de la tumba en que se encontraba sepultado vivo. La condición física que desarrolló fue un factor determinante para poder sobrevivir ante la desgracia que enfrentó. Con mucha razón Sebastián Piñera, el entonces presidente de Chile, dijo de él: «¡Grande, Edison, grande, grande!».

Haz ejercicio todos los días. La salud desempeña un papel importante en la vida espiritual y la actitud mental. Incluso puede ser la gran diferencia entre vivir o morir ante una adversidad que tengamos que afrontar en la vida; como le pasó a Edison.

La parte que cayó en buen terreno son los que oyen la palabra con corazón noble y bueno, y la retienen; y como perseveran, producen una buena cosecha (Lucas 8: 15).

Mientras escribía el comentario de hoy me encontraba viajando de Tartu, en Estonia, a Tallinn, la capital del país. Había estado cinco días en el país para asistir a un congreso internacional de la Sociedad de Literatura Bíblica. Estonia es un país pequeño, tiene menos de un millón y medio de habitantes, pero es un lugar muy atractivo. Está ubicado en el extremo norte de los países bálticos, entre Finlandia y Rusia, y una buena parte de su territorio está cubierto todavía por bosques vírgenes. Su idioma, el estonio, está estrechamente relacionado con el finlandés y es, huelga decirlo, totalmente extraño para mí.

Esa mañana había salido armado con dos palabras claves: *autobussijaam* (estación de autobús) y *lennujaam* (aeropuerto). Debía tomar el autobús en Tartu hacia el aeropuerto y después subir a bordo de mi vuelo hacia tierras más conocidas. Mientras esperaba para comprar mi boleto de autobús, una niña de unos once años se me acercó para venderme el periódico. El formato era conocido, pero el contenido era una masa irreconocible de letras. Miré durante un momento el periódico intentando sin éxito descifrar alguna palabra. Finalmente, le di las gracias pero le dije que no lo compraría. Entonces la niña insistió. Con una mezcla perfectamente inteligible de gestos, palabras en estonio y uno que otro término en inglés, me dijo:

—¿Por qué no, Señor?

Con un gesto le expliqué que no podía entender nada del periódico. Pero la niña no se amilanó:

—¡Las fotos, señor! ¡Usted puede ver las fotos!

La perseverancia de la niña me sorprendió y me dejó una gran lección. Debemos insistir si queremos lograr algo. Mark Victor Hansen y Jack Canfield, autores de la extremadamente exitosa serie de libros Caldo de pollo para el alma, fueron rechazados por ciento treinta editoriales. Cuando finalmente fueron aceptados, solo el primer libro vendió ocho millones de ejemplares. La serie cuenta hoy con ochenta best sellers que han sido traducidos a treinta y nueve idiomas.

Moisés no se dio por vencido a pesar de que Israel se rebeló contra él más de diez veces. Dios no se ha dado por vencido en tu caso. Te dio vida esta mañana, tiene un plan para ti, y si no te opones, te llevará al cielo. ¿Por qué habrías tú, entonces, de rendirte? Si te has derrumbado, ¡levántate, sacúdete el polvo y sigue adelante! Hoy es un día de oportunidades divinas. Aprovéchalas. Dios espera mucho de ti. Recuerda nuestro texto de esta mañana.

Esa luz verdadera, la que alumbra a todo ser humano, venía a este mundo (Juan 1: 9).

Dios, para decir que sus redimidos serán muchos, dijo que serían como «los granos de arena del mar» (Jer. 33: 22). Imagino que también en el mundo griego circulaba la metáfora de los granos de arena, porque el geómetra Arquímedes escribió un libro titulado *El contador de arena*.

El término «infinito» no era del agrado de Arquímedes, así que le escribió al rey Gelón en estos términos: «Trataré de demostrarte mediante pruebas geométricas que podrás comprender que los números que yo nombre [...] superan, no solo el número de la masa de arena que es igual a la magnitud de la tierra [...] sino también del universo».

Arquímedes llegaba a la conclusión de que se necesitarían 10^{63} granos de arena para llenar el universo de Aristarco. El cosmólogo norteamericano Edward Harrison señaló, analizando los cálculos de Arquímedes, que 10^{63} granos de arena contendrían unos 10^{80} núcleos atómicos, cifra relacionada con el llamado número de Eddington, el número de protones contenidos en el universo visible que el astrofísico inglés Arthur Eddington calculó por primera vez a fines de la década de 1930. Así, Arquímedes, suponiendo que el universo tiene una densidad de materia mucho mayor que la que tiene realmente, llegó a una suma total de materia cósmica relacionada con el cálculo que hiciera Eddington muchos siglos después.

Dejando a un lado la posible inexactitud de todo esto, ¿no te parece maravilloso? ¿Cómo llegó Arquímedes, que vivió más de doscientos años antes de Cristo (del 287 al 212 a. C.), a una cifra que solamente parecía posible de calcular con los conocimientos físicos y matemáticos del siglo XX? Creo que se debe a la luz que Dios da a todos los hombres que nacen en el mundo, como dice nuestro texto de hoy. El Señor no solamente revela su verdad «al oído» (Job 33: 16), sino también su conocimiento. Elena G. de White escribió: «El mundo ha tenido sus grandes maestros, hombres de intelecto gigantesco y [abarcador] espíritu investigador [...]. Pero antes de ellos estaba la Luz [...]. En lo que tenga de cierto su enseñanza, reflejan los rayos del sol de justicia. Todo rayo del pensamiento, todo destello del intelecto, procede de la Luz del mundo» (*La educación*, cap. 1, p. 14).

Es emocionante pensar que mientras Arquímedes forzaba su gigantesco intelecto para descifrar el misterio del universo, Jesús, la Luz, estaba allí, susurrándole al oído su conocimiento. Él puede ayudarte a ti también. Dios te puede dar sabiduría, no solo en cuestiones espirituales, sino también en los diversos ámbitos científicos y tecnológicos. Acércate a él.

¿Come, bebe y duerme como los otros hombres?

Cuando contemplo tus cielos, obra de tus dedos, la luna y las estrellas que allí fijaste, me pregunto: «¿Qué es el hombre, para que en él pienses? ¿Qué es el ser humano, para que lo tomes en cuenta?» (Salmo 8: 3, 4).

Cuando el salmista pensaba en la excelsa grandeza de Dios, manifestada en la obra de sus manos, y luego veía al hombre, no podía menos que preguntarse: «¿Qué es el hombre, para que en él pienses?».

Ni siquiera el mejor y más grande de los hombres es digno de que Dios piense en él. Por ejemplo, Isaac Newton fue uno de los científicos más grandes que jamás han existido en este mundo. Uno de sus biógrafos, Richard Westfall, escribió: «Cuanto más lo he estudiado, tanto más Newton se ha alejado de mí. He tenido el privilegio, en diversas ocasiones, de conocer a una serie de hombres brillantes, hombres a quienes reconozco sin vacilación como intelectualmente superiores a mí. Sin embargo, nunca he conocido a ninguno con el que no estuviese dispuesto a medirme, de modo que fuese razonable decir que mi capacidad era la mitad de la persona en cuestión, o la tercera o la cuarta parte, pero en todos los casos una fracción finita. El resultado final de mi estudio de Newton ha servido para convencerme de que con él no hay comparación posible. Se ha convertido para mí en otro ser totalmente diferente, en uno de un puñado de genios supremos que han modelado las categorías del intelecto humano, un hombre que, finalmente, no es reducible a los criterios con que comprendemos a nuestros semejantes».

Newton creó una base física para el universo copernicano, y la expresó en su obra maestra conocida comúnmente como los *Principia* [Principios]. Dicen, los que pueden entenderlo, que ese libro está hecho con tal perfección, que la humanidad lo consideró durante más de dos siglos como cercano a la palabra revelada de Dios.

Cuando el gran astrónomo Edmond Halley se refirió a los *Principia*, dijo: «Ningún mortal puede acercarse a los dioses». Se cuenta que el Marqués de l'Hôpital, después de que un amigo le regalara un ejemplar de los *Principia*, preguntó con respecto a Sir Isaac: «¿Come, bebe y duerme como los otros hombres?».

A pesar de la grandeza de Newton, todavía podemos preguntar: «¿Qué es el hombre, para que en él pienses?». Entonces podemos valorar el supremo sacrificio que Jesucristo hizo. Aunque el hombre es un minúsculo átomo en este grandioso universo, Dios envió a su Hijo para mostrarnos su gran amor, inagotable, que contrasta con la naturaleza humana finita. ¿No crees que vale la pena aceptarlo como Señor y Salvador?

Mucho valor tiene a los ojos del Señor la muerte de sus fieles (Salmo 116: 15).

Los funerales de las personas importantes suelen ser célebres. Cuando murió John F. Kennedy, su país prácticamente se paralizó durante tres días. La nación entera se detuvo frente a la pantalla del televisor. Si el cortejo fúnebre de Amado Nervo hubiera tenido lugar en los tiempos de la televisión, quizá habría sido el funeral más sentido de la historia del continente americano.

El 24 de mayo de 1919, día de la muerte del poeta, comenzó la apoteosis de su funeral. Todo empezó en Montevideo, Uruguay, donde, para honrarlo, los comerciantes cerraron sus negocios. En el crucero *Uruguay* se transportaron sus restos cubiertos por las banderas de todas las naciones del continente. Luego la embarcación se detuvo en Brasil y en Venezuela, para que el difunto fuera objeto de nuevos homenajes. En La Habana, donde también se le rindieron homenajes multitudinarios, se unieron al convoy dos barcos de guerra, uno cubano y otro mexicano.

A la llegada de los restos del poeta a Veracruz, el duelo y la exaltación alcanzaron la categoría de lo indescriptible. El 14 de noviembre se realizó el entierro en la Rotonda de los Hombres Ilustres. Los asistentes se agolparon desde la Secretaría de Relaciones Exteriores hasta el Panteón de Dolores. Para este momento ya no hay adjetivos adecuados para describir lo sucedido. Es difícil calcular la cantidad de concurrentes a la ceremonia. Centenares, o quizá miles, de personas, trabajaron en la organización y en la realización del viaje y las ceremonias. El cortejo fúnebre duró seis meses, tiempo suficiente para que el continente hablara de Amado Nervo, leyera sus libros y lo conociera mejor en su muerte que en su vida.

Los funerales, especialmente si el difunto es popular, constituyen una confesión y admisión de una pérdida irreparable. Cuando murió Amado Nervo las multitudes sintieron, al parecer, más que la muerte del poeta, la muerte de la poesía.

Pero no son así los funerales de los santos. Se parecen más al lamento de una despedida, al arrullo de una madre amante para su bebé que se duerme. Es como si Dios les dijera: «Anda, pueblo mío», y cuando cierran los ojos, es como si Jesús susurrara: «Nuestro amigo duerme».

Dios siente la muerte de sus santos tanto como sintió la muerte de Lázaro, con lágrimas. Pero no lágrimas de dolor desesperado, sino de simpatía humana. En realidad, para él no están muertos, porque él no es Dios de muerte, sino de vida, y nuestra suprema esperanza se realizará ese gran día, cuando Jesucristo venga en gloria y majestad, y los muertos en él resuciten primero (1 Tes. 4: 16).

21

Los pecadores no tienen escapatoria

Si se niegan, estarán pecando contra el Señor. Y pueden estar seguros de que no escaparán de su pecado (Números 32: 23).

No se puede pecar impunemente. Esta es una de las sentencias más categóricas de la Biblia. Como dice el sabio Salomón: «El que es perseguido por homicidio será un fugitivo hasta la muerte» (Prov. 28: 17). La justicia humana y la divina son implacables. Cuando los nativos de Malta vieron que una serpiente se prendió de la mano del apóstol Pablo, en tiempo de frío, cuando ya están aletargadas, dijeron: «Sin duda este hombre es un asesino, pues aunque se salvó del mar, la justicia divina no va a consentir que siga con vida» (Hech. 28: 4).

Si la justicia humana no atrapa pronto a los asesinos, la justicia divina los alcanzará más tarde. La historia de Henry Ziegland nos enseña esto. En el año 1883, Henry terminó su relación con su novia quien, completamente desilusionada, se suicidó. El enfurecido hermano de la chica persiguió a Ziegland y le disparó con un revólver. Creyendo que lo había matado, el hombre se quitó la vida. Sin embargo, Ziegland no había muerto en el atentado. La bala solamente le había arañado el rostro y terminó incrustada en un árbol. Años más tarde, Henry Ziegland decidió cortar el mismo árbol, que aún tenía la bala en su interior. Para hacerlo se valió de varios cartuchos de dinamita. La explosión extrajo la bala de la corteza de modo que salió proyectada en dirección a Ziegland para incrustársele en la cabeza y ocasionarle la muerte.

El ejemplo es pertinente. Pero la justicia divina no actúa al azar. Atemperada por el amor, se posterga hasta el límite de todas las posibilidades para que el culpable se arrepienta, pero tarde o temprano se ejecutará. Por desgracia, como dice el sabio Salomón: «Cuando no se ejecuta rápidamente la sentencia de un delito, el corazón del pueblo se llena de razones para hacer lo malo» (Ecl. 8: 11). A veces es fácil tomarse la justicia por la propia mano y actuar en contra de otros. Pero hacerlo es muy arriesgado. Nuestro juicio es poco fiable, tendencioso y parcial.

Procura conducirte con justicia. Por supuesto, la justicia humana es importante, pero la divina lo es mucho más. Por tanto, procura poner tu vida en armonía con la justicia de Dios. Recuerda que su santa ley es el código de justicia celestial. Sé fiel y obediente, «pues Dios juzgará toda obra, buena o mala, aun la realizada en secreto» (Ecl. 12: 14).

Lamec tuvo dos mujeres. Una de ellas se llamaba Ada, y la otra Zila (Génesis 4: 19).

Lamec fue el primer hombre que, según el *Comentario bíblico adventista*, «pervirtió el matrimonio, tal como fue establecido por Dios, convirtiéndolo en la concupiscencia de los ojos y en la concupiscencia de la carne». Si Lamec fue el sexto hombre después de Adán, entonces la contagiosa enfermedad del pecado se extendió con extrema rapidez, y la corrupción humana se consumó muy pronto.

Los nombres de las mujeres de Lamec sugieren que la razón por la cual buscó dos esposas fue la atracción sexual. Ada significa «adorno», y Zila significa «sombra» o «tintineo». Indudablemente eran muy atractivas.

Además, Lamec ha tenido muchos imitadores. Uno de ellos se llamó Acentus Akuku, oriundo de Kenia. Cuando murió, sus familiares recurrieron a las redes sociales para convocar a todos sus parientes al funeral. Lo que ocurría es que Acentus se había casado con más de cien mujeres y tenía más de doscientos hijos, aunque nadie sabe la cantidad exacta.

A Akuku lo apodaban «*Danger*» (peligro) y era toda una celebridad en su país. Se casó con su primera esposa en 1939. La segunda llegó poco tiempo después, y así se convirtió en polígamo a la edad de veintidós años. Solo le sobreviven doce de las más de cien esposas que tuvo. Su último matrimonio se celebró en 1992. Debido a la gran cantidad de hijos que engendró, fundó dos escuelas primarias tan solo para educar a su descendencia. Algo similar sucedió con la iglesia a la que asistía la familia.

Para los kenianos, *Danger* representaba el último gran icono de la masculinidad, porque tenían el mismo concepto incorrecto que existe en otros lugares en cuanto a los varones. Pero la verdad es otra, como dijo en su canción «Hombre» el cantautor mexicano José María Napoleón: «No el que tiene más mujeres, ni el que bebe más y aguanta, sino el que tiene una sola y una sed para calmarla».

Dios creó a una mujer para un hombre. Es la disposición divina para la institución del matrimonio. Cualquier otra fórmula es invención de Lamec y sus seguidores. Y como en el caso de Lamec, toda explicación y justificación de la poligamia es falsa. La única razón básica para practicarla es «la concupiscencia de los ojos y la soberbia de la vida».

Casarse legalmente con dos o más mujeres todavía es posible en algunos países. Pero hay quienes viven con muchas mujeres, soñando y fantaseando con toda mujer atractiva que pasa junto a ellos. Cuida tu mente y tu corazón. Recuerda que las decisiones que tomes determinarán tu destino eterno.

Criado para ser una superestrella

Antes de formarte en el vientre, ya te había elegido; antes de que nacieras, ya te había apartado; te había nombrado profeta para las naciones (Jeremías 1: 5).

El 22 de febrero de 1988, la revista *Sports Illustrated* publicó un artículo titulado «Bred To Be a Superstar» [Criado para ser una superestrella]. En él, Douglas S. Looney relata la historia de cómo Todd Marinovich fue preparado desde su nacimiento para ser el perfecto *quarterback* de fútbol americano.

Cuando nació, su padre ya había colocado un balón de fútbol americano en su cuna. El artículo informa que Todd siguió una dieta perfecta. Nunca comió una hamburguesa de un establecimiento de comida rápida, ni esas deliciosas galletas de chocolate rellenas de crema, o una rosquilla de bollería. Cuando iba a fiestas de cumpleaños, llevaba su propio pastel y helado hechos en casa para evitar el exceso de azúcar y la harina blanca refinada. Empezó a entrenar al mes de haber nacido. Su padre, que era entrenador de fútbol americano, diseñó un sistema para que el bebé empezara a desarrollar sus habilidades motrices y su fuerza física.

Cuando se escribió el artículo, trece expertos participaban en el entrenamiento de Todd, que incluía aspectos de velocidad, agilidad, fortaleza, flexibilidad, rapidez, control corporal, resistencia y nutrición. Tenía también un entrenador de lanzamiento, otro de movimiento, otro de visión periférica y un psicólogo. Tom House, entrenador de lanzamiento de los *Rangers* de Texas, también lo asesoraba. Con la ayuda de una computadora analizó el movimiento de lanzamiento de Todd y encontró que, aunque su equilibrio era perfecto, su codo estaba 11.5 centímetros por debajo del punto perfecto de lanzamiento. Todd quería convertirse en el lanzador perfecto.

Todd y su padre tuvieron éxito. Antes de cumplir los veinte años, Todd se había convertido en una celebridad. Medía 1.94 metros de estatura, pesaba 96 kilogramos y tenía el récord nacional de yardas por pase a nivel de educación secundaria, por encima de Jim Kelly, John Elway y Dan Marino. Los mejores equipos universitarios le ofrecieron becas para que jugara con ellos y Todd decidió jugar con los *Trojans* de la Universidad del Sur de California, uno de los equipos más exitosos en la historia de este deporte.

¿Te imaginas lo que puedes lograr si permites que Dios dirija tu vida? No existen límites para lo que puedes conseguir si permites que el Espíritu Santo actúe en tu corazón. Jesucristo conoce mejor que nadie tus fortalezas y debilidades, y sabrá cómo entrenarte para que te conviertas en una «superestrella» para Cristo. ¿Pagarás el precio de tal entrenamiento?

Dirígeme por la senda de tus mandamientos, porque en ella encuentro mi solaz (Salmo 119: 35).

Si te gusta al fútbol americano quizá te preguntarás qué sucedió con Todd Marinovich, de quien te hablé ayer. Antes de cumplir los veinte años ya era una estrella y había roto los récords de *quarterbacks* que llegaron a ser leyendas de la NFL de los Estados Unidos. Su propio récord de 9,182 yardas en una sola temporada antes de entrar a la universidad se mantuvo durante más de dos décadas. Sin embargo, el paso de Todd Marinovich por el fútbol americano profesional fue casi imperceptible, como el de una estrella fugaz en una noche iluminada. Pudo ser el más grande de todos pero se extinguió sin dejar rastro. ¿Qué pasó con él?

Cuando, hace veinte años, leí por primera vez la historia de Todd, yo también me hice esa pregunta. Encontré la respuesta cuando la revista *Esquire* publicó en mayo de 2009 un largo artículo de Mike Sager titulado «Todd Marinovich: The Man Who Never Was» [Todd Marinovich: el hombre que nunca fue].

El problema de Todd fueron las drogas. Empezó con las bebidas alcohólicas mientras estaba en el preuniversitario para festejar con los amigos las victorias obtenidas en el campo de juego. En la universidad añadió marihuana y, finalmente, cocaína, LSD y heroína, entre otras. Sin embargo, Todd nunca perdió la habilidad para ganar. Mientras jugaba con los *Trojans* de la Universidad del Sur de California, dirigió una serie ofensiva para ganar un partido contra Washington State tan brillante, que el expresidente de los Estados Unidos, Ronald Reagan, lo llamó para felicitarlo (algo que se hace con los ganadores de campeonatos en ligas profesionales o juegos olímpicos). Más tarde ganó el campeonato de fútbol americano universitario.

Como jugador profesional estableció el récord de pases de anotación en un solo juego, mientras sufría un severo síndrome de abstinencia de la heroína. Sin embargo, las drogas secuestraron su vida. Había recibido un contrato millonario como profesional, pero terminó en la bancarrota y viviendo en la miseria.

Al terminar de leer el artículo, me quedé pensando mucho tiempo. Cuando lleguemos al cielo, leeremos el registro de muchas vidas que prometían mucho pero cuyo destino fue triste. Estrellas brillantes que se extinguieron en la oscuridad del pecado. Al lado de esos nombres se podrá escribir con tristeza «un hombre/una mujer que nunca fue». Contigo y conmigo no tiene que suceder así. La gracia de Dios está disponible para evitar esa tragedia. Cristo tiene que cambiar tu vida. No vivas en la mediocridad espiritual porque te llevará a la desgracia de vivir el sueño que Dios no quiere para tu existencia.

Un error fatal

Hoy te doy a elegir entre la vida y la muerte, entre el bien y el mal. Hoy te ordeno que ames al Señor tu Dios, que andes en sus caminos, y que cumplas sus mandamientos, preceptos y leyes. Así vivirás [...], y el Señor tu Dios te bendecirá (Deuteronomio 30: 15, 16).

Es muy probable que las dos lecturas anteriores sobre Todd Marinovich aún te incomoden con preguntas difíciles de responder. ¿Por qué Todd, que tenía un futuro en teoría muy brillante, fracasó tan estrepitosamente? ¿Por qué cayó esclavo de las drogas, aunque lo criaron con una alimentación óptima? ¿Cuál fue el error fatal?

La respuesta sin duda debe ser compleja, pero creo que un elemento importante fue que Todd mismo no tuvo la oportunidad de decidir si quería ser una estrella. Ese era, más bien, el deseo de su padre. El artículo de Mike Sager que te mencioné ayer aporta información importante al respecto. Marc Marinovich empezó a entrenar a su hijo mientras todavía estaba en la cuna. A los tres años, Todd lanzaba y pateaba la pelota tanto con la derecha como con la izquierda, entrenaba y levantaba pesas. El día que cumplió cuatro años, ¡Todd corrió cuatro millas por la playa en tan solo 32 minutos!

Fue entrenado desde niño para soportar el dolor. De hecho, más tarde ganaría un partido lanzando la pelota varias veces con el dedo pulgar de la mano lanzadora fracturado. Cuando estaba en tercero de secundaria (tenía catorce años, aproximadamente) su horario de entrenamiento semanal era el siguiente: cuatro días levantaba pesas y tres días hacía trabajo más ligero y corría; tenía dos sesiones a la semana con el entrenador de lanzamiento, tres sesiones semanales con el entrenador de pista, una sesión diaria con el entrenador de baloncesto, y lanzaba una pelota de béisbol durante dos horas diarias. Además, entrenaba dos veces al día con el equipo de fútbol. Su padre era obsesivo e inflexible. Deseaba ardientemente que Todd lograra ser lo que él no pudo alcanzar. Sin embargo, nadie puede decidir por otro. Los sueños se pueden compartir, pero no imponer.

Dios no es así. Él nos invita, nos da oportunidades, llama a nuestro corazón, pero nunca nos obliga. Tú puedes decidir tomar la dirección equivocada en tu vida, pero seguirás respirando y el sol saldrá otra vez en el horizonte. Satanás, por otro lado, nos engaña, nos soborna o nos extorsiona para que hagamos su voluntad. Si pudiera nos obligaría. Dios, sin embargo, respeta nuestra capacidad de decidir.

A fin de cuentas, nadie se salvará o se perderá porque otro lo haya obligado. La decisión siempre será personal. Elige hoy a Cristo como entrenador de tu vida.

Que te conceda lo que tu corazón desea; que haga que se cumplan todos tus planes (Salmo 20: 4).

Douglas Corrigan albergaba el profundo deseo de tener su propio avión. Después de una larga lucha, finalmente, en la década de 1930, su sueño se convirtió en realidad. Compró un avión, que en realidad solamente era un montón de chatarra, pero era lo más que Corrigan podía pagar. En respuesta a las burlas de sus amigos, les dijo que en menos de lo que cantaba un gallo convertiría aquel cúmulo de hierrajos en una máquina voladora.

Mientras arreglaba el avión, Corrigan seguía soñando con la idea de volar solo a través del océano Atlántico, para repetir la hazaña de su ídolo Charles Lindberg. Cuando le decían que no sabía pilotar un avión, contestó haciéndose mecánico de aviación y aprendió a volar por cuenta propia. En 1927 obtuvo la licencia de piloto de aviación recreativa y, tres años después, la licencia de piloto de transportes de carga. Finalmente, después de una larga lucha para obtener el permiso del gobierno, se le autorizó hacer solo el vuelo de 3,000 millas de Los Ángeles a Nueva York, pero no más.

Milagrosamente, el montón de chatarra voladora llegó a Nueva York después de doce horas de vuelo. Cuando los trabajadores del aeropuerto vieron descender la humeante y crujiente máquina huyeron despavoridos para salvar sus vidas. Algunos de ellos amenazaron con renunciar a su trabajo y abandonar la ciudad si se permitía a aquel esperpento despegar de nuevo. De todos modos, dos días después se le concedió el permiso para despegar e iniciar el vuelo que se convertiría en uno de los más grandes misterios de la historia de la aviación.

Los cristianos tienen que ser prudentes y sensatos. Sus deseos han de estar atemperados por la modestia y la humildad. Pero también deben tener esperanzas, sueños, deseos, planes y grandes proyectos. En lo que se refiere a la superación personal es preciso que alcancen el máximo de sus posibilidades.

¡Fíjate metas elevadas! Dios puede satisfacer los deseos de tu corazón y hacer que se realicen tus planes. Tómale la palabra a Dios. Siempre cumple sus promesas. Intenta grandes cosas y, con su ayuda, realizarás grandes proezas.

¿Errores de buena fe?

Entonces oirán ustedes decir a sus espaldas estas palabras: «Este es el camino; vayan por él. No se desvíen a la derecha ni a la izquierda» (Isaías 30: 21, RVC).

El camino que Dios quiere que sigamos está bien definido. No hay manera de equivocarse. Sin embargo, nadie llegará por casualidad a la puerta de la Ciudad de Dios.

Ayer te comenté que, dos días después del milagroso aterrizaje en Nueva York, se dio a Douglas Corrigan permiso de despegar para volver a Los Ángeles. Los oficiales del aeropuerto vieron, asombrados, cómo el monoplaza, que saltaba, gemía, renqueaba y humeaba, despegaba en medio de una fina neblina.

Lo que pasó durante las siguientes veintiséis horas aún es uno de los mayores misterios de la aviación. No hay registros oficiales, por supuesto. El único testimonio que queda de los asombrosos acontecimientos que siguieron son las palabras del propio Corrigan.

Emocionado por sus fotografías publicadas en varios periódicos, Corrigan puso el morro hacia el occidente. No tenía radio y la brújula giroscópica del aeroplano estaba averiada. El único instrumento de navegación que le quedaba era una pequeña brújula magnética que estaba fijada al piso de la cabina y que Corrigan no alcanzaba a ver.

Después de varias horas de vuelo, Corrigan se dio cuenta de que algo andaba mal. En primer lugar, el avión comenzó a volar por encima de un campo totalmente nevado, y estaba en pleno verano. De pronto, cuando pensó que volaba sobre Nuevo México o Arizona, salió a pleno sol, y entonces vio que volaba sobre hielo y nieve. De pronto, vio algo que le heló la sangre: el océano. Corrigan pensó que no había encontrado el aeropuerto de Los Ángeles y que se había perdido en el Océano Pacífico. Pero este océano parecía extraño. No se veía azul y tranquilo, como bien indica su nombre.

Repentinamente, el avión comenzó a dar muestras de que se acababa el combustible. Finalmente, cuando el avión comenzaba a ratear por falta de gasolina, empezó a sobrevolar una hermosa tierra vestida de verde. Al sobrepasar una colina, vio una bella ciudad.

—Soy Douglas Corrigan, vengo de Nueva York y me proponía ir a California —dijo, después de haber aterrizado—, ¿me pueden decir dónde estoy?

—Usted está en Dublín, Irlanda, señor —dijeron los asombrados irlandeses.

Desde entonces la historia lo conoce como *Wrong Way Corrigan* (que significa «Dirección incorrecta» o «Camino equivocado»). Cuando le preguntaron cómo había cometido un error tan enorme, contestó: «Cualquiera puede cometer un error de buena fe».

En la vida espiritual no existen «errores de buena fe». Cada concesión que hacemos al pecado degrada nuestra vida espiritual. Procura no cometer un error en el camino que lleva a la Santa Ciudad, el precio es demasiado elevado.

No sigan las prácticas de las naciones que voy a arrojar de la presencia de ustedes, porque ellos cometieron todos esos actos, y me fueron repugnantes. (Levítico 20: 23).

El faraón Tutankamón es una estrella de la «*jet set*» arqueológica. Su tumba es la única que, en 1922, se halló intacta, con más de cinco mil utensilios de oro puro. Fue un hallazgo arqueológico sensacional. Su máscara mortuoria lo muestra apuesto y juvenil.

Durante mucho tiempo las relaciones familiares de Tutankamón fueron un misterio. Se creía que su padre era el faraón hereje Amenhotep IV, que cambió su nombre por Akenatón. El descubrimiento de la momia de Akenatón en 1907 y el examen de ácido desoxirribonucleico (ADN) que se le practicó hace poco permitieron certificar que, en efecto, era el padre de Tutankamón.

Pero ¿quién fue su madre? ¿La bellísima reina Nefertiti, o Kiya, la otra bellísima esposa de Akenatón? Para dilucidar este misterio se analizó el ADN de Tutankamón. El método usado constituye una verdadera epopeya de la ciencia.

Pero el análisis del ADN no aclaró sino que ahondó el misterio. Ni Nefertiti ni Kiya eran la madre de Tutankamón. ¿Quién fue entonces la progenitora del famoso faraón? En la misma tumba de Amenhotep III, donde se encontraron las momias de Akenatón y sus dos esposas, se hallaron dos misteriosas momias clasificadas como la «Vieja Dama» y la «Dama Joven».

El análisis demostró que eran dos de las cinco hijas de Amenhotep III, o sea, hermanas de Akenatón. El ADN demostró que la «Dama Joven» era hermana de padre y madre de Akenatón. Es decir, este se casó con su hermana y tuvo con ella a Tutankamón. El incesto era práctica común entre la realeza egipcia. La Biblia dice que lo era entre todas las naciones cananeas.

¿Por qué le parecía tan abominable el incesto a Dios? Probablemente por lo que dice el doctor Zahi Hawass, director del famoso estudio de Tutankamón, en un artículo publicado en la edición de septiembre de 2010 de *National Geographic*: «Como descendencia de la unión entre dos hermanos, [Tutankamón] debe haber tenido un pie torcido congénito que hacía del acto de andar algo doloroso y difícil. [...] La endogamia debió haberle impedido tener hijos con su esposa que, probablemente, era su media hermana».

La humanidad no aprende. No todo lo que aprueba la mayoría agrada a Dios. ¿Tú crees que de verdad la senda que recorres es la correcta? Ciertas acciones te pueden parecer descabelladas al principio, pero la presión de grupo y el hecho de que «todos lo hacen», provoca que pierdan fuerza en tu mente. Si no tienes cuidado, puedes llegar a hacer cosas que nunca hubieras pensado.

Un ejemplo fiel

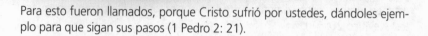

Para esto fueron llamados, porque Cristo sufrió por ustedes, dándoles ejemplo para que sigan sus pasos (1 Pedro 2: 21).

John Aylmer fue un personaje muy notorio y ocupó muchos cargos políticos de alta responsabilidad durante el reinado de Isabel I de Inglaterra. Fue obispo de Londres, se convirtió en un colaborador muy leal y amaba con profundo amor, casi paternal, a la reina.

Durante el tiempo en que estaba al servicio de la reina, sucedió un curioso incidente que demuestra el carácter de aquel hombre. La soberana sufría mucho por un dolor de muela y era necesario extraérsela. El dentista estaba listo con sus instrumentos, y varias damas y caballeros de la corte estaban presentes, expresándole su comprensión y dándole palabras de aliento.

Pero la reina temía mucho la operación y no lograba reunir todo el valor que necesitaba para someterse a ella. Por supuesto, eran aquellos tiempos heroicos cuando todavía no se había descubierto la anestesia y las operaciones se hacían a lo vivo y con dolor de muerte. John Aylmer, después de tratar en vano, durante mucho tiempo, de infundir valor a la soberana, se sentó en la silla preparada para la paciente, y dijo al dentista:

—Yo ya soy viejo, sólo me quedan pocos dientes, y no temo perder uno más. Venga por favor y sáqueme este para que Su Majestad vea cuán fácil es esta operación.

Uno podría suponer que la reina debía impedir aquel sacrificio, pero no lo impidió. Al ver con cuánta tranquilidad había soportado Aylmer la operación, se decidió e inmediatamente le extrajeron la muela que le causaba tantos sufrimientos.

El apóstol Pedro dijo que Jesucristo sufrió por nosotros, y nos dio ejemplo para que sigamos sus pisadas. Su ejemplo sirve para todas las circunstancias de la vida. ¿Tienes que tomar una decisión muy importante que implica dolor y sufrimiento? Él tomó decisiones muy dolorosas con valor y determinación. Dice la Biblia que cuando llegó el tiempo y debió dirigirse a Jerusalén para cumplir la misión de su vida, endureció su «rostro como el pedernal» (Isa. 50: 7) y se dirigió, sin un momento de vacilación, al lugar de su sacrificio.

¿Tienes que tomar algunas decisiones dolorosas? ¿Tienes que dejar a tu novio, o novia, porque tus principios, tus padres y tus consejeros te dicen que no te conviene? Cierra tus ojos, aprieta los dientes, ora en silencio, y actúa, por más doloroso que sea para ti. Jesús te dio un ejemplo para que vayas tras sus pisadas. Si lo sigues, llegarás adonde él llegó.

¿Cómo escaparemos nosotros si descuidamos una salvación tan grande? (Hebreos 2: 3).

Es posible que no sea totalmente cierto. Es posible que la cantidad no sea tan alta. Pero sí es seguro que existe un tesoro que nadie ha reclamado en la tesorería de los Estados Unidos. Como existe, al parecer, en todas las tesorerías de todos los países, de todo el mundo. Se afirma que existen treinta y cinco mil millones de dólares cuyos dueños nunca los han reclamado.

Se les olvidó, no pudieron recuperarlo, o no supieron que tenían ese dinero y, por lo tanto, lo olvidaron. El gobierno no puede gastarlo, porque el dinero no es suyo. Son bienes confiados. Son depósitos en efectivo, acciones, propiedades, alhajas, pólizas de seguros y otros valores que los dueños, o sus herederos, ignoran que tienen. Pero las malas lenguas dicen que el gobierno sí cobra los intereses que esa suma astronómica de dinero produce.

Por supuesto que existen cazadores de dinero no reclamado. Incluso hay oficinas y promesas formales de que si alguien tiene dinero allí se lo pueden recuperar. Hay testimonios de gente que afirma haber recuperado cuantiosas sumas de dinero. Evidentemente, eso es natural. Si hay un tesoro, hay ávidos cazadores que andan tras él.

Que alguien tenga dinero y no lo sepa es una gran tragedia. Porque, teniendo todo lo que necesita, que esa persona sufra estrecheces por falta de dinero es uno de los mayores dramas. Pero aún es más grave lo que afirma nuestro texto de hoy: hay quienes tienen en poco la salvación. No reclaman ese tesoro. Una de las cosas que más hizo sufrir a nuestro Señor en la cruz fue saber, como lo expresa Elena G. de White: «Cuán terrible es el dominio del pecado sobre el corazón humano, y cuán pocos estarían dispuestos a desligarse de su poder. Sabía que sin la ayuda de Dios la humanidad tendría que perecer, y vio a las multitudes perecer teniendo a su alcance ayuda abundante» (*El Deseado de todas las gentes,* cap. 78, p. 713).

No cometas el grave error de despreciar la salvación. Reclama ese tesoro. Es tuyo. Acepta hoy a Cristo y su verdad, y únete a su pueblo. No dejes que una salvación tan grande, ganada a tan alto precio, sea en vano. No estés entre aquellos que tendrán por «inmunda la sangre del pacto» (Heb. 10: 29, RV60).

No dejes que pongan sobre tu corona el letrero «Tesoro sin reclamar». Haz tuyo hoy el gran tesoro de la salvación.

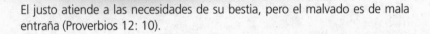

El justo atiende a las necesidades de su bestia, pero el malvado es de mala entraña (Proverbios 12: 10).

Poco antes de publicar su artículo «Inside the Minds of Animals» [En la mente de los animales], en la revista *Time* de agosto de 2010, Jeffrey Kluger recibió de Kanzi, un bonobo de veintinueve años, una invitación para tomar café. Los bonobos son primates, primos cercanos del chimpancé, que viven al sur del río Congo, en África. Kanzi, sin embargo, vive en un centro de investigaciones de Iowa, Estados Unidos, donde se le ha enseñado a comunicarse mediante un lenguaje desde que nació.

Kanzi conoce formalmente 384 palabras, aunque ha creado probablemente algunas docenas más por sí mismo. Durante la mayor parte del día, Kanzi mantiene cerca de sí tres hojas ilustradas con cientos de símbolos llenos de color que representan las palabras que los investigadores le han enseñado, o que él ha creado. Su vocabulario incluye palabras como «pelota», «gelatina», «cosquillas» y «correr». Cuando desea comunicarse, señala esos símbolos con el dedo para expresar lo que quiere decir.

Así, la mañana en que Jeffrey y Kanzi se conocieron, el mono señaló con el dedo al símbolo para café y luego a Jeffrey, para invitarlo a compartir. Cuando Jeffrey se recuperó de la sorpresa, se fue a buscar dos tazas de café caliente. Cuando hubieron tomado el café, Kanzi apuntó el símbolo «pelota». Era tiempo de ir a jugar.

Los científicos comprenden cada día más que la inteligencia de los animales es mayor de lo que antes pensábamos. Por ejemplo, los cuervos han mostrado habilidad para doblar alambre y crear un gancho para sacar comida que se encuentra en el fondo de un tubo de plástico. Se sabe que las nutrias abren los moluscos quebrándolos con rocas y que las hienas deciden de antemano qué cazarán y cuántos miembros de la manada son necesarios para lograrlo. El conocimiento de la inteligencia animal ha llevado a algunos científicos a preguntarse cuánto sufren los animales, porque entienden que una mayor capacidad intelectual y de autoconciencia aumenta, sin duda, la capacidad para sufrir o para ser feliz.

La Biblia dice que «toda la creación todavía gime a una» por causa del sufrimiento que trajo la humanidad (Rom. 8: 20-22). Lamentablemente, muchos impíos infligen sufrimiento intencionado a los pobres animales. Es importante, entonces, que te preguntes hoy cuán felices son tus mascotas. Cuida y protege a los animales, también son criaturas de Dios.

Este mensaje es digno de crédito y merece ser aceptado por todos: que Cristo Jesús vino al mundo a salvar a los pecadores, de los cuales yo soy el primero (1 Timoteo 1: 15).

En el año 1847, el doctor James Simpson, de Escocia, descubrió que el cloroformo podía utilizarse como anestésico, permitiendo que los pacientes soportaran las operaciones quirúrgicas sin dolor. Muchos médicos reconocieron que aquel era un avance muy importante en la medicina de su tiempo.

Años más tarde, Simpson daba una conferencia en la Universidad de Edimburgo. Un estudiante le preguntó cuál creía que era el descubrimiento más valioso de su carrera. Por supuesto, todos los presentes esperaban que mencionara el cloroformo. Sin embargo, el médico respondió: «Mi descubrimiento más valioso fue saber que yo era pecador y que Jesucristo era mi Salvador».

Una actitud de humildad como esa fomenta el crecimiento cristiano; mientras que el orgullo, lo opuesto a la humildad, detiene definitivamente el desarrollo espiritual e, incluso, lo destruye. La parábola del fariseo y el publicano nos enseña esto. Respecto al primero, el *Comentario bíblico adventista*, en su referencia a Lucas 18: 8, dice: «El concepto farisaico, legalista, de la justicia, se basaba en la suposición de que la salvación debía ganarse observando ciertas reglas de conducta, y casi no prestaba atención a la necesaria consagración del corazón a Dios y a la transformación de los motivos y de los propósitos en la vida. El concepto de que la conformidad externa a los requerimientos divinos era todo lo que Dios pedía, sin considerar el motivo que impulsaba a cumplirlos, daba forma a su manera de pensar y de vivir».

¡Cuán orgulloso estaba el fariseo de sus realizaciones en nombre de la piedad! El viento helado del orgullo lo envolvía mientras se encontraba allá, solo, en el monte de la justicia propia. Solo, porque el orgulloso cree que no necesita a Dios. En eso consiste el pecado del orgullo. Nos separa de la única fuente de justicia y misericordia, haciendo imposible que seamos misericordiosos con los demás. A diferencia del doctor Simpson, el fariseo no había hecho todavía el descubrimiento más importante y valioso de la vida: que era pecador y que Jesucristo es el único Salvador. El *Comentario bíblico* añade: «Está agradecido de que mediante su esfuerzo diligente se ha mantenido estrictamente dentro de la letra de la ley, pero parece desconocer totalmente el espíritu que debe acompañar a la verdadera obediencia para que sea aceptable a Dios»; es decir, la humildad y el amor.

¿Ya aceptaste tu condición pecaminosa? Por extraño que parezca, muchos no han hecho todavía el descubrimiento más valioso de la vida. ¿Tú sí?

Ejercicios
de respiración profunda

Los ojos del Señor están sobre los justos, y sus oídos, atentos a sus oraciones; pero el rostro del Señor está contra los que hacen el mal (1 Pedro 3: 12).

Cuando murió Guillermo IV de Inglaterra, una niña de diecisiete años dormía en el palacio. Al recibir la noticia de que ahora ella era la reina, cayó de rodillas y pidió al Señor que la guiara durante todos los años venideros. Así la reina Victoria inició uno de los reinados más destacados de la historia de Inglaterra.

La célebre Fanny Crosby siempre oraba antes de intentar escribir un himno. Si tenemos en cuenta que escribió más de ocho mil, se infiere que oró mucho durante su vida.

Martín Lutero dijo que oraba una hora al día, excepto en los días en que sabía que estaría particularmente ocupado. En esos días oraba dos horas completas. Cuanto más atareado estaba, más oraba.

¿Es la oración un elemento vital de tu vida? ¿Con qué frecuencia oras durante el día? ¿Te contentas con las oraciones programadas, como al acostarte, levantarte; antes de desayunar, comer, almorzar?

Quizá deberías hacer lo que hicieron los discípulos, pedir a Jesús que te enseñe a orar. Si se lo pidieras, te enseñaría lo mismo que enseñó a los discípulos, una oración corta y aparentemente sencilla. Como lo muestra *The New Bible Dictionary* [Nuevo diccionario bíblico], esto fue lo que enseñó sobre la oración:

1. **Insistencia** que reclama la generosidad del Padre (Mat. 7: 7-11).
2. **Tenacidad** que profundiza la fe en el amor de Dios (Luc. 18: 1-8).
3. **Humildad** que produce la aceptación de Dios (Luc. 18: 10-14).
4. **Exaltación** propia que oculta el rostro de Dios (Mat. 6: 5).
5. **Caridad** que asegura el perdón de Dios (Mar. 11: 25-26).
6. **Sencillez y sinceridad** de corazón que agradan a Dios (Mat. 6: 7; 23: 14).
7. **Unidad** que propicia la respuesta de Dios (Mat. 18: 19).
8. **Intensidad** que nos vincula con el poder divino (Mar. 9: 14-29).
9. **Expectativa y fe** que obtienen resultados (Mar. 11: 24).
10. **Entrega** a la voluntad de Dios que es vital (Mat. 26: 42).

El diccionario agrega: «Hay en los dones de Dios cosas que un hombre nunca ha tenido; por lo tanto, "pide". Otras que se han perdido; por tanto, "busca". Y puertas que no han sido abiertas; por tanto, "llama"». Dejar de orar es dejar de creer. Así no se puede vivir. ¿Por qué no renuevas ya tu vida de oración? Es una experiencia que definirá tu vida para siempre.

No añadas nada a sus palabras, no sea que te reprenda y te exponga como a un mentiroso (Proverbios 30: 6).

El 18 de marzo de 2010 recibí la carta oficial con que se me invitaba a escribir el libro que ahora tienes en tus manos. En la misma se me dieron algunas indicaciones importantes; entre ellas, no exceder las cuatrocientas cincuenta palabras de comentario en cada lectura, ni tener menos de cuatrocientas. Si tienes paciencia para contar, encontrarás que todos mis comentarios respetan estos límites (incluidos también fechas, títulos y versículos guía).

Quizá te preguntes cuál sería la diferencia si de vez en cuando se excediera el límite establecido, o no se alcanzara. Bueno, eso crearía problemas de diseño y edición; el libro no se vería tan bien, sería más caro y menos exitoso.

La precisión en lo que hacemos es importante. Antes de sentarme a escribir esta mañana asistí a una clase de mecánica del automóvil que la Universidad de Montemorelos, México, ofrece a algunos de sus estudiantes. El maestro explicó los pasos principales para desmontar y volver a ensamblar un motor. Lo que más me impresionó fue la importancia de la precisión al ajustarlo si deseamos que funcione bien. Las piezas deben quedar alineadas en un ángulo preciso y encajar perfectamente. Los tornillos y las tuercas deben apretarse con una presión específica que es diferente, dependiendo de qué función realizan las piezas del motor. Si el mecánico piensa que un poco de imprecisión aquí o allá no importa, se notará en el funcionamiento del motor. Este tendrá poca potencia, quizá ni siquiera arranque o, peor aún, se podría dañar.

Los escribas que copiaban los manuscritos de la Biblia también tenían que ser precisos. Teodoro el Estudita (monje bizantino que vivió entre los siglos XVIII y XIX de nuestra era) registró las reglas que regían su *Scriptorium*: pan y agua al que se interesara tanto en el tema que dejara de escribir, ciento treinta penitencias por entregar pergaminos desordenados y sucios, cincuenta penitencias por tomar el material para escribir de un compañero, cincuenta penitencias por preparar más cola de la que se necesita usar en una sesión, treinta penitencias por quebrar una pluma. ¿Has pensado cuánto debemos a los escribas que nos transmitieron la Biblia con precisión?

Dios nos dio Diez Mandamientos que debemos obedecer con precisión si queremos que nuestra vida vaya bien. Si no somos precisos, se notará en el fracaso de nuestras familias, de nuestros trabajos y, finalmente, de nuestra vida. Cuando emprendas tus actividades toma la decisión de hacer las cosas bien. Alguien dijo que las cosas deben hacerse rápidamente y bien; es una virtud que te traerá grandes dividendos en la vida.

Nunca te canses de insistir

Adquiere la verdad y la sabiduría, la disciplina y el discernimiento, ¡y no los vendas! (Proverbios 23: 23).

En su libro *Cómo sacar el mayor provecho del estudio de la Biblia*, Leo Van Dolson cuenta la historia de un hombre llamado Doc Noss, que hace muchos años encontró unos lingotes de oro valorados en muchos millones de dólares (al menos eso fue lo que dijo). Doc, que en parte era cheyenne, era muy hábil. Contaba a quien quería escuchar que había hallado el oro en el fondo de una caverna en la cuenca de Umbrillo, Nuevo México. Dijo que junto con el oro había visto veintisiete esqueletos humanos atados a igual cantidad de postes.

Pero los tiempos habían cambiado. La sección de la cuenca de Umbrillo era ahora propiedad del ejército de los Estados Unidos. Los rumores sobre el oro continuaban, pero el ejército consideraba que la historia no era cierta y no permitía la entrada de los buscadores. Finalmente un grupo de Florida, conocido como Expedición sin Límites, consiguió una autorización para la búsqueda. No solamente buscaban el oro, sino que habían invertido 75,000 dólares en el proyecto. Norman Scott convenció al ejército de que suspendiera sus actividades durante diez días para realizar una búsqueda completa y bien organizada.

Pero la tentación del oro atrae a ciertos individuos. Joe Newman, vendedor de alfombras de El Paso, Texas, presentó una reclamación, argumentando que el oro pertenecía a los apaches, y llegó a un acuerdo con la tribu de que recibiría cierta cantidad por representar sus intereses. Jesse James III, nieto del famoso bandido, afirmó que su abuelo había enterrado su botín en la cuenca de Umbrillo. Tony Tully, miembro anciano de la expedición, afirmó que él mismo había ayudado a Doc Noss a enterrar los ciento diez lingotes de oro. Y por insistencia de la viuda de Doc, el equipo buscó durante otros tres días que el paciente ejército les dio para buscar el tesoro; sin hallarlo, por supuesto. Regresaron decepcionados, pero hay quienes afirman que el oro sigue enterrado allí.

Elena G. de White nos dice: «Para muchos, los tesoros de la Palabra permanecen ocultos debido a que no los han buscado con ardiente perseverancia hasta haber comprendido los preceptos de oro. La Palabra ha de ser escudriñada para que purifique a los que la reciban y los prepare para ser miembros de la familia real, hijos del Rey del cielo» (*Testimonios para la iglesia*, t. 6, p. 137).

No te conformes con un estudio superficial de la Biblia. Lee, estudia, profundiza y aplica. Aprovecha la oportunidad que se te presenta para leer la Biblia todos los días.

Es más tarde que nunca

> Hagan todo esto estando conscientes del tiempo en que vivimos. Ya es hora de que despierten del sueño, pues nuestra salvación está ahora más cerca que cuando inicialmente creímos. La noche está muy avanzada y ya se acerca el día. Por eso, dejemos a un lado las obras de la oscuridad y pongámonos la armadura de la luz (Romanos 13: 11, 12).

Un niño tenía en su dormitorio uno de esos relojes viejos que fallan más que aciertan. Una mañana comenzó a sonar y no paró sino hasta que dio catorce sonoras campanadas. Aterrorizado, el niño corrió al dormitorio de sus padres, gritando: «¡Mamá, papá, despierten, es más tarde que nunca!». Esa es la hora que da el reloj de la profecía. En realidad, es más tarde que nunca. Como aconseja el apóstol Pablo en Romanos 13: 11-12, ya es hora de despertar de nuestro sueño y prepararnos para la venida de Cristo.

Antes del 26 de abril de 1986, pocas personas en Occidente habían oído hablar de Chernóbil. Esa mañana una explosión voló el techo del reactor número cuatro de la planta nuclear local. En menos de tres segundos, una detonación arrojó al aire gases radiactivos que alcanzaron hasta ochocientos metros de altura. Las emisiones de radiación de la explosión pronto recorrieron todo el norte de Europa, como también la Unión Soviética, llegando hasta los Estados Unidos. El terrible accidente nuclear mató a treinta personas y muchas más sufrieron daños por la radiación. Se contaminaron centenares de kilómetros cuadrados alrededor del lugar y los peligros médicos y medioambientales que provocó la explosión pueden prolongarse por quién sabe cuánto tiempo.

Ese horroroso accidente hizo que el mundo despertara a la realidad de la amenaza de la «espada de Damocles» nuclear que pende sobre nosotros. Como resultado, muchos corazones literalmente desmayan por el terror, temerosos de las cosas que le sucederán al mundo (Luc. 21: 26). Ciertamente las señales de los tiempos en los postes indicadores del cielo demuestran que casi llegamos al destino.

La intensidad sin precedentes del aumento de las señales tradicionales del retorno de Jesucristo que aparecen en Mateo 24, conducen a muchos a pensar que no pasará mucho tiempo antes de que la nubecita del tamaño de la mitad de la palma de una mano anuncie el gran día del regreso de Jesús.

Es tiempo, pues, de despertarnos del sueño. La hora está avanzada. Pronto amanecerá el día. Urge desechar las obras de oscuridad y vestirnos con la armadura de la luz. ¿Ya te preparaste? Este puede ser el año del regreso del Señor.

La estatua del museo Getty

Esta es la vida eterna: que te conozcan a ti, el único Dios verdadero, y a Jesucristo, a quien tú has enviado (Juan 17: 3).

En septiembre de 1983, Gianfranco Becchina, marchante de arte siciliano, se comunicó con el Museo J. Paul Getty para ofrecerle una magnífica estatua de mármol que, afirmaba, había sido esculpida en el siglo VI a. C. La estatua era una representación de un varón joven desnudo, común en la antigua Grecia. Becchina pedía diez millones de dólares.

El museo analizó la oferta con precaución. Tomó la estatua en depósito para realizar una investigación a fondo. La indagación duró catorce meses. El Museo Getty concluyó que el estilo de la escultura era similar al de la estatua Anavyssos, que se encontraba en el Museo Arqueológico Nacional de Grecia, en Atenas. Los abogados del Getty concluyeron que los documentos que certificaban la historia reciente de la estatua eran genuinos.

El Museo Getty también contrató los servicios de Stanley Margolis, geólogo de la Universidad de California. Margolis dedicó dos días a examinar la superficie de la estatua con un microscopio estereoscópico de alta resolución. Luego tomó una muestra y la examinó con un microscopio de electrones; realizó una espectrometría de masas, una difracción y una fluorescencia de rayos X. En su informe, Margolis observó que el material era dolomía de la cantera del antiguo cabo de Vathí, en la isla de Tasos, y que la superficie estaba cubierta de una capa delgada de calcita. Margolis explicó que la dolomía se puede convertir en calcita únicamente a través de un proceso que dura cientos o miles de años, lo que demostraba que la estatua no podía ser una falsificación reciente. El Museo Getty compró la estatua por nueve millones de dólares.

La historia es extraordinaria porque cuando se expuso la estatua, una gran cantidad de expertos en arte antiguo concluyeron inmediatamente que era una falsificación. Ellos habían excavado y estudiado personalmente muchas estatuas antiguas, y sabían que aquella no podía ser genuina. Pero las acusaciones que hicieron científicos y abogados se desmoronaron paulatinamente.

A quienes conocen personalmente a Dios y su Palabra, no los pueden engañar las falsificaciones de la verdad. Aunque una falsificación sea avalada por argumentos científicos y complejos estudios eruditos, no deja de ser una falsificación. Nuestra mayor seguridad está en conocer y experimentar personalmente la verdad. Una vez que te has familiarizado con ella, por más hábil que sea la falsificación, podrás identificarla rápidamente. Quisiera preguntarte hoy cuánto conoces a Dios y su Palabra. ¿Lees la Biblia cada día? ¿Distingues la verdad del error?

¡Para qué mencionar el coral y el jaspe! ¡La sabiduría vale más que los rubíes! [...] ¿De dónde, pues, viene la sabiduría? ¿Dónde habita la inteligencia? (Job 28: 18, 20).

La sabiduría es muy valiosa, la buscamos ansiosamente, pero raras veces la encontramos. Toda la información y el conocimiento adquiridos por la mente humana carecen de valor si no se convierten en sabiduría mediante reflexión cuidadosa y acciones útiles.

La humanidad ha buscado el conocimiento con verdadera pasión. La medición de la distancia que hay de la Tierra al Sol, conocida como unidad astronómica, fue una de las empresas heroicas de la astronomía del siglo XVII. El establecimiento de esa unidad se consideraba muy importante porque con ella se podía calcular la distancia a las estrellas y otras distancias en el universo.

Había dos métodos mediante los cuales se podía calcular: la micrometría y la triangulación. La triangulación, llamada también paralaje, era un método más eficaz. Si un planeta era observado en su tránsito por el Sol simultáneamente por dos observadores situados a miles de kilómetros de distancia, podría hacerse la triangulación.

Los esfuerzos que se hicieron para llevarla a cabo constituyen historias interesantísimas que honran a los grandes hombres de ciencia que las emprendieron. El menos afortunado y más heroico de los astrónomos se llamaba Guillaume Le Gentil, quien zarpó de Francia el 26 de marzo de 1760, con el propósito de observar el tránsito de Venus por el Sol al año siguiente en la India. Pero los monzones apartaron el barco de su rumbo y el día del tránsito lo encontró en medio del Océano Índico. Le Gentil decidió observar el segundo tránsito y compró un pasaje para la India y construyó un observatorio en Pondichery. El cielo estuvo maravillosamente despejado el mes de mayo, pero el día del tránsito, el 4 de junio, el cielo estuvo nublado.

Aquí no acabaron sus desgracias, le esperaban mayores desventuras. Embarcó en un barco de guerra español que fue desmantelado por un huracán en el Cabo de Buena Esperanza, y apenas logró llegar al puerto de Cádiz. Le Gentil cruzó los Pirineos y logró poner los pies en Francia después de once años, seis meses y trece días de ausencia. Al llegar encontró que había sido dado por muerto, sus bienes saqueados y el sobrante repartido entre sus herederos y acreedores.

Puede ser que adquirir el conocimiento y la sabiduría sea una empresa agotadora y difícil también para ti. Decídete a encontrarla, no importa el precio que tengas que pagar. Pero recuerda que la verdadera sabiduría está en Dios. Sin él, es una verdad estéril que no produce cambios perdurables en la vida.

Palacios, templos y casas de placer - 1

En sus fortalezas aullarán las hienas, y en sus lujosos palacios, los chacales. Su hora está por llegar, y no se prolongarán sus días (Isaías 13: 22).

El versículo de esta mañana es parte del decreto divino contra Babilonia. Dios puso mucho énfasis en sus templos y palacios por diversas razones. Una razón principal era que la grandeza y la cantidad de templos y palacios de Babilonia eran la causa de su orgullo. Por supuesto, no es cuestión de quitarle méritos. Nabucodonosor ha pasado a la historia con justicia, como el constructor de Babilonia y, casi, del Nuevo Imperio.

Aunque la antigua Babilonia no tenía el tamaño fantástico que le atribuyera Heródoto, la ciudad era enorme para un tiempo en el que las ciudades eran muy pequeñas. Su perímetro de unos diecisiete kilómetros es superior al perímetro de doce kilómetros de Nínive, capital del Imperio Asirio; al de los muros de la Roma imperial, de diez kilómetros de perímetro; y a los seis kilómetros de los muros de Atenas en el tiempo del apogeo de esa ciudad, en el siglo V a. C.

Esta comparación con otras ciudades famosas de la antigüedad muestra que Babilonia era, quizá con la excepción de Tebas (que entonces ya estaba en ruinas), la más extensa y la más grandiosa de todas las capitales antiguas. Es comprensible por qué Nabucodonosor sintió que tenía derecho a jactarse de haber construido la gran Babilonia.

Babilonia era un centro religioso sin rival en el mundo conocido. Una tablilla cuneiforme del tiempo de Nabucodonosor enumera 53 templos dedicados a dioses importantes, 995 pequeños santuarios y 384 altares de calle, todos ellos dentro de los límites de la ciudad. En comparación, Asur, una de las principales ciudades de Asiria, con sus 34 templos y capillas, causaba una impresión relativamente pobre. Se puede comprender bien por qué Nabucodonosor y los caldeos estaban tan orgullosos de su ciudad cuando decían que era el centro y el origen de toda la tierra.

El orgullo es origen de todos los pecados. Ha sido la ruina de naciones e imperios como Mesopotamia. Es el pecado más odioso a los ojos de Dios, aunque el más solapado por los hombres. Es más fácil salvar a un ebrio empedernido que pide ayuda, que a una persona arrogante. Solamente el Espíritu de Dios puede hacer un milagro en el corazón del hombre y quebrantarlo humildemente a los pies del Salvador.

Así dice el Señor Todopoderoso, el Dios de Israel: «Castigaré al rey de Babilonia y a su país como castigué al rey de Asiria» (Jeremías 50: 18).

El centro de la gloria de Babilonia era la famosa torre Etemenanki, «El templo de la creación del cielo y de la tierra», que tenía una base cuadrada de 90 metros de ancho y más de 90 metros de altura. Este grandioso edificio solo era sobrepasado en altura en tiempos antiguos por las dos grandes pirámides de Guiza en Egipto. Es probable que la torre fuera construida en el lugar donde una vez estuviera la torre de Babel. La construcción de ladrillos tenía siete niveles, de los cuales el más pequeño y más elevado era un santuario dedicado a Marduk.

Los palacios de Babilonia revelaban un lujo extraordinario, tanto por su número como por su tamaño. Durante su largo reinado de 43 años, Nabucodonosor construyó tres grandes palacios. Uno es conocido como Palacio de Verano. Otro gran palacio, al cual los excavadores dan ahora el nombre de Palacio Central, estaba fuera del muro norte de la ciudad interior. Este también fue construido por Nabucodonosor. Los arqueólogos hallaron este gran edificio sumamente desolado, con excepción de una parte del palacio, el «museo de antigüedades». Aquí se habían coleccionado y puesto en exhibición objetos valiosos del memorable pasado de Babilonia, como estatuas antiguas, inscripciones y trofeos de guerra, con el propósito de que «los hombres contemplen», como expresara Nabucodonosor en una de sus inscripciones.

El Palacio del Sur estaba en el rincón noroeste de la Ciudad Interior e incluía, además de otros edificios, los famosos jardines colgantes, una de las siete maravillas del mundo antiguo. Un gran edificio cóncavo estaba coronado por un jardín, en la azotea, regado por un sistema de cañerías por donde el agua era bombeada hacia arriba. Nabucodonosor construyó este maravilloso edificio para que su esposa de origen medo tuviera un sustituto de las colinas arboladas de su tierra natal, porque las echaba de menos.

No se puede describir la grandeza de Babilonia. Dios la redujo a polvo por su orgullo y rebelión. La lección es para nosotros. Cuando Jesucristo está ausente del corazón, el orgullo y el egoísmo dominan la vida. Entonces el lema de la existencia es: «Primero yo, después yo y al final yo». Al ser humano le es imposible vencer por sí mismo el orgullo, requiere de un poder sobrenatural. ¿Por qué no invitas al Espíritu Santo para que descienda sobre tu vida esta mañana?

El Jefe puede volver hoy - 1

El Señor no tarda en cumplir su promesa, según entienden algunos la tardanza. Más bien, él tiene paciencia con ustedes, porque no quiere que nadie perezca sino que todos se arrepientan (2 Pedro 3: 9).

En 1914, una expedición que dirigía Ernest Shackleton partió de Inglaterra con la esperanza de ser la primera en cruzar el continente antártico. El grupo navegaría hasta el mar de Weddell y atravesaría el continente pasando por el polo sur, para reencontrarse en el estrecho de McMurdo.

Llena de esperanzas, la expedición zarpó en el *Endurance* pero, desde el principio, estaba destinada a fracasar. Témpanos de hielo se cerraron en torno a la embarcación antes de que los exploradores llegaran al continente antártico. Durante nueve meses, el *Endurance* crujió y gimió bajo la presión del hielo, hasta que se partió en dos. Shackleton y sus hombres estaban en el confín de la tierra, atrapados en un desierto de hielo.

Durante cinco meses, los hombres de Shackleton quedaron a la deriva entre inmensas masas de hielo flotante. Entonces, con la ayuda de pequeños botes que habían salvado del *Endurance*, se dirigieron a la isla Elefante. En aquel desierto de hielo y nieve barrido por el viento no habita ni un roedor. Además, está a 1,300 kilómetros del punto habitado por humanos más cercano, en la isla de Georgia del Sur. Por si eso no es poco, lo separa de ella el mar más turbulento del mundo y Shackleton solo tenía un bote ballenero abierto para intentar la travesía.

La pequeña embarcación era la única esperanza de los náufragos. Shackleton zarpó con cinco hombres. Todas sus esperanzas de rescate reposaban en su líder. El viaje en el bote ballenero abierto fue una de las travesías más épicas del siglo XX. A pesar de las monumentales olas con las que tuvo que luchar la pequeña embarcación, recaló en la isla de Georgia del Sur. Sin embargo, la tripulación desembarcó en el lado de la isla opuesto a la estación ballenera británica. Como el mar estaba embravecido, Shackleton decidió intentar la travesía por tierra. Tomó a dos compañeros y dejó a los otros esperándolo soportando las condiciones más extremas. ¿Volvería alguna vez? Ahora eran dos grupos que esperaban. Toda su esperanza estaba puesta en la capacidad del jefe.

Lo mismo ocurre con los cristianos. Esperan a su Señor confiados en su fidelidad y su capacidad. De igual manera, los cristianos tenemos toda nuestra esperanza en el capitán de este barco, Jesucristo nuestro Señor. Su liderazgo es confiable, él vendrá por nosotros. A nosotros nos corresponde aguardar con paciencia y no desesperar. ¿Arde intensamente la llama de la esperanza en tu vida?

No pierdan la confianza, porque esta será grandemente recompensada. Ustedes necesitan perseverar para que, después de haber cumplido la voluntad de Dios, reciban lo que él ha prometido. Pues dentro de muy poco tiempo, «el que ha de venir vendrá, y no tardará» (Hebreos 10: 35-37).

Nadie había cruzado jamás Georgia del Sur. Es abrupta en extremo. Lo lograron gracias al genio y la sagacidad de Shackleton. Cuando el jefe de la estación ballenera los vio, rompió en llanto. Ahora el mundo sabía que un grupo de hombres estaba aislado en la isla Elefante. Pronto se organizó un plan de rescate. La primera tentativa fracasó. Los témpanos de hielo se cerraron y el barco de rescate no pudo abrirse camino hacia la isla. Se organizó un segundo intento, pero otra vez el hielo se cerró alrededor de la isla y el buque regresó. Una tercera tentativa, y nuevamente el hielo salió victorioso.

Solo después de cuatro intentos de rescate Shackleton pudo abrirse camino hasta la isla Elefante. Al aproximarse a aquel desierto de nieve y hielo, se preguntaba qué encontraría. ¿Habría todavía alguien con vida después de tantos meses de espera? ¿Habría quizá algunos sobrevivientes con la razón trastornada por el silencio y la espera?

Shackleton encontró a todos los hombres con vida, en buenas condiciones y con buen ánimo. ¿Cómo habían sobrevivido? El secreto estaba en el liderazgo del hombre que Shackleton había dejado a cargo del grupo. Cada día decía a sus compañeros: «Prepárense, muchachos. El jefe puede volver hoy». Y así, cada día se alistaban. Cada día se preparaban. Cada día estaban alerta. A pesar del largo silencio, las prolongadas adversidades, un día Shackleton regresó.

Nosotros también vivimos en un tiempo de espera. Hace más de dos mil años nuestro líder prometió a su pueblo: «Vendré otra vez». Todos los autores del Nuevo Testamento creyeron esa promesa. El mensaje neotestamentario se concentra en dos polos de la historia: la primera venida de Jesús y su segundo advenimiento. La primera venida garantiza la segunda. Porque él vino una vez y vivió con nosotros, murió nuestra muerte en la cruz del Calvario y obtuvo la victoria. Su regreso es absolutamente cierto.

No hay duda. Jesús volverá otra vez. Todo lo que ha pasado y todo lo que ha prometido lo asegura. Únete al grupo de entusiastas que no se desaniman por la larga espera.

División
en la iglesia - 1

Al que cause divisiones, amonéstalo dos veces, y después evítalo (Tito 3: 10).

Por desgracia, es frecuente que en la iglesia surjan disidentes. El apóstol Pablo dio instrucciones sobre el método que se debe seguir al tratar con ellos. Amonestarlos dos veces con amor, paciencia, y darles amplia información. Si insisten en su actitud, rehuirlos.

Los grupos disidentes han atacado a la Iglesia Adventista y a sus dirigentes casi desde sus inicios. Ya en 1853, el grupo denominado El Mensajero dirigió sus críticas sin fundamentos hacia Jaime White, acusándolo de deshonestas maniobras financieras. La revista disidente *El mensajero de la verdad* se distribuyó entre los lectores de la *Revista Adventista* y algunos aceptaron lo que decía como si fuera el evangelio. Al escribir sobre este grupo y su revista, J. N. Loughborough dijo algo que describe adecuadamente a muchos grupos disidentes y sus publicaciones desde 1850 hasta hoy: «La misión de este grupo y sus dirigentes parecía consistir en derribar y difamar en lugar de construir».

Las acusaciones más comunes hacia la iglesia y sus dirigentes son:

1. La organización de la iglesia impide hacer la obra de Dios.
2. El «alfolí» al que se debe llevar el diezmo no debería estar limitado a la tesorería de la iglesia.
3. Ya no se debe considerar a la Asociación General como «la voz de Dios en la tierra».

Estos ataques constituyen los intentos de Satanás para desacreditar a la iglesia e impedirle cumplir la misión que Dios le encomendó.

En una carta (32) de 1892, Elena G. de White escribió: «Vivimos tiempos solemnes. Satanás y sus ángeles malignos trabajan con gran poder y el mundo está del lado de ellos para ayudarlos. Algunos profesos observadores del sábado, que pretenden creer verdades solemnes e importantes, unen sus fuerzas con una combinación de influencias y poderes tenebrosos para distraer y derribar lo que Dios quiere construir. La influencia de los tales se registra como la de los que retardan el avance de la reforma en el pueblo de Dios. Hay muchos espíritus inquietos que no se someten ni a la disciplina, ni al orden. Creen que sus libertades resultarán coartadas si ponen a un lado su propio juicio y se someten al criterio de los que tienen más experiencia. La obra de Dios no progresará a menos que exista la disposición a someterse al orden».

La oposición, los rumores, las rebeliones y la desconfianza abundan. A medida que nos acercamos al fin aumentarán mucho más. Cada uno tomará su decisión. Toma la tuya sabiamente. De eso dependerá tu experiencia espiritual.

Como les he dicho a menudo, y ahora lo repito hasta con lágrimas, muchos se comportan como enemigos de la cruz de Cristo (Filipenses 3: 18).

Una especie de hilo negro une a todos los disidentes. Son muy críticos con la iglesia, con sus creencias y con sus dirigentes. Son «acusadores de los hermanos». Si las energías que invierten en destruir almas la dedicaran a salvarlas, ¡qué iglesia más amable, bondadosa y unida tendríamos! Como dice Leo R. Van Dolson, ¡cuánto más eficaz sería nuestro testimonio para los que buscan el amor de Cristo!

En su artículo «Keepers of the Springs» [Guardianes de las fuentes], el pastor Cyril Miller lo describió así: «Hoy, la Iglesia Adventista se enfrenta a un dilema. Está en conflicto consigo misma. Constantemente surgen ataques contra los dirigentes que ha elegido, contra su estructura administrativa, contra sus disposiciones doctrinales, contra su conducción profética, contra su misión evangelizadora y contra su sistema de financiación. La atacan a la vez la izquierda liberal y la derecha radical […].

»Pareciera que los extremistas de derecha quisieran reformar la iglesia (y es verdad que necesita reforma), mientras los extremistas de la izquierda quieren liberarla (y necesita algo de liberación también). Por desgracia, los liberales de izquierda contemplan a los extremistas de la derecha y llegan a la conclusión de que la mayor parte del cuerpo de la iglesia es legalista, tradicionalista, y carece de una fe progresista. Por otro lado, los radicales de derecha, al observar a los radicales de la extrema izquierda, consideran que la mayor parte del cuerpo de la iglesia está constituido por mundanos, que se han apartado de la fe […].

»Es verdad que uno puede ser adventista e inclinarse todavía un poquito a la izquierda o la derecha. Tal vez la mayoría de nosotros se inclina de una manera u otra. Pero cuando se va muy lejos, se traspasa un límite y se deja de ser adventista. Muchos que así actúan terminan en una total oposición a la iglesia y se preguntan por qué».

Cristo es la cabeza de la iglesia. Como tal, es responsable de poner y quitar a los dirigentes de la iglesia. Por lo tanto, deberíamos tener temor de atacar y criticar a los dirigentes. Cuando atacamos a la iglesia y a sus líderes, atacamos aquello que el Señor dijo era el objeto de su suprema consideración. Cuando atacamos a los dirigentes, también atacamos a Aquel que es la cabeza de la iglesia. Lo mejor es promover el cumplimiento de la misión de predicar el evangelio en este mundo.

Busquen al ladrón para salvarlo

Sin embargo, ustedes no quieren venir a mí para tener esa vida (Juan 5: 40).

En el año 1981, una emisora de radio comunicó la historia de un automóvil robado en California, Estados Unidos. La policía realizaba una búsqueda intensa del vehículo. La diligencia y la campaña eran tales, que llegaron a poner muchos anuncios en la radio para recuperarlo.

Pero la preocupación no se concentraba en la recuperación del vehículo. La principal intranquilidad era que en el asiento delantero había un paquete de galletitas envenenadas. El dueño del vehículo quería utilizarlas para matar ratas. Lo que la policía y el dueño del vehículo temían era que el ladrón comiera las galletitas y muriera envenenado.

La policía y el dueño del automóvil robado estaban más interesados en salvar al ladrón que en recuperar el vehículo. Lo mismo pasa con Dios. Muchas veces una persona huye de él, pensando en el juicio y en el castigo por el pecado. Pero Dios persigue al pecador, no para castigarlo, sino para salvarlo. ¡Qué tragedia que los pecadores huyan de él y caigan en la ruina de la que quiere salvarlos!

¿Imaginas a Dios persiguiendo a los pecadores, y ellos huyendo desenfrenadamente para escapar de él? Hace muchos años, mientras trabajaba en la Ciudad de México como pastor, me ocurrió algo insólito. Caminaba por una de las calles de la metrópoli cuando, al dar vuelta en una esquina, me encontré frente a frente con Isabel.* Por alguna razón ella había huido de su casa y durante muchos meses nadie, incluyendo su familia, que son amigos muy cercanos míos, sabía dónde estaba. El encuentro fue tan sorpresivo que Isabel no pudo escapar. Después de un rato de conversación, ella decidió regresar a su casa. Durante todo este tiempo he tenido la clara impresión de que aquel encuentro fue un milagro. Dios amaba a Isabel y la puso en mi camino para invitarla una vez más a regresar.

El Señor busca a todos los que todavía no han querido escuchar su llamado. El profeta Oseas registró el lamento divino: «¿Cómo podría yo entregarte, Efraín? ¿Cómo podría abandonarte, Israel? ¡Yo no podría entregarte como entregué a Admá! ¡Yo no podría abandonarte como a Zeboyín! Dentro de mí, el corazón me da vuelcos, y se me conmueven las entrañas» (Ose. 11: 8).

¿Por qué no dejas de correr y te entregas a Dios hoy mismo? No hay nada que temer. Búscalo, él puede usarte de una manera especial para compartir su Palabra.

* No es el nombre real.

46

No desvelen ni molesten a mi amada hasta que ella quiera despertar (Cantares 2: 7).

En el Cantar de los Cantares se siente la presencia de un amor profundo y sagrado, pero humano. El amor de Cristo se representa en ese amor. Un amor así lo experimentaron el poeta y dramaturgo Robert Browning y la señorita Elizabeth Barret. Tuvieron uno de los romances más famosos en la historia de la literatura. Una vez que Robert volvió de un viaje, se encontró con la sorpresa de que la vieja Inglaterra estaba entusiasmada con la publicación de una nueva edición de los poemas de Elizabeth. Él era un solterón feliz y gran hombre de mundo; la poetisa era de salud delicada y vivía apartada de los ámbitos sociales debido a un padre dominante.

En las cartas que se escribieron hay una especie de ternura y propiedad que abrillanta cada página; pero debajo de la superficie, una profunda admiración y la devoción mutua que se profesaban crearon un cálido sentimiento. Pronto él se animó a decirle «Te amo», y le suplicó que le permitiera visitarla. Ella se negó instintivamente y le advirtió que su poesía era lo mejor que tenía. «Ella tiene todo el color que poseo», le escribió, «lo que queda de mí no es sino una raíz, apta solo para la tierra y las tinieblas». Pero el amor persistió y poco a poco Elizabeth cedió.

En su carta del 12 de noviembre de 1845, dijo que desde su infancia había ansiado un amor «irracional», porque no se creía digna de algún otro tipo de amor. Verse amada por una razón y no por compasión o por admiración a su genio, era «algo entre un sueño y un milagro», que floreció bajo el brillo del amor de Robert. Este amor entre dos poetas tiene un sabor místico que parece irreal y de otro mundo. Y así es el amor de Dios: maravilloso, grande, incomprensible, pero real.

Como Elizabeth Barret, muchos cristianos creen que no tienen atractivos que los hagan dignos de ser amados. Consideran que solamente son aptos para la tierra y las tinieblas. Pero el amor de Dios no es como el de los seres humanos. Él es capaz de amarte a pesar de tu constante rechazo. Está dispuesto a esperar el tiempo que sea necesario. Nada lo detiene en su búsqueda por conquistar tu corazón. Hará todo lo que esté a su alcance para capturar una sonrisa tuya y una mirada de aceptación. ¿Lo aceptarás? ¡Ojalá que esta mañana experimentes ese amor!

Amor incondicional

¡Cuán bella eres, amada mía! ¡Cuán bella eres! ¡Tus ojos son dos palomas! (Cantares 1: 15).

Tras la fachada de ladrillos rojos de la residencia de los Barrett se ocultaban muchos secretos. La señora había muerto; la puerta de su habitación quedó cerrada con llave desde el día de su deceso por una simple orden de su esposo, el cual prohibió la mención de su nombre a partir de ese día. El señor Barrett que, según las apariencias era muy religioso, controlaba a su familia y le exigía obediencia ciega en nombre de la autoridad bíblica. Sus hijos temblaban a causa de su presencia «todopoderosa».

Tan solo tres de sus hijos se atrevieron a desafiar su autoridad al casarse. Una de ellos fue Elizabeth. Su decisión le deparó el castigo de su padre y sus hermanos durante el resto de su vida. Elizabeth no tomó su decisión de casarse sin temor. El torbellino que sentía interiormente no reflejaba solo los problemas que tenía con su padre, sino su permanente batalla con la vergüenza. Una vez confesó a Robert que lo dejaría «probarla durante un invierno» y luego le pediría que la alejara de su vida si lo desilusionaba. En otra ocasión, consideró que quizá ella debía morir ese invierno, antes que desilusionarlo en cualquier cosa.

Para Robert, la decisión de casarse había sido más sencilla. «Lo que quiero decir al casarme contigo», concluyó en su carta del 3 de agosto de 1845, «es que estaré a tu lado para siempre». Ella le dijo que estaba ciego, pero que por el momento aceptaba su ceguera. Después de analizar la profundidad y la anchura de la devoción de Robert sin hallar grietas, sucumbió finalmente a un amor incondicional que finalmente había «conquistado el temor».

Robert Browning consideró que Elizabeth Barret era muy valiosa. Lo mismo hizo Dios por nosotros. En respuesta a nuestra búsqueda de dignidad personal y de sanidad de la vergüenza desgarradora que ha dañado a la familia humana durante tantas generaciones, Dios ofrece las buenas nuevas de su amor incondicional. Ese amor incondicional nos confiere un valor infinito, como creaciones del Señor y como sus hijos e hijas. Son las mejores noticias que alguna vez hayamos escuchado. Buenas noticias, tan inalterables como inalterable es Dios. Su proclamación trae sanidad. Ese amor incondicional conquista el temor de nuestra indignidad y nos confiere valor eterno. Es el mejor medio para aprender a disfrutar la vida que el cielo nos concede.

Alaba, alma mía, al Señor, y no olvides ninguno de sus beneficios (Salmo 103: 2).

¿Has imaginado alguna vez cómo sería vivir con una memoria que te permitiera recordar únicamente lo que pasó hace unos pocos segundos y nada más? Tal era el caso de Clive Wearing, eminente músico y musicólogo inglés, en 1985.

Clive había sufrido una devastadora infección cerebral, una encefalitis por herpes, que afectó las partes de su cerebro que tienen que ver con la memoria. Como resultado, perdió el acceso a todo su pasado y también la capacidad de recordar todo lo que sucedía después de siete segundos. Era como si cada vez que Clive parpadeaba, todo lo que experimentaba era totalmente nuevo. Clive tenía la impresión de que cada momento que estaba despierto era como si acabara de despertar de un sueño largo y profundo, pero sin saber dónde estaba y quiénes lo rodeaban. No podía tener una conversación porque no recordaba lo que acababa de decir. Estaba constantemente perdido: «¿Dónde está el baño?». No podía recordarlo por más que se lo habían repetido cientos de veces. Era como una interminable agonía.

En cierta ocasión, Clive dijo mientras un psicólogo lo observaba: «¿Puede imaginarse una noche que dure cinco años? Sin sueños, sin despertar, ni tacto, ni sabor, ni olor, ni vista, ni sonido, ni oído, nada de nada. Es como estar muerto. He llegado a la conclusión de que estoy muerto».

Por desgracia, esta es la situación en que se encuentran muchas personas en su relación con Dios. Debido a su ignorancia de la Palabra de Dios, no saben todo lo que él hizo a favor del ser humano en el pasado. Nada saben de la creación, de la historia de los patriarcas, de los profetas, y de la maravillosa vida y obra de Cristo Jesús. No solo han perdido la memoria del pasado remoto, sino que tampoco recuerdan lo que Dios hace constantemente por ellos. Olvidan cómo Dios los bendijo el mes pasado, o incluso la semana pasada. A causa de esa amnesia espiritual profunda viven en constante ansiedad. No saben que el Dios que actuó por ellos en el pasado, lo hará también en el presente y en el futuro.

¿Por qué no dedicar hoy tiempo para avivar la memoria? Hurga un poco en el baúl de tus recuerdos y encontrarás joyas del cuidado y el amor de Dios por ti que te darán paz. Sobre todo, aprende de nuevo lo que él ha hecho y está dispuesto a hacer por ti... y no dejes de recordarlo.

49

Una canción
que no se olvida

Escriban, pues, este cántico, y enséñenselo al pueblo para que lo cante y sirva también de testimonio contra ellos (Deuteronomio 31: 19).

El caso de la amnesia de Clive Wearing, de quien te hablé ayer, es uno de los más graves de la que se tiene constancia. Debido a una infección en el cerebro, su memoria quedó totalmente borrada y su capacidad de formar nuevos recuerdos fue casi aniquilada. Clive lo olvida todo más o menos cada siete segundos.

Clive estaba en el hospital desorientado y totalmente perdido. No sabía quiénes lo rodeaban, ni dónde estaba. Todo era un enigma. Muy al principio de su enfermedad, Débora, su esposa, descubrió algo extraordinario. Tratando de establecer contacto con él, tomó una partitura y la sostuvo ante sus ojos. Clive había sido un renombrado musicólogo, virtuoso del piano y del órgano, y director de coros. Sin embargo, Débora no estaba preparada para lo que ocurrió. Cuando la mujer tarareó la melodía, Clive empezó a cantar la parte del tenor hasta el final de la pieza. ¡Las facultades musicales de Clive estaban totalmente intactas! Hasta el día de hoy, si el brillante músico se sienta al órgano con una partitura, puede tocar perfectamente y mover y ajustar los registros tan fácilmente como andar en bicicleta. Aun cuando Clive no puede encontrar el baño de su apartamento, ni siquiera recordar lo que dijo unos segundos antes, es capaz de dirigir un coro con elegancia y sensibilidad, dirigiéndose hacia las diferentes secciones y dándoles la entrada o corrigiendo sus errores. ¿Por qué? Porque los recuerdos musicales se guardan en el cerebro de manera diferente y probablemente más profunda.

No es extraño, entonces, que Dios pidiera a Moisés que escribiera un canto para que Israel lo aprendiera y no olvidara sus instrucciones y amonestaciones. Mediante la música, el mensaje de Dios quedaría profundamente grabado en sus mentes. Fácilmente olvidamos los sermones que escuchamos y los consejos que recibimos, pero las canciones que aprendemos quedan grabadas en la mente como un sello. Por eso es muy importante ser cuidadosos en cuanto a la música que escuchamos. ¿No te ha pasado que hay melodías que no te puedes quitar de la mente? ¿Qué mensaje graba esa melodía en tu mente? Ponte a pensar en la música que escuchas y analiza su mensaje. Ahí encontrarás uno de los factores para tu fortaleza o debilidad espiritual.

Y, por otra parte, aprovecha la música, como el antiguo Israel, para recordar la bondad y el cuidado de Dios. El canto sagrado tiene poder para reavivar la vida cristiana.

Grábame como un sello sobre tu corazón; llévame como una marca sobre tu brazo. Fuerte es el amor, como la muerte, y tenaz la pasión, como el sepulcro. Como llama divina es el fuego ardiente del amor (Cantares 8: 6).

La experiencia de Clive Wearing, de quien te he hablado los últimos días, es una plataforma de aproximadamente siete segundos de extensión. En un extremo de la plataforma está el abismo de la amnesia profunda del pasado; en el otro, el abismo del futuro hacia el cual tampoco puede dirigir su mente. Es como un náufrago rodeado constantemente de rostros y lugares totalmente extraños.

En medio de ese mar angustioso de vacío de memoria, Clive solo puede recordar a su esposa, Débora, a quien sigue amando profundamente después de más dos décadas de enfermedad, y a sus hijos. Cuando Clive oye la voz de Débora corre hacia la puerta y la abraza con un fervor apasionado, casi con desesperación. No tiene idea de cuánto hace que no la ha visto. Todo lo que queda fuera de su campo de percepción lo olvida en pocos segundos. De hecho, aunque ella lo visita con frecuencia, cada vez que la ve, a él le parece que ella también había estado perdida en el abismo del tiempo y que su «regreso» es milagroso.

Existen muchos tipos de memoria, pero la emocional es la más profunda. Cuando lo hemos olvidado todo, recordamos a las personas que amamos. Por eso Dios no se contenta con que lo obedezcamos. No se contenta con que aceptemos obedecerlo, aunque servirlo es lo mejor que podemos hacer. Él desea que lo amemos, que lo pongamos como un sello sobre nuestro corazón.

Como sabes, en muchos lugares se celebra hoy el Día de los Enamorados. Es posible que hoy veas todo tipo de manifestaciones amorosas, como flores, regalos y bombones, entre los enamorados. Pero aunque no lo creas, también es día de decepciones, tristezas y lágrimas; ya que no todas las historias terminan con un final feliz. Además, no todos cuentan con su «media naranja», lo cual también se vuelve un tanto complicado de sobrellevar.

Pero no hay necesidad de sufrir tanto. Lo importante es recordar algo muy significativo: no hay nadie que te haya amado tanto como Jesús, quien estuvo dispuesto a dar su vida por ti. Además, te acepta como eres y hoy se presenta con una sonrisa a la puerta de tu corazón con una rosa en la mano. Puedes olvidar muchas situaciones de tu vida, pero si esta verdad se mantiene viva en tu corazón, te aseguro que serás muy feliz.

El laboratorio del amor

De la abundancia del corazón habla la boca. El que es bueno, de la bondad que atesora en el corazón saca el bien, pero el que es malo, de su maldad saca el mal (Mateo 12: 34, 35).

Cerca del campus de la Universidad de Washington se encuentra «El laboratorio del amor». Su nombre oficial es Laboratorio de Investigación sobre la Familia; si quieres saber más, busca *The Love Lab* en www.gottman.com. Es un centro de alta tecnología que John Gottman fundó en la década de 1980 para investigar las relaciones entre parejas. John ha entrevistado a más de tres mil parejas y ha logrado predecir con un noventa y cinco por ciento de precisión si una pareja seguirá casada quince años después del matrimonio.

Cuando me enteré de la existencia del laboratorio, inmediatamente quise saber cuáles eran las conclusiones a las que había llegado. Estoy convencido de que una persona puede tener mucho éxito en diversos aspectos de su vida, pero si no tiene un matrimonio feliz, todo lo demás carece de significado. ¿Cuál es, entonces, la clave de un matrimonio duradero?

Se analiza a las parejas en un salón donde se sientan a menos de dos metros de distancia uno del otro, en dos sillas de oficina sobre plataformas. Ambos tienen electrodos y sensores en los dedos y en las orejas para detectar su ritmo cardiaco, cuánto sudan y la temperatura de su piel. Debajo de las sillas, un sensor de movimiento detecta cuánto se mueve cada uno. Además, una cámara apunta a cada miembro de la pareja. Se les pide que discutan cualquier asunto que se haya convertido en un motivo de discordia en su matrimonio. Se les deja completamente a solas y se graba cuidadosamente cada palabra, expresión, movimiento y reacción de su cuerpo durante quince minutos.

Después, cada segundo de la sesión es analizado con cuidado y se le asigna una emoción. Existen veinte categorías. Por ejemplo, repugnancia es 1, desprecio es 2, ira es 7, tristeza es 12, etcétera. Esos números encierran una información muy valiosa que, con la interpretación apropiada, puede predecir si una pareja permanecerá unida quince años después de haber contraído matrimonio.

¿Verdad que es interesante? Lo que el laboratorio analiza finalmente son palabras, así como las motivaciones y los efectos que conllevan. Las palabras son un instrumento muy poderoso. Pueden ser tan cortantes como una espada de dos filos o tan refrescantes como un bálsamo. Además, las palabras revelan lo que hay en nuestro corazón. Creo que si estás pensando en casarte, es muy importante que desde ahora aprendas la ciencia de la cortesía y el buen trato hacia los demás, especialmente hacia el sexo opuesto.

Más vale comer verduras sazonadas con amor que un festín de carne sazonada con odio (Proverbios 15: 17).

John Gottman publicó un ensayo titulado *The Mathematics of Divorce* [Las matemáticas del divorcio]. Es un análisis riguroso y preciso de las relaciones de pareja, que, después de analizar una conversación entre ellas durante quince minutos (como te comenté ayer), le ha permitido predecir con un noventa y cinco de precisión qué parejas se divorciarán en un lapso de quince años.

Lo que John mide no es el contenido de la conversación sino cómo se desarrolla esa conversación. Todas las parejas tienen que discutir temas negativos. Lo importante es que tal discusión sea hecha de forma positiva. Si tienes novio o novia, o ya te casaste, analiza el tono de tu conversación. Es triste, pero muchas parejas de novios no saben conversar. De hecho, debido a que muchas de sus conversaciones se tornan negativas, prefieren no conversar, sino hacer cosas o ir a lugares para distraerse y no tener que hablar. Y cuando los novios no invierten suficiente tiempo en comunicarse, entonces entran en un área de alto riesgo: comenzar a fundamentar su relación en besos y caricias, lo cual puede conducir a relaciones sexuales. Esas relaciones están destinadas al fracaso. Existe atracción pero no hay amor.

¿Te das cuenta de la importancia de saber expresarte bien? Es posible que estés muy enamorado de una persona, pero no saber articular dichos sentimientos puede ser fatal para tu relación sentimental. El contenido de una conversación revela lo que un individuo es. A veces las apariencias engañan. Pero es así como se conoce a las personas.

Lo mismo pasa en nuestra relación con Jesucristo. Muchos jóvenes únicamente quieren entretenerse con un buen programa de iglesia. Buena música, buenos sermones, una comunidad cariñosa, el compañerismo de amigos cristianos, etcétera… Pero no saben conversar con Jesús. No tienen una relación personal. Cuando se arrodillan para orar consideran que están frente a un desconocido y les resulta una experiencia extraña. También en este caso existe atracción, pero no hay amor. Lógicamente, esa relación tiene muchas posibilidades de fracasar. ¿Cómo estás tú? ¿Qué clase de contenidos tiene tu oración?

La buena noticia es que Jesús está dispuesto a escucharte en todo momento. Empieza hoy mismo. Necesitas fortalecer tus vínculos con él. De otra manera, tarde o temprano te alejarás de su presencia. Recuerda que el amor es como una planta que se debe cultivar.

Los cuatro enemigos del amor

El amor es paciente, es bondadoso. El amor no es envidioso ni jactancioso ni orgulloso. No se comporta con rudeza, no es egoísta, no se enoja fácilmente, no guarda rencor (1 Corintios 13: 4, 5).

Los últimos dos días te hablé del laboratorio del amor, de John Gottman, en la Universidad de Washington. Hoy quiero hablarte de otra revelación muy importante de la investigación que se lleva a cabo en ese laboratorio. Gottman dice que, de todos los enemigos de una relación exitosa, cuatro destacan por su poder destructivo: una actitud defensiva (tener ansias de cuestionar o evitar la crítica), la evasión (rehusar responder una pregunta o responder ambiguamente), la crítica y el desprecio. Gottman les llama «los cuatro jinetes».

Gottman dice que uno de estos jinetes es el peor de todos. Muchos piensan que es la crítica, pero se equivocan. Gottman dice que generalmente las mujeres tienen una tendencia mayor a criticar, y los hombres una tendencia mayor a evadir. Es decir, cuando nos irritamos, las mujeres critican y los hombres se dan la media vuelta y se van, rehusando responder a la crítica. Esta situación se convierte en un círculo vicioso. La crítica produce evasión y la evasión produce más crítica.

El peor de los enemigos, sin embargo, es uno que practican ambos sexos: el desprecio. Es cualitativamente diferente a los demás males porque atenta contra la igualdad entre las personas. Quien desprecia, asume una posición de superioridad hacia el otro, a quien considera inferior y, por lo tanto, indigno de valor. Por eso el desprecio generalmente incluye el insulto, porque solamente se insulta a los despreciables.

Es muy difícil vivir una relación en la cual hay desprecio. La humillación afecta nuestro sistema inmunológico; causa heridas muy difíciles de curar. Gottman dice que los cuatro factores, y muy especialmente el desprecio, son tan destructivos, que él puede escuchar una conversación entre una pareja en la mesa de al lado en un restaurante y saber con claridad cuándo comenzarán a pensar en el divorcio.

Entre los jóvenes es muy común observar muestras de desprecio hacia los demás, especialmente quienes son diferentes por su tez, su estatura o su nivel socioeconómico. Pero el desprecio hacia tus semejantes sembrará en ti una mala semilla que más tarde cosecharás en tu vida sentimental. Por eso es importante desarraigarla cuanto antes de tu vida. Mejor cultiva la aceptación, el buen trato y el respeto hacia los demás. Todo esto preparará el camino para las buenas relaciones interpersonales.

Les hablo así, hermanos, porque ustedes han sido llamados a ser libres; pero no se valgan de esa libertad para dar rienda suelta a sus pasiones. Más bien sírvanse unos a otros con amor (Gálatas 5: 13).

La verdadera felicidad se obtiene sirviendo a Dios y a los hombres de manera desinteresada. Al dar abnegadamente obtenemos grandes triunfos. El señor Henry Penn se ganaba la vida vendiendo flores. Pero hacía más que eso. La gente lo buscaba para adquirir sus arreglos florales y eso le daba la oportunidad de hablar con sus clientes.

Un día llegaron tres niños a su negocio y le dijeron:

—Queremos flores.

Les mostró algunas, y ellos respondieron:

—No, esas no nos gustan. Queremos flores amarillas.

Les mostró algunas flores amarillas y los niños dijeron:

—No, no son lo bastante buenas.

Entonces les preguntó:

—¿Para quién serán las flores, si estas no son suficientemente buenas?

Uno de los jovencitos respondió:

—Son para Mickey.

—¿Quién es Mickey?

—Bueno… Mickey era nuestro compañero de juegos, pero ayer un camión lo atropelló y lo mató. Esta mañana los chicos de nuestra calle nos reunimos y juntamos dieciocho centavos para comprar flores para su funeral.

—Ahora entiendo —dijo el señor Penn—. Vengan y encontraremos algunas flores. ¿Puedo saber por qué amarillas?

—Porque Mickey siempre llevaba un jersey amarillo.

—¿Les servirían estas rosas? —preguntó Penn.

—¡Son fantásticas! Son exactamente las que necesitamos, señor Penn.

—Muy bien —dijo el vendedor—. Sucede que hoy tengo esas rosas en oferta especial a dieciocho centavos.

En aquella ocasión, el señor Penn perdió un poco de dinero, pero ganó mucho más en felicidad al servir a otros por amor. Además, logró mantener vivos la ilusión y el espíritu generoso en un grupo de niños que trataba de esforzarse por expresar su aprecio por uno de sus amigos.

Cuando actuamos en beneficio de otros somos felices, pues imitamos a Cristo. Tú y yo estamos aquí para ser canales del amor de Dios hacia los demás. Esa es una de las grandes razones por las que estamos en este mundo. Y tú, ¿tienes espíritu de servicio? Da resultado, créeme. Por eso el apóstol Pablo nos aconseja: «Sírvanse unos a otros con amor».

Observar, interpretar, aplicar

> Estos eran de sentimientos más nobles que los de Tesalónica, de modo que re-
> cibieron el mensaje con toda avidez y todos los días examinaban las Escrituras
> para ver si era verdad lo que se les anunciaba (Hechos 17: 11).

Jean-Louis Agassiz además de un gran científico, fue un profesor muy inspirador. Una de sus anécdotas sirve para mostrar los principios básicos del estudio inductivo.

Un estudiante de historia natural se matriculó con Agassiz. Le informó que estaba interesado en la zoología, especialmente los insectos.

—¿Y cuándo deseas comenzar? —le preguntó.

—Ahora mismo —contestó el alumno.

Agassiz tomó un recipiente con un espécimen y dijo al estudiante:

—Toma este pez y obsérvalo. Lo llamamos *Haemulon*. De vez en cuando te preguntaré qué has visto.

Le dio instrucciones de cómo cuidarlo y salió. El estudiante quedó desencantado. Esperaba lecciones de sabiduría del maestro y ahora lo dejaba observando a aquel monstruo. Pasaron diez minutos y el estudiante decidió que ya había visto todo lo que podía ver del pez, así que salió en busca de su maestro para preguntarle qué más debía hacer. Pero el profesor ya no estaba en el museo y el estudiante no pudo hacer otra cosa que regresar a observar aquel pez disecado. Pronto comenzó a parecerle repulsivo. Le dio la vuelta, y lo miró directamente a la cara. Sin importar cómo lo mirara, no le parecía en absoluto interesante. Como ya era hora de comer, guardó al pez y se tomó una larga sobremesa.

Cuando regresó, se enteró de que el maestro Agassiz de nuevo había tenido que salir. El estudiante logró animarse y volvió a contemplar al pez. Le tocó los agudos dientes y pensó que dibujarlo sería una buena manera de pasar el tiempo. Cuando el profesor regresó, vio que el estudiante dibujaba el espécimen y le dijo:

—Eso está muy bien. El lápiz es uno de los mejores ojos.

Cuando el estudiante preguntó al maestro qué tenía que hacer después, la respuesta fue:

—Oh, mirar de nuevo al pez.

Tres días lo observó bajo prohibición de mirar cualquier otra cosa. Repetidamente Agassiz le decía: «Mira, mira, mira». Más tarde, el estudiante llegó a comprender que esa era la mejor lección en entomología que jamás había recibido. Los métodos de entrenamiento de Agassiz se pueden resumir en tres pasos: observar, interpretar, aplicar.

Cuando aplicamos estos tres pasos al estudio de la Biblia, descubrimos la verdad por nosotros mismos y tenemos el gozo del descubrimiento personal. Así actuaron los cristianos de Berea y por eso fueron más nobles que los tesalonicenses. Sigamos el mismo método y nuestra vida espiritual se fortalecerá.

Gómer volvió a concebir y dio a luz una niña. Entonces el Señor le dijo a Oseas: «Ponle por nombre: "Indigna de compasión", porque no volveré a compadecerme del reino de Israel, sino que le negaré el perdón» (Oseas 1: 6).

La niña recibió un nombre infame: «Indigna de compasión». En este caso, no era torpeza o crueldad de los padres, sino una orden de Dios. El nombre era señal a la casa de Israel. Todos los que conocieran u oyeran el nombre de «Indigna de compasión», aprenderían algo.

Pero no fue así con 285 jovencitas de Bombay, India. En ese país se ha dado un tremendo caso de discriminación contra las mujeres. Ahí los padres prefieren varones. Específicamente en el estado de Maharashtra, cuando la madre sabe que está embarazada de una niña, aborta, y si la da a luz, le pone un nombre infame: Nakusha, o Nakushi, que quiere decir «Indeseada» o «No deseada» en hindi, idioma oficial de la India. El doctor Bhagwan Pawar, director de Salud del distrito de Satara, dijo que esos son nombres muy negativos para una niña y productos de la discriminación. Por eso propuso la idea de una ceremonia oficial, colectiva, de cambio de nombre. Se llevó a cabo por primera vez el 22 de octubre de 2011, cuando 285 jovencitas se deshicieron de sus despectivos nombres.

La razón principal por la cual los padres prefieren a los varones es porque las hijas resultan ruinosas. Casar a una hija en India es costosísimo. Muchas familias se endeudan para poder conseguir la dote acostumbrada, que es muy alta. En cambio, un varón es muy deseable porque trae a la casa a una novia con una dote muy elevada que enriquece o por lo menos «ayuda» económicamente a la familia. Por lo mismo, se considera que tener una hija es una desgracia y tener un hijo una bendición. De ahí que en Maharashtra comenzara esa lamentable costumbre de los nombres.

Con el fin de detener esa discriminación, el gobierno de la India ha hecho muchos esfuerzos, pero casi sin éxito. En gran parte del país las mujeres aún sufren discriminación por el solo hecho de ser mujer. Pero con esa ceremonia, centenares de niñas eligieron un nuevo nombre «para un nuevo comienzo», como dijo el *New York Times*.

Dios también dio a Jacob un nuevo nombre porque el suyo era infame. En sentido espiritual, todos necesitamos un nuevo nombre. Por eso el profeta Isaías escribió: «Las naciones verán tu justicia, y todos los reyes tu gloria; recibirás un nombre nuevo, que el Señor mismo te dará» (Isa. 62: 2). Todos recibiremos un nuevo nombre.

Fe, títulos de propiedad y vasijas de barro

Por la fe Abraham, a pesar de su avanzada edad y de que Sara misma era estéril, recibió fuerza para tener hijos, porque consideró fiel al que le había hecho la promesa (Hebreos 11: 11).

Fe es dar por hecho lo prometido. Hace muchísimos años, en Egipto, dos personas disputaban entre sí una propiedad. Para demostrar sus derechos ante el juez, la dueña legítima reunió los documentos y los envió al tribunal por medio de un siervo de confianza. Para que el mensajero transportara los documentos con seguridad, la dueña los puso en una vasija de barro. El siervo se detuvo en una posada para pernoctar, pero aquella noche se incendió el lugar. No sabemos qué fue del siervo, ni qué pasó con el reclamo de la dueña, pero los documentos que llevaba permanecieron en la vasija, sepultados bajo las arenas del desierto.

Pasaron casi dos mil años hasta que la pala de un arqueólogo descubrió la vasija. En su interior se hallaba la carta que la dueña había escrito al juez, en la que reclamaba su propiedad. Y en ese mismo recipiente estaba el título de propiedad, el documento legal que establecía su derecho.

Este incidente resulta de gran interés al estudiar la enseñanza del apóstol Pablo sobre la fe en su Carta a los Hebreos. Conocemos bien la descripción: «La fe es la garantía de lo que se espera, la certeza de lo que no se ve» (11: 1). Pero sucede a veces que estas palabras son más conocidas que comprendidas. ¿Qué quiso decir el apóstol al afirmar que la fe es la seguridad de las cosas que se esperan? Aquí nos ayuda el descubrimiento arqueológico que se hizo en Egipto. Al presentar su reclamo, la dueña dijo que presentaba su *hupostasis*. ¿Pero qué adjuntaba? Su título de propiedad, es decir, la base, el fundamento de su reclamación. En Hebreos 11: 1 la palabra traducida como «certeza» es, precisamente, la palabra *hupostasis*. Es decir, podríamos traducir el pensamiento de Hebreos 11: 1 de este modo: «La fe es el fundamento de lo que se espera, la convicción de lo que no se puede ver».

Todos conocemos el valor y la importancia de los títulos de propiedad. Sin el título de propiedad de una casa o de un automóvil, cualquier persona tendría graves dificultades para demostrar que es su dueño. Pero con el título de propiedad, si es genuino, cesa toda la discusión porque el fundamento de la reclamación es sólido. ¿Tienes el título de propiedad de lo que Dios ha prometido?

Yo frustro las señales de los falsos profetas y ridiculizo a los adivinos; yo hago retroceder a los sabios y convierto su sabiduría en necedad (Isaías 44: 25).

El ser más cortés y educado del universo es Dios. No podría ser de otra manera. Él da a cada uno el mérito que le corresponde, y reconoce los aciertos que tiene cualquier ser del universo. Hasta a su archienemigo Dios trata con cortesía.

Según el texto de hoy, a los únicos a quienes pone en ridículo son a los falsos profetas y a los adivinos. Por supuesto, esta es una forma de expresión y recurso estilístico del profeta, pero uno siente que es así. Los falsos profetas y los adivinos son personajes risibles.

El rey Jorge II de Inglaterra dijo en 1773 que sus colonias norteamericanas tenían poca inclinación a organizar una revolución. Muy poco después estalló la Guerra de Independencia de Estados Unidos y el monarca quedó en ridículo. Muchos años después, un oficial de la White Star Line dijo que era imposible que el *Titanic*, su transatlántico más reciente, se hundiera. En 1939, el *New York Times* declaró que el problema de la televisión era que la gente tenía que mirar fijamente una pantalla y que el norteamericano promedio no tendría tiempo para ello. Cualquier comentario a esta bobería sería ocioso. Un profesor británico de astronomía dijo, a principios del siglo XIX, que viajar por el aire a altas velocidades sería imposible, porque los pasajeros se sofocarían.

Momentos antes de escribir este comentario, leía el periódico. Una noticia decía: «Nueva fecha para el fin del mundo. ¡Entérate!». Me negué a leerla. Estoy harto de que nos quieran tomar el pelo. Pero bueno, tengamos cuidado. Algunos falsos profetas del tiempo del fin «harán señales grandes y milagros», capaces de engañar, «de ser posible, aun a los elegidos» (Mat. 24: 24). Otros serán capaces de «hacer caer fuego del cielo a la tierra, a la vista de todos» (Apoc. 13: 13). Por tanto, hay que tener cuidado y no despreciarlos ni ridiculizarlos. Eso solo lo puede hacer Dios. A nosotros nos corresponde estar alerta porque los engaños serán muy convincentes.

La prudencia incluye el rechazo decidido de horóscopos, la güija, además de libros y revistas y otras manifestaciones del ocultismo. Esos materiales no tienen ningún tipo de seriedad y no son nada fiables para conocer el futuro. Es mejor recurrir a la Palabra profética más permanente. Esta no falla y da certeza para el futuro.

El monumento más grande

El que quiera hacerse grande entre ustedes deberá ser su servidor (Mateo 20: 26).

Hace un par de años tuve el privilegio de realizar un viaje de estudios que incluyó los tesoros arqueológicos de El Cairo, la capital de Egipto. Lo que más me impresionó fueron las enormes pirámides que todavía dominan el horizonte de la ciudad. Estas pirámides fueron construidas entre el 2575 y el 2465 a. C., como tumbas de faraones poderosos. La más grande es la pirámide de Keops, que es probablemente el edificio más colosal construido alguna vez en el planeta. Su altura original era de 147 metros y sus cuatro lados están orientados con precisión hacia los cuatro puntos cardinales. Según cifras de la *Enciclopedia Británica*, se cortaron con precisión, transportaron y ensamblaron, dos millones trescientos mil sillares de roca para crear una estructura de 5,750,000 toneladas de peso (un promedio de 2.5 toneladas por bloque). Fue el edificio más grande del mundo hasta el 1311 d. C.

Siempre me pregunté qué habría pasado si Moisés hubiera decidido ser faraón de Egipto. ¿Habría construido él una tumba más colosal y gloriosa? No lo sabemos. Moisés murió solo en el monte Nebo en la cumbre del Pisga y nadie conoce su tumba. Sin embargo, al conducir a Israel de la esclavitud en Egipto a la libertad en la tierra prometida creó un monumento que ha probado ser más grande, duradero e importante para la humanidad. Su historia ha sido una fuente de inspiración para millones de personas oprimidas a través de la historia. Fue la inspiración de varios himnos «espirituales negros» (por ejemplo, *Turn Back Pharaoh's Army, I Am Bound for the Promised Land, Go Down Moses*) que los esclavos de América del Norte cantaban, anhelando su liberación. En la revista *Time*, Bruce Feiler mencionó que cuando los Estados Unidos firmaron su Declaración de Independencia el 4 de julio de 1776, el Congreso pidió a Thomas Jefferson, Benjamin Franklin y John Adams, que propusieran un sello para la nueva nación. Ellos sugirieron a Moisés llevando a los israelitas a través del mar Rojo.

¿Y tú? ¿Has creado un monumento con tu vida? ¿Vas a dejar una huella visible de tu paso por este mundo? La pirámide de Keops será destruida en la segunda venida de Cristo, pero el monumento de Moisés permanecerá por la eternidad en el recuerdo de los redimidos. ¿Y el monumento de tu vida? ¿Será eterno?

Jamás se me ocurra jactarme de otra cosa sino de la cruz de nuestro Señor Jesucristo, por quien el mundo ha sido crucificado para mí, y yo para el mundo (Gálatas 6: 14).

¿Cómo puede uno glorificarse en la cruz? El apóstol Pablo escribió a los corintios que su propósito era que la cruz fuera suprema en su vida y en su ministerio (1 Cor. 2: 2). En esa epístola se destaca la cruz en contraste con las «palabras sabias y elocuentes» (1 Cor. 2: 4). Pero en Gálatas, la cruz se destaca en contraste con el sistema legal judío (Gál. 6: 13). Pablo podría haberse jactado de sus antecedentes judíos y su servicio, que excedían en mucho a los de sus adversarios (2 Cor. 11: 22). Pero en vez de eso, decidió glorificarse en la cruz de Cristo. Todo el que comprende cómo fue rescatado por Jesús y liberado del pecado, se jacta en su cruz, en la cual fue ganada la salvación.

Uno de los lugares más sorprendentes de Lituania es la Colina de las Cruces, un pequeño promontorio que se encuentra a doce kilómetros de Šiauliai, en el norte de Lituania, pero que contiene una cantidad enorme de cruces que han plantado peregrinos devotos de todas partes del mundo. La colina ofrece un panorama increíble. Se calcula que en el 2006 había allí unas cien mil cruces. Su historia es inspiradora.

Después de un levantamiento campesino a mediados del siglo XIX, el lugar atrajo por primera vez a varias personas para llevar cruces a una colina que se ha convertido en un símbolo de la resistencia del pueblo lituano. Después de la incorporación de Lituania a la antigua Unión Soviética, las autoridades ateas arrasaron con grandes máquinas la Colina de las Cruces en tres ocasiones diferentes. Una y otra vez los peregrinos locales y extranjeros volvieron a colocar las cruces. Finalmente, en 1985, los comunistas se dieron por vencidos y permitieron que los símbolos permanecieran en su lugar. Si quieres saber más, busca «Colina de las cruces» en *Google*.

Los dirigentes soviéticos no entendieron la importancia de la cruz. Lo que ese símbolo representa es más valioso para los cristianos que la vida misma. Ellos se glorifican en la cruz de Cristo cada vez que vuelven a Dios en busca de perdón y misericordia. De nuevo se levanta la cruz y el que murió en ella como Cordero de Dios, porque en la cruz las derrotas se tornan en victorias.

La lucha contra la Biblia

La hierba se seca y la flor se marchita, pero la palabra de nuestro Dios permanece para siempre (Isaías 40: 8).

La Revolución Francesa de 1789, fue el epicentro de un terremoto social que generó las condiciones políticas y culturales en las que vivimos hoy. Con ella llegaron a Francia la democracia, la *Declaración de los Derechos del Hombre y del Ciudadano*, que afirmaba la libertad e igualdad de todos ante la ley, y el fin de la monarquía absolutista, basada en el «derecho divino de los reyes». Pero la Revolución Francesa fue también la culminación de una larga lucha contra la Biblia y aquellos que la amaban y la atesoraban.

El movimiento reformador albigense, formado por ávidos lectores de la Biblia, fue salvajemente aplastado como resultado de cuatro campañas lanzadas contra ellos durante el siglo XIII. Entre los siglos XVI y XVIII, los hugonotes fueron perseguidos hasta que casi fueron exterminados. El acontecimiento más infame de esta persecución fue la masacre de San Bartolomé, que comenzó la noche del 23 de agosto de 1572, durante la que murieron miles de ellos en París y en el resto de Francia.

El gobierno francés quiso borrar de su conciencia la Biblia. Instauró un nuevo calendario que no contaba los años con relación a Cristo sino a partir de la Revolución. La semana bíblica de siete días fue cambiada a una semana de diez días llamada *décade* y el séptimo día se celebraba en honor a la república. Una joven vestida de blanco y cubierta con una capa azul fue instalada simbólicamente como diosa de la razón en la imponente catedral gótica de Notre Dame de París. Se organizaron hogueras públicas para quemar Biblias.

Pero con el rechazo de la Biblia, Francia también descendió a la oscuridad. El 5 de septiembre de 1793 se inició por decreto el Gobierno del Terror, uno de los períodos más trágicos de la historia. Tal decreto permitía ejecutar a enemigos de la Revolución sin darles el beneficio de un juicio público ni asistencia legal. La *Enciclopedia Británica* estima que un total de 300,000 personas sufrieron arresto, 17,000 fueron ejecutadas y muchas más murieron en prisión o sin juicio. (Debemos considerar que probablemente París tenía por aquel entonces unos 700,000 habitantes). Así, Francia peleó contra la Biblia y cosechó un reino de terror.

Nosotros también podemos luchar contra la Biblia. Podemos sacarla de nuestra vida, minimizar sus enseñanzas, o simplemente ignorarla. Pero quienes así actúen, y crean que son más inteligentes y vanguardistas, descenderán a la obscuridad.

Dientes únicos

Tus dientes son como ovejas recién trasquiladas, que ascienden luego de haber sido bañadas. Cada una de ellas tiene su pareja; ninguna de ellas está sola (Cantares 4: 2).

Bernardo de Claraval fue un monje y predicador del siglo XI. Predicó una serie de 86 sermones sobre el Cantar de los Cantares de Salomón. En uno de ellos dedicó un mensaje completo para explicar el significado de los «dientes» de Cantares 4: 2. Dijo más o menos lo siguiente:

«Tal como los dientes son más blancos que el resto del cuerpo, así los religiosos son los miembros más puros de la iglesia. Así como los dientes están enclaustrados en los labios, así están enclaustrados los religiosos en las paredes del monasterio. Los dientes no disfrutan las cosas deliciosas que mastican, así también los religiosos no reciben crédito por el bien que hacen. Los dientes no decaen fácilmente, y así la perseverancia es una de las cualidades de la vida del claustro. Los dientes están colocados y fijos en un orden; así, en ningún lugar hay más orden que en un monasterio. Hay dientes superiores e inferiores, así el monasterio tiene dignatarios y miembros subordinados unidos en armonioso esfuerzo. Cuando los dientes inferiores se mueven, los superiores permanecen tranquilos, denotando la calma con la cual los superiores deberían gobernar, aun cuando haya conmoción en los rangos inferiores de la comunidad. Los dientes de la novia se comparan con ovejas trasquiladas, la esquila son las meditaciones inocentes que cortan las cosas externas, tales como el amor al mundo y el deseo de la sabiduría mundanal. Surgen del lavamiento de la contrición y las lágrimas penitenciales producen crías gemelas, porque desarrollan tanto la contemplación como la acción, o enseñan el precepto y el ejemplo».

Mucha imaginación, la de Bernardo de Claraval. Interpretó el Cantar de los Cantares como una alegoría, y atribuyó significado simbólico a cada palabra y frase mientras avanzaba. Así seguía una antigua tradición de muchos eruditos judíos. Uno de ellos en el siglo X, Saadías ben Yosef, resumió todo un milenio de interpretaciones al iniciar así su propio comentario: «Usted hallará grandes diferencias de interpretación del Cantar de los Cantares. A decir verdad, difieren porque el Cantar semeja una cerradura cuya llave se ha perdido».

Seguramente el Cantar tiene significados muy profundos, como toda palabra que sale de la boca de Dios. Pero uno muy evidente es que describe cuán bella ve el esposo a su esposa. Me gusta pensar que Dios también nos ve así. ¿No te parece admirable?

De hechizos
y curaciones

Al de carácter firme lo guardarás en perfecta paz, porque en ti confía (Isaías 26: 3).

Cierta vez, un hombre víctima de síntomas no relacionados con ninguna enfermedad o síndrome conocidos, convencido de que lo habían hechizado, fue a ver a su médico. Este puso frente al paciente dos tubos de vidrio, uno lleno de agua oxigenada y el otro de agua pura. Ambos tubos parecían idénticos. El médico sacó sangre del paciente, y la mezcló con el agua oxigenada. La mezcla inmediatamente comenzó a burbujear y a chisporrotear, por lo cual el paciente creyó que era la obra del hechizo.

El médico le dio luego al paciente una sencilla inyección salina y le dijo que esa medicina rompería el hechizo. Después de un rato, le sacó otra vez sangre al paciente y la mezcló con el agua pura del otro tubo. No hubo burbujeo ni chisporroteo, «prueba» de que el hechizo se había roto. El paciente salió del consultorio de su médico sintiéndose curado y llevó a todos sus amigos para que también los curara su excelente y sabio doctor.

La mente ejerce influencia sobre el cuerpo. El cristiano ha de cuidar su salud física y mental como parte de su vida espiritual. En una época de tanta violencia e inseguridad como la nuestra, una de las emociones más comunes que afrontamos es el temor. Es natural y tiene su lado positivo. El temor nos torna precavidos y nos libra de peligros que de otra manera podrían herirnos. Pero hay más temores imaginarios que reales. El filósofo Thomas Hobbes decía que el temor era el factor principal y motivador de la vida humana y que los seres humanos creamos los gobiernos para que nos libren de los temores que podrían hacernos daño. No importa quiénes seamos, dónde vivamos, cuán seguros nos sintamos, todos afrontamos situaciones que nos hacen sentir temor. El temor es una emoción que produce mucho estrés y puede perjudicar gravemente el cuerpo. Es decir, no se limita solamente a lo que se refiere a la mente, también puede tener efectos muy dañinos sobre la salud física.

La buena noticia es que Dios ha prometido guardar en completa paz, libre del temor, a quien confía en él. Cuán necesaria es esta promesa en un mundo tan inseguro como el nuestro. No temas instintivamente peligros que no existen. Teme prudentemente y evita los peligros conocidos. Pero Dios promete librar a sus hijos de todos los temores, reales e imaginarios. ¿Confiarás en él en esta mañana?

Tu palabra es una lámpara a mis pies; es una luz en mi sendero (Salmo 119: 105).

Los libros, como casi todas las cosas, tienen un período de vida; nacen, crecen, envejecen y mueren. En la historia de la humanidad han existido libros asombrosamente longevos e influyentes. Uno de los más extraordinarios es el *Almagesto*. Claudio Ptolomeo de Alejandría (astrónomo, matemático y geógrafo) terminó de escribirlo en el 150 d. C., y es un manual astronómico que sirvió como guía de observaciones para los astrónomos árabes y europeos hasta el siglo XVII. ¿Te lo imaginas? ¡El *Almagesto* se mantuvo vigente durante casi quince siglos! ¡Casi mil quinientos años! Su título original, en griego, es *Mathimatikí sýntaxis* [Composición matemática] porque establece la trigonometría necesaria que permitió a Ptolomeo explicar y predecir los movimientos del Sol, la Luna, los planetas, y 1,022 estrellas. Fue tan influyente que se lo llamó *I megáli sýntaxis* [La gran sintaxis]. El nombre *Almagesto* es una corrupción de su nombre árabe, *Al-Majisti*, del griego superlativo *I megísti*, que significa sencillamente «el más grande».

El *Almagesto* tenía un defecto. Argumentaba que la Tierra se encontraba en el centro del universo y el Sol giraba alrededor de ella. Cuando Nicolás Copérnico demostró exactamente lo contrario en su obra cumbre, *Sobre las revoluciones de los orbes celestes,* escrita entre 1507 y 1532, el *Almagesto* recibió la herida de muerte.

Existe un libro todavía más grande. La Biblia se terminó de escribir un poco antes del año 100 d. C. También es un manual, no para explicarnos cómo observar y entender los movimientos de las estrellas, sino para viajar más allá de estas. Dios es su autor último y, por lo tanto, la Biblia nunca morirá.

Ningún libro ha sido tan publicado o leído. De acuerdo con el sitio oficial de las Sociedades Bíblicas Unidas, solamente en 2009 se distribuyeron 29,391,276 Biblias y ha sido traducida a 2,508 idiomas. Según la revista *Business Week,* a lo largo de la historia se han vendido un total de dos mil quinientos millones de Biblias. Otros investigadores, como Russell Ash, opinan que una cifra más real es superior a los seis mil millones de ejemplares vendidos. El segundo libro más vendido (*Citas del presidente Mao Zedong,* conocido como el Libro Rojo) está lejos en comparación, con probablemente unos dos mil millones de ejemplares, y luego el Corán, con ochocientos millones.

La Biblia es un libro extraordinario. Léela, estúdiala, atesórala. ¡Es tu manual para viajar más allá de las estrellas! Permite que la Biblia te transforme para viajar más allá del Sol y las galaxias. Comienza hoy tu entrenamiento.

La barrera
de los cuatro minutos

Los que confían en el Señor renovarán sus fuerzas; volarán como las águilas: correrán y no se fatigarán, caminarán y no se cansarán (Isaías 40: 31).

Roger Bannister fue el primer hombre que corrió la milla (1,609 metros) en menos de cuatro minutos. Durante nueve años, grandes corredores habían intentado esa hazaña, pero nadie había podido vencer la barrera de los cuatro minutos.

Al fin llegó el 6 de enero de 1954, el día en que Roger debía competir. Se había preparado mental, física y espiritualmente para el gran compromiso desde hacía muchos años. Pero la mañana del día anterior a la carrera había resbalado en un piso recién encerado y se le había visto cojeando. No obstante, Roger compitió y logró correr la milla en 3 minutos y 59.4 segundos. Bannister dijo que estaba tan cansado como «una linterna de baterías que hubiera estallado, sin ninguna voluntad para vivir».

Bannister se retiró del atletismo tres meses después de romper el récord y escribió un libro titulado *The Four Minute Mile* [La milla de los cuatro minutos] en el cual dice que «el ideal griego era que el deporte debería ser una preparación para la vida en general» y que la profesionalización y la corrupción, junto con un énfasis desmedido en la victoria individual, llevaron a deformar los juegos olímpicos de la antigüedad. Bannister fue el primero en recibir el famoso reconocimiento de «Deportista del año» que otorga la conocida revista *Sports Illustrated*. Más tarde llegó a ser un brillante neurólogo y director del Colegio Pembroke de la Universidad de Oxford. Si deseas saber más sobre Bannister, consulta «Sir Roger's Run», de David Epstein, en el sitio de Internet de la revista *Sports Illustrated*.

La vida cristiana es una carrera que se corre en el estadio del universo ante un público muy numeroso, en el que Dios es el principal espectador. La carrera puede ser agotadora, pero la promesa divina es que quienes confían en Dios no se cansarán ni se fatigarán, no importa lo larga y agotadora que sea la carrera. Pablo nos dice que debemos correr «con perseverancia la carrera que tenemos por delante» (Heb. 12: 1). Esta carrera demanda nuestra mejor condición espiritual y física, un estado que se deriva, entre otras cosas, del ejercicio físico. Nuestra salud es importante en la carrera cristiana.

Dios nos ha dado principios de vida saludable que nos capacitan para tener una buena salud física, mental y espiritual. Analiza tus hábitos, no sea que hagas algo que cause que te canses en la carrera de la vida.

En cuanto al día y la hora, nadie lo sabe, ni siquiera los ángeles en el cielo, ni el Hijo, sino solo el Padre (Mateo 24: 36).

En el Nuevo Testamento hay una buena cantidad de textos que son difíciles de entender, pero este es uno de los más sencillos. Jesús nos advirtió claramente que nadie sabe la hora en que regresará. No escuches a quienes pretenden saberla. Muchos dirán que saben el día y la hora, pero son falsos profetas. Hay que velar, orar, estar alertas, porque el Señor llegará «como ladrón en la noche» (1 Tes. 5: 2). Pese a todas estas advertencias, muchas personas han especulado hasta la saciedad con las fechas.

Todo comenzó con el anuncio de que Jesús vendría el 22 de octubre de 1844. Después se tuvo la esperanza de que volvería más o menos al mismo tiempo en 1845. Después el pueblo adventista se preguntó: «¿Vendrá en 1851? ¿En 1894?» Siempre hallaban razones para creer que vendría en alguna de esas fechas. Posteriormente, la especulación se concentró en 1917. Luego en 1928, 1938 y 1964. Algunos cristianos calcularon los años del jubileo y creyeron que Jesús volvería en 1987.

Otros cálculos del jubileo fijaron su venida para 1991 y después 1994. Algunos sugirieron que vendría en 1996 o 1998. Otros más hicieron cálculos del tiempo de su venida basados en siete ciclos de mil años cada uno. Por supuesto, muchos afirmaron que el Señor vendría en el año 2000. El pastor George Reid, expresidente del Instituto de Investigación Bíblica de la Asociación General, se refirió en una ponencia sobre el milenarismo que 63 grupos independientes, que se adscriben a nuestra iglesia, enseñan con diversos niveles de verdad y error refiriéndose a las profecías del tiempo del fin.

¡Cuán a menudo fieles miembros de la iglesia se «espacian» en las fechas! Alguien presenta una lista de textos bíblicos y citas de Elena G. de White y los utiliza para decirle a la iglesia lo que debe hacer. En *El Dios que dice sí*, Walter Scragg recoge dos ejemplos que algunos tomaron en serio en algún momento de nuestra historia reciente:

«El año 1964 es una fecha clave en los planes del Señor, pues Noé amonestó al mundo durante 120 años y el mensaje adventista se ha predicado durante el mismo tiempo, de modo que debemos estar atentos al año 1964». «El 22 de abril de 1984 será el comienzo de los tres años y medio de la era presente. Al final de ellos Jesús regresará».

Especulaciones como esas no deberían perturbarte. Jesús vendrá. Punto. Nadie sabe la hora. Punto. Prepárate como si fuera a venir hoy. Punto.

El guardia
más inteligente

Puedes ponerte a la sombra de la sabiduría o a la sombra del dinero, pero la sabiduría tiene la ventaja de dar vida a quien la posee (Eclesiastés 7: 12).

Christopher Langan es una de las personas más inteligentes que existen en la actualidad. Empezó a hablar a los seis meses de edad, aprendió a leer a los cuatro años; a los dieciséis había leído la obra *Principia Mathematica* de Bertrand Russell y Alfred North Whitehead, famosa por su dificultad; y al terminar su educación secundaria obtuvo una calificación perfecta en la prueba SAT (prueba de habilidades académicas que hacen todos los estudiantes de los Estados Unidos que quieren estudiar en una universidad). Su coeficiente intelectual está entre 195 y 210, una cifra francamente elevada. Se dice que Albert Einstein tenía un coeficiente intelectual de 150.

Te preguntarás por qué no has oído hablar de Christopher Langan. Muy probablemente has escuchado hablar de Stephen W. Hawking, el famoso físico teórico, profesor de matemáticas en la Universidad de Cambridge, pero no de Langan. Bueno, es que Christopher trabajó durante veinte años como guardia en un bar en los Estados Unidos. Antes fue vaquero, albañil y bombero forestal. Aparentemente, Chris ha preferido este estilo de vida (hoy tiene un rancho de caballos con su esposa) porque le permite la libertad para trabajar en proyectos de investigación personal. Ha trabajado durante más de diez años, en su tiempo libre, en un proyecto que él denomina «Modelo teórico cognitivo del universo».

Una inteligencia como la de Chris Langan es un inmenso don de Dios. Si eres inteligente y brillante, recuerda que darás cuenta a Dios por ese don. También ten en cuenta, sin embargo, que la inteligencia no es suficiente para transformar tu mundo y tu vida. Para eso es necesaria la sabiduría.

La inteligencia tiene que ver con los problemas de las cosas y por lo tanto muchas veces está relacionada con las matemáticas. La sabiduría tiene que ver con el corazón y la naturaleza humana. La inteligencia te permitirá resolver un problema, pero la sabiduría te permitirá distinguir entre lo correcto y lo incorrecto, entre el bien y el mal. La inteligencia viene determinada en parte por la herencia y el ambiente en que has crecido; la sabiduría, en cambio, es un don de Dios. La inteligencia te puede ayudar a obtener lo que quieras en este mundo, pero solamente la sabiduría te puede ayudar a obtener la vida eterna. Pide a Dios esta mañana que te dé sabiduría para enfrentar los retos de este día.

No hagan nada por egoísmo o vanidad; más bien, con humildad consideren a los demás como superiores a ustedes mismos. Cada uno debe velar no solo por sus propios intereses sino también por los intereses de los demás (Filipenses 2: 3, 4).

La historia de Chris Langan que te conté ayer me deja intranquilo. Con un coeficiente intelectual de 195, Chris debería trabajar como investigador en una universidad, una agencia del gobierno o una empresa privada para encontrar soluciones a los problemas más apremiantes de la humanidad. En lugar de eso, se dedica a criar caballos. ¿Cómo es posible que esto haya sucedido?

Chris ha tenido una vida difícil. Su madre era hija de un magnate pero también la oveja negra de la familia. Tuvo cuatro hijos, todos de diferente padre. Además, eran extremadamente pobres. El padre de Chris murió, o desapareció, antes de que él naciera. El padrastro de Chris era un borracho maltratador. Chris relata cómo frecuentemente iba a la escuela con un labio hinchado y moretones en el cuerpo debido a los golpes de su padrastro (puedes incluso ver su narración en *YouTube*). Los compañeros de su clase lo rechazaban porque era mucho más inteligente que ellos. A los doce años, Chris decidió levantar pesas para desarrollarse físicamente y defenderse. A los catorce años ya había desarrollado suficiente fuerza y echó a su padrastro de la casa una mañana que este lo despertó a golpes.

Cuando terminó la preparatoria, Chris recibió una beca para asistir al prestigioso Reed College. Por desgracia, su madre olvidó firmar algunos papeles y, como resultado, Chris perdió la beca y recibió una calificación reprobatoria en todas sus materias porque no pudo pagar. La Universidad del Estado de Montana le dio otra beca. Todo marchó bien hasta que su automóvil se descompuso en el invierno. Chris tenía una clase a las 7:30 de la mañana pero le era imposible llegar sin vehículo. Pidió a la universidad la oportunidad de cursar la materia por la tarde, pero no le dieron permiso. Sin poder asistir a la clase, Chris no aprobó la materia, perdió su beca y tuvo que abandonar la universidad. Desde entonces, no intentó ingresar a ninguna otra institución de educación superior.

Tengo la sensación de que la sociedad le ha fallado a Chris. El apóstol Pablo es muy sabio cuando nos anima a buscar siempre el bien de los demás. Si esas universidades hubieran tenido esa preocupación, hoy Chris podría usar sus talentos en favor de otros. No permitas que la falta de visión, los celos o cualquier otra cosa te impidan ayudar a otros para que desarrollen el potencial de sus vidas.

El abrazo mortal

Puse en el Señor toda mi esperanza; él se inclinó hacia mí y escuchó mi clamor. Me sacó de la fosa de la muerte, del lodo y del pantano; puso mis pies sobre una roca, y me plantó en terreno firme (Salmo 40: 1, 2).

El 13 de noviembre de 1985 el volcán Nevado del Ruiz, en Colombia, entró en erupción. El flujo piroclástico que salió del cráter fundió el glaciar de la montaña y desencadenó cuatro avalanchas de lodo por los seis ríos que nacen cerca del volcán. Después de 69 años de inactividad, la erupción tomó por sorpresa a los poblados cercanos. Una muralla de barro bajó por el río Lagunilla a sesenta kilómetros por hora. El barro cubrió totalmente el pueblo de Armero, transformándolo al instante en la tumba común de veinte mil personas.

El barro complicó los trabajos de rescate, pues hacía casi imposible moverse sin quedar atrapado. Para cuando los rescatadores alcanzaron Armero, doce horas después de la erupción, muchas de las víctimas ya habían muerto. Los rescatadores se horrorizaron ante el panorama de desolación que quedó tras la erupción. Los equipos de rescate encontraron a Omayra Sánchez, de trece años, hundida hasta el cuello en el barro. Durante setenta horas trataron de liberarla, sin éxito. Por todo el mundo se publicaron tomas de video y fotografías suyas hasta que, finalmente, falleció.

Esa fue la segunda erupción volcánica más mortífera del siglo XX, que superó únicamente la del monte Pelée, Martinica, en 1902, y el cuarto evento volcánico más mortífero desde el año 1500. El suceso fue una catástrofe previsible pues, durante las semanas y los días previos a la tragedia, los geólogos y otros expertos habían advertido a las autoridades y a los medios de comunicación sobre el peligro.

Como dice el salmista, el mal ha abrazado a todas las almas. Vivimos en la fosa de la muerte, atrapados por el barro del pantano. No hay esperanza para nadie, fuera de Cristo. El mundo vio cómo murió Omayra Sánchez, presa del abrazo mortal del barro volcánico. Si Dios no hubiera librado milagrosamente al rey David, este habría muerto atrapado. Lo mismo puede sucederle a cualquiera que no lo busca para que lo libre del barro cenagoso del pecado y ponga sus pies sobre la Roca eterna de la salvación. Todos necesitamos que nuestros pies descansen sobre el firme fundamento de la verdad. Pon en el Señor toda tu esperanza para que te libre del abrazo mortal del pecado.

¿Rivales de Ambani?

Ciudad amurallada es la riqueza para el rico, y este cree que sus muros son inexpugnables (Proverbios 18: 11).

¿Has oído hablar de la residencia Antilia de Mukesh Ambani en Bombay, India, que tiene veintisiete pisos y vale casi dos mil millones de dólares? Pues cerca de allí se construyó un inmueble que le hace competencia en el horizonte salpicado de rascacielos de Bombay, el edificio Singhania de Gautama Singhania, que controla el Grupo Raymond, fabricantes de ropa.

Vistos a distancia, los dos edificios son notablemente similares. Ambos tienen elevadas columnas, enormes ventanales que miran hacia el mar y casi idénticas y complicadas fachadas. Ambos cuentan con un sentido similar de las proporciones y destacan la grandiosidad. En una ciudad donde el espacio se considera como el mayor de los lujos, ambos edificios proclaman a voz en cuello su exclusividad. A diferencia del Antilia, que tiene veintisiete pisos, desde el principio el Singhania fue una construcción misteriosa; no tenía una cantidad determinada de pisos ni fecha de conclusión. Eso sí, se planearon cinco pisos solamente para estacionamiento de automóviles y un piso completo para el museo en donde Gautama alojaría su colección de piezas de jade.

Es curioso, no obstante, que Mukesh Ambani y Gautama Singhania no sean los únicos multimillonarios que se construyen esta clase de edificios. Varios otros industriales de Bombay edificaron elevados rascacielos para su uso privado. Venugopal Dhoot, presidente de Industrias Videocom, se hizo su propia torre residencial en Mahalakshmi. Y la lista continuaría un buen rato.

Gulam Zia, de una exclusiva agencia inmobiliaria, dijo: «En la última década, los ricos de Bombay han salido al mercado en plan de venganza, buscando edificios distinguidos y atuendos exclusivos». Luego concluyó: «Las torres exclusivas de apartamentos satisfacen la misma necesidad de reconocimiento entre sus opulentos propietarios cuyo número sigue creciendo».

Necesidad de reconocimiento, búsqueda de seguridad, deseos de impresionar a otros; la vieja inclinación de la humanidad a *parecer* antes que *ser*. Tristemente, la búsqueda de satisfacción en el reconocimiento de otros está condenada al fracaso porque los demás buscan lo mismo. Buscar reconocimiento, no darlo, es la estrategia humana.

Te animo a que sigas un camino diferente. Busca el reconocimiento de Dios. Haz de su aprobación el más codiciado de tus premios. Permite que él sea la torre de tu fortaleza. Imagínate qué bonito sería que cuando otros conversen contigo durante este día, lleguen a la conclusión de que tu vida está escondida con Cristo en Dios (Col. 3: 3).

El secreto
del empeño

> Todo lo que te venga a la mano, hazlo con todo empeño; porque en el sepulcro, adonde te diriges, no hay trabajo ni planes ni conocimiento ni sabiduría (Eclesiastés 9: 10).

El empeño es el secreto para tener éxito en todo lo que emprendas, para prosperar en tu trabajo y emprender grandes retos. Pruébalo, como Diana Nyad, nadadora de grandes distancias que, mientras yo escribía estas reflexiones, buscaba ser la primera persona que nadara los 165 kilómetros que hay entre Cuba y Cayo Hueso, Florida, Estados Unidos. De lograrlo, sería la primera persona en conseguirlo sin una jaula a prueba de tiburones. En total serían unas sesenta horas en el mar agitado del famoso Estrecho de la Florida, infestado de tiburones. Diana planeaba parar y descansar unos minutos, así como consumir una mezcla líquida de proteína predigerida y comer un trozo de banana o una cucharada de mantequilla de maní.

Durante una larga odisea como esa, es casi seguro que se padezcan alucinaciones y la picadura de incontables medusas. El agua salada es capaz de convertir la lengua de una persona en cartón arrugado y desollarla, dejándola prácticamente en carne viva.

La señora Nyad nació en 1949. Intentó la hazaña mencionada cuando era joven, pero no tuvo éxito. En 1978 nadó dentro de una jaula a prueba de tiburones durante 49 horas y 41 minutos. Pero el mar y las corrientes la desviaron de su curso y tuvo que darse por vencida. Había recorrido ochenta kilómetros y medio. Un año y medio más tarde nadó 165 kilómetros desde Bimini en las Bahamas, hasta Júpiter, Florida, sin una jaula. Estableció el récord mundial de natación más larga en el océano y estaba lista para superarse a sí misma.

La perseverancia puede motivar a un ser humano a superar grandes retos. La constancia está detrás de aquellos que desean dominar un instrumento musical, aprender un idioma extranjero o practicar un deporte con pericia.

¿Por qué será que pocos cristianos se colocan metas elevadas? Parece que nos conformamos con poco. ¿O acaso crees que a Jesús no le agradan quienes se proponen objetivos que exigen un mayor esfuerzo? Intenta grandes proezas tú también. Tienes la gran ventaja de contar con la ayuda divina. Entonces, ¡qué estás esperando! La persona que nunca ha fracasado, es porque jamás ha intentado hacer nada. ¿Qué tipo de persona eres? ¿De las que todo lo intenta o de las que nunca fracasan?

El ejemplo de Caleb

Mantengo la misma fortaleza que tenía el día en que Moisés me envió. Para la batalla tengo las mismas energías que tenía entonces (Josué 14: 11).

¡Cuánto de cierto hay en las palabras de Caleb! Y qué difícil es mantener un buen ánimo en la vejez. El problema es que muchos jóvenes parecen bastante desanimados en el momento más productivo de su paso por este mundo. ¿Los has oído hablar en un tono notablemente derrotista? Se supone que en este momento de sus vidas debieran estar llenos de vigor y espíritu de lucha para enfrentar todo tipo de desafíos.

Durante su juventud, Caleb se enfrentó a uno de los momentos más difíciles de su vida. Formó parte de los doce espías que fueron a reconocer la tierra de Canaán que era sumamente atractiva para vivir. El problema eran sus habitantes, incluyendo algunos gigantes que no parecían dispuestos a cederles sus tierras. Entonces, diez de los espías se desalentaron y dieron un informe pesimista a los hijos de Israel. El ánimo del pueblo se desplomó. Pero entonces, el joven Caleb los exhortó a confiar en la promesa divina y tomar la tierra que Dios les había otorgado. Sus palabras fueron muy importantes para combatir el negativismo de sus compañeros.

Muchas personas creen que cuando han llegado a la vejez se les ha terminado la vida. Es posible que tú tengas algunos familiares que ya han entrado en esta etapa. Pero lo interesante es que varios personajes de la Biblia tuvieron sus mejores momentos de la vida después de los sesenta años. Este fue el caso de Abraham, cuyos grandes éxitos se registran en la última etapa de su vida.

Caleb fue un hombre que mantuvo un espíritu de lucha durante la vejez. No se dejó gobernar por el pesimismo en ningún momento. Su energía nunca lo abandonó. Su actitud no dependía de su edad. Eso significa que es muy importante mantener un buen estado de ánimo a lo largo de nuestra existencia.

Esta mañana quiero invitarte a no sucumbir ante el pesimismo. Eso es muy fácil y no requiere grandes esfuerzos. En realidad, la mayoría de los jóvenes optan por este camino. Lo que sí vale la pena es ser como Caleb, quien estuvo dispuesto a asumir una actitud positiva cuando el resto de sus compañeros se había infectado de fatalismo. Eso sí es digno de reconocimiento.

Honrar a Dios con el cuerpo

Fueron comprados por un precio. Por tanto, honren con su cuerpo a Dios (1 Corintios 6: 20).

¿Te agrada tu cuerpo? ¿Te aceptas como eres? ¿Alguna vez has pensado que Dios no es tan buen Diseñador después de mirarte al espejo? Lo interesante es que la Biblia nos invita a honrar al Señor con nuestro cuerpo.

En la actualidad, para muchos el cuerpo es un objeto de culto. Hay una obsesión por embellecerlo y gastar grandes cantidades de dinero con el fin de que tenga buen aspecto. Cada año aparecen nuevos estilos de moda en peinados y vestidos, así como todo tipo de accesorios para hombres y mujeres. Pero esa no es la forma en que Dios nos ha pedido que lo honremos a través de nuestro cuerpo.

Por otro lado, también parece que el cuerpo es el objeto central de los placeres humanos. Muchos jóvenes creen que la vida es para divertirse y que hay que pasarlo bien a toda costa con tal de experimentar todo tipo de complacencias. Así es como, en el afán de saborear todo tipo de satisfacciones, dan vía libre a la glotonería o se involucran en relaciones sexuales prematrimoniales, lo cual acarrea a veces consecuencias que nunca imaginaron.

Creo que el ejercicio es una buena forma de honrar a Dios con tu cuerpo. Uno de los grandes beneficios que te da el ejercicio, además de contribuir a que disfrutes de una buena salud, es que te ayuda a desarrollar el dominio propio. Los atletas son personas muy disciplinadas. Además, están obligados a desarrollar actitudes positivas para obtener mejores resultados. Así que esta actividad contribuye a que seas una mejor persona en este mundo.

Otra de las formas de honrar a Dios con el cuerpo es no contaminándolo con sustancias psicotrópicas, como bebidas alcohólicas, tabaco y drogas. Un joven que no cuida su cuerpo de estas sustancias está destinado al fracaso. Todavía no puedo creer cómo Whitney Houston, una mujer con una de las voces más privilegiadas de la historia reciente, echó a perder su carrera por su adicción al alcohol y las drogas. Su muerte, el 11 de febrero de 2012, conmocionó al mundo y, al mismo tiempo, nos recordó los nefastos resultados de quienes insisten en seguir este camino.

El uso que le damos a nuestro cuerpo revela nuestros ideales personales. En realidad, seguir a Cristo exige una entrega total al Señor, incluyendo nuestro cuerpo. Recuerda que cuando llegues al reino de los cielos recibirás un cuerpo celestial, pero si no supiste administrar uno terrenal, será más que evidente tu incompetencia para morar junto a los redimidos.

> Amen a sus enemigos y oren por quienes los persiguen, para que sean hijos de su Padre que está en el cielo. Él hace que salga el sol sobre malos y buenos, y que llueva sobre justos e injustos (Mateo 5: 44, 45).

La historia que sigue es una de las más extraordinarias que he escuchado en mi vida. Me habría costado trabajo creerla si no la hubiera leído en una fuente fidedigna, *Is God Still in the Healing Business?* [¿Todavía está Dios en el negocio de la sanidad?], de David Marshall.

El general Lawrence Fuller era el abogado más importante del ejército de los Estados Unidos. Tenía un doctorado en Derecho y otro en Ingeniería. También era ateo. Hay quienes son ateos por conveniencia, pero él lo era por convicción. Después de un proceso de estudio riguroso, el militar había llegado a la conclusión de que Dios no existe y estaba dispuesto a defender su posición detalladamente, para convencer a otros de que también debían ser incrédulos.

En el mes de diciembre de 1973, a los sesenta y cinco años, Fuller se sometió a una serie completa de análisis y exámenes médicos en el Hospital General Walter Reed de Washington, D. C., como parte del proceso de su retiro del ejército. Al terminar los análisis, el cirujano en jefe anunció al general que se había descubierto que tenía cáncer de colon y el caso era sumamente grave. Era jueves y tendría que someterse a una intervención quirúrgica el lunes siguiente.

El domingo por la noche, antes de la operación, Fuller se encontraba despierto en su cama sin poder dormir. Cuenta que ante sus propios ojos el techo de la casa se abrió y una mano incorpórea descendió y lo tocó en la parte enferma de su cuerpo. Inmediatamente supo que estaba sano. La mano se retiró y el techo fue puesto en su lugar otra vez.

A la mañana siguiente, Fuller fue al hospital para anunciar que no se sometería a la operación y se mostró inflexible. Estaba sano. Después de una acalorada discusión con el cirujano, ambos acordaron que se realizaría una segunda ronda de análisis. Volvieron a tomar las radiografías y se hizo otra colonoscopia. Los análisis demostraron que Fuller estaba completamente sano. De hecho, su colon aparentaba ser el de un joven.

Cuando leí esta historia estuve pensando mucho tiempo. Dios no es como nosotros, que tendemos a beneficiar a quienes nos aman y piensan como nosotros. Dios, sin embargo, derrama sus bendiciones sobre justos e injustos. Si de verdad somos sus hijos, haremos lo mismo. Esta es una de las señales que realmente nos distinguirán.

Una boca llena de argumentos

¡Ah, si supiera yo dónde encontrar a Dios! ¡Si pudiera llegar adonde él habita! Ante él expondría mi caso; llenaría mi boca de argumentos (Job 23: 3, 4).

Después de que el general Lawrence Fuller fuera dado de alta del hospital, la naturaleza contundente del milagro que había experimentado lo obligó a repensar sus convicciones. Las radiografías que le tomaron con cinco días de diferencia eran testigos incontrovertibles de la realidad del milagro. Todo había sucedido en el Hospital General Walter Reed de Washington, D. C., entonces el hospital más importante del ejército de los Estados Unidos. El general Fuller se había pasado la vida promoviendo el ateísmo. Sin embargo, en un instante, Dios le había demostrado abrumadoramente la realidad de su existencia. Cuando el *Washington Post* informó de su historia, le preguntaron: «¿Qué podría decirnos sobre todos esos argumentos del pasado [en contra de la existencia de Dios]?». La respuesta de Fuller fue sencilla: «No tienen sentido».

Yo imagino que el general Fuller no recibió una respuesta individual para todos sus argumentos del pasado. El Todopoderoso no condescendió a una discusión extendida con Fuller para mostrarle el talón de Aquiles de cada uno de ellos. Dios simplemente lo confrontó con su poder. Al igual que Saulo en el camino a Damasco, Fuller tuvo muchos días después del milagro para reflexionar y ajustar su mundo a la realidad que no había podido, o quizás querido, reconocer. Como resultado de esto, el veterano general entregó su vida a Dios y se convirtió en un cristiano entregado, miembro de la Iglesia Adventista en Silver Spring, Maryland.

Yo no sé cuál ha sido tu experiencia personal, pero mi boca también se ha llenado de argumentos contra Dios cuando he sufrido reveses dolorosos en mi vida. Job también llenó su boca de explicaciones contra Dios. No obstante, el Todopoderoso un día se le reveló y todos aquellos argumentos quedaron sin sentido.

Job finalmente le dijo a Dios: «Reconozco que he hablado de cosas que no alcanzo a comprender, de cosas demasiado maravillosas que me son desconocidas. [...] De oídas había oído hablar de ti, pero ahora te veo con mis propios ojos. Por tanto, me retracto de lo que he dicho, y me arrepiento en polvo y ceniza» (Job 42: 3, 5, 6).

Dios también ha sido paciente conmigo y me ha revelado que sus caminos son mejores. Si hoy tienes la boca llena de argumentos, ¿por qué no le pides mejor, en vez de expresarlos, que se te revele?

El Espíritu mismo le asegura a nuestro espíritu que somos hijos de Dios. Y si somos hijos, somos herederos; herederos de Dios y coherederos con Cristo, pues si ahora sufrimos con él, también tendremos parte con él en su gloria (Romanos 8: 16, 17).

Yo no sé qué opinas, pero a mí me gusta recibir un trato distinguido. Debido a que, por asuntos de trabajo, frecuentemente he tenido que viajar en avión, las aerolíneas con las que viajo me dan un trato preferente. Tengo acceso a salas de espera especiales y, además, puedo escoger los asientos más cercanos a la salida, subir primero al avión y, algunas veces, viajar en primera clase por el precio de un billete de bajo costo. ¿Será que el cielo actúa así también? ¿Los creyentes reciben un trato especial? A fin de cuentas, ¿no son «clientes» frecuentes y leales de Dios?

La pregunta es complicada. A veces me pregunto por qué el Señor puede sanar milagrosamente a un ateo que se había opuesto al reino de Dios durante su vida, pero permite morir de cáncer a hijos fieles suyos. ¿Tiene el cielo algún tipo de programa para premiar a sus hijos leales?

Cuando los problemas afligen a los creyentes, muchas veces nos sentimos tentados a preguntar a Dios: «¿Por qué?». Sentimos que de alguna manera él no ha premiado nuestra fidelidad. Sin embargo, las aflicciones nos desconciertan porque entendemos mal nuestra relación con Dios. Los creyentes no somos sus clientes. Más bien él nos ha invitado a ser sus socios, y esto es un asunto muy diferente.

Los clientes regatean con el vendedor para obtener el mayor beneficio posible al menor costo. La relación entre el cliente y el vendedor, por lo general, no es de confianza. A menudo, ambos representan partidos e intereses opuestos. Los socios, sin embargo, son parte de un mismo equipo y sufren juntos para acrecentar sus negocios. Ellos soportan la carga del sobrecosto pero cosechan juntos los beneficios del éxito. La relación que impera entre ellos es de confianza y sus intereses son comunes.

Dios nos invita a unirnos a su reino como socios. Mientras el reino crece, algunas veces nos toca a los socios compartir el sufrimiento que conlleva el crecimiento. Pero esto no importa, porque los socios sabemos que cuando el reino de Dios triunfe, todos participaremos de los enormes beneficios.

Lo que más me emociona es saber que Dios ha garantizado el éxito de su reino. Los socios viviremos en un reino extraordinario donde no habrá más muerte ni clamor ni dolor. Si tu inversión ha implicado aflicciones, no te preocupes. Vale la pena.

Que pida con fe, sin dudar, porque quien duda es como las olas del mar, agitadas y llevadas de un lado a otro por el viento. Quien es así no piense que va a recibir cosa alguna del Señor; es indeciso e inconstante en todo lo que hace (Santiago 1: 6-8).

La historia que te conté hace algunos días sobre la curación milagrosa del general Fuller, cuando todavía era ateo, al principio me desconcertó. ¿Por qué Dios permite que sus hijos fieles mueran de enfermedades largas y dolorosas mientras que otros que no creen en él se curan milagrosamente? ¿Cuál es la relación entre la oración y la fe? ¿De verdad Dios contesta nuestras oraciones de acuerdo con nuestra fe? El general Fuller no tenía fe; sin embargo, Dios lo sanó milagrosamente.

Si te pones a pensar, Dios no necesita nuestra fe para realizar milagros en beneficio nuestro. Él es todopoderoso y soberano. No depende de nosotros ni lo limitamos para hacer su voluntad. La Biblia dice que ha hecho milagros en favor de personas que dudaban o no tenían fe. Analiza, por ejemplo, el primer diálogo entre Gedeón y el ángel (Jue. 6: 11-27) o el de Moisés con Dios en el desierto (Éxo. 3: 1-4: 17). Ninguno de ellos mostró mucha fe en sus palabras, pero él realizó milagros poderosos en su favor. El caso más interesante quizá sea el de Malco, sirviente del sumo sacerdote (Juan 18: 1-11). Malco no era seguidor de Jesús sino su enemigo. Había acudido a arrestarlo. Por supuesto, Malco no tenía fe en Cristo, pero cuando Pedro le cortó la oreja, el Maestro lo sanó milagrosamente. Entonces concluimos que los milagros de Dios no dependen de nuestra fe.

Si es así, ¿por qué dice Santiago 1: 6, 7 que sin fe nada recibiremos del Señor? Bueno, la razón me parece sencilla. Hay peticiones que Dios puede concedernos sin fe y otras que no puede darnos sin fe. Por ejemplo, Dios puede darnos salud sin que tengamos fe, pero no salvación. Dios puede darnos inteligencia aunque no tengamos fe, pero no sabiduría. Si te pones a pensar, las cosas que realmente valen la pena, aquellas que nos dan vida plena y durarán después de que este mundo se acabe, requieren fe de nuestra parte.

Las cosas importantes solo podemos recibirlas cuando confiamos lo suficiente en Cristo Jesús como para obedecerlo y poner nuestro futuro en sus manos. ¿Y tú, tienes fe? Si la tienes, Dios te dará mucho más de lo que imaginas.

No amontonen riquezas aquí en la tierra, donde la polilla destruye y las cosas se echan a perder, y donde los ladrones entran a robar. Más bien amontonen riquezas en el cielo, donde la polilla no destruye ni las cosas se echan a perder ni los ladrones entran a robar. Pues donde esté tu riqueza, allí estará también tu corazón (Mateo 6: 19-21, DHH).

Eva pertenecía a una comunidad musulmana. Su matrimonio había terminado en divorcio. Aunque varias veces pensó en suicidarse, decidió estudiar las grandes religiones del mundo, esperando que una de ellas le ofreciera consuelo. Comenzó con el cristianismo y, en particular, el Nuevo Testamento. No podía comprender sus enseñanzas, de modo que compró comentarios, diccionarios bíblicos y leyó más de ochocientos libros. Gradualmente, las piezas del rompecabezas fueron encajando y vio en todas las Escrituras un retrato de Jesucristo atractivo y persuasivo. Poco después era bautizada en la Iglesia Adventista del Séptimo Día.

Jesús contó la parábola del tesoro escondido: «El reino de los cielos es como un tesoro escondido en un campo. Cuando un hombre lo descubrió, lo volvió a esconder, y lleno de alegría fue y vendió todo lo que tenía y compró ese campo» (Mat. 13: 44). Esta parábola presenta importantes desafíos para el estudio de la Biblia. Jesús es el tesoro escondido; y la Biblia, el campo. Esto significa que las Escrituras no son un fin en sí mismas, sino que apuntan más allá, a Cristo. El estudio de la Biblia que no se concentra en Cristo olvida el propósito de la misma. Si no encontramos a Cristo en cada página de las Sagradas Escrituras, no las hemos comprendido. Las doctrinas que no tienen su centro en Jesús distorsionan la verdad bíblica.

Por eso Eva descubrió a Cristo después de leer más de ochocientos libros y, especialmente, el Nuevo Testamento. Porque Jesús resplandece en cada página de la Biblia. Por eso, se nos aconseja no acumular tesoros que nos impidan ver y «comprar» el tesoro más valioso, Cristo y la salvación. Sencillamente «donde esté tu tesoro, allí estará también tu corazón». Por eso es tan difícil que se salven los que confían en las riquezas. El joven rico «se fue triste» (Mat. 19: 22), ¿recuerdas? Sus posesiones eran lo más importante para él. Eligió conscientemente dejar a Cristo, aunque sabía que conocía el camino de la salvación.

La prosperidad y la bondad externa del ser humano suelen convertirse en las principales barreras para entregar sin reservas nuestras vidas a Jesucristo. Busca hoy el tesoro de la salvación. No evalúes tu vida cristiana según lo que tienes, porque podrías llevarte una gran sorpresa.

Conserva la gloria
de tu fuerza

La gloria de los jóvenes radica en su fuerza; la honra de los ancianos, en sus canas (Proverbios 20: 29).

Un joven que ha atesorado toda la energía de su pubertad a través de una vida limpia y una actitud diligente, es digno de reconocimiento. No hay dudas al respecto. El joven vigoroso y sano tiene una gloria indiscutible. Un anciano respetable y sabio, también.

Eso me vino a la mente un 23 de octubre cuando leí que Pelé, el famoso astro del fútbol, había cumplido setenta años. En aquellos días le llovieron propuestas de homenajes, entrevistas y reportajes para celebrar su cumpleaños, pero el llamado rey del fútbol emitió un comunicado por medio de su representante: «Pelé festejará sus setenta años de la misma manera que los sesenta y nueve años anteriores: solamente con su familia». Luego dijo que su mejor regalo de cumpleaños era la salud y el amor de su familia y de sus admiradores.

Pelé jugó al fútbol y vivió su vida con caballerosidad y moderación. Al cumplir los setenta años, una nota de prensa decía: «El tono humilde y el bajo perfil son un rostro novedoso del exjugador, quien suele referirse a sí mismo en tercera persona». Su tono humilde y su bajo perfil actual contrastan con sus grandes logros. En 1956, a los dieciséis años comenzó su larga carrera profesional de veintiún años. Durante su trayectoria, anotó 1,281 goles en 1,363 partidos. Uno de los momentos cumbres de su carrera y de su vida fue la noche del 19 de noviembre de 1969, cuando anotó el emblemático gol número mil en el estadio Maracaná de Río de Janeiro, Brasil, superando con un penalti, que dedicó a los niños, al guardameta argentino Edgardo Andrada, del Vasco da Gama. Conquistó treinta y un campeonatos, entre ellos los mundiales de fútbol de Suecia 1958, Chile 1962 y México 1970 y, con el Santos, el bicampeonato de las copas Libertadores e Intercontinental en 1962 y 1963. La Federación Internacional de Fútbol, y también la revista *France Football*, lo nombraron Jugador del Siglo y el Comité Olímpico Internacional, Atleta del Siglo.

Que a los setenta años un hombre que ha logrado tales hazañas y recibido tales honores viva humilde y prudentemente es, en realidad, «la gloria de las canas». Vivamos con la vista puesta en la conquista de grandes hazañas, pero con humildad y honor.

El hombre prudente no muestra lo que sabe, pero el corazón de los necios proclama su necedad (Proverbios 12: 23).

Fue Juan Valera quien dijo: «La palabra es la primogénita del espíritu». O sea que la palabra es el producto más genuino del espíritu humano. En realidad, desde el punto de vista natural, somos humanos gracias al lenguaje. La capacidad de hablar es la evidencia más convincente de nuestra condición humana. Como dijo Aristóteles: «El hombre es un ser de palabra».

Por esta causa la literatura sapiencial pone tanto énfasis en la importancia de la palabra. Por ejemplo, Proverbios 25: 11 dice: «Como naranjas de oro con incrustaciones de plata son las palabras dichas a tiempo». Es decir que la palabra vale mucho, es muy importante, por eso el sabio «refrena sus palabras» (Prov. 19: 27). Si valen tanto, hay que usarlas con cuidado. No abramos demasiado la boca porque Jesús, el Hijo de Dios y el más grande de los hombres, dijo: «De la abundancia del corazón habla la boca» (Mat. 12: 34). Esto equivale a decir que si el sabio tiene el corazón lleno de sabiduría, cuando habla, expresa palabras sabias, prudentes, discretas, dignas de ser oídas, y por lo mismo, son «bendición para quienes escuchan» (Efe. 4: 29).

En cambio al necio, que suele ser ignorante, no le conviene hablar, porque cada vez que abre la boca dice a todos que es necio y «escupe necedades» (Prov. 15: 2). Quizá pensando en eso, un sabio maestro dijo una vez: «El que abre demasiado la boca muestra su ignorancia». Como es natural, aunque sea necio e ignorante, cuando calla «pasa por sabio» y «prudente» (Prov. 17: 28).

Estos principios nos indican que jamás daremos demasiada importancia a hablar con cuidado y escuchar con atención. Recuerda que el que habla se compromete; pero el que escucha aprende. Por eso el sabio prefiere escuchar antes que hablar. Si el que habla es necio, decide callar para no responder al necio «según su necedad» (Prov. 26: 4). Y si el que habla es sabio, escucha con gusto porque aprenderás y serás más sabio.

En toda esta declaración divina de sabiduría queda establecido un principio: «El que mucho habla, mucho yerra; el que es sabio refrena su lengua» (Prov. 10: 19). Decide vivir la prudencia del silencio y la cultura de las palabras que son «como naranjas de oro» por lo que dicen y por quién las dice.

Un *iPhone* de ocho millones de dólares

A quien Dios le concede abundancia y riquezas, también le concede comer de ellas, y tomar su parte y disfrutar de sus afanes, pues esto es don de Dios (Eclesiastés 5: 19).

En el año 2010 sucedió algo que la revista *Time* clasificó como una de las noticias más raras del año. Stuart Hughes, el joyero británico que supo apelar a la vanidad última de los que tienen mucho dinero, puso a la venta un *iPhone* de ocho millones de dólares.

La joya, que es una obra de arte, está adornada con más de quinientos diamantes y un botón de navegación de platino, que además tiene un diamante rosa de 7.4 quilates. Este aparato, que dejó a muchos con la boca abierta, lo compró Tony Sage, un magnate australiano.

Stuart Hughes, el astuto joyero británico, ya había creado Blackberries con piedras preciosas incrustadas e incluso una Nintendo Wii de oro macizo. Por supuesto, nunca faltaron quienes los compraran. El *iPhone* de ocho millones dólares era, sencillamente, su último asalto a la vanidad de los que tienen muchísimo más de lo que necesitan.

El problema que afrontan los ricos es cómo gastar su dinero. Ya sabemos que la riqueza es un don de Dios. Hay quienes recibieron el don de emprender grandes negocios y ganar mucho dinero. ¿Cómo gastarlo?

El mismo sabio Salomón mencionó un mal «que abunda entre los hombres». Lo describe como «¡absurdo, y un mal terrible!» ¿Cuál es? «A algunos Dios les da abundancia, riquezas y honores [...], pero es a otros a quienes les concede disfrutar de todo ello» (Ecl. 6: 2).

Es decir, lo normal es que quien tiene riquezas las disfrute. Es terrible que, teniendo riquezas, se sienta culpable si tiene una casa cómoda, un automóvil nuevo y va de vacaciones a un costoso balneario.

El principio de mayordomía cristiana que estableció John Wesley: «Gana todo lo que puedas, ahorra todo lo que puedas, da todo lo que puedas», se puede ampliar así: «Devuelve fielmente tus diezmos a Dios. Dale a Dios las ofrendas más generosas que puedas. Ayuda a toda causa noble de tu comunidad. Da generosamente a todos los que padecen necesidad». Después de todo eso, disfruta con tranquilidad las bendiciones económicas que Dios te brinde, porque tu alma generosa y cristiana estará libre del egoísmo y la necedad que implica comprar un *iPhone* de ocho millones de dólares.

La sabiduría de Dios te ayudará a saber cómo invertir tu dinero. La humildad y el amor constituyen las bases para decidir sabiamente.

Gran Liga de Glotones

> Tengan cuidado, no sea que se les endurezca el corazón por el vicio, la embriaguez y las preocupaciones de esta vida. De otra manera, aquel día caerá de improviso sobre ustedes (Lucas 21: 34).

Jesucristo dijo que la glotonería o gula sería una de las señales del tiempo del fin. En la actualidad, la gula es, de hecho, una diversión cuyos torneos transmite la cadena ESPN por televisión internacional.

Takeru Kobayashi, famoso glotón japonés, fue campeón en concursos de comida durante seis años seguidos y el día 4 de julio de 2010 protagonizó una noticia sensacional que divulgaron diversos medios de comunicación. Ese día se celebraba la competición anual *Nathan's Hot Dog* realizada en Coney Island. Lo malo era que Kobayashi había sido excluido del concurso por una disputa con los dirigentes de la *Major League Eating* («Gran Liga de Comedores», ¿o glotones?).

De todos modos, Kobayashi asistió al concurso. En el momento cumbre de la competición, su rival Joey Chesnut devoraba centenares de deliciosos perritos calientes y se dirigía hacia la victoria. El excampeón no pudo soportar la escena. De repente saltó al escenario para comer.

Por supuesto, intervino la policía. Intentaron arrestarlo por su conducta desordenada, pero Kobayashi se opuso al arresto y entonces enfrentó graves cargos judiciales. Su mayor temor era que lo descalificaran de por vida de los concursos de comida.

Al parecer, este incidente representa una de las características que definen a esta generación, del mismo modo que «comer y beber» fue una característica distintiva del mundo antediluviano. La misma existencia de los concursos de comida indica una pérdida de equilibrio de la sociedad. Uno de los resultados de «comer y beber» es la pérdida de sensibilidad espiritual para comprender los peligros de los últimos días. Recuerda el consejo de Cristo al principio de la lectura de hoy.

La temperancia es otra forma de referirnos al dominio propio y no tiene que ver únicamente con la comida, sino con todos los ámbitos de nuestra vida. El exceso en la comida, en el trabajo y otros aspectos, apuntan a un problema de desequilibrio en nuestro ser. Ponte a pensar en tu propia vida. ¿Existe algún tipo de desequilibrio en lo que haces? Piensa cuál es la razón por la que exageras en este o aquel ámbito de tu vida. Ten cuidado, no sea que ganes el primer lugar en la final de la liga de glotones pero pierdas un lugar en el reino venidero.

83

El mal negocio del picador

Pido también que les sean iluminados los ojos del corazón para que sepan a qué esperanza él los ha llamado, cuál es la riqueza de su gloriosa herencia entre los santos (Efesios 1: 18).

Pablo Ruiz Picasso nunca dejó de ir a las corridas de toros, desde su natal Málaga en España, hasta las últimas, ya en el exilio, en Francia. El célebre pintor también se vistió de torero. Como Goya, tuvo amigos toreros, entre los que figuró Luis Miguel Dominguín. Por los toros, nació la amistad de Picasso con Eugenio Arias, un español que llegó ser su barbero predilecto durante su estancia en Vallauris, Francia. Fue una amistad que se mantuvo hasta la muerte del artista. Asistieron juntos a muchas corridas de toros, y muchas también fueron las vivencias y anécdotas que protagonizaron.

Una tarde, en el transcurso de una corrida que presenciaban Picasso y Arias, un picador brindó la faena a don Pablo, lanzándole su sombrero. Picasso se lo devolvió con un dibujo que había improvisado durante el transcurso de la corrida.

Más tarde, al terminar el espectáculo, el picador comentó a Eugenio Arias que uno de los toreros que participaban en la fiesta le había ofrecido, nada más y nada menos, que cincuenta duros por su sombrero. Arias le aconsejó que lo recuperara porque había hecho un negocio muy malo.

Años más tarde, se volvieron a encontrar el barbero y el picador, y este le agradeció efusivamente el consejo que Arias le había dado en aquella ya lejana ocasión, ya que gracias a la venta del «famoso» sombrero había podido comprarse una casa.

Claro, Picasso era Picasso. Hoy sabemos que todo el dinero que existe en el negocio del arte no alcanzaría para comprar su producción artística entera. Con mucha más razón podemos decir de Cristo, que dejarlo o negarlo es un mal negocio.

El apóstol usa la sorprendente frase «ojos del corazón» para enfatizar la importancia de aferrarnos a las riquezas inescrutables que están escondidas en el nombre de Cristo. Como señala el *Comentario bíblico adventista*, en realidad «ojos» quiere decir «perspicacia y visión clara, conocimiento espiritual y entendimiento moral».

Lo que sucede es que valoramos muy poco nuestra condición de cristianos, cuando en realidad, otros pagarían una fortuna por las grandes verdades que Dios nos ha revelado. La asistencia a la iglesia, los programas juveniles, los clubes, representan grandes tesoros que muchos jóvenes no aprecian en su justo valor. ¿Y sabes qué es lo que le da una inmensa valía a cada una de estas actividades? El toque celestial de Jesucristo. Solo por el hecho de contar con la bendición de Dios, adquieren un altísimo valor.

Los cobardes, los incrédulos, los abominables, los asesinos, los que cometen inmoralidades sexuales, los que practican artes mágicas, los idólatras y todos los mentirosos recibirán como herencia el lago de fuego y azufre (Apocalipsis 21: 8).

Don Ramón del Valle-Inclán, «el de las barbas de chivo», como le decía Rubén Darío, era conocido tanto por el excelente nivel de su producción literaria como por su extraña apariencia de larga melena, barba y vestimentas exóticas.

Después de una poca afortunada estancia en tierras mexicanas, pasó la mayor parte de sus días en la capital española. Allí se relacionó con diversos autores y personalidades del mundo de la cultura. Era famoso, singular, genial.

Hacia 1899, y con treinta y tres años de edad, tuvo una muy dura experiencia. Después de una fuerte discusión con su colega y compatriota, el escritor Manuel Bueno, se liaron a bastonazos en la mismísima Puerta del Sol, en Madrid.

Un certero bastonazo de su contrincante hizo que uno de los gemelos de la camisa que don Ramón vestía en ese momento, se clavara con violencia en su muñeca izquierda. Valle-Inclán, a quien sus amigos definieron siempre como «una persona muy despreocupada», no se realizó las curaciones necesarias y adecuadas. Al cabo de unos días, una muy grave infección de la herida determinó finalmente que hubiera que amputarle el brazo.

El hecho, lejos de amedrentar al escritor o sumirlo en un estado de depresión, hizo que su ingenio saliera una vez más a la luz. Nuestro personaje fue visto durante mucho tiempo en los típicos cafés y centros culturales de Madrid, contando que su brazo se lo había comido un león en fiera y singular batalla que habían librado.

Al parecer, Valle-Inclán elevó la mentira a la altura del arte. Mentía con gracia, con talento y con beneplácito de sus oyentes, a quienes a veces les costaba trabajo discernir si hablaba en serio o mentía en broma.

Un cristiano, sin embargo, no puede mentir ni en broma. Es cosa seria comprobar que nuestro texto de hoy califica la mentira al mismo nivel que el homicidio, la fornicación, la hechicería y la idolatría. Luego dice con mucho énfasis que «todos los mentirosos recibirán como herencia el lago de fuego y azufre».

El acto de mentir es más grave de lo que imaginamos. En primer lugar, porque los mentirosos tienen un padre común, «el diablo» (Juan 8: 44). Hoy pide a tu Padre celestial que te haga vivir íntegramente, de tal manera que tus obras lo glorifiquen.

Una memoria perfecta

Él es el Señor, nuestro Dios; en toda la tierra están sus decretos. Él siempre tiene presente su pacto, la palabra que ordenó para mil generaciones (Salmo 105: 7, 8).

El 27 de diciembre de 2009, el *New York Times* publicó la noticia de la muerte de Kim Peek a los 58 años de edad. La noticia no habría sido extraordinaria si Kim Peek no hubiera tenido una habilidad fabulosa. Recordaba todo, todo lo que leía.

Kim nació el 11 de noviembre de 1951 con varios defectos. Tenía macrocefalia (su cabeza creció más de lo normal), malformaciones en el cerebelo y su cerebro carecía del cuerpo calloso, o sea el manojo de tejido nervioso que conecta ambos hemisferios del cerebro. A los nueve meses de edad el médico dijo que nunca podría caminar por la gravedad de su condición. Cuando Kim tenía 6 años, otro médico sugirió una lobotomía (extirpar parcial o totalmente los lóbulos frontales del cerebro). Nunca pudo vestirse solo, lavarse los dientes sin ayuda o entender el lenguaje metafórico. Sin embargo, logró terminar la secundaria a los 14 años.

Lo asombroso de Kim Peek es que tenía una memoria fotográfica. Podía recordar todo lo que leía. De hecho, aunque parezca increíble, podía leer las dos páginas de un libro abierto al mismo tiempo (una con cada ojo) y memorizar lo que leía. Durante su vida, Kim leyó, y memorizó, alrededor de doce mil libros y, por lo tanto, era experto en una gran cantidad de temas (historia, deportes, música, geografía, películas, etcétera). Para que tengas una idea, sabía de memoria todos los códigos postales de Estados Unidos y las emisoras de televisión que emiten en cada estado.

Debo confesar que muchas veces he tenido envidia de Kim Peek. Realmente me gustaría recordar con precisión todo lo que leo. Pero no puedo. ¿Será que cuando lleguemos a la Tierra Nueva y seamos restaurados a la perfección original de Adán y Eva, tendremos una memoria perfecta? Yo creo que sí.

Sin embargo, hay algo que no olvido. Es que Dios tiene una memoria perfecta. Él nunca olvida lo que me ha prometido y tampoco las peticiones que le elevo diariamente. Dios conoce los cabellos de mi cabeza, entiende perfectamente mis preocupaciones y no olvida que necesito su ayuda para salir adelante. ¿Por qué no te arrodillas en este momento y elevas tu petición a Dios? Después, levántate con seguridad, porque él no olvidará lo que has pedido.

Yo soy el que por amor a mí mismo borra tus transgresiones y no se acuerda más de tus pecados (Isaías 43: 25).

Ayer te conté de Kim Peek, una persona que tenía la capacidad extraordinaria de recordar con precisión todo lo que leía y memorizó durante su vida alrededor de doce mil libros. Hace algún tiempo pregunté a un grupo de estudiantes universitarios si les gustaría tener una memoria perfecta como la de Kim Peek. Me imagino que él no pasaba la vergüenza de olvidar el nombre de una persona y no tenía que pasar horas preparándose para un examen de historia. Uno de los estudiantes me respondió, sin embargo, que no le gustaría. Su respuesta me sorprendió, pero creo que tenía razón.

La asombrosa memoria de Kim Peek no fue siempre fácil de sobrellevar para sus padres. Desde joven, Kim había memorizado una gran cantidad de obras musicales y también las de Shakespeare. El problema es que era muy estricto con todo lo que escuchaba. Los padres comentaron que tuvieron que dejar de ir a conciertos y al teatro, porque si uno de los músicos o de los actores se equivocaba, Kim se ponía de pie y corregía al actor en plena acción, o gritaba: «¡Un momento! El trombón tocó mal una nota».

La capacidad de olvidar las cosas negativas del pasado es también una bendición. En muchas ocasiones nuestra memoria es fuente de dolor y vergüenza. Cada vez que recordamos el mal que nos hicieron o la burla a la que fuimos sometidos, volvemos a sentir dolor y vergüenza. En otras ocasiones, quisiéramos que todos olvidaran los errores graves que hemos cometido. El problema es que así como no podemos recordar todo lo que queremos, tampoco podemos borrar de nuestra memoria, o la de otros, todo lo que deseamos.

Dios nos ha hecho, sin embargo, dos promesas maravillosas. La primera es que él ha decidido borrar de su memoria todos nuestros pecados y rebeliones. ¡Admirable! Podemos ser perfectos ante su mirada. La segunda promesa es que en la tierra nueva que creará, Dios ha prometido borrar de la memoria del universo las cosas pasadas (Isa. 65: 17). Esto significa que no sufriremos dolor o vergüenza por nuestro pasado. ¿Por qué no le pides a Jesús que empiece en este mismo momento y borre tus pecados de su memoria y te prepare para que vivas en ese mundo donde el pasado ya no será recordado? Así comenzarás a disfrutar las maravillas del mundo venidero.

Einstein otra vez

Queridos hermanos, no crean a cualquiera que pretenda estar inspirado por el Espíritu, sino sométanlo a prueba para ver si es de Dios, porque han salido por el mundo muchos falsos profetas (1 Juan 4: 1).

Los hombres de ciencia, artistas y deportistas brillantes han dejado anécdotas en diversos ámbitos de sus vidas. En ocasiones, no es posible comprobar la veracidad de tales historias, pero muchas de ellas se han transformado en verdaderas marcas de identidad de sus célebres protagonistas. Albert Einstein, que ha llegado a considerarse uno de los hombres más inteligentes de la historia, protagonizó o se le han atribuido muchas anécdotas geniales.

A pesar de que no empezó a hablar hasta cumplidos los tres años, cuando alcanzó poco más de veinte ya era reconocido por su teoría de la relatividad. Pronto se hizo famoso. Por lo mismo, con frecuencia lo invitaban diversas universidades para dictar conferencias.

Sus biógrafos afirman que no le agradaba conducir automóviles, a pesar de que los vehículos siempre le resultaron muy cómodos para desplazarse. Por lo mismo, se vio obligado a contratar a un chofer. Se cuenta que tras años de viajar juntos, Einstein le comentó un día lo monótono que le resultaba repetir lo mismo una y otra vez en cada disertación. «Si quiere —le dijo el chofer—, lo puedo sustituir a usted por una noche. He oído sus conceptos tantas veces que los podría recitar palabra por palabra».

Einstein aceptó el desafío y, antes de llegar al siguiente lugar, intercambiaron sus vestimentas y el científico se sentó al volante del vehículo. Llegaron al lugar previsto, donde se llevaría a cabo la conferencia y, como ninguno de los académicos presentes conocía a Einstein, nadie se percató del engaño.

El chofer expuso la misma conferencia que había escuchado tantas veces a su jefe. Al final de la exposición, sin embargo, un destacado profesor del público le hizo una pregunta. El chofer no tenía la menor idea de la respuesta; sin embargo, en un golpe de inspiración replicó: «Me extraña, profesor, la pregunta que usted me hace. Es tan sencilla que dejaré que mi chofer, que se encuentra sentado al fondo de la sala, se la responda».

Muy probablemente la anécdota sea apócrifa. Por lo menos suena sospechosa. Pero qué bien ilustra lo que quiero decirte: «Siempre prueba a los espíritus». No aceptes nada sin comprobar.

Estremece pensar en esto: ¿Cuántas veces habrá hablado un falso profeta, o el mismo Satanás, en los púlpitos de las iglesias? Buen tema para reflexionar y someter a prueba a todos los maestros religiosos.

No te jactes de ti mismo; que sean otros los que te alaben (Proverbios 27: 2).

Walter Riso, en su libro, *Aprendiendo a quererse a sí mismo,* dice: «Una de las características más determinantes y distintivas de los seres humanos, es, sin lugar a dudas, la capacidad de reflexionar sobre uno mismo. Más aún, poseemos el don de ser conscientes de nuestra propia conciencia». Luego agrega algo extraordinario: «El autoelogio es una manera de hablarte positivamente. Es una forma de contemplarte y de reconocer tus actuaciones adecuadas. No hace falta, ni es necesario, que lo digas en voz alta ni el público; serías sancionado y duramente criticado».

Seguramente Isaac Newton había leído el consejo de Salomón, porque lo seguía al pie de la letra. Newton tenía una mente tan poderosa, que uno de sus biógrafos dice que era amo y al mismo tiempo esclavo de ella.

Cuando, en una subasta, John Maynard Keynes compró un cajón lleno de papeles de Newton, se sorprendió al encontrarlo lleno de notas sobre alquimia, las profecías bíblicas y la reconstrucción de los planos del templo de Jerusalén basado en textos hebreos. Tan sorprendido quedó, que dijo: «Newton no fue la primera figura de la edad de la razón, fue el último de los magos, el último de los babilonios y los sumerios».

Cuando Newton decidió oponerse a la descripción algebraica que hizo Descartes del movimiento, necesitó elaborar una dinámica escrita de forma alternativa al álgebra. Pero como todavía no era matemáticamente factible, inventó una nueva rama de las matemáticas, el cálculo infinitesimal. Era geometría en movimiento. Las parábolas e hipérbolas que Newton trazó en papel podían analizarse como un punto en movimiento.

Pero durante veinticinco años no quiso publicarlo. La razón es que tenía miedo de que la publicación lo hiciera famoso y, entonces, la fama limitara su vida privada. En 1670 dijo en una carta: «No veo qué hay de deseable en la estima pública, si yo pudiera adquirirla y mantenerla. Quizás aumentaría mis relaciones, que es precisamente lo que quiero evitar».

No busques la fama. En vez de eso, procura ser útil. Ponte como objetivo hacer lo mejor en tu círculo de amigos, no para que te reconozcan sino para ser más útil. Cuanto mayor es la persona, menos procura el reconocimiento humano. Dos ejemplos son buenos, pero con uno basta: Isaac Newton y, antes, Jesús de Nazaret.

Cuán sabias son estas palabras: «No te jactes de ti mismo; que sean otros los que te alaben».

Motín en el *Somers*

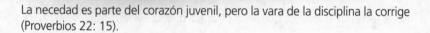

La necedad es parte del corazón juvenil, pero la vara de la disciplina la corrige (Proverbios 22: 15).

En 1847, la armada de los Estados Unidos tenía un buque escuela llamado *USS Somers*. En ese año, bajo el mando del capitán Alexander Mackenzie, el *Somers* zarpó hacia África en un viaje de estudios con un buen número de cadetes abordo. Al principio del viaje todo transcurría en medio de la agradable rutina de un buque escuela. Pero pronto comenzaron a circular rumores de que se tramaba un motín.

No tardó en saberse que el cabecilla de la rebelión era el alférez Phillip Spencer, hijo del Secretario de Defensa de los Estados Unidos. Spencer y otros cadetes decidieron apoderarse del *Somers* y convertirlo en un buque pirata. El proyecto incluía la decisión de matar a cualquiera de los tripulantes que no se uniera al complot.

Una revisión del camarote de Phillip Spencer produjo un alud de pruebas acusadoras. Había una lista escrita en griego de los cadetes que serían eliminados. También hallaron un dibujo del *Somers* con una bandera pirata.

Un consejo de guerra declaró culpable a Phillip Spencer. Luego, tres días después, en una ceremonia tristísima, la tripulación colgó de los aparejos de la nave al hijo del Secretario de Defensa del país. Fue el único intento de motín que se registró en la historia de la armada estadounidense.

Una tragedia sin sentido. El hijo de un político tan importante de su nación, acusado de emprender un ataque contra la misma. Fue una tragedia, pero también una necedad.

¿Qué se proponían aquellos jóvenes? No lo sabemos, por supuesto. Tenían todo lo que la vida puede dar a un joven. Phillip Spencer lo tenía «todo». Nada le faltaba. Una de sus mayores posesiones, creo yo, era la elevada posición política de su padre, cuyos honores lo alcanzaban a él.

Ninguna de las buenas cosas que se pueden poseer en este mundo le faltaba, pero sí una de las mayores posesiones que se necesitan para vivir bien en este mundo: sabiduría, juicio y humildad. Quizá, acostumbrado a divertirse, creyó que un motín sería divertido.

No confíes demasiado en tus privilegios. Los logros de tus padres no serán suficientes cuando tengas que demostrar por ti mismo tu capacidad. Tampoco te eximirán de pagar tus errores. Acuérdate de Phillip Spencer. No olvides lo que Dios dice en su palabra: «Hijo mío, si los pecadores quieren engañarte, no vayas con ellos. [...] ¡Apártate de sus senderos!» (Prov. 1: 10, 15).

Mandó entonces que se reunieran los magos, hechiceros, adivinos y astrólogos de su reino, para que le dijeran lo que había soñado (Daniel 2: 2).

Luis XI (1423-1483), el gran «rey araña» de Francia, tenía debilidad por la astrología. Robert Greene y Joost Elffers comentan en su libro *Las 48 leyes del poder,* que cierto día el astrólogo de la corte predijo al monarca que una de las cortesanas moriría en un lapso de ocho días. Cuando la profecía se cumplió, Luis XI se sintió aterrado. Pensó que, o bien el astrólogo había asesinado a la mujer para probar la exactitud de su profecía, o era tan versado en su ciencia que sus poderes constituían una amenaza para el propio rey. Cualquiera que fuera el caso, merecía la muerte.

Una tarde, Luis XI llamó al astrólogo a su habitación, ubicada en lo alto del castillo. Antes de que el hombre llegara, el rey indicó a sus sirvientes que, cuando él diera la señal, debían apresar al adivino, llevarlo hasta la ventana y arrojarlo al vacío.

El vaticinador llegó a los aposentos del rey, pero antes de dar la señal, Luis XI resolvió hacerle una última pregunta: «Usted afirma entender de astrología y conocer el destino de los demás, así que dígame cuánto tiempo de vida le queda».

«Moriré exactamente tres días antes que Su Majestad», respondió el astrólogo. El rey nunca dio la señal a sus siervos. Le perdonó la vida y no solamente lo protegió durante toda su vida, sino que lo colmó de obsequios e hizo que lo atendieran los mejores médicos de la corte. El adivino vivió varios años.

Ingenio, habilidad para sobrevivir. La mentira elevada a la altura del arte. La astrología es la ciencia del engaño, nunca «derrotada» a lo largo de la historia. Únicamente Dios conoce los secretos de su poder y de sus relaciones con fuerzas sumamente peligrosas.

Por eso dio a su pueblo indicaciones precisas y muy enfáticas de no permitir su existencia. Hoy la astrología, el ocultismo, el espiritismo, que están emparentados y comparten el mismo poder generador, adquieren diversas formas. Procura no tener que ver con ellos. Tienen el poder seductor de la serpiente.

No es extraño que, en la actualidad, las multitudes sigan seducidas como Luis XI, el gran «rey araña» de la vieja Francia. No confíes en la cultura ni en la educación en este caso. Los más instruidos y los más cultos están seducidos también por este poder. Recuerda lo que Dios ordenó a su pueblo: no permitir su existencia cerca de tu vida.

Falsos milagros
y falsos profetas

Esto es lo que dice el Señor contra ustedes, profetas que descarrían a mi pueblo: «Con el estómago lleno, invitan a la paz; con el vientre vacío, declaran la guerra» (Miqueas 3: 5).

Según Miqueas 3: 5, el principal pecado de los falsos dirigentes consistía en que inducían al error a la gente y la hacían pecar. ¡Cuán grande es la culpa de aquel que desvía a otros del camino recto! Miqueas se refiere a las tinieblas espirituales que envuelven a esa gente. Proclaman embusteramente la paz cuando las cosas van de mal en peor. Los seguidores de Dios que buscan la verdad deben ser precavidos y estar alerta para distinguir a los falsos predicadores, para protegerse de sus estragos.

No siempre es fácil discernir las simuladas pretensiones de algunos. En cierta ocasión, cuando el rey Enrique II de Inglaterra se encontraba de peregrinación en el Santuario de San Albano, un mendigo, que pretendía haber nacido ciego, anunció que súbitamente había recibido la vista. Las campanas de la iglesia comenzaron a repicar para celebrar el milagro. Pero el duque Humphrey de Gloucester, que acompañaba al monarca, no creyó las pretensiones del mendigo.

Llamó al hombre y le preguntó en privado si era verdad que había nacido ciego. Tanto el mendigo como su esposa aseguraron al duque que, efectivamente, así había sido. Humphrey aconsejó que le diera gloria a Dios. A continuación, mirando fijamente a los ojos al mendigo, le dijo:

—Ya lo creo que naciste ciego, porque me parece que todavía no puedes ver bien.

—Pero claro que sí, señor —replicó el mendigo—; ahora puedo ver tan bien como cualquiera.

—Entonces dime —lo intimó el duque—: ¿de qué color es mi túnica?

Para demostrar lo bien que veía, el mendigo no solamente le dijo de qué color era su túnica, sino que dio una información exacta de los colores de todas las túnicas que usaban, y los nombres de todos los que los rodeaban.

Entonces el duque Humphrey demostró que era impostor al decir: «Aunque pudieras haber recibido milagrosamente la vista, es totalmente imposible que con la misma celeridad hayas aprendido los nombres de todos ellos».

Los milagros y los engaños de Satanás serán grandes y sutiles. Muy convincentes. Millares de personas ansiosas de ver y creer grandes cosas serán engañadas. Los ojos y los oídos no podrán detectar el engaño. Solo el conocimiento de Dios y de su Palabra nos salvará. Dedica un tiempo para evaluar tu vida espiritual. ¿Sigues un cristianismo basado en sentimientos y señales, o se fundamenta en un «Escrito está»? Hoy defines el camino que seguirás.

Ángeles o demonios

El Espíritu dice claramente que, en los últimos tiempos, algunos abandonarán la fe para seguir inspiraciones engañosas y doctrinas diabólicas (1 Timoteo 4: 1).

Seguramente recuerdas las famosas novelas de Dan Brown, *Ángeles y demonios*, y su famosísima secuela *El código Da Vinci*, verdaderos fenómenos editoriales. Solo del *Código da Vinci* se vendieron cien millones de ejemplares. Por supuesto, también recordarás que las dos novelas se convirtieron en películas y recaudaron millones de dólares en taquilla.

Lo que probablemente no sepas, es lo que dice al respecto Ross Douthat, columnista del *New York Times*. El especialista dice que solo entendiendo el estado de la religión en Estados Unidos se puede comprender por qué a tanta gente le gusta leer a Dan Brown. Dice que no es simplemente porque él sabe cómo hacer que la gente siga pasando las páginas de sus novelas; eso se requiere para vender un millón de ejemplares. Pero si quieres vender cien millones, necesitas predicar además de entretener. Es decir, presentar una ficción que pueda ser leída como un hecho al tiempo que promete develar los secretos de la historia, del universo y de Dios.

Brown expresaba esta misión explícitamente. Él decía que los emocionantes argumentos y el suspenso de la trama de sus novelas, tienen el propósito de hacer que la didáctica del libro cumpla su objetivo con facilidad. Así el lector no se da cuenta hasta el final de que aprendía algo desde el principio.

Es decir, Dan Brown trabaja en la misma línea de ideólogos como Ayn Rand y el gurú religioso Deepak Chopra. Es cierto que escribe novelas, pero en realidad lo que vende es teología. Su enseñanza, si nos guiamos por esas dos novelas en particular, es que las religiones son una farsa y ninguna puede pretender la posesión de la verdad. Lo que enseña es una espiritualidad posmoderna, desconectada de toda religión tradicional específica.

Detrás de todo eso se percibe la intención de destruir los fundamentos de la fe cristiana y una promoción de las inspiraciones engañosas y doctrinas diabólicas anunciadas para los últimos días. Libros como los de Brown, unidos a la serie de Harry Potter, adoctrinan al mundo. Sin darse cuenta, mediante técnicas didácticas muy entretenidas y efectivas, la gente aprende las doctrinas antiguas, «el vino de Babilonia» que embriagará otra vez al mundo. Como dijo el apóstol Pablo: «Ten cuidado de tu conducta y de tu enseñanza» (1 Tim. 4: 16).

Crueldad suprema

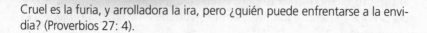

Cruel es la furia, y arrolladora la ira, pero ¿quién puede enfrentarse a la envidia? (Proverbios 27: 4).

La envidia es capaz de desatar la crueldad suprema. La «parábola del hombre codicioso y el hombre envidioso» puede ayudarnos a comprenderla.

Un hombre codicioso y un hombre envidioso se encontraron con un rey. Este les dijo: «Uno de ustedes puede pedirme algo y se lo daré, siempre y cuando yo le dé el doble al otro».

El envidioso no quería ser el primero en pedir, porque su compañero recibiría el doble. Y el codicioso no quería pedir primero, porque quería obtener lo máximo posible.

Al final, el codicioso insistió en que fuera el envidioso el primero en formular el pedido. Entonces el envidioso le pidió al rey que le arrancara un ojo.

Esto es una muestra del ingenio creativo del fabulista judío Solomon Schimmel, pero una lección tan aguda como una navaja de afeitar. La naturaleza del envidioso es capaz de esa crueldad. Nadie debe subestimar la maledicencia de la envidia.

Conviene conocer y aceptar la realidad. Una de las cosas más difíciles para un ser humano es controlar sus sentimientos de inferioridad. Cuando nos enfrentamos a una capacidad, a un talento o a un poder superior, nos sentimos perturbados e incómodos. La razón es que tenemos una conciencia exagerada de nosotros mismos. Esta perturbación de nuestra imagen personal no puede tolerarse mucho tiempo sin que despierte emociones negativas. Primero sentimos envidia. Si tuviéramos las cualidades o las habilidades de la persona considerada superior a nosotros, seríamos felices.

Pero tampoco podemos admitir que sentimos envidia, porque es un sentimiento que la sociedad condena. También porque mostrar envidia es reconocer que somos inferiores. Como dijo Plutarco: «De todos los trastornos del alma, la envidia es el único que nadie admite tener». No admitimos la envidia ni siquiera ante nuestros amigos más cercanos y fieles. Es un sentimiento clandestino, incubado en la intimidad que va corrompiendo todo lo noble que pueda haber en nosotros.

Únicamente la aceptación de Aquel que repartió con sabiduría talentos y habilidades, puede darnos la victoria sobre la envidia. Dejaremos de envidiar a otros por los talentos que poseen y nos dedicaremos a emplear los nuestros lo mejor que podamos, sean pocos o muchos.

Cuídate, pues, de la envidia. Si la sientes por causa del éxito de alguien, no lo ocultes ni lo niegues. Admítelo, primero ante Dios, y luego ante ti. Luego pide al Señor la gracia y la ayuda que necesitas para vencer a la causante de la «crueldad suprema».

Padre, quiero que los que me has dado estén conmigo donde yo estoy. Que vean mi gloria, la gloria que me has dado porque me amaste desde antes de la creación del mundo (Juan 17: 24).

Troy es nuestro perro. Su padre es un schnauzer y su madre, una cocker spaniel. Tiene el cabello de color negro brillante, un tamaño casi mediano, la mirada traviesa y un comportamiento juguetón. Nos costó menos de cinco dólares; sin embargo, lo amamos profundamente.

Hace varios años había prometido a mis hijos que les compraría un cachorrito cuando terminara de estudiar, y nos mudáramos a una casa con un patio donde ellos pudieran cuidarlo. En ese tiempo vivíamos en Berrien Springs, Míchigan, y cada vez que íbamos al centro comercial de South Bend, la ciudad más cercana, nuestros hijos no nos permitían pasar por alto el ritual de entrar en la tienda de mascotas, donde podían jugar durante algunos minutos con su cachorrito preferido. Todos nos divertíamos con los cachorros, pero nuestros hijos disfrutaban especialmente el momento como un adelanto del futuro prometido. Años después, llegó el feliz día en que pudieron elegir un cachorro. De entre la camada escogieron al más tranquilo de todos. Pero este resultó ser el primer engaño del cual fuimos víctimas. Troy resultó ser un perro hiperactivo, inteligente, desobediente y mal guardián. No obstante, mis hijos lo quieren porque a él le encanta jugar con ellos; y nosotros, porque ellos son felices con él.

Hace algún tiempo Troy hizo algo extraordinario. Adoptó un gato que no tenía hogar y estaba flaco y desnutrido. Le tomó tanto cariño que le permitía dormir en su casa, compartir su plato de comida y le hacía con el hocico los mismos cariños que nosotros le hacíamos a él. Después de un tiempo decidimos adoptar al gato en nuestra familia y le pusimos por nombre Sid. Gracias a Troy, Sid disfrutó de todos los beneficios de un hogar, protección, comida, abrigo, medicina y cariño.

Troy me recuerda lo que Jesús hizo por nosotros. Nos adoptó como sus hermanos y compartió con nosotros lo que era suyo. Le dijo a su Padre que él quería vivir con nosotros para siempre (por eso Dios nos da vida eterna) y compartir con nosotros su herencia (una tierra nueva). Tú y yo podemos recibir esos beneficios si aceptamos el amor de Jesús y somos leales a él.

Y entonces, lloraron

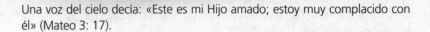

Una voz del cielo decía: «Este es mi Hijo amado; estoy muy complacido con él» (Mateo 3: 17).

La noche del 4 de noviembre de 2008·no pude irme a dormir temprano. ¿Cómo podía, si era testigo de uno de los momentos más significativos de la historia reciente? Esa noche se decidía la épica contienda electoral que había enfrentado a dos grandes hombres, John McCain y Barack Obama, por la presidencia de los EE. UU.

La contienda ocurría en un momento crítico. Estados Unidos se enfrentaba a la peor crisis económica en muchas décadas, después de involucrarse en conflictos armados con Iraq y Afganistán. Sin embargo, estas circunstancias particularmente difíciles daban más poder a la pregunta que había cautivado a la nación, y al mundo entero: ¿Sería posible que una persona de piel oscura fuera elegida como presidente de la nación? La Constitución del país y los logros del movimiento a favor de los derechos civiles de los afroamericanos (1955–1968) garantizaban que eso fuera posible. Sin embargo, una gran cantidad de personas, incluidos muchos ciudadanos de color, creían que los prejuicios harían imposible que sucediera en la práctica lo que la ley garantizaba. Cuando Barack Obama fue nombrado presidente, la nación y el mundo supieron que sí, que era cierto que blancos y negros tenían los mismos privilegios y oportunidades.

Casi a la media noche, las lágrimas rodaron por mis mejillas cuando leí el artículo «And Then They Wept» [Y entonces, lloraron] en el *New York Times*. En el texto, Charles M. Blow explicó con fuerza el significado de la victoria de Obama: «La historia registrará esta noche como la noche en que las almas de la gente negra [...] lloraron y rieron, gritaron y bailaron, liberando una emoción reprimida durante cuatrocientos años». Obama incorporaba en su persona la victoria de todo un pueblo y la aspiración de cada uno de sus individuos.

Algo similar pasó cuando Jesús obtuvo la victoria en la cruz. Dios había anunciado un plan de salvación para el hombre, pero el universo, y los hombres mismos, creían que era imposible que el hombre, pecador, traidor y degradado, fuera restituido a la comunión del cielo. Sin embargo, Cristo se hizo hombre, venció el pecado y demostró que la restauración del ser humano era posible.

Cuando Dios aceptó a Jesús como su Hijo, nos aceptó a todos los seres humanos. Cuando lo instaló a su diestra en el trono celestial, Jesús incorporó en su propia persona la victoria de la humanidad y la aspiración de cada uno de sus individuos.

Por tanto, sean perfectos, así como su Padre celestial es perfecto (Mateo 5: 48).

Uno de los temas más espinosos para los jóvenes tiene que ver con la perfección. ¿De verdad espera Dios que seamos perfectos? Pues así lo dice la Biblia. Pero no te angusties. Solo a través del poder de Dios obrando dentro de nosotros podemos alcanzar esos ideales, que son más altos que el más elevado pensamiento humano.

El pastor Leo Van Dolson, cuenta: «Un joven vendedor de aceite vivía en el Japón feudal. Al pasar un día junto a un antiguo almacén, el vendedor escuchó sonidos extraños que salían de ahí. Espió a través de una rendija de la pared y quedó fascinado con lo que vio. Unos jóvenes samurái estaban lanzando flechas a un blanco. La razón por la que lo hacían bajo techo es porque apenas estaban aprendiendo a tirar con el arco y no querían que otros vieran cuántas veces erraban el blanco.

»El vendedor no pudo menos que soltar una carcajada al ver sus errores de principiantes. Los samurái lo oyeron, salieron y lo atraparon entre todos.

»—¿Así que te estás riendo de nosotros? —le gritaron—. Si piensas que puedes hacerlo mejor, hazlo; si no, te daremos tu merecido por faltarnos al respeto.

»El vendedor tuvo que pensar rápido.

»—En realidad —les dijo—, nunca he tirado una flecha, tirar al blanco no es mi especialidad, pero puedo hacer algo que es mi especialidad. Algo que ustedes no pueden hacer.

»Sacando una moneda antigua, que tenía un orificio cuadrado en el centro, sacó un frasco de aceite, lo sostuvo con una mano en alto y luego vació el contenido en un finísimo hilo de aceite a través del hoyo, sin tirar una gota.

»Los samurái, asombrados, lo dejaron ir».

Cada cual su especialidad, ¿verdad? No todos tenemos que cumplir las mismas tareas. Por eso Dios nos dio dones. En el caso de la perfección, el Señor espera que seamos perfectos en nuestra esfera como él lo es en la suya. Nosotros nos movemos en el ámbito terrenal, él en el celestial. En realidad, el cielo espera que demos nuestro mayor esfuerzo en las diversas actividades que llevamos a cabo. Asimismo, Dios no espera los mismos resultados de todos, aunque sí espera el mismo esfuerzo.

Nuestra principal especialidad ha de ser imitar a Cristo. ¿Lo estás imitando día a día?

Si no quieres que se sepa, no lo hagas

Así que no les tengan miedo; porque no hay nada encubierto que no llegue a revelarse, ni nada escondido que no llegue a conocerse (Mateo 10: 26).

Seguramente conoces la historia de la tragedia del *Titanic*. La historia está salpicada de leyendas y anécdotas, algunas increíbles. Una de ellas dice que el novelista norteamericano Morgan Robertson publicó en el año 1898 su novela *Futility* [Futilidad]. En ella habla de un barco llamado Titán, que en su viaje inaugural choca con un témpano de hielo en el Atlántico Norte y se hunde. El barco carece de suficientes botes salvavidas y todos sus pasajeros mueren. Los hechos ocurren durante el mes de abril.

Catorce años después la realidad se encontró con la ficción. El Titanic cumplió las «profecías» de la novela. La historia dice que el Titanic se hundió en su viaje inaugural desde Southampton a Nueva York, la noche del 14 al 15 de abril de 1912, porque iba demasiado rápido y la tripulación vio el témpano de hielo cuando era demasiado tarde. Pero ahora se sabe que la tragedia se debió a un error del piloto, mantenido en secreto por el segundo oficial de a bordo, Charles Lightoller.

Ahora se sabe que la tripulación vio a tiempo el témpano de hielo, y el primer oficial, William Murdoch, dio la orden: «Fuerte a estribor». El problema fue que Murdoch había sido oficial en buques de vela, y estaba acostumbrado a dar órdenes según el viejo sistema. Así, «Fuerte a estribor» significaba a toda marcha a la derecha. Lo que debiera haber dicho era «Fuerte a babor», para que el barco virara a toda máquina a la izquierda.

El oficial se dio cuenta inmediatamente de su error y dio la contraorden, pero ya era demasiado tarde. El error costó la vida a 1,517 personas. La nieta del segundo oficial Charles Lightoller, la escritora Louise Patten, de 56 años, revela lo ocurrido en su nueva novela *Good as Gold* [Tan bueno como el oro]. Dice que su abuelo mantuvo el secreto para evitar la deshonra de su superior.

Nuestro Señor dijo que no hay nada encubierto que no haya de saberse, ni oculto que no haya de revelarse. El juicio de Dios sacará a la luz muchos terribles secretos. Procuremos no tener secretos para Dios.

No podemos evitar todos los errores. El mejor de los jóvenes cristianos puede equivocarse, pero conviene confesar nuestros pecados a Dios inmediatamente, porque al final todo saldrá a la luz. Deja que la luz de la verdad de Dios ilumine tu vida para que no haya nada oculto que, seguro, se revelará en el día final.

Pero Dios escogió lo insensato del mundo para avergonzar a los sabios, y escogió lo débil del mundo para avergonzar a los poderosos (1 Corintios 1: 27).

¿Sabes por qué Dios eligió a los doce discípulos entre los pescadores de Galilea y no entre los sofisticados intelectuales de Jerusalén? Por revelación y por lógica sabemos la respuesta: porque a ellos podía enseñarles los principios de un reino que no es de este mundo.

En el año 1972 el periodista David Halberstam publicó el libro *The Best and the Brightest* [Los mejores y los más brillantes]. El libro trata sobre el plan de acción de la política de los Estados Unidos en Vietnam a principios de la década de los sesenta. El título del libro se refiere a que aquellas personas habían recibido la mejor educación y la mayoría había alcanzado triunfos notables en los negocios, en el gobierno y en el medio académico antes de su participación en la planificación de la estrategia inicial en Vietnam.

Luego David Halberstam se preguntaba: ¿Por qué las estrategias que formularon resultaron tan desastrosas si eran los mejores y los más brillantes? Quizá porque, en última instancia, no eran ni los mejores ni los más brillantes. Si uno lee la Biblia descubre que Dios raramente eligió a «los mejores y los más brillantes» para encomendarles una tarea importante. Cuando lo hizo, diríamos con reverencia que parece que no le fue muy bien. Como ejemplo tenemos al rey Saúl, a Judas y a Salomón. Tal vez la siguiente declaración divina sea más cierta de lo que imaginamos: «La sabiduría del mundo es locura para Dios».

Convendría echarnos un vistazo a nosotros mismos. ¿Eres muy inteligente? ¿Tienes un elevado coeficiente intelectual? ¿Te elogian mucho los demás y todos proclaman que eres muy inteligente? ¿Lo crees tú y te ufanas de ello? Si es así, ten cuidado, porque ninguno de nosotros es «el mejor y el más brillante»; y, si lo somos, es porque la escala es muy baja. No es muy honorable ser declarados altos mientras lo miden a uno en centímetros, ¿verdad?

¡Cuánto mejor es seguir el consejo de Dios: «Nada hagáis por contienda o por vanagloria; antes bien con humildad, estimando cada uno a los demás como superiores a él mismo» (Fil. 2: 3)! El que sabe más que todos en el universo, dijo que el mejor, el más brillante y el más grande es el que sirve más y mejor (Mat. 20: 25-28). Recuerda el texto de hoy mientras te dedicas a tus tareas diarias.

La pequeña locura de Ciro

Las moscas muertas apestan y echan a perder el perfume. Pesa más una pequeña necedad que la sabiduría y la honra juntas (Eclesiastés 10: 1).

Ciro el Grande pasó a la historia como el prototipo del monarca sabio y magnánimo. Pero una pequeña locura, un simple acto de soberbia, manchó su registro y le costó la vida.

En el año 539 a. C. Ciro formó un inmenso ejército y marchó contra su abuelo Astiages, rey de los medos. Lo derrotó con facilidad y se hizo coronar rey de Media y de Persia. En rápida sucesión obtuvo victoria tras victoria: derrotó a Creso, rey de Lidia y marchó sobre Babilonia y la aplastó ese mismo año. Ahora era Ciro el Grande, soberano del mundo.

Después de apoderarse de las riquezas de Babilonia, Ciro puso su mirada en el este, en las tribus bárbaras de los masagetas. Los masagetas, tribu feroz y guerrera, estaban gobernados por la reina Tomiris. Los masagetas carecían de riquezas, pero Ciro decidió atacarlos, pues se creía invencible.

Cuando Ciro llegó al río Araxes, frontera de los masagetas, recibió una carta de la reina Tomiris que decía: «Rey de los medos, te aconsejo abandonar tu empresa, porque no sabes si al final producirá algún beneficio. Gobierna a tu propio pueblo y procura aceptar que yo gobierne el mío. Pero supongo que rechazarás mi advertencia, dado que lo último que deseas es vivir en paz».

Ciro se valió de un ardid para derrotar al ejército masageta. Como sabía que no conocían los lujos, dispuso un elegante banquete, dejó todo a cargo de un pequeño destacamento y se retiró. Los masagetas, vinieron, derrotaron al pequeño destacamento y comieron hasta hartarse de las delicias del banquete. Naturalmente, se durmieron. Ciro vino y derrotó a todo el ejército y tomó prisionero al general en jefe, que era hijo de la reina Tomiris.

La reina le escribió a Ciro: «Devuélveme a mi hijo; si no, juro por el sol que te daré a beber más sangre de la que puedas beber, por mucha que sea tu avidez».

Ciro se negó a liberar al joven, quien se suicidó. La noticia de la muerte de su hijo llenó de ira a la reina Tomiris. Convocó a todo su pueblo a una guerra sangrienta. Los masagetas vencieron. Ciro murió. Tomiris le cortó la cabeza y la sepultó en un barril lleno de sangre humana para cumplir su amenaza. Es la tragedia de Ciro. Un solo acto de arrogancia deshizo todos sus logros.

Ten cuidado, no dejes que la arrogancia opaque todo lo bueno que has hecho hasta ahora.

Sin reservas

No apaguen el Espíritu (1 Tesalonicenses 5: 19).

¿Qué te regalaron cuando te graduaste de secundaria? ¿Qué te gustaría recibir si todavía no te has graduado? En 1904, cuando se graduó de la educación secundaria, en la ciudad de Chicago, William Borden recibió como regalo un viaje alrededor del mundo. Tenía solo 16 años de edad pero su futuro estaba asegurado. Era el heredero de la próspera empresa Borden Dairy Estate y su padre había decidido que, después de regresar de su viaje, William estudiaría en la Universidad de Yale donde se prepararía para asumir la dirección de la empresa de la familia o cualquiera de las corporaciones más exigentes del país.

El viaje de graduación llevó a William por toda Asia, el Próximo Oriente y Europa y causó en él un impacto muy profundo. Hasta ese momento no había tenido la oportunidad de observar personalmente el sufrimiento de las personas. Allí se dio cuenta de la ignorancia, la pobreza y la enfermedad que muchos padecían. William era además una persona profundamente cristiana y se angustiaba al ver pueblos enteros muriendo sin el conocimiento de la salvación en Cristo Jesús. Y fue así, en este viaje, que el deseo de convertirse en misionero para aliviar el sufrimiento en otras partes de la tierra se encendió en su corazón. Antes de regresar del viaje escribió a su casa expresando su deseo de ser misionero. Esto produjo gran sorpresa entre sus amigos. Sabiendo que William era un millonario con un futuro prometedor, expresando su desconcierto, uno de ellos le escribió que, «como misionero», estaba «tirando su vida por la borda». Sin embargo, William era una persona de convicciones firmes y en la parte de atrás de su Biblia escribió dos palabras: «Sin reservas».

Dios también nos habla como a William Borden. En nuestra experiencia como estudiantes, en el trabajo, estando de viaje o al relacionarnos con la familia, Dios abre ante nuestros ojos escenarios de oportunidad para servirle. Si estamos en sintonía con él, en nuestro corazón se encenderá un fuego de convicción y deseo de hacer algo para remediar esas situaciones. Debes reconocer ese fuego como una llama divina que te impulsa a trabajar para el Señor. Aquellos que no apagan el fuego del Espíritu, sino que se entregan «sin reservas» a él, serán poderosos instrumentos de Dios. Vale la pena, ¿no crees?

Niégate a ti mismo

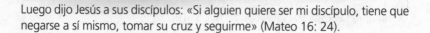

Luego dijo Jesús a sus discípulos: «Si alguien quiere ser mi discípulo, tiene que negarse a sí mismo, tomar su cruz y seguirme» (Mateo 16: 24).

Después de su viaje de graduación alrededor del mundo, William Borden se matriculó en la Universidad de Yale para completar su educación. A pesar de disfrutar de una gran fortuna, William había decidido que no llamaría la atención sobre sí mismo. Había entregado su vida «sin reservas» a Dios y lo único que deseaba era honrarlo.

Durante el primer semestre que estuvo en Yale, William empezó a reunirse antes del desayuno con uno de sus compañeros para orar. William leía un pasaje corto de la Biblia con una promesa y después dedicaban un tiempo para orar y reclamar esa promesa. Al poco tiempo un tercer amigo se unió al grupo. Ese fue el inicio de un reavivamiento que transformó el campus de la universidad. Al final del primer curso, ciento cincuenta estudiantes se reunían semanalmente para estudiar la Biblia y orar. Cuando William se graduó de su carrera, de los mil trescientos estudiantes de Yale, un millar se habían unido a aquellos grupos de estudio de la Biblia y oración.

Pensarás que este enorme reavivamiento fue el resultado de un trabajo especial del Espíritu Santo y tienes razón. Sin embargo, esto no hubiera ocurrido sin la firme determinación de William. Y es que era firme como una roca. Cuando su grupo de oración hubo crecido un poco, hizo planes para alcanzar a todos los estudiantes de la universidad. Con tal fin, cada miembro de su grupo recibió el encargo de predicarle el evangelio a uno de ellos. Cuando en la lista aparecía el nombre de algún estudiante especialmente hosco o incorregible, un silencio incómodo se apoderaba de la sala. Nadie quería aceptar la responsabilidad de alcanzar a esa persona. En esos casos, William decía con voz clara y firme: «Yo me haré cargo». Tiempo después sus amigos descubrirían que William había escrito en su agenda «Di *no* al yo y *sí* a Jesús, siempre».

En la medida en que te acerques a Dios, crecerá en ti el deseo de alcanzar a otros con el evangelio. Es posible que Dios te haya llamado para una obra especial como misionero, pero no cometas el error de esperar para actuar. Dios, al igual que hizo con William, quiere empezar a usarte en el lugar donde estás. En la medida en que aprendas a «no retroceder» ante los desafíos, Dios te dará éxitos que irán más allá de lo que jamás soñaste.

Por la fe Moisés, ya adulto, [...] consideró que el oprobio por causa del Mesías era una mayor riqueza que los tesoros de Egipto, porque tenía la mirada puesta en la recompensa (Hebreos 11: 24, 26).

Aquel grupo de oración que William Borden había iniciado en 1905 no solo transformó el campus de la Universidad de Yale, sino que sus efectos se sintieron más allá de sus límites. William se apercibió de que en los alrededores de la Universidad de Yale, en la ciudad de New Haven, Connecticut, había muchas viudas, huérfanos y lisiados. Preocupado por aquella situación, fundó una organización llamada *Yale Hope Mission* cuyo propósito era rescatar y rehabilitar a estas personas. Uno de sus amigos comenta que a menudo se lo podía encontrar en la noche en las calles de los barrios pobres de la ciudad llevando a una persona necesitada a un restaurante o a un asilo barato tratando de rehabilitarla y enseñarle de Jesús.

William se convirtió en un estudiante prominente. Fue presidente de la enorme organización de estudiantes misioneros y además sirvió como presidente de la sociedad honorífica *Phi Beta Kappa*. Cuando se graduó, rechazó ofertas de trabajo con sueldos muy elevados, porque había decidido llevar el evangelio al pueblo musulmán Kansu, en China. En ese tiempo escribió en la parte trasera de su Biblia «sin retroceder».

Con el fin de prepararse como misionero, William ingresó al seminario teológico de la Universidad de Princeton y, al finalizar sus estudios, zarpó hacia Egipto para aprender árabe, puesto que habría de trabajar entre los musulmanes en China. Mientras se encontraba en Egipto, enfermó de meningitis y murió, un mes después, a los 25 años de edad.

Casi todos los periódicos de Estados Unidos se hicieron eco de la noticia de su muerte. William Borden no solo había renunciado a su riqueza sino a sí mismo. ¿Fue su muerte un desperdicio? ¿Será que al considerar su vida debamos pensar que hubiera sido mejor para él no haber tomado la decisión de ser misionero? Si piensas con cuidado notarás que la única vida que se desperdicia es la vida que se dedica al servicio de uno mismo. La vida dedicada al servicio de otros nunca es estéril o inútil y siempre será una vida plena.

Después de su muerte, los familiares y amigos de William pudieron leer en la contracubierta de su Biblia las últimas palabras que había escrito: «Sin remordimientos». La grandeza de un cristiano no se mide por sus logros alcanzados o por su fuerza, sino por servicio incondicional a favor de los demás.

La desdichada admiración

> Vi además que tanto el afán como el éxito en la vida despiertan envidias. Y también esto es absurdo; ¡es correr tras el viento! (Eclesiastés 4: 4).

Está escrito. Si tienes éxito, si destacas porque haces bien las cosas, si eres excelente en el ejercicio de tu profesión, serás objeto de envidia. En algún lugar de la mente humana existe un mal resorte, de modo que la «excelencia de obras» de una persona siempre genera envidia en el prójimo.

Solo una minoría triunfa (desde el punto de vista humano) en el juego de la vida. Los integrantes de esa minoría, inevitablemente, despiertan la envidia de quienes los rodean. Soren Kierkegaard la llamó «la desdichada admiración». El envidioso siente una profunda admiración negativa por el objeto de su envidia.

Más específicamente, Kierkegaard dijo: «La envidia es una admiración que se disimula. El admirador que siente la imposibilidad de experimentar felicidad cediendo a su admiración, toma el partido de envidiar. Entonces emplea un lenguaje muy distinto, en el cual ahora lo que en el fondo admira ya no cuenta, no es más que insípida estupidez, rareza, extravagancia. La admiración es un feliz abandono de uno mismo; la envidia, una desgraciada reivindicación del yo».

Por eso el cristiano debe ser modesto. No debe ostentar su talento, su éxito, su fama, su riqueza. Si lo hace, peca contra su prójimo. François de la Rochefoucauld, dijo: «Saber disimular las propias habilidades es una gran habilidad». Yo creo que, más que habilidad, se necesita la gracia de Dios.

¿Has leído la décima que escribió fray Luis de León en la pared de su celda donde estuvo preso por órdenes de la Inquisición? Enseña grandes lecciones. Dice así:

Aquí la envida y mentira
me tuvieron encerrado.
Dichoso el humilde estado
del sabio que se retira
de aqueste mundo malvado,
y con pobre mesa y casa
en el campo deleitoso,
con solo Dios se compasa,
y a solas su vida pasa,
ni envidiado, ni envidioso.

El que ha llegado al punto en que no envidia a nadie ni es envidiado por nadie ha encontrado el contentamiento y a la felicidad pura. Interesante, ¿verdad? Tú eres guarda de tu hermano y una forma de cuidarlo es no inducirlo a la envidia. Cuidémonos de la falsa modestia, la que solo desea provocar envidia a su prójimo. Recuerda que el corazón es engañoso (Jer. 17: 9). Comienza el día con Dios y él guardará tu corazón de todo mal.

El secreto de Emilio

Escuche esto el sabio, y aumente su saber; reciba dirección el entendido, para discernir el proverbio y la parábola, los dichos de los sabios y sus enigmas (Proverbios 1: 5, 6).

Los que han alcanzado el éxito y el reconocimiento de una vida honorable enseñan grandes lecciones para todos, especialmente para los jóvenes. Emilio Estefan le contó su secreto a la periodista Ana Cristina Reymundo.

Este hombre ha logrado un grado de éxito en la vida que parece inconcebible. Ha logrado influir de modo contundente en un sector tan diverso y competitivo como la música. Es fundador de la compañía Estefan Enterprises, que tiene cuatro mil empleados. Es un imperio para la producción de música, programas de televisión, películas; tiene también cuatro lujosos restaurantes y dos hoteles, el Costa D'Este, en Vero Beach, y el Hotel Cardozo, en Miami Beach.

Emilio tiene amigos por todos lados: vecinos, empleados, niños, ancianos, vagabundos, pájaros a quienes da de comer cada mañana y varios gatos callejeros a quienes alimenta, para que estos a su vez no se coman a los pajaritos a quienes ama tanto. Le pregunta la periodista: «¿De dónde brota esta fuente inagotable de alegría, de amor y compasión?» Emilio dice que viene de la pobreza y dificultades de su niñez. Emilio Estefan nació en Cuba y es hijo de Carmen Gómez y Emilio Estefan. Cuenta que su padre es un hombre admirable a quien ama y respeta muchísimo. Cuando salieron de Cuba llegaron a Madrid de madrugada. El aeropuerto estaba vacío y teniendo solo once años, se llenó de tristeza abrumadora.

En sus propias palabras: «Mi padre me abrazaba y me decía: "Siempre piensa que la vida va a salir bien". Me enseñó a ser agradecido, a no sentir envidia y a no hablar mal de nadie».

Por un lado, su historia no es diferente de la de miles de inmigrantes, pero la periodista dice: «Quizá su éxito le deba algo a la Providencia. Pero es seguro que tiene mucho que ver con los principios sobre los cuales está fundamentada su vida: la unión familiar y el servicio a la comunidad».

Emilio siempre ha actuado siguiendo esos principios. La bondad, la generosidad, el amor por los demás, da grandes resultados. Oír el consejo de los sabios, como dice nuestro texto, es secreto de salud y bienestar. Tanto más cuando se debe a la obra específica del Espíritu Santo en el corazón. Procura dirigir tu vida de acuerdo con los principios del amor a Dios y a los demás. Si lo haces, tendrás éxito.

Aprovecha el tiempo

Las manos ociosas conducen a la pobreza; las manos hábiles atraen riqueza (Proverbios 10: 4).

¿Alguna vez has escuchado el dicho que reza: «Mente ociosa, taller de Satanás»? Creo que es más cierto de lo que imaginamos. Es muy frustrante observar a cientos de jóvenes que pierden el tiempo. Puedes verlos sentados en las aceras mirando pasar los vehículos, o muy entretenidos con un videojuego, o pasando horas en páginas improductivas de Internet. La cuestión es que la ociosidad no es inofensiva, al contrario, es una verdadera bomba de tiempo.

Los momentos de ocio son los favoritos de Satanás para atacar con más fuerza. Entonces bajamos la guardia y somos más vulnerables. Si supieras cuántas desgracias han ocurrido en este mundo en el lamentable contexto de la ociosidad.

La ociosidad nunca viene sola. Tiene compañeros indeseables que arruinan la vida de cualquier persona, especialmente los jóvenes. Elena G. de White describe el caldo de cultivo para meterte en graves problemas: «La ociosidad, la falta de ideales, las malas compañías, pueden ser las causas que predisponen a la intemperancia» (*La educación*, cap. 22, p. 184). El consumo de alcohol, tabaco y drogas ocurre justamente en medio de estos espacios de desocupación. Ahí también puedes agregar la pornografía, la delincuencia, la pereza. De ahí que la ociosidad sea considerada como un pecado (*Mente, carácter y personalidad*, t. 1, cap. 14, p. 125).

La mente humana tiene que estar activa, siempre aprendiendo y tratando de ejecutar nuevos proyectos. Eso te traerá buen ánimo, optimismo y espíritu de servicio. En cambio, la ociosidad te hundirá en la depresión, el pesimismo y la desesperanza, además de mantenerte de mal humor en todo momento. ¿Te imaginas? ¡Te volverás insoportable! En realidad, es muy poco el tiempo que pasaremos por este mundo. ¡Por lo tanto, hay que aprovecharlo al máximo! No te puedes permitir el lujo de derrocharlo.

El versículo de esta mañana también vincula la ociosidad con la pobreza. A mí me llama la atención que haya tanta gente de escasos recursos que reclama oportunidades. ¿Pero hasta dónde podemos decir que son víctimas de su propia ociosidad? Tienes que hacer que las cosas sucedan. Y ahora que eres joven es cuando se pueden adquirir los hábitos de laboriosidad que más adelante te van a ayudar a triunfar en la vida.

Te invito a que adquieras hábitos de laboriosidad en tu vida: levántate temprano, arregla tu cama, haz ejercicio, asea tu habitación, cumple con tus tareas escolares, lee un libro. Además, puedes aprender algún oficio que te será muy útil en el futuro. No olvides que Dios nos juzgará especialmente por la manera como usemos el tiempo durante nuestra vida.

Nos hemos enterado de que entre ustedes hay algunos que andan de vagos, sin trabajar en nada, y que solo se ocupan de lo que no les importa. A tales personas les ordenamos y exhortamos en el Señor Jesucristo que tranquilamente se pongan a trabajar para ganarse la vida (2 Tesalonicenses 3: 11, 12).

La vagancia es uno de los vicios más comunes entre muchos jóvenes. Ahí está el germen donde se forman las pandillas juveniles, que pueden llegar a convertirse en graves focos de delincuencia en la sociedad.

Román era un chico cuya familia gozaba de una buena posición económica. El jovencito siempre llevaba dinero en la bolsa y presumía de su costosa bicicleta de aluminio con sus amigos. Mientras sus compañeros de clase estaban estudiando y cumpliendo tareas escolares, a él se le podía ver todas las tardes paseando en su bicicleta por las calles de la ciudad. Tampoco le gustaba ir a la escuela, así que era común que se escapara a jugar al billar en horas de clase. La situación empeoró cuando su padre le obsequió un automóvil. La vagancia se acrecentó notablemente. Por supuesto, los fines de semana el muchacho estaba listo para asistir con sus amigos a cuantas fiestas se organizaran. Al poco tiempo dejó la escuela. Luego se juntó con otros muchachos a los que también les gustaba la vagancia. Un par de años después apareció en los periódicos como parte de una banda de delincuentes que la policía había capturado.

¿Te das cuenta del precio tan alto de la vagancia? Creo que no es ningún juego. Es entendible que a muchos jóvenes les moleste que los manden a trabajar cuando desean un poco más de descanso. Pero lo cierto es que adquirir hábitos de trabajo durante la juventud es muy importante. En realidad, es un asunto más relevante de lo que te imaginas.

La filosofía del trabajo es de vital importancia para darle sentido a la vida. Puede ser que no «prosperes», como otros, pero siempre tendrás lo necesario para dar salud a tu cuerpo y a tu alma. Como indica el *Comentario bíblico adventista* refiriéndose al versículo de hoy, «el verdadero cristiano se ocupa de sus deberes callada y modestamente, es diligente en sus actividades y sirve al Señor».

No todos podemos tener en nuestros esfuerzos los mismos resultados que ciertas personas exitosas, porque eso depende de otros elementos que escapan a nuestro control. Pero todos podemos disfrutar del fruto de una vida diligente: comer sosegadamente nuestro pan, ganado honestamente, cumpliendo los consejos prácticos de Dios. Entonces tendrás una vida de mejor calidad que glorificará siempre al Señor.

¿Qué espera Dios de ti?

Ya se te ha dicho lo que de ti espera el Señor: Practicar la justicia, amar la misericordia, y humillarte ante tu Dios (Miqueas 6: 8).

¿Te has preguntado qué es lo que Dios pide de ti? Es posible que a veces te sientas abrumado al escuchar todo lo que supuestamente espera Dios de ti. En la iglesia nos dicen que debemos ser buenos, atentos, respetuosos y buenos hijos; además, hay que leer la Biblia, orar, testificar, dar ofrendas y obedecer a nuestros padres; por si fuera poco, hay que cumplir las tareas escolares, ser aseados, no meternos en problemas y tener una conducta ejemplar ante nuestros amigos. Es verdad, no parece sencillo para todos.

Una de las grandes verdades del evangelio es que Dios nos acepta como somos. Él sabe que nos resulta más fácil portarnos mal que portarnos bien, y entiende nuestras inclinaciones. Aun así, está dispuesto a cooperar con nosotros e integrarnos a su misión. Dios está dispuesto a hacerse cargo de nuestras debilidades e irlas transformando paulatinamente.

Las palabras del profeta Miqueas, del versículo de esta mañana, representan toda una filosofía de vida. Dios espera que practiques la justicia, que seas misericordioso y que tengas una actitud respetuosa hacia él. ¡Así de sencillo! Todo esto hay que aplicarlo en los diversos ámbitos de tu vida, como por ejemplo, en la práctica de tu deporte favorito. A la hora de jugar al fútbol, practica la justicia, no hagas trampa; también sé misericordioso con tu compañero que se equivocó y falló el tiro de penalti, o con el portero cuyo error costó la derrota; y claro, nunca olvides que Dios está atento a tu conducta dentro del terreno de juego, por eso hay que ser respetuoso con su presencia y no caer en vulgaridades.

Es muy importante que aprendamos a integrar a Dios en cada una de nuestras actividades. Su presencia es sumamente agradable y nada complicada. Pero eso es algo que tú debes aprender por ti mismo.

Mucha gente carece de una ideología de vida para dar un rumbo a su existencia. Pero tú posees el beneficio de una filosofía de vida que no tienes que inventar, sino aceptar. En sus enseñanzas y en su ejemplo, Cristo nos dio una filosofía que garantiza la paz, el gozo, la prosperidad y la felicidad. Acepta esa filosofía hoy. Como dice nuestro texto de hoy, Dios ya ha declarado qué es lo bueno: ser justo, humilde y misericordioso.

Instruye al niño en el camino correcto, y aun en su vejez no lo abandonará (Proverbios 22: 6).

Hace mucho tiempo, una de las frases más comunes para conocer a un joven era preguntar: «Y tú, ¿estudias o trabajas?» La pregunta representaba, y aún representa, una forma de entender la sociedad y a sus miembros productivos; si el joven no estudia, se supone que trabaja.

Pero ahora diversas sociedades enfrentan una terrible crisis: la sobrepoblación. Cada año, en todo el mundo, se unen a la fuerza laboral millones de jóvenes bien preparados, listos para ocupar su lugar en el mundo del trabajo. El problema es que la sociedad no hizo provisión para todos y no encuentran trabajo.

También existe otro problema, igual de grave que el anterior. Cada año millones de jóvenes alcanzan la edad en que deben comenzar su preparación profesional, pero no hay lugar para ellos en las instituciones de educación superior. Aparentemente, la sociedad no hizo provisión para ellos.

El resultado es el surgimiento de una nueva clase de jóvenes que no son ni estudiantes ni trabajadores. Son los *ninis*. Los que ni trabajan ni estudian. La expresión es popular, pero lo que significa es una señal de los tiempos. Una verdadera tragedia.

Los *ninis* son aquellos jóvenes que ni estudian ni trabajan. Estimaciones de la Universidad Nacional Autónoma de México (UNAM) señalan que los jóvenes mexicanos en edad productiva que pertenecen a este sector son alrededor de siete millones. No estudian y tampoco trabajan.

José Narro, rector de la UNAM, señaló que hace falta una revisión en la escala de valores de la sociedad actual, porque parece privilegiar más la acumulación rápida de dinero que el esfuerzo, el trabajo o la honestidad. El rector se muestra preocupado, porque la tragedia es que los *ninis* se convierten en las fuerzas de reserva de la delincuencia organizada. Especialistas como Gustavo Saraví señalan que el crimen ofrece a estos muchachos las recompensas, el reconocimiento y el dinero que no encontraron de manera legal en la sociedad.

Pero tú no tienes por qué sentirte atrapado en esa red de incertidumbre. Dios siempre hace provisión para los suyos. Sus hijos no son, ni pueden ser, *ninis* porque son hijos e hijas del Rey del cielo. Escucha la promesa divina: «He sido joven y ahora soy viejo, pero nunca he visto justos en la miseria, ni que sus hijos mendiguen pan. Prestan siempre con generosidad; sus hijos son una bendición» (Sal. 37: 25, 26).

Siempre hay oportunidades para los hijos fieles de Dios. No temas. El Señor no abandona a sus hijos. Afronta el futuro con responsabilidad.

¿A qué sabe la salsa de tomate?

¡Ay de ustedes cuando todos los elogien! Dense cuenta de que los antepasados de esta gente trataron así a los falsos profetas (Lucas 6: 26).

El paladar humano distingue unos pocos sabores fundamentales: salado, dulce, ácido, amargo… y umami. Este último es difícil de definir. Es el sabor proteínico que añade cuerpo a los alimentos, que encuentras, por ejemplo, en la sopa de pollo, la leche materna, la salsa de soya, los champiñones y en el tomate cocido.

Hace casi treinta años, las empresas de manufactura de alimentos procuraban producir el alimento con el sabor perfecto. Una comida que gustara a todos los paladares. Pero finalmente se dieron cuenta de que eso no existe. De alguna manera todos somos diferentes y el éxito para la industria alimentaria consiste en tener una variedad apropiada de productos para satisfacer los diversos gustos de sus clientes. Como resultado, en los supermercados puedes encontrar una gran variedad de sabores y texturas para el mismo tipo de alimentos.

Existe, curiosamente, una salsa de tomate que ha logrado mezclar e incluir en más o menos concentraciones iguales los cinco sabores fundamentales para el paladar humano: es salada, dulce, ácida y amarga al mismo tiempo. Por supuesto, también tiene una cantidad apropiada de sabor umami. En cierta manera les da a todos algo de lo que quieren recibir.

La vida cristiana no puede ser, sin embargo, como esta salsa de tomate. Un cristiano no puede satisfacer a todas las personas con quienes convive. De acuerdo con el Antiguo Testamento, una característica de los falsos profetas es que tratan de complacer a todos los oídos (Isa. 30: 9-11; Miq. 2: 11; Jer. 5: 31; 23: 16, 17). Jesús, por ejemplo, era perfecto; sin embargo, no todos lo admiraban. Jesús era totalmente bueno; sin embargo, no todos lo amaban. ¿Por qué hubo personas que no pudieron amar a Jesús, siendo él tan bueno? Sencillamente porque los que aman el mal odian a la luz (Juan 3: 20). La sola presencia del bien reprocha la maldad y el error. Esta es la raíz de toda persecución.

No te preocupes si no les caes bien a todas las personas. Debes tener cuidado de hacer siempre lo correcto y hacerlo con amabilidad, así como Cristo lo hacía, pero no esperes que todos te amen. Lo importante es que Dios te dé su aprobación. Busca la sonrisa de Dios.

Los sacerdotes no se raparán la cabeza, ni se despuntarán la barba ni se harán heridas en el cuerpo (Levítico 21: 5).

Los seres humanos han marcado sus cuerpos con tatuajes desde hace miles de años. Estos diseños han servido como amuletos, símbolo de estatus, declaraciones de amor, distintivos de creencias religiosas, adornos e, incluso, formas de castigo. Joann Fletcher, investigadora del Departamento de Arqueología de la Universidad de York, en Gran Bretaña, describió la historia de los tatuajes y su significado cultural para los pueblos de todo el mundo; desde el famoso Ötzi, el «hombre del hielo», una momia congelada de cinco mil doscientos años de antigüedad, hasta los maoríes de la actualidad.

Los primeros ejemplos conocidos de tatuajes en cuerpos se hallaron en varias momias de mujeres egipcias que datan del año 2000 a. C. Pero el reciente descubrimiento del «hombre del hielo» en la zona fronteriza entre Italia y Austria, que tiene unos cinco mil doscientos años, demuestra que la costumbre era mucho más antigua.

La especialista Joann Fletcher, y su colega de la Universidad de York, Don Brothwell, descubrieron que los tatuajes en el «hombre del hielo» tenían propósitos terapéuticos, pero los que se hallaron en las momias egipcias y en los entierros grecorromanos, eran, evidentemente, señales de glamour femenino. La única diferencia entre las momias egipcias y las liberadas mujeres de la actualidad es que las egipcias usaban los tatuajes en los muslos y estas últimas en zonas un poco más sugestivas.

Como ves, los seres humanos son poco originales. O quizá el cuerpo humano no ofrezca muchas posibilidades a los creadores de moda. «No hay nada nuevo bajo el sol», dijo el sabio Salomón. Pero debemos ser cuidadosos con lo que hacemos con nuestro cuerpo. El cuerpo es más sagrado de lo que su apariencia podría sugerir. El apóstol Pablo dice que el cuerpo debe ser guardado «irreprensible para la venida de nuestro Señor Jesucristo».

No te dejes llevar por modas raras, pasajeras, o a veces, indecentes. Mejor quiero desafiarte a que seas original en otro sentido. Conserva la originalidad de ser limpio e intachable en cuerpo y alma. Dios creó el cuerpo con fines elevados. Cuídalo. Después es muy difícil, o doloroso; o en algunos casos, imposible, devolverlo a su estado original, cosa que es una lástima. Cuando venga Jesús, entreguémosle un cuerpo bien cuidado, de tal manera que él pueda entregarnos uno de mejor calidad.

El peor enemigo del rey

Si el hijo de mis entrañas intenta quitarme la vida, ¡qué no puedo esperar de este benjaminita! Déjenlo que me maldiga, pues el Señor se lo ha mandado (2 Samuel 16: 11).

¿Has tenido algún enemigo? Es posible que en cierto momento alguien te haya molestado en la escuela o en el vecindario, pero eso no significa que sea tu enemigo. En realidad, un enemigo es alguien que tiene mala voluntad hacia otra persona y desea su mal o le hace daño. Se trata de personas interesadas en acabar con sus contrarios. Pero no es extraño que eso suceda en este mundo. Lo triste es que situaciones de ese tipo se presenten en un hogar cristiano.

David era el rey de Israel. Durante su juventud había disfrutado de una vida marcada por éxitos militares y, en su momento, se convirtió en el monarca del pueblo de Dios. Por supuesto, los filisteos lo consideraban su peor enemigo y trataron de derrocarlo en varias ocasiones, pero en todas fracasaron. No obstante, uno de los peores enemigos del rey habría de surgir dentro de su propia casa: Absalón, su hijo. Este joven era sumamente carismático, inteligente y audaz. Además, ejercía un liderazgo magnético entre la sociedad hebrea. Por eso se levantó contra su padre y organizó una conspiración que estuvo a punto de destituir a David del trono. El muchacho estaba dispuesto a todo con tal de destruir a su progenitor y a sus seguidores. La rebelión costó la vida de mucha gente, incluyendo la del propio Absalón. Al final, David lloró la muerte de su hijo rebelde ante la confusión del ejército y el pueblo, quienes no entendían por qué el monarca lamentaba la aniquilación de su enemigo.

¿Alguna vez has considerado a uno de tus padres como tu enemigo? En varias ocasiones he visto a jóvenes y señoritas tratar a sus padres como si fueran sus rivales. Es evidente que los padres no son perfectos. Se equivocan muy a menudo, a veces lastimando a sus hijos sin siquiera notarlo. Absalón acumuló un gran resentimiento hacia su padre, hasta que finalmente lo consideró su peor enemigo y trató de destruirlo. No obstante, murió en su intento de acabar con su propio padre.

Es muy probable que alguno de tus padres haya hecho algo que te ha lastimado o que sus errores o descuidos te estén causando profundas heridas. Pero tú no debes convertirte en su enemigo. Recuerda que, aunque se equivoquen, ellos siempre desean lo mejor para ti. Pide al Señor que hoy elimine cualquier resentimiento hacia tus padres. Así traerás paz a tu vida.

Esto es mi sangre del pacto, que es derramada por muchos para el perdón de pecados (Mateo 26: 28).

Simon Wiesenthal cuenta en su libro *The Sunflower* [El girasol], algo que ocurrió durante la Segunda Guerra Mundial en uno de los campos de concentración nazi donde estuvo preso. Un joven oficial de la SS (escuadrones de seguridad) estaba gravemente herido y había pedido que se trajera ante su presencia a alguna persona de origen judío. La SS fue una de las organizaciones más grandes y poderosas de la Alemania nazi y responsable de las mayores atrocidades contra los judíos como, por ejemplo, la administración de campos de exterminio donde murieron millones de personas. Simon Wiesenthal cuenta que él fue seleccionado para comparecer ante el joven oficial agonizante. Cuando llegó, el alemán empezó a confesar los crímenes que había cometido contra los judíos y después le pidió a Simon que lo perdonara. ¿Qué habrías hecho tú? ¿Lo habrías perdonado?

Simon Wiesenthal comenta que rehusó perdonarlo. Tal vez tenía razón. Solo puede perdonar una ofensa aquella persona que la ha recibido. Simon no había sido víctima personal de ese oficial y por lo tanto no podía perdonarle sus crímenes. Toda búsqueda de perdón requiere un acto de confesión honesto; es decir, una confesión ante la víctima. ¿Qué pasa cuando la persona que ha sido víctima de una ofensa no tiene el ánimo de hacerlo, si ha muerto, por ejemplo, o no está dispuesta a perdonar? ¿Es imposible obtener el perdón en estos casos? La Biblia dice que Dios es quien, finalmente, otorga el perdón. Esto es así porque cualquier ofensa que realizamos contra otro ser humano es una ofensa contra Dios, su Creador y Redentor.

El hecho de que Dios sea quien otorgue el perdón no nos libera, sin embargo, de la responsabilidad de perdonar a quienes nos han causado daño. Dios ha dicho que perdonar a quienes nos ofenden es un deber del cristiano. Desde el punto de vista bíblico, el perdón a los demás no es opcional. Cristo mismo lo ejemplificó cuando perdonó a sus verdugos mientras moría en la cruz. Esta es quizá una de las responsabilidades más difíciles que el cristiano debe cumplir. Cuando pienso en esta responsabilidad llego a la conclusión de que solo Dios puede ayudarnos a cumplirla cuando nos da su Espíritu. Cuando perdonamos nos parecemos más a él. Además, somos transformados para participar en la obra de restaurar a otros.

Hoy te invito a perdonar a quienes te han lastimado. No importa quiénes sean. Tal vez estén lejos, pero haz tuya la oración de Jesús: «Padre, perdónalos, porque no saben lo que hacen» (Luc. 23: 34).

Contra viento y marea

Al que salga vencedor le daré el derecho de sentarse conmigo en mi trono, como también yo vencí y me senté con mi Padre en su trono (Apocalipsis 3: 21).

Llegar a la cumbre de una montaña siempre supone esfuerzos, sacrificios y muy buena condición física; pero en algunos casos requiere de verdaderos milagros. Eso fue lo que le ocurrió a Sean Swarner, un hombre que en dos ocasiones sobrevivió al cáncer. Salió del hospital, y casi podríamos decir de la tumba, para mostrarle al mundo que para Dios no hay nada imposible.

Existen muchas razones para seguir sentado en el sillón y evitar la fatiga de luchar para alcanzar nuestras metas, si es que las tenemos. ¿Cuáles son esos objetivos? ¿Correr cinco kilómetros antes de ir a la escuela? ¿Obtener mejores calificaciones? ¿Obtener una beca para estudiar en el extranjero? ¿Bajar de peso? ¿Leer la Biblia? ¿Tener más amigos? Pues, no importa cuál sea la razón, Sean Swarner demuestra que puedes vencerla. Porque él ha vencido todos los obstáculos y ha ignorado todas las excusas.

Sean ha escalado las montañas más altas de todos los continentes. Ha escalado, nada más y nada menos, que el Everest, la montaña más alta del mundo. Por supuesto, en su lista está el Aconcagua, la montaña más alta del continente americano.

También ha completado el famoso triatlón *Iron Man* (hombre de acero), que consiste en correr un maratón (42.95 km), nadar 3.86 km y correr 180.25 km en bicicleta, sin pausas y sin escalas. Durante todo el año viaja por todo el mundo con el propósito de servir como modelo e inspiración para los sobrevivientes de cáncer.

Su historia es emocionante y asombrosa. Swarner pasó veinte años de su vida en hospitales; le envenenaron el cuerpo con quimioterapia muchas veces y le dijeron dos veces que solo le quedaban dos semanas de vida. Después de todo eso, Swarner, que tiene 36 años, y a quien solo le funciona bien un pulmón, sigue demostrando ante todo el mundo, que todos los obstáculos se pueden vencer.

Hace poco dijo: «No creo que ningún desafío sea demasiado grande. Quiero que la gente siga luchando para convertir en realidad sus sueños por causa de lo que yo he hecho».

Sentarse con Cristo en su trono es un objetivo muy elevado. Pero Jesús nos mostró que es posible. Lucha por la fe para vencer todos los obstáculos que se te opongan. ¡No te detengas! Lo importante es avanzar día a día. Pide hoy al Señor que te ayude a hacerlo.

Peor que el cáncer

El corazón tranquilo da vida al cuerpo, pero la envidia corroe los huesos (Proverbios 14: 30).

Pocos estados de ánimo son tan dañinos para la salud emocional como la envidia. Como dice Salomón, la envidia es como carcoma, o peor, cáncer, en los huesos. Va destruyendo poco a poco al ser humano, hasta acabar con su vida. Además, le impide disfrutar las alegrías cotidianas. La envidia, como dice Baltasar Gracián, mata al que la padece, tantas veces como la persona a la que envidia reciba elogios.

La envidia es una enfermedad tan mala y contagiosa, que quien la padece nunca lo admite. Incluso reconocerse como envidioso se considera más vergonzoso que delatarse como el peor de los delincuentes. Por eso lo mejor es negarla y simular que no pasa nada. ¡Y qué decir cuando se le imputa a una persona respetable! ¡Ni pensarlo! No se puede aceptar de ningún modo.

¿Has sentido envidia hacia alguno de tus amigos? ¿Tienes envidia de tu hermano mayor porque él tiene una novia hermosa? ¿Te molesta ver a tu mejor amiga con el joven que tanto te gusta? Por si no bastara con nuestros malos deseos, la envidia tiene embajadores por todas partes y no falta quien te siembre actitudes envidiosas hacia los demás o invente algún ardid para desarrollar dicha insatisfacción en tu corazón. ¿Qué hacer cuando te das cuenta de que la envidia ha empezado a ganar espacios en tu conciencia?

En realidad, no existe defensa humana contra esta enfermedad. ¿Qué te parece? Es mucho más grave de lo que te imaginas. Solo el poder del Espíritu Santo puede salvarnos de este veneno, de este cáncer de los huesos llamado envidia. Por eso es necesario prevenir su aparición y vacunarnos a través de la oración todos los días. Y si ya hay indicios de su presencia en tu corazón, no hay tiempo que perder. Suplica al cielo que la erradique. De otra manera, la amargura, la insatisfacción y la enemistad serán los principales rasgos de tu carácter.

La buena noticia es que para Dios no hay imposibles. Él puede transformar tu corazón y convertirte en una persona que aprenda a disfrutar el éxito de los demás, las alegrías ajenas y los logros de tus semejantes. Lo anterior es evidencia de madurez emocional y solidez espiritual. Entonces, te estarás preparando para vivir en el reino de los cielos, un sitio donde todos sus habitantes celebran, gozan y colaboran en la felicidad de su prójimo.

Y si tu mano derecha te hace pecar, córtatela y arrójala. Más te vale perder
una sola parte de tu cuerpo, y no que todo él vaya al infierno (Mateo 5: 30).

Hace más de sesenta años una mujer de mediana edad entró a la clínica del famoso neurólogo Kurt Goldstein buscando ayuda. La mujer conversaba con fluidez y no había nada en su apariencia o comportamiento que indicara que tuviera algún problema de salud. Sin embargo, se quejaba de un padecimiento realmente extraordinario: de vez en cuando su mano izquierda se precipitaba hacia su garganta y trataba de estrangularla. A menudo estos ataques repentinos eran tan difíciles de controlar que la mujer tenía que dominar la mano asesina con su mano derecha y retirarla hacia su costado. De hecho, en ciertas ocasiones, la pobre mujer tenía que sentarse sobre su mano izquierda para evitar otra embestida violenta.

La mujer no estaba loca. Su médico anterior la había enviado a varios psiquiatras en busca de una solución, pero ellos se dieron cuenta de que el problema no era un trastorno mental, psicosis o histeria. Después de examinarla, el doctor Goldstein llegó a la conclusión de que la mujer debía haber sufrido una embolia que había dañado el cuerpo calloso. Este es un tejido nervioso muy importante que coordina la comunicación entre ambos hemisferios del cerebro. Goldstein sospechó que deberían existir en el hemisferio derecho del cerebro de esta mujer algunas tendencias suicidas latentes que habían sido inhibidas exitosamente por el hemisferio izquierdo. Pero la embolia había dañado la comunicación entre ambos hemisferios y ahora el hemisferio derecho había quedado libre para llevar a cabo sus intenciones siniestras.

Poco después la mujer murió repentinamente, probablemente por una segunda embolia (no te preocupes, no se estranguló a sí misma). La autopsia confirmó las sospechas del doctor Goldstein. Antes de que se iniciara el extraño comportamiento de la mano izquierda, esta mujer había sufrido una embolia masiva que había dañado el cuerpo calloso.

Si te analizas con cuidado encontrarás que muchas veces los miembros de nuestro cuerpo amenazan nuestra propia vida. Sansón fue traicionado por sus propios ojos. David fue vencido por sus propios impulsos sensuales. De acuerdo con el sabio Salomón, la lengua es el enemigo mortal del necio. Por eso, de forma figurada, Jesús indicó que era necesario cortar el miembro rebelde si hemos de sobrevivir. Además, es necesario restaurar nuestra comunicación con Dios si queremos restaurar el control de nuestros miembros.

¿Hay algún miembro de tu cuerpo que hoy debas dominar? Puedes hacerlo con la ayuda de Dios.

Luego de expulsarlo, puso al oriente del jardín del Edén a los querubines, y una espada ardiente que se movía por todos lados, para custodiar el camino que lleva al árbol de la vida (Génesis 3: 24).

«Oslo, terror en el paraíso». Así titularon los periódicos la tragedia. Oslo es la capital de Noruega, un país muy pequeño, de poco menos de cinco millones de habitantes. Todo el país, no solo la capital, es como un paraíso. La belleza de la geografía es solo una razón para considerarlo; la otra es la paz, la tranquilidad y la armonía. Los noruegos consideran normal salir de casa sin cerrar con llave o pasear sin temor a ser víctimas de algún delito. Como un símbolo de la armonía y la paz que reinan en el país, cada 10 de diciembre se entrega en Oslo, en el Palacio del Ayuntamiento, el Premio Nobel de la paz.

Pero, de repente, el terror se apoderó del paraíso. Un asesino de nombre Anders Behring Breivik, hizo explotar un coche bomba precisamente frente al palacio del ayuntamiento, mudo testigo de un trágico acontecimiento, inolvidable para todos los ciudadanos del mundo.

Johan Kristian Tanberg grabó con su teléfono móvil el escenario, segundos después de la terrible explosión. Aquello era indescriptible: muertos y heridos esparcidos por todas partes.

Desde la Segunda Guerra Mundial, Noruega no había visto amenazada su seguridad. Por primera vez desde el final de aquel conflicto bélico, soldados fuertemente armados sustituyeron a los policías desarmados para patrullar las calles de la conmocionada ciudad.

Los terribles acontecimientos sumieron en la consternación a los ciudadanos de una de las capitales del mundo reconocidas por su civilidad, decencia y honorabilidad. El dolor se reflejaba y se sentía entre la gente que no se resignaba a aceptar lo sucedido.

Más de cien mil personas se dirigieron en silencio hacia la catedral, llevando una flor blanca en la mano. Todos se saludaban unos a otros, cruzaban miradas, se abrazaban y juntos retomaban la marcha hacia el templo, con el único fin de depositar una flor en señal de duelo y solidaridad. Y todos comprendieron que la vida en el paraíso había cambiado para siempre. Cuán sugestivo nos parece este título: «Terror en el paraíso».

¿Te imaginas cómo se sintieron Adán y Eva cuando vieron las primeras señales de muerte en la naturaleza por causa de su pecado? La vida en el paraíso terrenal nunca fue igual. Todavía escuchamos los lamentos en el mundo entero. Nuestras propias tendencias nos recuerdan que algo anda mal. Pero esto no es para siempre. Dios restaurará el paraíso perdido y tú podrás estar en él.

Mil novecientos cincuenta y cinco años de cárcel

Al verte, han quedado espantadas todas las naciones que te conocen. Has llegado a un final terrible, y ya no volverás a existir (Ezequiel 28: 19).

«El Juez 25 de Paz Penal sentenció con mil novecientos cincuenta y cinco años de prisión a José Luis González González, propietario y director general de la empresa Publi XIII, por el delito de fraude genérico. Además, le impuso una multa de ciento cincuenta y seis mil cuatrocientos (156,400) días de salario mínimo vigente».

Así anunciaron los medios la noticia en la Ciudad de México. Nosotros siempre debemos asumir la inocencia de las personas. No debemos formular juicios de valor contra nadie, en ningún sentido. Si utilizo este caso como ilustración es porque contiene lecciones muy valiosas para todos.

Según la información, el Ministerio Público demostró que José Luis González prometía a los agraviados vehículos nuevos para portar publicidad, los cuales entregaría luego de recibir el pago de una cantidad que oscilaba entre los 20,000 y los 30,000 pesos mexicanos como compromiso, pero era un fraude. El fiscal, a instancias de la policía, inició un proceso penal en representación de los afectados y ordenó la congelación de cuentas bancarias y embargó los inmuebles de Publi XIII para la reparación del daño.

La policía aprehendió a González cuando viajaba en un vehículo de lujo por las calles de Jalisco y fue ingresado al Reclusorio Preventivo Varonil Norte, de la capital mexicana. ¿Por qué impuso el Juez 25 una sentencia tan terrible a esa persona? Según el término medio de vida de ochenta años, González necesitaría más de veinticuatro vidas para saldar su deuda con la sociedad. Pero, además, le impuso una multa muy elevada: ciento cincuenta y seis mil cuatrocientos (156,400) días de salario mínimo vigente: más de dieciséis millones de pesos.

¿Por qué necesitaría González más de veinticuatro vidas para saldar su cuenta con la justicia? Seguramente porque el juez consideró que su culpa era muy grande. El juez creyó que nunca podría pagar el mal que hizo. Indudablemente consideró que debía convertir el castigo del culpable en una lección clara para otros: nadie, nunca más, debería atreverse a perpetrar un daño tan grande.

El texto de hoy dice que Dios impuso la pena máxima a Lucifer. ¿Por qué? Por muchas razones. Una de ellas es que su delito ocasionó un daño irreparable, de consecuencias eternas. Pero me parece que la mayor es porque Lucifer nunca estuvo dispuesto a aceptar la gracia y misericordia de Dios expresada en Cristo Jesús. Y tú, ¿estás dispuesto a aceptar la gracia de Dios expresada por medio del Señor?

La angustia abate el corazón del hombre, pero una palabra amable lo alegra (Proverbios 12: 25).

¿Te has preguntado alguna vez por qué sonreír con naturalidad es tan difícil cuando alguien te lo pide? La sonrisa es una de las acciones más naturales del ser humano. Cuando te encuentras con una persona a la que amas o que te da mucho gusto ver, tu rostro se ilumina sin esfuerzo alguno con una sonrisa maravillosa y perfectamente natural. Si alguien tiene la fortuna o el tino de tomarte una fotografía en ese momento, tu rostro se verá realmente atractivo. ¿Qué pasa, sin embargo, cuando alguien te pide que sonrías? En estos casos tu sonrisa suele aparecer forzada y diferente; es decir, poco natural. Paradójicamente, este acto tan natural es muy difícil de producir a demanda. ¿Por qué?

Los neurólogos nos dicen que la razón es muy simple. Estos dos tipos de sonrisa se originan en regiones diferentes de nuestro cerebro y solo uno de ellos tiene un circuito especializado en sonrisas. La sonrisa espontánea se produce en el ganglio basal, que es un racimo de células que se encuentra entre la corteza superior del cerebro y el tálamo. La sonrisa a demanda se coordina en la corteza motora, en la parte frontal del cerebro que se dedica a coordinar movimientos voluntarios especializados, como peinarse o tocar el piano. El problema es que sonreír es un acto realmente complejo. Requiere una orquestación cuidadosa de docenas de pequeños músculos faciales en la secuencia correcta. Es tan complejo como querer tocar una pieza de Rajmáninov sin haber tomado lecciones de piano. No es de extrañar, entonces, que fracasemos miserablemente cuando alguien nos pide que sonriamos para una foto.

Esto nos ayuda, por ejemplo, a explicar por qué para algunos la religión es un asunto tan natural y simple mientras que para otros es extraordinariamente complejo. La razón es que las dos formas de vivir la religión se originan en lugares diferentes de nuestro ser y solo uno de ellos tiene los elementos necesarios para producirla. Toda religión verdadera, toda obediencia genuina, proviene del corazón. Es una respuesta de amor al amor sorprendente y admirable de Dios. Este amor produce una obediencia natural e irradia un gozo genuino. La religión que no proviene del corazón, sin embargo, es tan poco natural como cuando te piden que sonrías a la cámara.

Si la religión se te complica un poco, el problema no está en tu fuerza de voluntad, sino en tu corazón. Hoy dile sí al amor de Dios.

No cometas el error de Sir Walter

No hagan nada por egoísmo o vanidad; más bien, con humildad consideren a los demás como superiores a ustedes mismos (Filipenses 2: 3).

Sir Walter Raleigh era uno de los hombres más brillantes de la corte de la reina Isabel I de Inglaterra. Era un experto científico y escribía poemas que aún hoy se consideran excelentes. Era un buen líder, un activo empresario y un gran capitán naval, además de un cortesano apuesto y encantador, que sedujo a la propia reina y llegó a ser uno de sus favoritos. Sin embargo, dondequiera que él iba la gente le bloqueaba el camino. Más adelante cayó en desgracia, fue condenado a prisión y murió decapitado.

Raleigh no comprendía la inflexible oposición que encontraba en los demás cortesanos. No lograba ver que él, no solo no había hecho ningún intento de disimular el nivel de sus habilidades y cualidades, sino que las exhibía ante todos, haciendo gala de su versatilidad, convencido de que con eso impresionaba a la gente y ganaba amigos. En realidad, esa actitud solo le granjeó silenciosos enemigos, gente que se sentía inferior a él y que haría todo lo posible por arruinarlo en el momento en que cometiera la menor de las equivocaciones.

Al final, la razón por la cual fue decapitado fue un cargo de traición, pues la envidia encuentra mil formas de enmascarar su carácter destructivo. La envidia generada por Sir Walter Raleigh es la peor de todas: fue inspirada por su gracia y talento naturales, que él sentía que debía manifestar en su plenitud.

El dinero es algo que puede conseguirse. El poder, también. Pero una inteligencia superior, un físico agraciado y un encanto personal son cualidades imposibles de adquirir. En cambio, cuando el arzobispo de Retz fue ascendido al rango de cardenal, en 1651, sabía muy bien que muchos de sus excolegas lo envidiarían. Consciente de que sería torpe perturbar a quienes ahora se hallaban por debajo de él, Retz hizo cuanto pudo para minimizar sus méritos. Para que los demás se sintieran cómodos, actuaba con humildad y deferencia como si nada hubiera cambiado. Luego escribió que aquellas políticas inteligentes «produjeron buen efecto, pues redujeron la envidia que sentían hacia mí, que es el más grande de los secretos».

Como ves, Dios nos pide que consideremos a los demás «como superiores» a nosotros mismos, no solo como la muestra de una vida humilde y cristiana, sino como un medio práctico para vivir en paz, no despertando la envidia de nadie. Ten cuidado al exhibir tus virtudes, sean físicas, mentales o espirituales. Es un asunto de honestidad porque en realidad pertenecen a Dios.

Traigan las velas

Dichoso el siervo cuando su señor, al regresar, lo encuentra cumpliendo con su deber. Les aseguro que lo pondrá a cargo de todos sus bienes (Mateo 24: 46, 47).

El 19 de mayo de 1780 acabó siendo conocido como el «día oscuro en Nueva Inglaterra». Puedes leerlo en *Wikipedia*. Dice lo siguiente:

«Día oscuro en Nueva Inglaterra se refiere a un evento sobrenatural que sucedió el 19 de mayo de 1780, en el que se observó un inusual oscurecimiento del cielo a pleno mediodía en la región de Nueva Inglaterra. Profesores de la Universidad de Missouri creen que la causa principal fue la combinación del humo de un incendio forestal, una delgada niebla y un día nublado. Pero la oscuridad fue tanta que necesitaron usar velas desde el mediodía hasta la noche, y no se dispersó hasta la medianoche siguiente».

¿Qué habrías hecho si hubieras vivido en Nueva Inglaterra en ese tiempo? Tú estás tranquilo ese día 19 de mayo de 1780. De repente, a medio día, las tinieblas se apoderan del sol. El cielo se oscurece y todo lo que ves te induce a pensar en el fin del mundo.

Ese día el pleno de la asamblea legislativa de Connecticut estaba reunido en sesión. Habría sido asombroso verlo, ¿verdad? De repente, el sol se puso rojo, el cielo se oscureció y pensaron en encender las velas para alumbrarse en la oscuridad.

Todos se llenaron de temor. Pensaron que era el fin del mundo. Entonces acudieron a un devoto cristiano llamado Abraham Davenport, miembro de la asamblea y le preguntaron: «¿Suspendemos la sesión? ¿Regresamos a casa con nuestras familias para esperar el fin? ¿Será este el Día del Juicio que el mundo espera?».

Mira qué dijo Abraham Davenport: «Si es o no el fin, no lo sé; solo sé que mi deber y el mandamiento de mi Señor es "negociad entretanto que vengo". De modo que el puesto que me ha dado en su providencia es donde decido quedarme hasta verlo cara a cara. No seré un siervo infiel, atemorizado en mi deber, sino listo estaré cuando el Señor de la cosecha llame. De modo que con toda reverencia diría que dejemos que Dios haga su obra y nosotros nos encarguemos de la nuestra. Traigan las velas». Y eso fue lo que hicieron.

Mientras esperas la venida de Jesús, estudia, trabaja, haz planes para casarte. Nada de eso es contrario al mensaje bíblico. Al contrario, un espíritu de indolencia y ociosidad previo a su regreso a este mundo no tiene su aprobación.

Medias sonrisas y otros males

La religión pura y sin mancha delante de Dios nuestro Padre es esta: atender a los huérfanos y a las viudas en sus aflicciones, y conservarse limpio de la corrupción del mundo (Santiago 1: 27).

En la lectura de hace tres días aprendimos que existen en el cerebro diferentes regiones que se encargan de aspectos especializados del funcionamiento de nuestro cuerpo. Una forma en que los científicos han podido comprender esto es por medio del estudio de los efectos de los accidentes vasculocerebrales. O sea, derrames o coágulos que, por obstrucción del flujo sanguíneo dañan una región del cerebro. Por ejemplo, cuando se daña la corteza motora derecha del cerebro, empiezan a surgir problemas en la parte izquierda del cuerpo, porque la corteza motora derecha coordina los movimientos del lado izquierdo del cuerpo.

Algunas veces nadie imagina que se ha dañado el cerebro hasta que se observan los efectos de estos accidentes. Los efectos pueden ser tan diversos como diferentes son las regiones del cerebro. Por ejemplo, algunos solo pueden sonreír para la cámara con la mitad derecha del rostro o mover solo la parte derecha del cuerpo porque ha existido un daño en la corteza motora derecha del cerebro. Estas mismas personas, sin embargo, pueden sonreír espontáneamente con ambas partes del rostro cuando ven a un ser querido o estirar ambos brazos cuando bostezan porque estos movimientos no son coordinados por la corteza motora sino por el ganglio basal u otra parte que no ha sufrido daño. Algunos accidentes muy pequeños pueden tener consecuencias de largo alcance. Hay quienes pierden, por ejemplo, la capacidad de recordar nuevos datos o de hacer cálculos matemáticos debido a daños en regiones pequeñas del cerebro que realizan o coordinan estas actividades.

Lo mismo ocurre con los cristianos. Muchas veces la única forma de saber si existe algún daño en la vida espiritual es observando los efectos en las acciones de una persona. La Biblia llama a esto «las obras de la naturaleza pecaminosa» (Gál. 5: 18-23). Ante las necesidades de una persona se despierta nuestra compasión y nuestras acciones revelan lo que hay en nuestro corazón. Dios dice que la misericordia y la compasión, dar un vaso de agua y pan al hambriento, o ayudar a las viudas y los huérfanos, perdonar y amar a los que no nos aman, revelan si somos hijos suyos o no (Mat. 25; 5: 44-48; Sant. 1: 26-28).

¿Cómo está tu salud espiritual? ¿Qué revelan tus actos en cuanto al estado de tu corazón? Pide hoy al Señor que empiece a curarte. Es el médico por excelencia.

Más tarde estaba Jesús sentado en el monte de los Olivos, frente al templo. Y Pedro, Jacobo, Juan y Andrés le preguntaron en privado: «Dinos, ¿cuándo sucederá eso? ¿Y cuál será la señal de que todo está a punto de cumplirse?» (Marcos 13: 3, 4).

El predicador radiofónico Harold Camping predijo temerariamente que el juicio final sería el sábado 21 de mayo de 2011, exactamente a las 6:00 p.m. Y no creas que esa fue una opinión expresada entre amigos, o un *lapsus linguæ*. Lo anunció durante meses en su red de emisoras, vallas publicitarias e Internet. La noticia produjo un frenesí mediático que sacudió muchas conciencias.

Por todo el país centenares de familias comenzaron a abandonar sus empleos y a vender sus posesiones. Pero no todos se alarmaron. El pastor Doug Batchelor, orador del programa de televisión adventista *Amazing Facts*, desafió a Camping, ofreciéndole cien mil dólares al contado por la propiedad de toda su empresa Family Radio Network a la puesta del sol del sábado 21 de mayo.

Luego explicó sus razones: «La Biblia enseña claramente, en Mateo 24: 36, 37 que el día y la hora de la venida de Cristo solo la sabe Dios el Padre. Jesús también advirtió que en los últimos días vendrían muchos falsos maestros. ¿Se ajusta la predicción de Camping a lo que la Biblia dice acerca de la segunda venida de Jesús? Yo creo que no. Pero si Camping está en lo correcto, merece recuperar el dinero que ha gastado para anunciar su mensaje. Si está equivocado, no debe tener una cadena de radio».

Luego el pastor Batchelor advirtió: «Las predicciones sensacionalistas sobre la venida de Cristo crean una excitación artificial entre los creyentes, seguido por la correspondiente depresión. Además, fortalece a los escépticos y les proporciona nuevos argumentos para burlarse cínicamente de la fe». El pastor Batchelor espera ahorrarles a millones de creyentes la vergüenza resultante de poner su fe en las opiniones de los hombres y la posibilidad de perder todo lo que tienen. Luego concluyó: «Si nos basamos en la profecía bíblica, todavía estaremos aquí el 22 de mayo».

Cuídate de los falsos maestros. Vivimos una época de disparates y fantasías espirituales que fascinan a mucha gente. No basta que alguien asegure que Dios le ha revelado un mensaje y que ha recibido una «nueva luz». Es necesario probarlo todo con las Escrituras. Lo importante es que te prepares cada día como si Jesús no fuera a tardar en regresar.

La importancia
de ser respetuosos

De modo que se toleren unos a otros y se perdonen si alguno tiene queja contra otro. Así como el Señor los perdonó, perdonen también ustedes (Colosenses 3: 13).

No es fácil para los cristianos poner en práctica los elevados principios que nuestro Señor enseñaba con palabras y hechos. «No resistáis al que es malo; antes, a cualquiera que te hiera en la mejilla derecha, vuélvele también la otra y al que quiera ponerte a pleito y quitarte la túnica, déjale también la capa» (Mat. 5: 39, 40). El mandato de soportar, perdonar y tolerar todo lo que nos hagan los demás, como ordena nuestro texto de hoy, puede inducirnos a decir, como muchos de los que seguían a Jesús: «Dura es esta palabra, ¿quién la puede oír?» (Juan 6: 60).

Al parecer esa fue la experiencia de Terry Jones, pastor de la iglesia *Dove World Outreach*, en Gainesville, Florida. Sintió que la agresión del 11 de septiembre fue un ataque de los musulmanes, y decidió «vengarse», quemando ejemplares del Corán, el libro sagrado del Islam. En primer lugar, la agresión no la hicieron todos los musulmanes, sino algunos que pertenecían a una rama radical de esa religión que, por supuesto, no es representativa de la misma. En segundo lugar, las motivaciones fueron más políticas que religiosas.

Seguramente todo esto lo sabe el pastor Terry Jones. En una entrevista difundida por la cadena ABC de televisión, el presidente Barack Obama calificó como «un acto destructivo» la quema de copias del Corán y advirtió que podría provocar «gran violencia».

La Secretaria de Estado, Hillary Clinton, el Secretario de Justicia, Eric Holder, y el Vaticano, entre otras voces influyentes, expresaron su oposición a la quema planificada del Corán. Pero el pastor Terry Jones reiteró que no cejaría en su plan de quemar ejemplares del libro sagrado del Islam en otro momento.

Solo Dios conoce los corazones de los seres humanos y sus motivaciones; por eso, solo él puede juzgarlos. A nosotros nos queda reflexionar. ¿Somos respetuosos con las creencias de los demás? ¿Somos perdonadores de toda ofensa y toda queja contra nuestros semejantes?

¿Tienes rencores ocultos, enemigos a quienes odias y heridas sangrantes que has jurado vengar? No sería extraño que algo de eso te ocurriera ahora mismo. Porque eres un ser humano. Pero recuerda que los cristianos no son personas comunes. Son nuevas criaturas, que viven bajo las leyes y los principios del reino de los cielos, no del reino de este mundo. Cuando hoy salgas a la lucha diaria, decide vivir como una nueva criatura nacida de Dios.

Santifícalos en la verdad; tu palabra es la verdad (Juan 17: 17).

En el siglo XVI, el cirujano francés Ambroise Paré observó que muchos de los que sufrían la amputación de alguna de sus extremidades seguían sintiendo vívidamente la presencia de esas extremidades mucho después de la operación. Cuando Lord Nelson perdió el brazo derecho en un asalto sin éxito a Santa Cruz de Tenerife, no solo sentía vívidamente la presencia del brazo amputado sino también dolor y la sensación inconfundible de dedos tocándole la palma de la mano de ese brazo. Lord Nelson declaró que esta era una evidencia contundente de la existencia del alma. Más tarde, Silas Weir Mitchell, eminente médico de Filadelfia, acuñó el término «extremidad fantasma» para describir este fenómeno que había observado en muchos de los que sufrieron amputaciones durante la Guerra de Secesión de los Estados Unidos.

Este fenómeno plantea un problema realmente complejo para la medicina contemporánea. ¿Cómo resolver el problema del dolor en una extremidad que no existe? Los científicos coinciden en que este no es un problema psicológico y también en que el dolor que experimentan es real y, algunas veces, extremadamente agudo. Sin embargo, no han encontrado una explicación satisfactoria para la razón de este fenómeno. Sencillamente, es un dolor que no debería experimentarse porque la extremidad ya no existe.

Muchas veces nosotros creamos extremidades fantasmas en nuestra vida espiritual que causan mucho dolor y sufrimiento. Lo más triste es que este dolor no debería existir porque Dios ha extirpado la causa de ese dolor, pero nuestras ideas erróneas perpetúan nuestro sufrimiento. Una de las «extremidades fantasmas» más terribles de nuestra vida espiritual es la culpabilidad. Si alguna vez has cometido actos vergonzosos o dañinos para otros sabrás que la culpabilidad produce un dolor muy agudo y una carga muy pesada. Esta carga deforma nuestra conciencia y nos separa de los demás, incluyendo a Dios mismo y a aquellos que desean nuestro bien.

Paradójicamente, el sentimiento de culpabilidad puede llevarnos a repetir esos actos vergonzosos como si el dolor que producen pudiera expiar nuestra culpa, pero aquellos que conocen a Jesús no tienen por qué sufrir. Jesús nos pide que confesemos nuestros pecados y aceptemos su sacrificio por nosotros. A cambio promete perdonar nuestras faltas y sanar nuestro dolor. Sin embargo, a muchos nos cuesta trabajo creer y seguimos experimentando un dolor que no debería existir.

Pídele hoy a Dios que te ayude a creer para que seas liberado del fantasma maligno del sentimiento de culpabilidad. Así encontrarás la paz de Cristo.

125

Cómo amputar
un brazo fantasma

Ahora bien, la fe es la garantía de lo que se espera, la certeza de lo que no se ve (Hebreos 11: 1).

Ayer te comentaba que el dolor en las extremidades fantasmas es un problema extremadamente complejo. Aunque una persona sea plenamente consciente de que la extremidad amputada ya no existe, puede continuar sintiéndola vívidamente porque el cerebro, contra toda evidencia, se aferra a la convicción de que la extremidad sigue allí. De hecho, muchos pueden mover la extremidad fantasma y sujetar objetos (aunque sea solo en la mente) y sentir dolor si alguien arranca el objeto de la mano fantasma sin previo aviso. Entonces, ¿cómo se puede convencer al cerebro de que esa extremidad fantasma realmente no existe?

El caso de Philip Martínez sugiere posibilidades interesantes. En 1985, a Philip tuvieron que amputarle un brazo debido a un accidente de motocicleta. El problema era que diez años después Philip sentía fuertes dolores en el brazo fantasma porque sentía que se encontraba paralizado en una posición muy incómoda pero no podía hacer nada para moverlo o liberarse del dolor. El famoso neurólogo científico V. S. Ramachandran decidió ayudarlo con algo completamente novedoso: una caja de realidad virtual. Esta caja tiene dos compartimentos donde se ponen las dos manos y mediante un mecanismo de espejos se crea la ilusión, o realidad virtual, de que la mano izquierda es realmente la derecha. Ramachandran le pidió a Philip que pusiera la extremidad fantasma en el compartimiento izquierdo y la mano derecha en el otro compartimiento de tal forma que tomara perfectamente la posición del brazo fantasma en la realidad virtual. Después le pidió que empezara a moverlo. Lo que sucedió es realmente increíble. Philip sintió que movía el brazo fantasma y se emocionó tanto que empezó a saltar como un niño. Lo más interesante es que después que Philip utilizó la caja virtual durante tres semanas, el brazo fantasma desapareció. ¡Ramachandran había amputado con éxito el brazo fantasma!

Esta historia ilustra lo que la fe hace por nosotros. Muchas veces Dios nos promete que haremos cosas que nos parecen imposibles. Por ejemplo, nos dice que podremos amar a nuestros enemigos, superar un vicio o hacer cosas a su servicio que parecen superar nuestras capacidades. La fe es como esa caja virtual que le dice a nuestro cerebro que lo que Dios promete ocurrirá. Cuando tú y yo obedecemos por fe, Dios nos capacita para realizarlo.

¿Te gustaría utilizar hoy la caja virtual de la fe en Dios? Inténtalo y la fe actuará poderosamente.

El Señor Todopoderoso me ha dicho al oído: «Muchas casas quedarán desoladas, y no habrá quien habite las grandes mansiones» (Isaías 5: 9).

L a revista *Forbes* sitúa a Mukesh Ambani, empresario indio, en el decimonoveno lugar de los multimillonarios del planeta. Pero Ambani es más conocido porque es propietario de la casa-vivienda privada más costosa del mundo: su residencia, Antilia, ha sido valorada en aproximadamente dos mil millones de dólares. Es la mansión de la familia Ambani, que consta solo de cinco miembros. El edificio, que se parece a una serie de cubos superpuestos, aparentemente inspirada por los jardines colgantes de Babilonia, fue diseñada por la empresa norteamericana Perkins&Wills.

Antilia es un ejemplo de la extravagancia de Ambani. Las cifras hablan por sí solas. El edificio tiene 173 metros de alto y 37,000 metros cuadrados de construcción distribuidos en veintisiete pisos. En el estacionamiento pueden acomodarse ciento sesenta automóviles. Tiene tres helipuertos, una sala de cine para cincuenta personas, tres pisos de jardines colgantes… Por supuesto, no podían faltar el gimnasio, el salón de baile y el estudio de yoga. Tiene, además, tres piscinas y nueve ascensores; y se ha declarado que la servidumbre consta de seiscientas personas.

La construcción de Antilia ha estado rodeada de polémica. Las autoridades aeronáuticas indias consideran que sus helipuertos no cumplen con las normas legales y amenazan la tranquilidad del sector. Asimismo, algunos activistas medioambientales han cuestionado el consumo de energía de la construcción, ya que la primera factura de la electricidad alcanzó la suma de 158,000 dólares. No lejos de allí sobreviven familias en condiciones deplorables de pobreza, apretujadas en improvisadas casuchas de cartón, sin agua ni electricidad y alimentándose de la basura.

¿Qué haces con las riquezas que tienes? ¿Las dedicas a crear monumentos a tu propia grandeza mientras que te olvidas de aquellos que están a tu alrededor y aun de Dios? La Biblia dice que Dios «da el poder para hacer las riquezas» (Deut. 8: 18). La pregunta es ¿para qué? ¿Con qué propósito?

Es posible que estés pensando: «No te preocupes por mí. Yo no soy rico». La verdad es, sin embargo, que todos tenemos algún tipo de riqueza, por ejemplo, en tiempo o en talentos y habilidades. ¿Qué haces con ellos? ¿Estás preocupado únicamente por crear monumentos a tu propia grandeza, o beneficiarte a ti mismo, mientras te olvidas de tus semejantes y aun de Dios?

La Biblia dice que esos monumentos, como Antilia, «quedarán desolados». Invierte mejor tus riquezas.

La creatividad agoniza...
al menos en Hollywood

Mientras que esos malvados embaucadores irán de mal en peor, engañando y siendo engañados (2 Timoteo 3: 13).

No sé qué piensas tú, pero creo que algo que está pasando en el mundo del espectáculo se anuncia en esta frase: «La creatividad está agonizando… al menos en Hollywood». Aquellos buenos guiones de películas que solían abundar en el pasado hoy escasean. Parece que los creadores de complicadas tramas y personajes «de película» han agotado su imaginación.

Aparentemente, la creatividad de muchos guionistas afronta una severa crisis. La primera señal de este «agotamiento» fue la aparición de películas por demás ridículas. En segundo lugar, llegó la época, en la cual estamos inmersos, de los *remakes*, mejor dicho, «refritos», que tratan de explotar los éxitos del pasado. Ahora tenemos secuelas y «precuelas» que en su mayoría resultan de dudosa calidad.

Seguramente ya te diste cuenta. La creatividad se está agotando. Todo se acaba. Lo que no se acaba es el mal. No obstante, lo que está ocurriendo en la industria del espectáculo ahora, ya ocurrió en el teatro romano hace mucho tiempo.

En el teatro romano llegó un momento en que el gusto popular se envileció hasta tal punto que ya nada complacía a las multitudes. Al populacho, acostumbrado a las emociones fuertes del teatro, ya nada lo satisfacía. Así, el espectáculo se fue haciendo cada vez más violento hasta que, finalmente, solo el derramamiento de sangre los emocionaba. Así fue como llegaron al salvaje entretenimiento de los gladiadores que luchaban a muerte para contentar a una turba envilecida.

Con las emociones, la moral y el goce sucede igual que con el gusto por la comida: el exceso los vicia y acaban pervertidos. El exceso de condimento en la comida lleva a exigir cada vez más condimento para que el gusto se vea satisfecho.

Lo mismo ocurrió con la industria del entretenimiento. El insaciable gusto por el video de las multitudes en la actualidad hace que la industria del cine produzca películas de manera comercial y cada vez más violentas. En realidad, el ser humano se está envileciendo cada vez más. Ahora no se siente satisfecho si no ve muerte, violencia, sexo. Es una señal de los tiempos. Los engañadores irán de mal en peor.

Cuida las avenidas del alma, recuerda que todo lo que ves tiene un impacto para bien o mal en la formación del carácter. La decisión es tuya.

No seas vengativo con tu prójimo, ni le guardes rencor. Ama a tu prójimo como a ti mismo. Yo soy el Señor (Levítico 19: 18).

Una de las ofensas más grandes que puede experimentar un ser humano es ser discriminado por el color de su piel, la raza o la etnia a la que pertenece. Estos malos tratos son especialmente ofensivos porque atentan contra la definición más íntima y esencial del ser y denigran su dignidad.

Uno de los ejemplos más tristes fue el sistema de *apartheid* que imperó en Sudáfrica desde 1948 hasta 1994. El *apartheid* era un sistema legal que restringía los derechos de la población negra del país a la vez que garantizaba el poder de la minoría blanca. Este sistema separaba por ley los lugares donde las personas podían vivir, la educación que podían recibir, las playas que podían disfrutar y los servicios que recibían del gobierno. Todo basado en la raza del individuo.

Cuando finalmente este sistema cayó, Sudáfrica eligió a su primer presidente de raza negra, Nelson Mandela, quien había experimentado en carne propia la injusticia del *apartheid* y estuvo preso injustamente durante muchos años. Este cambio se produjo en medio de muchos temores y prejuicios entre las razas. Muchos de aquellos que habían sufrido discriminación pensaron que había llegado el momento para vengar los ultrajes recibidos. Mandela sabía, sin embargo, que la venganza daría nuevo impulso al ciclo de la violencia y llevaría finalmente a la destrucción de la nación. Era imperativo perdonar. Mandela pidió, entonces, al obispo anglicano Desmond Tutu, otro ilustre ciudadano de raza negra, que dirigiera una comisión para la reconciliación y la verdad. Más tarde Desmond Tutu escribió el libro *No Future Without Forgiveness* [No hay futuro sin perdón]. Allí dijo lo siguiente: «Perdonar es sin duda la mejor forma de procurar el bien por uno mismo porque la ira, el resentimiento y la venganza corroen el *"summum bonum"*, el bien mayor».

Cuando Jesús nos pide que perdonemos a aquellos que nos han hecho mal lo hace porque le interesa nuestro bien. Aquellos que no perdonan quedan atrapados en sucesos del pasado que los han denigrado y les causan dolor. Los recuerdos del pasado se convierten en un lastre que ata el alma, la enceguece y le quita la capacidad de orientarse hacia el futuro. Aquel que perdona, sin embargo, ha sido liberado de las ataduras del pasado y es libre para crecer.

Pídele a Dios que te ayude a perdonar. Recuerda, sin perdón no hay futuro.

129

El mandamiento fundamental

Así quedaron terminados los cielos y la tierra, y todo lo que hay en ellos. Al llegar el séptimo día, Dios descansó porque había terminado la obra que había emprendido. Dios bendijo el séptimo día, y lo santificó, porque en ese día descansó de toda su obra creadora (Génesis 2: 1-3).

¿Has tenido problemas para guardar el sábado? ¿Alguna vez has escuchado a uno de tus amigos referirse al sábado como una carga? ¿Consideras que el sábado es el mejor día de la semana?

Para muchos jóvenes el sábado consiste en una lista de actividades prohibidas: no pueden comprar o vender, ni ver programas de televisión. Tampoco pueden salir a jugar con sus amigos. En fin, la lista es larga. En el pasado, los líderes de la religión judía impusieron treinta y nueve reglas al día del Señor. ¿Te imaginas? Con eso, lograron desvirtuar el sentido del mandamiento. Para cuando Jesús vino a este mundo, mucha gente había perdido el significado original del precepto, de modo que el Señor intentó devolvérselo. Fue así como el Señor llevó a cabo la mayoría de sus milagros justamente en día sábado, para así recordar al pueblo que ese día evocaba la libertad del pecado y la sanidad divina. No obstante, fue considerado por varios líderes judíos como un transgresor del sábado.

¿Te das cuenta? Las confusiones en torno a la observancia del cuarto mandamiento no son nuevas; en realidad, han existido desde hace mucho tiempo.

La verdad es que Dios está interesado no tanto en lo que *no haces*, sino en lo que haces en sábado. Para muchos jóvenes, guardar el sábado es *no participar* de ciertas actividades, como trabajar, comprar o ver la televisión. Sin embargo, eso no es lo fundamental. Lo importante del mandamiento es lo que tú *haces*. ¿Y qué es lo que Dios nos ha pedido? La Biblia dice en Éxodo 20: 8 que el sábado es para adorar. En realidad, eso es lo que Dios nos está pidiendo. Por lo tanto, hemos de concentrarnos en la adoración.

Eso significa que ese día nada debe distraernos de la adoración al Padre celestial: ni el trabajo ni las actividades escolares ni nuestros asuntos personales. Sin embargo, si no te concentras en la adoración y únicamente te preocupas por las normas que se han establecido en torno al mandamiento, pronto perderás el significado del sábado, como le sucedió al pueblo de Israel. Entonces posiblemente se convierta en una carga para tu experiencia espiritual.

Cada sábado que asistas a la iglesia, asegúrate de que adoras al Señor con todas tus fuerzas. No regreses a tu hogar sin la seguridad de haberlo adorado en la hermosura de la santidad.

> Porque así dice el Señor, el que creó los cielos; el Dios que formó la tierra, que la hizo y la estableció; que no la creó para dejarla vacía, sino que la formó para ser habitada: «Yo soy el Señor, y no hay ningún otro» (Isaías 45: 18).

El 5 de agosto de 2011 la nave *Juno* partió hacia Júpiter. Su misión es estudiar ese planeta para tratar de descubrir los orígenes de nuestro sistema planetario. Es la segunda misión que se eligió bajo el plan Nuevas Fronteras, programa que estableció la NASA al concluir la era de los transbordadores. Juno, la diosa de la maternidad y protectora de las mujeres en la mitología romana, partió al encuentro de su esposo Júpiter, a bordo de un cohete Atlas V.

Adriana Ocampo, de la división de Ciencias Planetarias de la NASA y responsable de la misión, indicó que entre las incógnitas que se quieren despejar está el papel que jugó Júpiter en la evolución y el origen del Sistema Solar y de la Tierra.

«En vez de haber sido totalmente árida, como habría sido si no hubiera tenido moléculas de agua y atmósfera, le dio la oportunidad de capturar estas moléculas livianas», indicó Ocampo. La pregunta que quiere resolver *Juno* es por qué en la Tierra se dio la vida y no en otros planetas. Y es que, según afirman quienes defienden el evolucionismo, este planeta de grandes dimensiones en el que vivimos tiene un potente campo gravitatorio que actuó como barrera para impedir que las moléculas dispersas por el espacio, en el principio de su historia, quedaran fuera del Sistema Solar y permitieran que se diera la vida. Su campo gravitatorio, dicen, logró atrapar las moléculas de hidrógeno y oxígeno con las que se forma el agua, ingredientes fundamentales con los que empezaron a desarrollarse los océanos y la atmósfera de la Tierra.

Dios le ordenó a Faraón, rey de Egipto: «Deja ir a mi pueblo para que celebre en el desierto una fiesta en mi honor» (Éxo. 5: 1). La respuesta del Faraón fue: «¿Y quién es el Señor […] para que yo le obedezca y deje ir a Israel? ¡Ni conozco al Señor, ni voy a dejar que Israel se vaya!» (vers. 2).

Quien no quiere obedecer al Señor, niega su existencia. Esa es la misma razón para ir a Júpiter en busca de los orígenes del Sistema Solar que ya están revelados. Por eso Dios tiene un mensaje para este tiempo: «Adoren al que hizo el cielo, la tierra, el mar y los manantiales» (Apoc. 14: 7). Nuestra fe en el Creador se manifiesta en la obediencia a sus mandamientos. Tu vida ¿confirma la existencia de Dios o la niega?

Los buenos deseos de Dios

Querido hermano, oro para que te vaya bien en todos tus asuntos y goces de buena salud, así como prosperas espiritualmente (3 Juan 2).

Uno de los mayores bienes es la salud. Los enfermos ricos son pobres. Los pobres sanos son ricos. Por ejemplo, si caías enfermo durante el siglo XIX por ningún motivo deseabas ir al hospital. Era un viaje a la muerte en una época en la que se desconocían los gérmenes. Las epidemias eran visitantes regulares de los hospitales faltos de higiene. Al principio, los sanatorios fueron instituciones fundadas para los pobres. Eran sitios donde se iba como último recurso: los enfermos iban allí para morir.

Las personas adineradas recibían tratamiento médico en sus casas. Pero tampoco les iba mejor. La idea común de la enfermedad era que los humores corporales debían equilibrarse. Por lo tanto, curar era equilibrar. Y un primer paso en ese proceso era una sangría, para quitar el supuesto exceso de sangre. Generalmente se le extraía al infeliz enfermo entre medio litro y un litro de «vida». Luego seguían los purgantes, que eran dos poderosas y extremadamente venenosas drogas: estricnina y mercurio. Como se creía que el vómito, la fiebre y la diarrea eran síntomas de «mejoría», el resultado era la deshidratación y la muerte del paciente.

Por algo a aquella época se la llamaba «la era de la medicina heroica». La cirugía no era mejor; se practicaba sin anestesia. Los cirujanos eran los carniceros y los peluqueros. George R. Knight cuenta que al joven Urías Smith, su mamá le amputó la pierna en la mesa de la cocina… sin anestesia, por supuesto.

Para ser médico, bastaban ocho meses de entrenamiento, aunque el candidato no hubiera terminado la escuela secundaria. No extraña que Oliver Wendell Holmes dijera: «Si todo el conocimiento médico que ahora se utiliza fuera echado al fondo del mar, sería muy bueno para la humanidad, y muy malo para los peces». Edson White, hijo de Elena G. de White, tenía uno de esos grados y, por propia experiencia, comentaba: «El médico a cargo es un villano, la clínica Hygeio-Therapeutic es un fraude vergonzoso y el viejo doctor Mill debería ser echado al fondo del río Delaware».

Pero Dios anhela la salud para su pueblo, porque sabe que es uno de los bienes más preciados por los seres humanos. Por eso dio a su pueblo principios de salud y leyes sanitarias efectivas. Hoy, el pueblo adventista está llamado a dar a conocer la reforma prosalud. Por tu propio bien, procura conocer y practicar los principios divinos de la vida saludable.

No se amolden al mundo actual, sino sean transformados mediante la renovación de su mente. Así podrán comprobar cuál es la voluntad de Dios, buena, agradable y perfecta (Romanos 12: 2).

Según dicen los neurólogos, existe en nuestro cerebro un mapa de nuestro cuerpo. El cerebro procesa la información procedente de los estímulos de cada uno de los diversos lugares de la superficie de nuestro cuerpo, digamos una mano, un pie o los labios, en una región distinta para cada uno de ellos. Wilder Penfield desarrolló en la década de los cincuenta y los sesenta un mapa que identifica las regiones del cerebro que están vinculadas con cada una de las partes del cuerpo.

Hasta tiempos recientes, los neurólogos habían sostenido de forma dogmática que el circuito interno de nuestro cerebro no puede ser modificado una vez que queda establecido durante el desarrollo fetal o muy temprano en la vida del bebé. Es decir, de acuerdo con esta idea, el mapa del cerebro no puede cambiar. Los científicos han empezado a encontrar evidencias, sin embargo, de que realmente el cerebro adulto puede desarrollar nuevos sistemas de conexiones; es decir, puede cambiar.

Tom es un ejemplo de este fenómeno. El doctor Ramachandran lo había invitado a su laboratorio para realizar unos experimentos. Tom había perdido un brazo en un accidente, sin embargo, sentía comezón en la extremidad fantasma. Ramachandran le vendó los ojos y empezó a tocar diferentes partes de su cuerpo con un bastoncillo de algodón preguntándole qué sentía y dónde. Cuando Ramachandran le tocó la mejilla algo curioso ocurrió. Tom le dijo que sentía que le tocaban la mejilla pero que al mismo tiempo le estaban tocando el pulgar del brazo amputado. Cuando tocó los labios, Tom dijo que también sentía que tocaban el dedo índice del brazo amputado. ¡Y así fueron descubriendo la mano amputada de Tom en la mejilla! ¡Tom estaba emocionado porque ahora sabía donde rascar para calmar la comezón de su brazo fantasma!

Todo esto indica que nuestro cerebro sí puede cambiar. Esto quiere decir que no todo fue establecido cuando nacimos. No sé si alguna vez has sentido la necesidad de que cambie la forma en que miras la vida, enfrentas los problemas o te relacionas con los demás. Si Dios le dio la capacidad a nuestro cerebro para cambiar, imagínate los milagros que puede realizar en tu favor si le pides que cambie o transforme tu forma de pensar. ¿Por qué no le pides a Dios que empiece a realizar ese milagro hoy? Tiene poder para hacerlo.

¿Existe el amor eterno?

Como llama divina es el fuego ardiente del amor. Ni las muchas aguas pueden apagarlo, ni los ríos pueden extinguirlo. Si alguien ofreciera todas sus riquezas a cambio del amor, solo conseguiría el desprecio (Cantares 8: 6, 7).

El amor conyugal es eterno, en el sentido en que dura mientras ambos cónyuges vivan o «hasta que la muerte los separe». Es lo que dice el voto matrimonial. Pero nuestro texto de hoy dice que el amor «es una llama divina» que ni las muchas aguas, ni los ríos, ni la muerte, pueden apagar.

El amor de los esposos cristianos que se aman profundamente en este mundo, y que desean que ese amor y esa relación se prolonguen en la tierra nueva, es un gran misterio. Pero José Manuel Rey, profesor del Departamento de Análisis Económico de la Universidad Complutense de Madrid, elaboró un modelo basado en la segunda ley de la termodinámica y unas ecuaciones de control del ámbito de la ingeniería para decir que el amor eterno no existe.

Para ilustrar su teoría dice: «En el mundo de la física, un recipiente que está caliente tiende a enfriarse de manera espontánea si nadie lo mantiene con calor; con las relaciones pasa lo mismo, hay que cuidarlas». En realidad, lo que dice es que no existe el amor eterno si no se hacen esfuerzos serios y sostenidos para mantenerlo vivo. Dice textualmente: «Mantener el amor a largo plazo es algo muy costoso y, con excepciones, casi imposible».

Los estudiosos y terapeutas están de acuerdo en la existencia de una especie de segunda ley de la termodinámica de las relaciones sentimentales. «Se necesita de esfuerzo para mantener la relación, pues el amor no es suficiente», asegura Rey en su artículo publicado en la revista de investigación *PLoS ONE*.

Siempre hemos sabido esto, pero el mérito de José Manuel Rey es que comprobó matemáticamente lo que les ocurre a las parejas. Para conocer cómo tiene que ser el esfuerzo para mantener la relación, centró su estudio más allá de la etapa de enamoramiento, en matrimonios que decidieron compartir su vida hasta que la muerte los separe aplicando la teoría del control óptimo.

Dice que ha de ser «paso a paso». Lo primero que se descubre es el patrón de cada pareja; es decir, cómo llevan su vida cotidiana en pareja: si se acompañan, si se dedican tiempo, si se muestran afecto. Después se analiza hasta qué punto están dispuestos a esforzarse por mantener la relación. «Cuando uno se esfuerza menos, hay una inercia a la dejadez».

Cultiva el amor eterno en tu vida; así, cuando te cases, tu matrimonio no perderá el calor.

Los tres hebreos y tú

Pero aun si nuestro Dios no lo hace así, sepa usted que no honraremos a sus dioses ni adoraremos a su estatua (Daniel 3: 18).

Todos sabemos que los tres hebreos eran valientes. Desafiaron al rey claramente y con mucha decisión. Para eso se requiere valor. Pero ¿es cierto que el valor era la virtud más destacada de los tres hebreos? Conviene saberlo, porque los que vivan en los últimos días, posiblemente tú, tendrán que desafiar a «un rey de rostro adusto, maestro de la intriga» (Dan. 8: 23), como lo define la profecía.

Una vez Nikita Jrushchov, primer ministro de la Unión Soviética, presentó un importante discurso sobre el estado de los asuntos de la nación ante el concilio supremo soviético. En su discurso hizo algo totalmente nuevo al comentar abiertamente los despiadados excesos de la era de Stalin. Mientras Jrushchov hablaba, alguien del auditorio envió una nota con un comentario muy duro: «Camarada primer ministro Jrushchov, ¿dónde estaba usted cuando Stalin cometía esas atrocidades?».

Jrushchov, enojado, gritó:

—¡Quién envió esta nota!

Nadie respondió.

—Le voy a dar un minuto para ponerse de pie—, dijo Jrushchov.

Los segundos pasaban pero nadie se movía.

—Está bien, les voy a decir lo que yo estaba haciendo —dijo Jrushchov—. Estaba haciendo exactamente lo que el autor de esta nota está haciendo. ¡Nada! Yo tenía miedo de ser diferente.

Temor de ser diferente. Temor de tomar una posición. Temor de que todos lo miren, allí, de pie, solito, ante el rey y ante el horno de fuego ardiente. Si alguna vez en la historia necesitamos estar firmes, y Dios nos llama a estar firmes, es ahora.

Sin embargo, creo que el valor civil no fue la virtud más destacada de los tres hebreos que desafiaron a Nabucodonosor y el horno de fuego. Lo que los distinguía eran sus firmes convicciones. Principios de conducta bien establecidos, claramente comprendidos y firmemente sostenidos desde la niñez. Esa fue la fuerza y el poder que los capacitó para desafiar al rey y al horno de fuego. Esa misma virtud necesitarán los que sean llamados a desafiar al «rey de rostro adusto, maestro de la intriga», que levantará otra imagen y otro horno de fuego en los últimos días.

Ese valor no es de origen humano. Será el que tendrán los que pasen por un reavivamiento y una reforma y sean dotados de poder de lo alto cuando llegue el momento. Quizá no tengas esas virtudes hoy, pero las puedes desarrollar mientras llega el tiempo. Te sugiero comenzar hoy.

135

Hijos, obedezcan en el Señor a sus padres, porque esto es justo. «Honra a tu padre y a tu madre —que es el primer mandamiento con promesa— para que te vaya bien y disfrutes de una larga vida en la tierra» (Efesios 6: 1-3).

El doctor Viktor Frankl era un psiquiatra judío austriaco que vivió antes de la Segunda Guerra Mundial. En esos días Viena era la ciudad de Sigmund Freud y Alfred Adler, quienes dominaban el panorama intelectual de su tiempo.

Viktor Frankl se encontraba en la rampa de lanzamiento hacia una brillante carrera profesional. Su posición en los círculos médicos era excelente, acababa de ser nombrado director del Departamento de Neurología del Hospital de Rothschild (1940), que atendía únicamente enfermos judíos. Aceptar aquel cargo fue un desafío porque ya arreciaba la persecución nazi contra los judíos. Acababa de terminar un manuscrito donde presentaba sus discusiones con Freud y Adler y las bases de su nueva teoría analítica: la logoterapia. Además, Viktor Frankl, acaba de casarse con la novia de sus sueños, Tilly Grossner (1941).

Pero la persecución nazi se intensificó. Su hermana escapó a Australia. Su hermano intentó escapar a Italia pero fue capturado y enviado al campo de concentración de Auschwitz con toda su familia, donde murieron. Viktor Frankl consiguió un visado para emigrar a Estados Unidos. En aquel país no solo eludiría la persecución nazi, sino que tendría un ambiente brillante para desarrollar y defender sus teorías psiquiátricas. Pero sus padres no lograron obtener el visado para huir. Además, ancianos y enfermos, sin la ayuda de ningún hijo, se quedarían desvalidos. La situación de sus padres planteaba a Frankl una difícil disyuntiva, una grave duda de conciencia: ¿Debía atender a sus padres o proseguir su carrera? ¿Asegurar su reciente matrimonio o ayudar a su familia en su incierta suerte? El visado le ofrecía un gran futuro, pero en Viena quedaba el inminente y seguro riesgo de la deportación de sus padres a un campo de concentración.

¿Qué hizo Viktor Frankl ante la terrible disyuntiva que le planteaba la vida? ¿Qué harías tú? Es, sin duda alguna, una difícil elección. Por desgracia, a veces los cristianos, los hijos de Dios, tienen que tomar decisiones importantes en medio de una gran crisis o un gran peligro. Es bueno prepararse para no dudar nunca en cuanto a la necesidad de hacer lo correcto en medio de una crisis. Cada día nos preparamos para tomar una decisión, sea correcta o incorrecta. Cada día decidimos estar a la derecha o a la izquierda. Prepárate hoy.

Honra a tu padre y a tu madre, para que disfrutes de una larga vida en la tierra que te da el Señor tu Dios (Éxodo 20: 12).

Viktor Frankl, desconcertado, salió a caminar para resolver el dilema: partir a los Estados Unidos o quedarse con sus padres para sufrir a manos de los nazis. No veía la manera de hallar una solución cabal. «¿Cuál era mi responsabilidad? ¿Ocuparme de mis padres?» Luego dijo: «En un momento así uno espera una señal del cielo».

Regresó a su casa lleno de pesadumbre. Al entrar observó un pequeño pedazo de mármol sobre la repisa de la chimenea. Se dirigió a su padre:

—¿Qué es eso?

—¿Esto? Oh, lo he tomado hoy de unos escombros, allí donde antes se encontraba la sinagoga que han quemado. El pedazo de mármol es una parte de las tablas de los mandamientos. Si te interesa puedo decirte también de cuál de los mandamientos es el signo en hebreo que se encuentra allí grabado. Porque solo existe un mandamiento que lo lleva como inicial.

—¿Cuál es? —le insistí a mi padre.

Entonces me dio la respuesta:

—«Honra a tu padre y a tu madre, para que disfrutes de una larga vida en la tierra que te da el Señor tu Dios».

«Así es que me quedé en la tierra… junto a mis padres», confiesa Frankl.

Por eso, dejó caducar el visado para los Estados Unidos y sucedió lo previsible. Pocas semanas después la familia Frankl fue deportada al campo de concentración de Auschwitz. Allí se separó de su esposa, Tilly, de la que nada supo durante todo el tiempo del cautiverio. De su madre se despidió en el campo de concentración de Theresienstadt.

Al presagiar una despedida para siempre, le pidió su bendición. Así cuenta lo que ocurrió: «Nunca olvidaré cómo ella, con un grito que le brotaba de lo más profundo de su ser, y que solo puedo calificar de fervoroso, dijo: "Sí, sí, yo te bendigo", y luego me dio la bendición».

Pocos días antes había visto morir a su padre en el campo de concentración de Theresienstadt, en una agonía dolorosa. «Pero tenía la sensación más maravillosa que uno pueda imaginar: había hecho lo que tenía que hacer, permaneciendo en Viena por mis padres, acompañándolos hasta la muerte y evitando un sufrimiento mortal innecesario a mi padre».

Este mandamiento, el quinto, es muy importante. Es el único que tiene una promesa. Acuérdate del quinto mandamiento. Honra a tus padres. Ámalos. Obedécelos. Cuídalos en su vejez. Si ya han pasado al descanso, honra su memoria. Recuerda que Dios aprecia y valora lo que hagas por tus padres.

Joab, el débil oficial de David

David había dicho: «El que primero derrote a los jebuseos será cabeza y jefe». Entonces Joab hijo de Sarvia subió el primero, y fue hecho jefe (1 Crónicas 11: 6, RV95).

El nombre de Joab significa: «El Señor es padre» y expresa las convicciones de su madre, Sarvia, pues de su padre no sabemos nada. Sarvia era hermana de David, por lo tanto Joab era sobrino del rey. También sabemos que tenía dos hermanos: Abisai y Asael. El carácter de Joab, como el de todos los seres humanos, es difícil de analizar y comprender. Pero es un personaje muy importante en el ascenso de David al trono y en su posterior gobierno.

Joab era valiente y «fue el primero» en atacar a los jebuseos que controlaban Jerusalén, antes de que se convirtiera en la capital del reino de Judá. Gracias a aquella acción valerosa fue nombrado jefe del ejército y se mantuvo en esa posición durante todo el reinado de David (1 Rey. 2: 22-35). Esto indica que Joab era un genio militar y también un hábil político. Por desgracia, también tenía un carácter violento, como lo demuestra el asesinato a sangre fría de Abner, según se relata en 2 Samuel 3: 27. Joab era leal a la casa de David y desempeñó uno de los papeles clave en el proceso de construcción nacional. Su genio militar brindó al rey una poderosa arma para su avance en el control de la nación y, posteriormente, la expansión de su influencia ante sus vecinos.

La astucia de Joab se manifestó en la rebelión de Absalón y su movimiento para derrocar a su padre y acceder al trono. Joab se dio cuenta del potencial de Absalón como el futuro rey de Israel y puso a trabajar su maquinaria política para ayudarlo. No obstante, el hijo del rey era egoísta, ingrato y mal estratega. Si se hubiera aliado con Joab es probable que su conspiración hubiera triunfado. Pero Dios impidió la peligrosa alianza.

Aunque Joab aparece como totalmente leal a David en la primera parte de su reinado, en realidad la única lealtad que tuvo fue hacia sí mismo. Para él, todas las cosas, inclusive la religión, tenían un interés político. Pasa por la historia sagrada como un manipulador de la religión y de los hombres. Era un hombre fuerte, aunque muy débil.

Los hombres pueden manipular, controlar, imponer y quitar de acuerdo con sus propios intereses egoístas, pero tarde o temprano cosecharán las funestas consecuencias de una vida sin escrúpulos. Lo importante es que tú nunca participes de los caminos de Joab.

Si alguien te pone pleito para quitarte la capa, déjale también la camisa
(Mateo 5: 40).

En la iglesia del Santo Sepulcro, en Jerusalén, hay una deslucida y vieja escalera
de madera colocada en la ventana superior derecha, sobre la puerta principal
de este templo milenario. Aunque no lo creas, ¡la escalera está allí desde 1852!
La situación es difícil de entender. La iglesia del Santo Sepulcro en Jerusalén está
bajo la custodia de seis iglesias cristianas: Iglesia Oriental ortodoxa, Apostólica arme-
nia, Católica romana, Copta ortodoxa, Etíope ortodoxa, y Siriaca ortodoxa. El problema es que estas seis denominaciones cristianas se encuentran tan profundamente
enemistadas entre sí que, para detener la violencia entre ellas, fue necesario llegar a
un acuerdo en 1853. Este pacto coordina estrictamente los tiempos y lugares de reunión para cada comunidad religiosa. Además, establece que las áreas comunes solo
pueden ser modificadas con el consentimiento de todas las comunidades religiosas.
Cuando se estableció el convenio en 1853, alguien había colocado una escalera en la
ventana que está sobre la entrada, un área común, y desde entonces las jerarquías
religiosas no han conseguido ponerse de acuerdo para quitarla.

La escalera inmóvil es, sin embargo, lo menos vergonzoso de esa iglesia. En el
verano de 2002, cuando un monje copto movió su silla del lugar acordado para ponerla a la sombra, el acto fue considerado hostil por los monjes etíopes y se desató
una enorme pelea que resultó en la hospitalización de once religiosos. Otra pelea que
se desató entre griegos ortodoxos y franciscanos durante la celebración de la Santa
Cruz en 2004 hizo que la policía interviniera y arrestara a varios de ellos. La historia
de los enfrentamientos continúa, pero me da un poco de vergüenza describirlos.

La situación es profundamente triste para los cristianos. Cristo murió en la cruz
para ofrecer perdón a sus enemigos y nos enseñó que, si alguien quiere pelear por
nuestra ropa, le dejemos también la capa (Mat. 5: 40). Sin embargo, a los custodios
del templo poco les importa pisotear el mensaje de Cristo con el fin de mantener
control sobre un pedazo de su tumba que, para más ironía, ¡está vacía porque Jesús
resucitó!

Analiza tu vida. ¿Existen algunas «escaleras» que debes quitar? ¿Tú también peleas
furiosamente por el control de una tumba vacía? ¿No crees que a veces es mejor renunciar a lo tuyo (como Jesús hizo) para honrar a tu Salvador?

Advocatus
Sancti Sepulchri

> Les digo la verdad: Les conviene que me vaya porque, si no lo hago, el Consolador no vendrá a ustedes; en cambio, si me voy, se lo enviaré a ustedes (Juan 16: 7).

Ayer mencioné el triste hecho de que seis comunidades religiosas tienen la custodia de la Iglesia del Santo Sepulcro, pero están profundamente enemistadas entre ellas. Ahora quiero hacerte una pregunta. Si las seis comunidades que la custodian están enemistadas entre sí, ¿quién tiene las llaves del edificio? ¿Quién controla la entrada al inmueble? En 1192, el famoso guerrero musulmán Saladino delegó la responsabilidad a dos familias musulmanas. A la familia Joudeh Al-Goudia le encargó la llave del Santo Sepulcro y a la familia Nusseibeh el control de la puerta. Este decreto ha continuado hasta nuestros días. Esto quiere decir que la Iglesia del Santo Sepulcro está realmente bajo custodia musulmana.

La historia de la lucha por el control del lugar de la tumba de Jesús es muy larga. Eusebio comenta en su *Vida de Constantino* que la tumba de Cristo ya era objeto de veneración por los primeros cristianos durante el siglo II d. C., y que, debido a su odio hacia los cristianos, Adriano edificó sobre el sepulcro un templo dedicado a Afrodita (o Venus). Más tarde, hacia 326 d. C., el emperador Constantino reemplazó el templo de Afrodita por la iglesia del Santo Sepulcro, la cual sería destruida el 18 de octubre de 1009 por el Imperio Fatimí. El templo fue reconstruido en 1048 pero permaneció bajo el control del Imperio Fatimí. Esta situación motivó la Primera Cruzada, que situó el control del Santo Sepulcro el 15 de julio de 1099 bajo el liderazgo del príncipe cruzado Godofredo de Bouillon, quien se hizo llamar *Advocatus Sancti Sepulchri* (defensor o protector del Santo Sepulcro). Más tarde, la iglesia del Santo Sepulcro cayó otra vez bajo el control del Imperio Otomano y desde entonces varias órdenes religiosas se han disputado la custodia recurriendo, incluso, al soborno.

Si hay algo que custodiar, sin embargo, no es la tumba de Cristo (que está vacía), sino su mensaje. ¿Quién es, realmente, el defensor de ese mensaje? Cristo dijo que es el Espíritu Santo: el Consolador (Juan 16: 7-15). Todos los que somos movidos por el Espíritu Santo participamos en la defensa del evangelio.

Oro al Señor para que hoy seas encontrado fiel en tu custodia o protección del evangelio. Recuerda, algunas veces defendemos el evangelio con nuestras palabras, pero la mayor parte del tiempo lo hacemos con nuestras acciones. ¿Qué testimonio das a tu comunidad?

Para los egipcios, esta era una nube tenebrosa, pero a Israel lo alumbraba de noche (Éxodo 14: 20, RVC).

La salida de Egipto fue toda una proeza para el pueblo de Israel. En realidad, representaba un desafío al ejército más poderoso de ese tiempo. Por otra parte, resultaba demasiado fácil perseguir a los esclavos hebreos, capturarlos y darles un escarmiento ejemplar. Sí, todo parecía muy sencillo. Así que pronto, el faraón y sus huestes se alistaron para ir tras unos indefensos esclavos que se habían burlado de Egipto.

Del lado de los hebreos la travesía se veía mucho más complicada. ¿Lanzarse al desierto en pos de la libertad? ¿Qué iban a comer? ¿Llevaban suficiente agua para el camino? ¿Y las fieras salvajes? ¿Soportarían las inclemencias del tiempo? En realidad, parecía un trayecto sumamente arriesgado. Pero los israelitas decidieron aceptar el desafío confiando en Dios.

Uno de los elementos clave del trayecto fue la nube que se posaba sobre el pueblo de Israel durante el día, mientras que por la noche se tornaba en una columna de fuego. La nube recordaba la presencia divina e indicaba el rumbo hacia donde debían dirigirse. Además, durante el día, proporcionaba un agradable clima a los hebreos librándolos del ardiente calor del desierto. Al anochecer, la columna de fuego iluminaba el campamento de Israel y mitigaba los efectos del viento helado. ¡Esa nube era toda una bendición para el pueblo de Dios!

En cambio, para los egipcios la nube era un espectáculo verdaderamente aterrador. Durante el día asemejaba un macabro nubarrón suspendido en el aire que se mecía en el horizonte. Lo peor era durante la noche, cuando lanzaba borbotones de fuego y se volvía hacia los egipcios en actitud desafiante, como si tuviera conciencia de lo que hacía. Nadie osaba acercarse al campamento hebreo por temor a dicha barrera.

¿Te das cuenta? El mismo elemento causaba esperanza a unos y terror a otros. ¿Te has puesto a pensar que hay elementos que a los cristianos nos dan esperanza y, al mismo tiempo, causan terror en los incrédulos? Por ejemplo, para nosotros la segunda venida de Jesús representa esperanza y alivio; en cambio, para quienes no conocen al Señor les resulta inquietante. Pero todo depende de en qué lado de la nube te encuentras. Mientras estés en el bando de su pueblo, las promesas divinas y sus enseñanzas te serán una fuente de alivio y salvación. Pero si estás del otro lado, es posible que esos mismos elementos te angustien y entristezcan a cada momento.

¿De qué lado estás? Tu respuesta será muy reveladora.

Un motivo de amargura

Esaú tenía cuarenta años cuando se casó con Judit hija de Beerí, el hitita. También se casó con Basemat, hija de un hitita llamado Elón. Estas dos mujeres les causaron mucha amargura a Isaac y Rebeca (Éxodo 14: 20).

Isaac había puesto grandes esperanzas en Esaú. Aprendió a admirarlo desde que era un niño hábil y talentoso. El padre disfrutaba viendo crecer a su hijo mientras dominaba la lanza, el arco y la soga. Desde pequeño aprendió a observar la conducta de los animales, así como a desarrollar la paciencia que se requiere para capturarlos. ¡Cómo gozaba Isaac cada vez que su hijo llegaba al hogar con una presa! Esaú era su orgullo: alto, apuesto, fornido. Sus blancos dientes destacaban entre el bosque velloso que cubría su cuerpo. Cada vez que entraba a casa, parecía que el aroma del campo se trasladaba al hogar. Sin duda, sería un buen líder para la familia de Isaac.

No obstante, el muchacho no tenía ningún interés en los asuntos espirituales. Más bien, «se crió deleitándose en la complacencia propia y concentrando todo su interés en lo presente» (Elena G. de White, *Patriarcas y profetas,* cap. 16, p. 157). Así que cuando se presentó una situación adversa, despreció la primogenitura (el liderazgo espiritual de la familia) y la cambió por un plato de lentejas. Luego, cuando su padre se disponía a darle su bendición antes de morir, su hermano Jacob lo suplantó y recibió la consagración que le correspondía. Esaú dejó ver su odio y juró vengarse de su hermano. Y cuando llegó el momento de buscar esposa, no se conformó con una, ¡tomó a dos jóvenes cananeas! La Biblia dice que estas muchachas provocaron una constante amargura a los padres de Esaú, debido a que sus costumbres, actitudes y desprecio a la fe hebrea lastimaban el corazón de los ancianos.

Aunque no lo creas, el momento de elegir a tu pareja representa más de lo que te imaginas. Es una decisión que llega a afectar a más personas, especialmente a tus padres y tus seres queridos. Como en el caso de Isaac y Rebeca, muchos padres cristianos tienen grandes expectativas para sus hijos. Por eso, tus decisiones sentimentales los afectarán profundamente, no solo ahora, sino también en el futuro.

Esta mañana, si todavía los tienes, te invito a integrar a tus padres en tu vida sentimental. Consúltales y coméntales tus experiencias. Y cuando llegue el momento de elegir, no olvides tenerlos en cuenta. Recuerda que ellos también serán parte de la nueva familia.

> Dios oyó que el muchacho lloraba; y desde el cielo el ángel de Dios llamó a Agar y le dijo: «¿Qué te pasa, Agar? No tengas miedo, porque Dios ha oído el llanto del muchacho ahí donde está» (Génesis 21: 17, DHH).

Ismael fue un muchacho que tuvo que afrontar muchas situaciones complejas. Su madre fue Agar, sierva de Sara, la esposa de Abraham. En aquellos tiempos, cuando la esposa era estéril, era costumbre que diera a su esposo una de sus siervas para que tuviera hijos, los cuales eran tratados como sus hijos legítimos. Así que cuando Sara envejeció y perdió todas las esperanzas de quedar embarazada, a pesar de la promesa divina de que tendría hijos, entregó a Agar a su esposo para que cumpliera su objetivo. Al poco tiempo, la sierva estaba embarazada, lo cual cambió la actitud de Agar, quien ahora veía con desprecio a su ama. Con todo, Abraham se puso muy contento con el nacimiento de Ismael.

Todo cambió cuando nació Isaac, hijo de Sara. Entonces Ismael pasó a un segundo plano y comenzaron los roces entre ambas madres. Un buen día el hermano mayor se burló del pequeño y Sara obligó a Abraham a echar a Agar y a su hijo de su casa. El viejo patriarca obedeció a su mujer y despidió a madre e hijo. Ismael se dio cuenta de todo lo que ocurría y partió con Agar en medio del desierto. Pero pronto se terminaron las provisiones. El sol golpeaba sus rostros y la sed estaba acabando con ellos. Entonces, Ismael comenzó a llorar en medio del desierto. Ahí desahogó toda su amargura y su frustración. Su padre lo había despedido y sentía una gran impotencia. Sediento y cansado, únicamente podía llorar creyendo que a nadie le importaba su vida.

Pero Dios escuchó el llanto de Ismael y salvó su vida. El Señor conocía los sufrimientos del muchacho y no lo dejó calcinarse en medio del desierto. Al contrario, proveyó una fuente de agua y libró su vida y la de su madre.

Dios escucha el clamor y el llanto de un joven. No es indiferente cuando las lágrimas recorren las mejillas de sus hijos. No importa cuál sea el motivo del sollozo, una relación sentimental, una pelea con los padres, un malentendido con los amigos, una calificación reprobatoria en la escuela, él oye cuando sus hijos lloran y está listo para dar soluciones a sus dificultades.

Dios no ignora tus lágrimas. No lo olvides. Seguramente él tiene una manera de remediar tu problema. Búscalo y él te lo hará saber.

Nosotros somos de Dios, y todo el que conoce a Dios nos escucha; pero el que no es de Dios no nos escucha. Así distinguimos entre el Espíritu de la verdad y el espíritu del engaño (1 Juan 4: 6).

El versículo de esta mañana también se aplica a los principios de la vida saludable. La reforma prosalud era necesaria en todo el mundo y Dios tuvo a bien revelarla. En el contexto de una época de gran ignorancia sobre la salud, durante la década de 1830, en los Estados Unidos, se presentaron importantes mensajes sobre el tema. El doctor Sylvester Graham fue uno de los más influyentes y representativos reformadores de la salud.

El Dr. Graham expuso sus ideas en un artículo que publicó en *The Graham Journal of Health and Longevity*. Para él, (1) el alimento principal ha de consistir en verduras y frutas; (2) el pan hay que elaborarlo con harina no refinada; (3) la mantequilla ha de sustituirse por una buena crema; (4) es preciso masticar la comida con lentitud; (5) es mejor eliminar la carne y el pescado de la dieta; (6) también hay que evitar la grasa, los aderezos y los condimentos muy fuertes; (7) todos los estimulantes, como el té, el café, el alcohol, el tabaco (en todas sus formas), quedan prohibidos; (8) el agua pura es la mejor bebida; (9) la cena debe ser ligera y tomarse dos o tres horas antes de acostarse; (10) queda estrictamente prohibido comer entre comidas; (11) evitar comer en exceso; (12) la abstinencia es preferible a los medicamentos; (13) hay que dormir unas siete horas al día, en una habitación adecuadamente ventilada; (14) hay que evitar la ropa muy apretada; (15) el baño (de preferencia diario) con agua tibia o fría es muy saludable; (16) el ejercicio al aire libre es muy importante; (17) el pan no debe consumirse antes de doce o veinticuatro horas después de horneado.

Para los reformadores de salud cristianos, las leyes de la salud eran de origen divino. Así se entiende que Theodore Dwight Weld declarase: «Estas son tan ciertamente leyes de Dios, como "amarás al Señor tu Dios, con todo tu corazón, y a tu prójimo como a ti mismo"». Obedecerlas implica un cuerpo saludable, desobedecerlas implica enfermedad.

A veces los adventistas pensamos que esta reforma a favor de la salud comenzó con nosotros, pero no fue así. Dios ama a todas las personas y obra sobre los corazones de muchos para aliviar los dolores de un planeta enfermo. Lo importante es que abraces este grandioso mensaje, para que tengas una vida óptima y puedas servir a Dios con todos tus dones y talentos.

Sin embargo, alguien disparó su arco al azar e hirió al rey de Israel entre las piezas de su armadura. El rey le ordenó al que conducía su carro: «Da la vuelta y sácame del campo de batalla, pues me han herido» (1 Reyes 22: 34).

Un hombre dispara su arco a la ventura, mata a un rey y gana una batalla. ¿Habrá sido una casualidad? ¿O se trató de un designio de Dios? En realidad, Dios ya había decretado la muerte del monarca hebreo (1 Rey. 22: 17, 23). Sencillamente, decidió ejecutar de aquel modo su decreto de justicia.

Nadie, y menos un rey de Israel, muere por casualidad, porque a un soldado se le ocurre lanzar una flecha al aire. Ni siquiera un humilde gorrión muere sin que lo sepa el Autor de toda la vida, mucho menos el monarca de Israel.

¿Qué piensas tú? Este extraordinario acontecimiento, ¿fue casualidad o designio? En 1937, en Detroit, Míchigan, Estados Unidos, un hombre llamado Joseph Figlock barría las calles. De pronto, un bebé cayó desde una ventana justo encima de él y ambos quedaron lastimados. Sin embargo, los dos lograron sobrevivir. Hasta aquí las cosas todavía se mantenían dentro del reino de la normalidad. Pero un año después, el 15 de octubre de 1938, David Thomas cayó de una ventana de un cuarto piso, sobre el mismo señor Figlock, quien trabajaba en la zona. Una vez más, ambos sobrevivieron al incidente.

¿Casualidad o designio? No podemos saberlo, por supuesto. Pero, si tenemos en cuenta el valor que Dios concede a la vida de uno de sus hijos, y que a ninguno de ellos se le cae ni un solo cabello de su cabeza sin que él lo sepa, podemos proclamar nuestra confianza en que no hay casualidades cuando se trata de la salvación de una vida humana. Dios siempre está pendiente de nuestra vida y nuestro bienestar, utiliza su providencia, su sabiduría y su poder a discreción para cumplir sus designios.

¡Cuánta confianza debemos tener en la providencia y sabiduría de Dios! Nuestra vida está segura en sus manos. Él sabe con exactitud dónde nos encontramos en todo momento y la mejor manera de asegurar nuestra vida y nuestro bienestar. No se puede esperar menos de un Padre amante. Confía plenamente en él mientras cumples hoy tus deberes cotidianos.

¿Con cuántos himnos basta?

Y cantaban un himno nuevo delante del trono y delante de los cuatro seres vivientes y de los ancianos. Nadie podía aprender aquel himno, aparte de los ciento cuarenta y cuatro mil que habían sido rescatados de la tierra (Apocalipsis 14: 3).

El nuevo *Himnario adventista del séptimo día* tiene 613 himnos. ¿Has hecho alguna vez el intento de cantarlos todos? Recuerdo que alguna vez, durante mi niñez, nuestra familia concibió la idea de cantar todos los himnos de la versión anterior del himnario, que tenía casi cien himnos menos. No recuerdo si finalmente los cantamos todos, pero sí recuerdo haber cantado muchos himnos desconocidos y encontrar algunos tesoros musicales, tanto por su letra inspiradora como por su música.

¿Cuántos himnos crees que son suficientes para los creyentes? ¿Te parecen 613 muchos o pocos? Los himnos son la contribución más importante que hizo la Reforma protestante alemana al sistema de adoración cristiano. Es cierto que existían himnos antes de la Reforma. San Hilario, San Ambrosio y Santo Tomás de Aquino, entre otros, escribieron himnos, pero no eran para el uso común de los adoradores. La Reforma comprendió los himnos como un medio de alabanza a Dios para ser cantados por la congregación como parte del culto de adoración. Martín Lutero tiene el extraordinario mérito de haberle dado a la gente la Biblia y el himnario en su propio idioma para que Dios pudiera comunicar su Palabra directamente al pueblo. Lutero mismo era un laudista y cantante consumado y escribió personalmente 37 himnos. El más conocido de ellos es «Castillo fuerte es nuestro Dios», que se ha convertido en un clásico. Lutero inició una revolución de la música que fue una bendición para la iglesia alemana. ¿Sabes cuántos himnos alemanes existen? ¡Más de cien mil! Si cada uno tuviera una duración de solo dos minutos y los cantáramos uno tras otro sin parar tardaríamos 139 días. Es decir, si hubieras empezado a cantarlos sin parar el 1º de enero, estarías terminando hoy.

¿Son demasiados cien mil himnos? Yo pienso que no, porque cada himno expresa la experiencia única que un creyente tiene con Dios. Los 144,000 cantarán un himno que nadie puede cantar sino solo ellos, porque es un himno que surge de su experiencia única e irrepetible. Así como todos tenemos huellas digitales diferentes, los himnos llevan la marca de identidad única de sus creadores. Y tú, ¿ya tienes tu himno personal para Dios?

Pero yo les digo que todo el que se enoje con su hermano quedará sujeto al juicio del tribunal. Es más, cualquiera que insulte a su hermano quedará sujeto al juicio del Consejo. Pero cualquiera que lo maldiga quedará sujeto al juicio del infierno (Mateo 5: 22).

Uno de los objetivos de nuestro Señor al venir al mundo fue «magnificar la ley y engrandecerla», darle su verdadero significado. Es decir, sancionar las palabras, los deseos, las intenciones y la imaginación.

En una ocasión la futbolista Tabea Kemme, del *Turbine Potsdam,* arrojó un balón al rostro de Kerstin Garefreke, del *Frankfurt.* La atacante del *Turbine Potsdam* había hecho un intento de saque de banda, pero Kerstin Garefreke se lo impidió. Tabea Kemme perdió el control y golpeó a Kerstin con el balón en el rostro.

La Federación Alemana de Fútbol decidió dar un castigo ejemplar a la atacante Tabea Kemme: la suspendieron cuatro partidos. La Federación consideró aquel acto como una conducta antideportiva grave por lo que, además, razonó que la campeona del Mundial Femenino Sub 20 actuó con toda la intención de agredir a su oponente, situación por la que se mostraron inflexibles con la sanción.

Pero Tabea Kemme no fue la única castigada. También fue suspendido el técnico Sven Kahlert, quien fue sancionado con un partido por haber empujado a la joven de 18 años tras la agresión sobre su jugadora.

Las autoridades del fútbol se muestran muy severas en las sanciones aplicadas por ciertas violaciones al reglamento. Si no lo hicieran así, cada partido se convertiría en una batalla campal y, de hecho, el fútbol no existiría.

Pero Dios no mantiene la paz en las relaciones entre sus hijos mediante reglas y sanciones. Va mucho más allá. Estableció un principio de conducta infalible: el amor. En el reino de los cielos, el amor no es una regla de conducta, sino un principio que hace buenas todas las acciones desde su mismo origen.

El amor no permite al cristiano que ofenda de ninguna forma a su hermano: ni con actos, ni con palabras, ni con el pensamiento. En el reino de los cielos, el que odia a su hermano, ya es homicida: ha violado las leyes del reino de Dios. No amar al hermano es permanecer en el reino de la muerte. Amarlo, es pasar al reino de la vida (Juan 5: 24).

Y tú, ¿cómo estás? ¿Amas a Dios de manera suprema, y a tu hermano como a ti mismo?

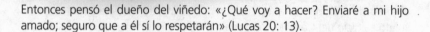

Entonces pensó el dueño del viñedo: «¿Qué voy a hacer? Enviaré a mi hijo amado; seguro que a él sí lo respetarán» (Lucas 20: 13).

Cierta noche, a principio de la década de los años ochenta, el rey Hussein bin Talal de Jordania fue informado que un grupo de alrededor de setenta y cinco oficiales del ejército se encontraba en ese mismo momento reunido planeando derrocar su gobierno. Entonces, los encargados de la seguridad real solicitaron permiso para rodear el barracón del ejército donde se realizaba la reunión y arrestar a los conspiradores. Después de un momento de silencio tenso el monarca rehusó dar el permiso y pidió, en cambio, que se le trajera un pequeño helicóptero. El rey subió solo con el piloto y le instruyó que lo llevara al barracón de la conspiración y aterrizara en el techo.

Cuando aterrizaron, el rey descendió solo y le ordenó al piloto: «Si escuchas disparos, sal de aquí en el helicóptero inmediatamente sin mí». Entonces el soberano bajó las escaleras del edificio y entró desarmado a la reunión sorprendiendo por completo a los conspiradores y les dijo con calma: «Caballeros, se me ha informado que ustedes se han reunido aquí esta noche para finalizar sus planes para derrocar el gobierno, tomar el control del país e instaurar una dictadura militar. Si ustedes hacen eso, el ejército se dividirá y el país se sumirá en una guerra civil. Decenas de miles de personas inocentes morirán. No hay necesidad de que eso ocurra. ¡Aquí estoy! Mátenme y prosigan con sus planes. De esta manera solo morirá una persona». Después de un momento de silencio, los atónitos conspiradores se adelantaron a una para besar la mano y los pies del monarca y prometerle lealtad por toda la vida. El rey se había hecho totalmente vulnerable actuando con nobleza y amor supremo hacia sus súbditos; y al hacerlo, había encendido en los rebeldes el sentido del honor.

Cuando este mundo se rebeló, Dios no envío a sus ángeles inmediatamente para destruirnos, sino que optó por el camino de la vulnerabilidad y el amor. Envió a su propio Hijo para que tomara la naturaleza humana y nos mostrara que el Padre nos ama y desea que vivamos en armonía con él. El plan le costó la vida al Hijo de Dios, pero nosotros, que hemos creído en él, lo hemos aceptado como nuestro Rey.

Si en algún momento te has rebelado contra Dios, él te ofrece perdón total y el poder de una nueva vida. Te animo a que hoy vivas con honor ante su presencia.

¡Vaya cuarteto!

Cuando llegó a Jerusalén, trataba de juntarse con los discípulos, pero todos tenían miedo de él, porque no creían que de veras fuera discípulo (Hechos 9: 26).

Era natural que los cristianos de Jerusalén tuvieran miedo de Saulo. Hacía poco «causaba estragos en la iglesia». ¿Quién podía creer que ahora fuese discípulo de Jesús? Algo parecido les ocurrió en el año 1999 al pastor Mark Finley y a todo el equipo de It Is Written [Está escrito], el programa de televisión adventista, en la campaña ACTS 2000 en Manila. El pastor Finley relata la historia con sus propias palabras:

«Me llevaron a visitar la enorme prisión nacional de Muntinglupa, porque 47 prisioneros habían solicitado el bautismo. De ellos, 21 estaban en el corredor de la muerte. En esa prisión existe una congregación adventista de 456 miembros, fundada después de veintisiete años de trabajo laico. La sala estaba abarrotada de hombres tatuados, con grandes cicatrices y otras marcas en el rostro y los brazos. Muchos de ellos habían sido condenados por violación, asalto a mano armada y asesinato con todas las agravantes de culpabilidad.

»Pero había algo diferente en todos ellos. Ahora sus ojos y sus rostros brillaban. No parecían criminales. Ahora eran mis hermanos en Cristo. Escuché al cuarteto. Mientras cantaban, mi corazón se conmovió y las lágrimas comenzaron a fluir de mis ojos. Lloré abiertamente.

El pastor Finley cuenta que luego preguntó quiénes integraban el cuarteto. Todos habían sido asesinos.

«Un grupo de asesinos convictos, en el corredor de la muerte, esperando el cumplimiento de su sentencia humana, estaban cantando "Por nuestro Señor, unidos en verdad"».

»Después del canto prediqué un sermón sobre la gracia, el perdón y el poder de Dios para cambiar la vida. Luego salimos al exterior para el bautismo. Los prisioneros habían construido un pequeño bautisterio. Ellos entraban al agua y yo los bautizaba en el nombre del Padre, del Hijo, y del Espíritu Santo. Abracé fuertemente a aquellos prisioneros. ¡Ahora eran mis hermanos!»

La gracia de Dios todavía transforma a los perseguidores y asesinos y los convierte en predicadores, como ocurrió con Saulo de Tarso. Si aquellos excriminales volvieran a sus localidades, muy probablemente los miembros de la iglesia temerían juntarse con ellos. Pero Dios comienza y termina la obra en esos corazones, convirtiéndolos en representantes del Padre celestial, como Saulo de Tarso.

¿Estás dispuesto a que Dios comience y termine la obra que ha empezado en ti?

El regreso
del hijo pródigo

Así que emprendió el viaje y se fue a su padre. Todavía estaba lejos cuando su padre lo vio y se compadeció de él; salió corriendo a su encuentro, lo abrazó y lo besó (Lucas 15: 20).

La historia del hijo pródigo es verdaderamente aleccionadora. Algo similar sucedió en 1955, cuando un pelícano, exhausto por su largo viaje migratorio, hizo una escala no prevista en la isla Míkonos, en el mar Egeo. La visita cambió la historia reciente de esa pequeña isla.

Debido a su situación, la enorme ave era incapaz de pescar por sí misma, de modo que los pescadores locales, compadecidos, la llevaron a la casa de Teodoro, quien amaba a los animales silvestres de todo tipo. El pelícano fue agregado a la colección de Teodoro, que ya incluía otras aves y una foca. Teodoro escogió el nombre de Pedro para el pelícano, porque recordaba a otro héroe de la misma isla que también se llamaba así.

Pronto Pedro se convirtió en la mascota de la isla. Todos lo mimaban, le daban pescado o le abrían los grifos para que tomara agua. Los lugareños comenzaron a decir que tal vez Pedro era el inicio de un buen augurio de prosperidad. El pelícano creció vigoroso en una isla donde era muy apreciado.

Cierto día de primavera Pedro desapareció. Los isleños estaban de duelo. Pero pronto llegó la noticia de que Pedro había sido encontrado en la cercana isla de Tenos. Todos se pusieron muy contentos, pero los habitantes de Tenos no quisieron devolver a Pedro, lo cual produjo una tremenda indignación.

—¿Cómo se atreven a retener a nuestro pelícano? —protestaron airadamente los de Míkonos.

—Pedro abandonó Míkonos y escogió nuestra isla —dijeron los hombres de Tenos.

El litigio fue conocido como «la guerra del pelícano». Finalmente el gobernador regional solucionó el problema ordenando que Pedro fuese devuelto a Míkonos. Los 36,000 habitantes fueron al puerto a recibir al pelícano. Mientras Pedro descendía solemnemente del barco, las campanas de la iglesia repicaban sin parar.

Interesante, ¿verdad? ¿No ilustra esto la alegría del regreso del hijo pródigo? ¿Y no dice algo de la alegría que hay en el cielo por un pecador que se arrepiente? Independientemente de las ilustraciones interesantes que nos ofrece la vida y que dan cierto atractivo a las lecturas matinales diarias, Dios mismo se goza cuando nos volvemos a él, aceptando su gracia. ¡Ven, no tardes más! Te espera con los brazos abiertos.

Pero él respondió: «Les aseguro que si ellos se callan, gritarán las piedras» (Lucas 19: 40)

Las misiones extranjeras de los adventistas del séptimo día comenzaron a pesar de la actitud de algunos de sus miembros. La distribución de las primeras publicaciones adventistas inspiró a los inmigrantes a enviarlas a sus familiares en sus países de origen. Como resultado, a principios de la década de 1860 surgieron conversos en otros países. Para fines de 1864 África ya tenía al menos dos creyentes, y uno de ellos pronto llevaría el mensaje a Australia.

Le gustara o no, la Iglesia Adventista recién organizada se enfrentaba al desafío de las misiones extranjeras. No solo había conversos sino que estos pedían que enviaran misioneros a enseñarles. Como ocurrió en otras ocasiones, Jaime White fue el primero que comprendió la necesidad de implementar una misión más amplia del mensaje adventista. Un mes antes de la organización de la Asociación General, en mayo de 1863, escribió: «Nuestro mensaje es mundial». Y pocos meses antes de eso ya había señalado la necesidad de enviar un misionero a Europa. Luego, en junio de 1863, la *Review and Herald* informó que la Junta Directiva de la Asociación General podría enviar a B. F. Snook como misionero a Europa antes del fin de 1863.

Si bien la organización andaba tan escasa de personal que no podía prescindir de B. F. Snook, había un ministro que estaba más que ansioso de hacer el viaje. En 1858, Michael Belina Czechowski (exsacerdote católico polaco que en 1857 se había convertido al adventismo del séptimo día en Estados Unidos) escribió: «Cómo me gustaría viajar a mi país natal al otro lado del mar, y hablarles de la venida de Jesús y de la gloriosa restitución, y que deben guardar los mandamientos de Dios y la fe de Jesús».

Pero Czechowski era nuevo en la fe y, según algunos, su personalidad no era la adecuada. Como resultado, la Iglesia Adventista se negó a enviarlo. Muy frustrado, el decidido polaco pidió a los adventistas del primer día que lo apoyaran. Y lo apoyaron. Pero cuando Czechowski llegó a Europa, predicó el mensaje adventista del séptimo día. La iglesia adventista está llena de gente interesante. Dios nos utiliza a todos a pesar de nuestros fallos obvios. Tenemos que estar agradecidos a Dios, nuestro Padre, por su gracia inagotable que nos capacita para cumplir su misión a pesar de todo. Gracias a Dios que no se da por vencido a pesar de que somos tan lentos en cumplir su voluntad.

Deja que Dios te utilice hoy, comparte tu luz con alguien que la necesita.

No dentro de cuatro meses, sino ahora - 1

¿No dicen ustedes: «Todavía faltan cuatro meses para la cosecha»? Yo les digo: ¡Abran los ojos y miren los campos sembrados! Ya la cosecha está madura (Juan 4: 35).

Erlo Braun era pastor de dos iglesias en la ciudad de São Paulo, en Brasil. En noviembre de 1998 se puso en contacto con el pastor Henry Feyerabend, predicador adventista de radio y televisión, y lo invitó para que, durante el mes de abril del año 2000, dirigiera una campaña vía satélite en aquella ciudad. Pero los dirigentes de la Asociación local no estaban muy seguros de patrocinar una campaña vía satélite para la región. NET 98, con el pastor Dwight Nelson, sí; pero, ¿podía una Asociación patrocinar y producir su propia serie? Para hallar la respuesta enviaron al pastor Braun a la Unión. Los dirigentes de la Unión escucharon atentamente. Sí, apoyarían la serie de evangelización vía satélite. Nombraron al pastor Edson Rosa como coordinador de la campaña y así nació Esperanza 2000.

¿Pero dónde se podría celebrar la campaña? La zona Vila Formosa de São Paulo es muy difícil para el evangelismo. La gente es conservadora, está cerrada a la investigación y el estudio de la Biblia. Además, la Iglesia Adventista es muy pequeña. El pastor Braun exploró toda aquella zona en busca de un lugar apropiado para la campaña, pero no había muchas opciones, entonces comenzó a orar. Él veía que el campo estaba listo para la siega, ahora. Mientras oraba y buscaba, el pastor Braun descubrió una Iglesia Bautista en un buen lugar. De inmediato se acercó a los dirigentes de esa iglesia y les preguntó si estarían interesados en alquilar o vender el templo. Después de mucha discusión, se pusieron de acuerdo en la cantidad que cobrarían de renta o el precio en que venderían el templo.

«¿Qué? ¿Comprar el templo bautista? ¡Imposible! Lo siento, pero no tenemos dinero para comprar un templo». El pastor Braun se quedó sin parpadear en su lugar, ponderando las palabras del tesorero de la iglesia. Tenía toda la razón. No había dinero para comprar una propiedad como aquella. Pero la fe del pastor Braun le decía que había varias razones para comprar aquel templo. En primer lugar, necesitaban un lugar para celebrar la campaña de evangelización vía satélite Esperanza 2000, porque sentía que los campos estaban listos para la siega. Sentía que era preciso comenzar la siega cuanto antes.

¿Sientes la misma urgencia de predicar como el pastor Braun? Tal vez tus amigos y vecinos solo están esperando a que tú les hables de Jesús. Recuerda que los campos ya están maduros.

Este es el evangelio que ustedes oyeron y que ha sido proclamado en toda la creación debajo del cielo (Colosenses 1: 23).

En días de Pablo ya se predicaba el evangelio «en toda la creación que está debajo del cielo». Ahora el pastor Braun quería que se predicara literalmente «debajo del cielo» que cubre la ciudad de São Paulo. Pero no había dinero para comprar el templo bautista con el fin de que fuera la sede de la campaña Esperanza 2000. Según el ministro, lo que se pagaría por la renta sería mucho dinero que nunca se recuperaría. Además, ¿no esperaban ganar nuevos miembros en la campaña vía satélite? ¿No necesitarían una nueva iglesia para acomodar a los que se convirtieran en la campaña Esperanza 2000?

Por lo tanto, comprar el templo bautista era la única solución razonable. No había otra alternativa. Con las palabras del tesorero retumbando en sus oídos, el pastor Braun reunió de nuevo a su congregación. Vila Formosa era una iglesia de apenas cien miembros. Y todos escucharon atentamente mientras el pastor Braun les presentaba las opciones: el precio del alquiler era un tercio de lo que costaba el templo. El templo bautista estaba en una estratégica zona de la ciudad. Hacía tiempo que la congregación bautista iba perdiendo miembros. Ahora muchos de los miembros habían envejecido y durante varios años no habían hecho ningún trabajo de mantenimiento en el inmueble. Ciertamente necesitaría una amplia remodelación, pero cuando se terminara, sería un digno templo adventista.

El pastor Braun y su iglesia oraron pidiendo a Dios que los ayudara en la decisión. De repente el pastor Braun tuvo una idea inspirada: «¿Y por qué no les ofrecemos a los bautistas cambiar los templos y solo les daríamos la diferencia en el valor de la propiedad?» El templo adventista tenía el tamaño adecuado para los bautistas y el templo bautista, una vez remodelado, sería un excelente templo adventista. Y todo salió a pedir de boca. La permuta se llevó a cabo, se financió la diferencia y, aunque solo faltaban 45 días para comenzar la campaña Esperanza 2000, se hizo el milagro. Los últimos martillazos en la remodelación se escucharon el mismo día en que comenzaba la serie de conferencias.

La experiencia de fe de la iglesia Vila Formosa inspiró a otras congregaciones en todo Brasil y casi dos mil iglesias bajaron la señal que subió al satélite desde el nuevo templo adventista, para predicar el evangelio «en toda la creación que está debajo del cielo», en el centro de Brasil.

Nunca lo olvides. Dios tiene poder para que su iglesia cumpla la misión que le ha encomendado.

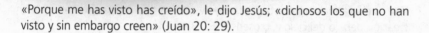

«Porque me has visto has creído», le dijo Jesús; «dichosos los que no han visto y sin embargo creen» (Juan 20: 29).

La mayoría de las personas no piensa en lo extraordinario que es el don de la vista. La visión es tan simple y automática que no nos damos cuenta de que es un proceso increíblemente complejo y en gran medida todavía misterioso para la ciencia.

Hace algún tiempo, Diana Fletcher buscó la ayuda del doctor David Milner, de la Universidad Saint Andrews, en Escocia. Como resultado de una grave intoxicación con monóxido de carbono, Diane había quedado prácticamente ciega. Podía reconocer colores y texturas pero no las formas de los objetos o los rostros. No podía distinguir el rostro de su esposo o la letra más grande en una prueba para la vista, ni siquiera si el doctor le mostraba dos o tres dedos mientras la reconocía.

Mientras el doctor Milner la examinaba, levantó un lápiz y le preguntó: «Diana, ¿qué es esto?» Al principio Diana quedó confundida, pero después hizo algo extraordinario: extendió la mano y tomó con perfecta naturalidad y precisión el lápiz de la mano del doctor. ¿Cómo lo hizo si no podía ver? Milner decidió hacer otros experimentos. Le dio a Diana una carta y le pidió que la introdujera en la abertura de un buzón. Diana le dijo que no podía porque no podía ver el buzón. Milner no se dio por vencido.

—Vamos, inténtalo—le dijo—. Solo haz como si enviaras una carta por correo.

Diana tomó la carta, la dirigió hacia el buzón y giró la mano para que entrara perfectamente por la ranura. No fue una casualidad. Diana y otras personas con su mismo trastorno pueden alinear objetos espacialmente. Esto es lo que Larry Weiskrantz y sus colegas de la Universidad de Oxford han llamado «visión ciega». Los científicos creen que esto sucede porque diferentes elementos de la visión (color, profundidad, textura, movimiento, orientación espacial, etcétera), son procesados en diferentes partes del cerebro. Como resultado, en cierto tipo de accidentes las personas pierden algunos aspectos de la visión pero no otros. Aparentemente, Diana no había perdido el aspecto de la orientación espacial.

Podríamos decir que la fe es parecida a la visión ciega. Muchas veces Dios nos pide que hagamos algo, pero no obedecemos porque no podemos «ver» la forma en que Dios cumplirá lo que nos ha prometido. Sin embargo, si obedecemos aunque no veamos, Dios cumplirá su palabra. Recuerda: «Dichosos lo que no han visto y sin embargo creen». Decide hoy actuar por fe en las promesas de Dios, no por vista.

Miren y levanten la cabeza

A las montañas levanto mis ojos; ¿de dónde ha de venir mi ayuda? Mi ayuda proviene del Señor, creador del cielo y de la tierra (Salmo 121: 1, 2).

Seguramente has escuchado alguna versión de la historia del hombre que encontró una cartera cubierta de polvo y casi irreconocible. Estaba llena de billetes que llegaron a ser suyos, pues era imposible descubrir al dueño. El incidente transformó la vida de aquel hombre. Se acostumbró a fijar su vista en el camino en busca de billeteras llenas de dinero. Así se ganaba la vida, pero a qué precio. Ya no volvió a admirar las bellezas del mundo. No encontraba placer en contemplar el cielo, las nubes, ni una puesta de sol; solo miraba el barro y el polvo.

La única dirección en la que tiene que mirar un cristiano es hacia arriba. Esto es aún más cierto en nuestros días. Jesús hablaba de estos días cuando dijo que levantáramos nuestras cabezas porque nuestra redención estaba cerca. El ejemplo es Cristo Jesús. La meta, la vida eterna junto a él. La fuente de toda la ayuda y fortaleza que necesitamos es Aquel que está sentado a la diestra de la Majestad de las alturas.

Cierta noche, cuando Archibald Rutledge, naturalista y filósofo cristiano, se dirigía a su casa en su coche tirado por un caballo, lo sorprendió la peor tormenta que había visto en toda su vida. Empezó a llover a cántaros y parecía que aumentaba con cada trueno. Un rayo cayó casi junto a él, su caballo salió del camino y corrió hacia una arboleda. El coche chocó contra un árbol y Rutledge cayó al suelo. Al sentirse libre, el caballo huyó.

Rutledge quedó allí, calado hasta los huesos, solo, sin caballo, perdido en la oscuridad, mientras la lluvia seguía arreciando. Pero en cierto momento elevó la mirada, y precisamente en ese instante una estrella solitaria se dibujó entre las nubes. Eso fue suficiente para recordarle que Dios estaba aún en el cielo. Regresó al camino, la lluvia comenzó a menguar y a corta distancia encontró a su caballo. Cuando llegó a su casa, ya no llovía. Aquella mirada al cielo había restaurado su equilibrio al recordarle su relación con Dios.

Dice Blanche Kerr Brock: «Sigue mirando al cielo, tu Dios es aún el mismo. Sigue mirando al cielo, no fallará tu amigo. Sigue mirando al cielo, aun la nube más oscura también se irá; sigue, sigue mirando al cielo».

¡Qué buen consejo! Mirar, no las montañas, sino al que salva a su pueblo. Es tiempo de seguir el consejo de nuestro Señor.

Una experiencia necesaria

Quédense quietos, reconozcan que yo soy Dios. ¡Yo seré exaltado entre las naciones! ¡Yo seré enaltecido en la tierra! (Salmo 46: 10).

Este consejo de Dios es necesario para hacer frente a todas las crisis de la vida. El pánico es peligroso y mortal. La calma y el equilibrio son indispensables en momentos de crisis y dificultades. Por ejemplo, el 3 de febrero de 1943 un torpedo atacó al SS Dorchester en el Atlántico norte. El buque de transporte se inundó rápidamente y comenzó a escorar a estribor. El caos se apoderó de la tripulación. Se dañó el aparato de radiotelegrafía y los hombres corrieron, desesperados, de un lado a otro del barco. Muchos huyeron sin chalecos salvavidas. Los botes salvavidas, atestados, zozobraron, y las balsas, a la deriva, se alejaron antes de que alguien pudiera alcanzarlas. Según algunos sobrevivientes, entre toda aquella confusión sobresalía solo un pequeño espacio de orden: el sitio donde cuatro capellanes permanecían de pie, sobre la borda inclinada.

George Lansin Fox, pastor de Chicago; Alexander David Goode, rabino de la ciudad de Nueva York; Clark Poling, ministro de Schenectady, Nueva York; y John Washington, sacerdote de Nueva Jersey, guiaron con calma a los demás hacia las posiciones donde estaban los botes salvavidas. Distribuyeron entre las gentes los chalecos salvavidas que estaban en el pañol y ayudaron a los hombres que, helados de temor, se acurrucaban a un lado de la nave. Los supervivientes recuerdan todavía el sonido del llanto, de las súplicas, de las oraciones y aun de las maldiciones proferidas por algunos hombres, pero sobre todo, recuerdan el sonido de las palabras de ánimo y confianza que los capellanes pronunciaban.

Cuando ya no hubo más chalecos, los cuatro capellanes entregaron los suyos. Uno de los últimos hombres que abandonó la cubierta inundada del barco, se dio vuelta y vio a los capellanes todavía firmes, de pie, tomándose de los brazos para mantener el equilibrio. A través de las olas sus voces aún se oían orando en latín, en hebreo y en inglés. Uno de los marinos dijo: «Fue lo más bello que jamás haya visto, o esperé ver, de este lado del cielo».

¿De dónde sacaron aquellos hombres el valor que demostraron? De la misma fuente de donde podemos obtenerlo nosotros: de Dios, de su Palabra, de la oración, de la comunión constante. Cuando nuestra mente está en paz, estamos enteros, completos, como Jesús cuando dormía tranquilamente en medio de la tempestad. Sigamos el consejo de Dios: «Quédense quietos, reconozcan que yo soy Dios». Él nunca te defraudará.

El túnel de Ezequías

Hagan brillar su luz delante de todos, para que ellos puedan ver las buenas obras de ustedes y alaben al Padre que está en el cielo (Mateo 5: 16).

Cuando el monarca asirio Senaquerib invadió el reino de Judá, en el siglo VIII a. C., el rey Ezequías y el pueblo decidieron tapar la fuente de Gihón para evitar que los asirios encontraran agua mientras sitiaban la ciudad. Después de esto Ezequías mandó hacer un túnel para llevar el agua por debajo de una colina desde la fuente hasta el estanque de Siloé, que se encontraba dentro de las murallas (2 Rey. 20: 20; 2 Crón. 32: 30). Fue una verdadera hazaña tecnológica para Ezequías y la nación de Judá.

Los túneles siguen siendo muy importantes en la actualidad. El túnel más largo es el acueducto de Delaware. Tiene 137 kilómetros de largo y provee la mitad del agua que utiliza Nueva York (casi cinco millones de metros cúbicos al día). Lo más increíble del túnel de Ezequías, sin embargo, es que fue cavado en la roca, tiene 538 metros de longitud y no fue cavado en línea recta. De hecho tiene forma de «S». (Si lo hubieran hecho en línea recta el túnel tendría solo 323 metros de largo). ¿Cómo lo lograron sin tener las ventajas de la tecnología contemporánea? No lo sabemos con certeza. Lo cierto es que el arquitecto del túnel dejó para la posteridad una placa, que todavía se puede leer en el Museo de Estambul, para celebrar la hazaña y explicar cómo los dos equipos se encontraron.

Hace poco tuve la oportunidad de caminar por este túnel. Fue una experiencia muy especial. Entré en el túnel junto con mi esposa y un grupo de amigos con quienes viajaba. Yo no llevaba una lámpara así que tenía que confiar en la luz y dirección que me brindaban mis amigos. El agua me llegaba por encima de las rodillas y, con excepción de las lámparas de mis compañeros, estaba en total oscuridad. No pude evitar pensar que la vida puede ser así. Muchas personas quedarían en completa oscuridad si no fuera por la luz que sus amigos que viajan con ellas les brindan. Yo creo que aquellos que tenemos luz, asumimos una responsabilidad muy importante hacia los que no la tienen. No hace falta que sea una luz potente. No importa cuán profunda sea la oscuridad, la luz, por débil que sea, penetra las tinieblas. Tu ejemplo, tus palabras y tus actitudes pueden ser una fuente de luz que marque la diferencia para tus amigos. ¿Ahora brillas?

El precio del discipulado

> Ni antes ni después de Josías hubo otro rey que, como él, se volviera al Señor de todo corazón, con toda el alma y con todas sus fuerzas, siguiendo en todo la ley de Moisés (2 Reyes 23: 25).

Jesús pagó el precio de nuestra salvación. Y también el precio de nuestra propiedad, nuestro hogar, en el cielo. No podemos pagar el precio infinito de nuestra salvación, pero sí podemos pagar el de nuestra aceptación. Como a veces se ha dicho: «La salvación es gratuita, pero el discipulado es costoso». Esto significa que debemos tomar la cruz y seguir el ejemplo que Cristo nos dio de abnegación y amante obediencia a la ley de Dios.

A la luz del inminente día del juicio final, es preciso que enfrentemos seriamente el problema de que nos falta una plena consagración a Cristo. Alguien ha establecido este contraste entre los himnos que cantamos y la convicción de nuestros corazones.

√ Cantamos «Dulce oración», pero nos contentamos con orar unos pocos minutos.

√ Cantamos «Firmes y adelante», pero nos quedamos esperando que el Señor nos empuje.

√ Cantamos «Lluvias de gracia», pero no vamos a la iglesia cuando llueve.

√ Cantamos «Sagrado es el amor», pero estamos dispuestos a dejar la iglesia cuando sentimos que alguien nos ofende.

√ Cantamos «Yo quiero trabajar por el Señor», pero desaparecemos cuando hay que hacer algo en la obra de Dios.

√ Cantamos «Grato es contar la historia», pero jamás hablamos de eso a nuestros amigos, familiares y compañeros de trabajo.

√ Cantamos «Tuyo soy, Jesús», pero apenas le entregamos una pequeña parte de nuestro ser.

√ Cantamos «Fuente de la vida eterna», pero nos aferramos a nuestros «pecadillos» una y otra vez.

De alguna manera nos parecemos al niño que estaba junto a un barril de manzanas en una frutería mientras que una de sus manos se aferraba firmemente a una de ellas.

—Jovencito —le dijo el dueño —, ¿qué haces? ¿Quieres robarme una manzana?

—No, señor —le dijo él—. Estoy haciendo mucha fuerza para no robarla.

Tenemos que sacar la mano del barril de manzanas para ponerla de lleno en el de Jesús.

¿Ya comprendiste el precio del discipulado? El reavivamiento y la reforma deben darnos una nueva vida espiritual para ser verdaderos cristianos al servicio de Dios. Sigue el ejemplo del rey Josías. Él supo hacer del Señor el centro de su vida durante su juventud. Se entregó de todo corazón al servicio del cielo. Y disfrutó de abundantes bendiciones. ¡Tú también puedes ser como él!

Porque el Señor tu Dios es un Dios compasivo, que no te abandonará ni te destruirá, ni se olvidará del pacto que mediante juramento hizo con tus antepasados (Deuteronomio 4: 31).

Esta promesa divina es hoy más necesaria que nunca. Ahora, que ya somos más de siete mil millones de habitantes en el mundo, parece que hay más soledad, especialmente entre los jóvenes.

El caso de Clara Anderson es un buen ejemplo. Servía como trabajadora doméstica en San Francisco, California. Era amable y muy escrupulosa. Un día, tras haber trabajado para la misma persona durante quince años, desapareció sin dejar rastro. Parecía que la tierra se la había tragado. Pero al fin, el Departamento de Servicios Sociales dio con su paradero. Cuando la encontraron en un escondite montañoso, en las afueras de la ciudad, Clara estaba decidida a dejarse morir de hambre.

—¡Quiero morir, déjenme sola!— gritó.

Cuando un periodista se acercó a entrevistarla, le dijo:

—Mire, a nadie le importo. Soy solamente una criada, una más entre miles que hacen trabajos sin importancia. Mi vida no vale nada. No tengo parientes cercanos, no tengo familia ni amigos, estoy tan sola que no me interesa vivir. No tengo a nadie con quien hablar, nadie a quien abrirle mi corazón. A nadie le importo. ¡Déjenme morir!

Pero hay buenas noticias para ella y para todos los que viven circunstancias parecidas. Es una tragedia vivir triste y solo, cuando tenemos un Padre amante que nos quiere como la niña de sus ojos. Ante Dios, tú vales más que la más valiosa de las joyas. Ante él tú tienes igual importancia e igual valor que el hombre más rico, el sabio más admirado y la persona más famosa de este planeta. Dios dice: «Y él les tiene contados a ustedes aun los cabellos de la cabeza» (Mat. 10: 30).

Mark Finley dice: «Luego de habernos creado, Dios tiró el molde. No hay un ser igual a otro en todo el universo (ni siquiera entre hermanos gemelos). Cuando los genes y los cromosomas se unieron para formar la estructura biológica particular de nuestras respectivas vidas, Dios hizo seres únicos. Cada ser humano es especial para él».

¿Cómo no va a saber tu Padre celestial lo que te pasa si tiene la capacidad, el interés y el amor para saberlo todo con respecto a ti? Si sabe cuántos cabellos tienes, lo sabe todo de ti. Por tanto, te conoce, te considera muy valioso y te ama. Confía en él.

Punto ciego

No juzguen a nadie, para que nadie los juzgue a ustedes. Porque tal como juzguen se les juzgará, y con la medida que midan a otros, se les medirá a ustedes (Mateo 7: 1, 2).

En el siglo XVII, el científico francés Edme Mariotte afirmó que todos los seres humanos tenemos un punto ciego. Mariotte notó que el disco óptico, el área de la retina donde el nervio óptico sale del globo ocular, no es sensible a la luz. Al aplicar sus conocimientos de óptica y anatomía del ojo llegó a la conclusión de que todo ojo es ciego en una pequeña porción de su campo visual.

Si esto es así, ¿por qué no nos damos cuenta normalmente de este hecho? El asunto es muy sencillo. El sistema visual humano tiene la enorme capacidad de llenar el punto ciego a partir de las imágenes que recoge en sus ojos. La mente, igual que la naturaleza, aborrece los espacios vacíos. Por esta razón, si estás mirando una pared blanca, tu mente llenará el punto ciego con la textura y el color del resto de la pared. Esto nos lleva a una interesante conclusión: no todo lo que vemos está realmente allí. Por lo menos una pequeña parte ha sido reconstruida por nuestro cerebro.

Los que sufren migraña son conscientes de este fenómeno. Cuando un vaso sanguíneo tiene un espasmo la persona pierde temporalmente una parte de la corteza visual. Esto produce una región ciega correspondiente en el campo visual. A esto se le llama «escotoma». Si una persona que está sufriendo un ataque de migraña mira alrededor del cuarto y el escotoma «cae», o se ubica sobre un reloj o un cuadro en la pared, este desaparecerá de su visión. Sencillamente no lo verá; sin embargo, no verá un hoyo negro en su visión, sino la pared con el color o papel tapiz del resto de la pared. La mente ha llenado la información con el contexto.

Los cristianos también tenemos un punto ciego en otro sentido. Solo podemos ver las acciones de otros pero no sus motivaciones. Es decir, podemos ver la apariencia exterior pero no el corazón. Por eso Dios nos pide que no juzguemos los motivos de otros.

¿Qué pasa cuando juzgamos los móviles ajenos? Sencillamente «llenamos» la información que hace falta con datos que están en nuestro propio corazón. Aquel que constantemente sospecha el mal en el corazón de otros, probablemente lo hace porque su propio corazón es perverso. No juzgues para que no seas juzgado. Solo Dios tiene visión perfecta para juzgar.

Pues un testamento solo adquiere validez cuando el testador muere, y no entra en vigor mientras vive (Hebreos 9: 17).

En el año 2007 se produjo un frenesí mediático que durante varias semanas captó la atención de la prensa sensacionalista y dominó la atención de los programas de noticias de la televisión y la radio. El origen de todo aquello estaba en la triste y trágica muerte de Anna Nicole Smith, actriz y modelo que falleció por una sobredosis accidental de drogas sin haber puesto al día su testamento tras el nacimiento de su hija, Danielynn, y la posterior muerte de su hijo Daniel.

Todas las personas relacionadas con el caso, e incluso las no implicadas en él, parecían tener una opinión diferente sobre lo que Anna Nicole Smith habría querido. Algunos decían que habría deseado ser enterrada en Texas, cerca de su familia, otros decían que en Los Ángeles, y aun otros defendían la idea de que su deseo habría sido ser enterrada junto a la tumba de su hijo en las Bahamas. Después, en un vuelco de los acontecimientos, al menos cinco hombres diferentes pretendieron ser el presunto padre de Danielynn, la hija de Anna.

Así que surgieron varias preguntas: ¿Dónde quería ser enterrada? ¿Quién era el padre de su hija? ¿Quién se convertiría en el tutor legal de la enorme herencia de aquella niña? Dichas interrogantes constituyeron una pesadilla legal y produjeron un frenesí mediático. Al final, todo el mundo parecía estar de acuerdo en lo diferente que habría sido toda la situación si al menos Anna Nicole Smith hubiera dejado un testamento actualizado.

Este penoso incidente nos ayuda a entender la claridad del testamento que Jesús, nuestro Señor, dejó confirmado el día en que murió. En marcado contraste con toda la incertidumbre que rodeó los deseos de Anna Nicole Smith, como dice nuestro texto de hoy, el testamento se confirma con la muerte del testador y expresa su última voluntad para sus herederos. Según el testamento de Jesús, nosotros somos coherederos con él de la herencia de la vida eterna. La mansión que Cristo fue a preparar es una parte de nuestra herencia.

Dios no ha dejado a sus hijos en la incertidumbre. El día que Cristo murió dejó sellado su testamento. Nadie puede alterarlo. La herencia eterna pertenece a los que acepten a Cristo por la fe y obedezcan por la misma gracia sus mandamientos. ¿Estás dispuesto a recibir la herencia de Cristo?

Hijos, no impostores

En el séptimo año, el sacerdote Joyadá mandó llamar a los capitanes, a los quereteos y a los guardias, para que se presentaran ante él en el templo del Señor. Allí en el templo hizo un pacto con ellos y les tomó juramento. Luego les mostró al hijo del rey (2 Reyes 11: 4).

La historia del príncipe Joás es emocionante. Su tía le salvó la vida cuando tenía un año de edad y lo escondió en el templo del Señor durante seis años, en la cámara de dormir, sin salir ni un instante. Por supuesto, está también la cuestión de la identidad. Solo Josabet, su tía, y el sumo sacerdote Joyadá, sabían que él era el hijo del rey. ¿Qué habría pasado si hubieran muerto de repente sin que nadie más supiera el secreto? Quizá lo mismo que le ocurrió a Anna Anderson. Miles de personas llegaron a creer que no era una simple empleada de una fábrica, sino que en realidad era la gran duquesa Anastasia Romanov, hija menor del último zar de Rusia.

Durante la revolución bolchevique, el zar Nicolás II y toda su familia fueron brutalmente asesinados, o eso era lo que se creía. Circularon rumores de que sus dos hijos menores, Anastasia y Alexei, quizá pudieron haber escapado. La pretensión de Anna Anderson de ser Anastasia provocó un circo mediático que duró muchos años y dio origen a libros y películas. La idea de que una campesina pudiera ser una princesa parecía un buen argumento para una novela. Así, aunque Anna tuvo su corte de adversarios, también contó con muchos partidarios, algunos de los cuales eran, incluso, parientes de Nicolás II. A pesar de que jamás pudo demostrar sus alegaciones ante un tribunal, Anna nunca negó su pretensión de ser la gran duquesa Anastasia.

Descubrimientos recientes, sin embargo, han demostrado que Anna no era Anastasia. Las pruebas de ADN no solo han puesto en duda su pretensión, sino que especialistas forenses rusos también han descubierto y verificado las tumbas y los restos del zar y de toda su familia. A pesar de sus reivindicaciones en sentido contrario, Anna no era ninguna princesa. Fue simplemente una campesina y una charlatana. La revista Time la incluye entre los diez impostores más grandes de la historia. Al final su historia no fue más que un relato ficticio.

Gracias a Dios no ocurre lo mismo con nosotros. Nosotros somos hijos legítimos del Señor, como dice el apóstol Pablo: «Todos ustedes son hijos de Dios mediante la fe en Cristo Jesús» (Gál. 3: 26). Por lo mismo, somos príncipes y princesas. ¿Estás dispuesto a creer esta gran noticia y aplicarla hoy a tu vida?

No des falso testimonio en contra de tu prójimo (Éxodo 20: 16).

Si tienes tiempo, te animo a intentar lo siguiente. Párate a unos tres metros de distancia de una persona, cierra tu ojo derecho y mira a su cabeza con el ojo izquierdo. Ahora, poco a poco empieza a mover tu ojo izquierdo horizontalmente hacia la derecha, alejándote de la cabeza de la persona hasta que el punto ciego caiga directamente sobre su cabeza. Te darás cuenta de que a esa distancia, la cabeza desaparecerá. Cuando el rey Carlos II, conocido también como el rey científico, se enteró de este fenómeno, empezó a divertirse grandemente «decapitando» a damas de compañía y a criminales con su punto ciego; después los enviaba a la guillotina. Todavía hoy, algunas personas se divierten durante las reuniones aburridas «decapitando» al presidente de la junta.

El problema del punto ciego puede ser bastante serio. Cuando Larry MacDonald tenía 27 años de edad sufrió un accidente de automóvil muy grave que fracturó sus huesos frontales, justo encima de los ojos, y lo dejó en estado de coma durante dos semanas. Larry finalmente se recuperó, pero quedó ciego completamente en la mitad inferior de su campo de visión. El problema era que en esa parte ciega experimentaba alucinaciones que podían ser muy reales. Curiosamente, las imágenes que veía en la parte ciega tenían colores más brillantes y vívidos. A este fenómeno se le llama el Síndrome Charles Bonnet. En una ocasión, por ejemplo, Larry creyó ver un mono extraordinariamente real sentado en el regazo del médico que lo estaba atendiendo, un primate que había sido creado por su cerebro. Al principio Larry tenía dificultad para distinguir entre las imágenes que su cerebro creaba y las que existían en la realidad, pero con el tiempo aprendió a distinguir las alucinaciones de la realidad.

Yo quisiera sugerirte que estas alucinaciones son semejantes a los chismes. Cuando existe una región ciega muy grande en nuestro campo de visión tenemos la tentación de llenarla con todo tipo de datos porque nuestro cerebro, como la naturaleza, odia los espacios vacíos. Tristemente, así es como surgen los chismes y los falsos testimonios. Increíblemente, los chismes pueden parecer «muy reales» para el que los está contando o para el que los escucha. No cedas a la tentación porque puede ser que estés «decapitando» la reputación de otra persona. En cambio, te recomiendo que, si no puedes hablar bien de otros, mejor guardes silencio. Nunca te arrepentirás.

Dios considera muy graves la calumnia y el falso testimonio. Evítalos con determinación.

El Napoleón de la prensa

Más valen dos que uno, porque obtienen más fruto de su esfuerzo (Eclesiastés 4: 9).

Así le llama George R. Knight a Joshua V. Himes, el hombre que puso el adventismo millerita en el mapa de la sociedad estadounidense del siglo XIX. Himes era un joven pastor conexionista que había aprendido el arte de la publicidad trabajando con William Lloyd Garrison, el apasionado promotor de la liberación de los esclavos. Cuando Himes conoció a Miller en noviembre de 1839, se convenció de la veracidad del mensaje del viejo predicador y se preguntó por qué no era más conocido.

—¿De veras cree usted este mensaje? —preguntó Himes.

—Ciertamente —le dijo Miller —, de otra manera no lo estaría predicando.

—Pero, ¿qué hace usted para esparcirlo y darlo a conocer a todo el mundo?

—Todo lo que puedo —le dijo Miller.

—Pues todo sigue oculto en un rincón. Muy pocos conocen el tema después de todo lo que usted ha hecho. Si Cristo va a venir dentro de pocos años, como usted cree, no debería perder tiempo en dar la advertencia a la iglesia y al mundo, en estruendosos tonos, para incitarlos a prepararse.

—Lo sé, lo sé, hermano Himes —dijo Miller—. ¿Pero qué puede hacer un humilde campesino? He estado buscando ayuda, necesito ayuda.

Fue en ese momento, recuerda Himes, que «puse mi vida, mi familia, mi negocio, mi reputación, todo, sobre el altar de Dios, para ayudarle, hasta el límite de mi capacidad, hasta el fin». Joshua V. Himes brindó al millerismo una gran dinámica. Himes era un emprendedor lleno de ideas novedosas. Entre 1840 y 1844, Joshua se hizo cargo de la logística del movimiento y convirtió el millerismo en una ideología que llegó a los hogares de cientos de miles de personas.

Nathan Hatch, uno de los principales historiadores de la religión en Norteamérica, ha descrito los esfuerzos de Joshua V. Himes como «un ataque militar intenso y sorpresivo», y como «una avalancha publicitaria sin precedentes». Uno de sus detractores lo definió como «el Napoleón de la prensa».

Al cabo de muy poco tiempo después de iniciarse la febril actividad de Himes aparecieron las revistas *Midnight Cry* [El clamor de media noche] y *Signs of the Times* [Señales de los tiempos]. Esas revistas llevaron el mensaje del advenimiento a todo el mundo. Con la primitiva tecnología, Himes produjo millones de libros y tratados. Himes era un publicista y Miller un hombre de ideas; pero se requirió de ambos, así como de un ejército de otros menos visibles, para conformar un equipo misionero eficiente. Las buenas nuevas son que Dios te necesita.

Les ruego que coman algo, pues lo necesitan para sobrevivir. Ninguno de ustedes perderá ni un solo cabello de la cabeza (Hechos 27: 34).

Comer para gozar de una buena salud y la promesa de bienestar físico, mental y espiritual a los que así procedan, representa uno de los mensajes más importantes que Dios comunicó a unas personas en particular. Pero creo que puede extenderse a todos. Los que conocen los escritos de Elena G. de White reconocerán que ella estaba de acuerdo con varios de los puntos de vista de los reformadores de la salud de su tiempo. De modo que no estaba sola cuando rechazó el «uso de drogas venenosas», ya que «en vez de ayudar a la naturaleza, paraliza su potencial».

Los primeros adventistas eran conscientes de dos cosas: una, la coincidencia de Elena G. de White con los reformadores de la salud de sus días; y dos, de sus contribuciones adventistas específicas. Por eso J. H. Waggoner pudo escribir en 1866 que «nosotros no profesamos ser pioneros en los principios generales de la reforma prosalud. Los hechos en los cuales se funda este movimiento han sido elaborados, en gran medida, por reformadores, médicos y autores que escriben sobre fisiología e higiene; por lo tanto, pueden hallarse esparcidos por toda la tierra. Pero sí reclamamos que, por el método de elección de Dios [el consejo de Elena G. de White] han sido desarrollados más clara y poderosamente y, por lo tanto, están produciendo un efecto que no podríamos encontrar en ninguna otra fuente.

»Como simples verdades fisiológicas e higiénicas, unos podrían estudiarlas en sus ratos libres y otros, ponerlas a un lado como asuntos de escasa importancia. Pero cuando son puestas al mismo nivel de las grandes verdades del mensaje del tercer ángel, por la sanción y la autoridad del Espíritu de Dios, y de este modo señalados como los medios a través de los cuales un pueblo débil será hecho fuerte para vencer, y nuestro cuerpo enfermo purificado y puesto en forma para la traslación, entonces son para nosotros una parte esencial de la verdad presente» (George R. Knight, *Lest We Forget* [No sea que olvidemos], p. 166).

Si bien Elena G. de White estuvo de acuerdo en gran medida con los reformadores de salud de sus días, una de sus contribuciones en el área de la salud fue integrar el mensaje de salud en la teología adventista. ¿Has comprendido el sublime mensaje de salud adventista y lo has aplicado a tu vida? Te invito a que lo hagas.

165

Lux lucet in tenebris - 1

Esta luz resplandece en las tinieblas, y las tinieblas no han podido extinguirla (Juan 1: 5).

Durante el verano del 2011 tuve la oportunidad de visitar los montes y valles del Piamonte, en el norte de Italia, donde los valdenses se refugiaron para custodiar la verdad del evangelio en momentos sombríos durante la Edad Media. Allí visité la antigua escuela para pastores valdenses (o «*Barbetti*»). Una experiencia inolvidable es que allí, junto al camino, recolectamos cerezas y bayas silvestres para comer. También entramos a su iglesia, una construcción muy sencilla. Justo antes de entrar miré hacia la parte superior de la puerta donde se leía la siguiente frase en latín: «*Lux lucet in tenebris*», que significa «La luz resplandece en las tinieblas».

El pensamiento me conmovió profundamente. Los valdenses fueron perseguidos y masacrados durante la Edad Media porque se aferraban al evangelio y predicaban y distribuían la Palabra de Dios. En 1655 el duque de Saboya ordenó a los valdenses asistir a misa dándoles un plazo de veinte días para someterse o vender sus propiedades y retirarse de sus dominios. El ultimátum vino en medio de un crudo invierno. Pero los fieles predicadores decidieron huir subiendo las escarpadas pendientes hacia los valles del Piamonte, donde encontraron refugio con sus hermanos en la fe. Más tarde, el 24 de abril de 1655, a las cuatro de la madrugada, el duque dio la señal para desatar una masacre. La matanza, conocida como las Pascuas Piamontesas, fue tan brutal que causó indignación en Europa. Oliver Cromwell, gobernador de Inglaterra, escribió cartas a favor de las víctimas, recaudó donativos, proclamó ayuno en el país y amenazó con la acción militar para defenderlos. John Milton, el famoso autor inglés de El paraíso perdido, escribió el soneto On the Late Massacre in Piedmont [La última masacre del Piamonte] en que suplica: «Venga, oh Señor, a tus santos que han sido masacrados [...]. Aquellos que guardaron tu verdad tan pura de antaño, cuando todos nuestros padres adoraban maderos y piedras».

La historia de los valdenses conserva una preciosa verdad: Para vencer las tinieblas no se precisa una luz fuerte. Por más débil que sea, la luz brillará en medio de la oscuridad. De la misma manera, no tienes que realizar grandes acciones para permitir que la luz del evangelio brille en tu vida. Si tu vida es sincera y fiel a la Palabra de Dios, si tu lenguaje es puro, si rehúsas hablar mal de otros, si inclinas tu rostro para orar en lugares públicos, si tienes fe y gozo cuando las circunstancias son difíciles, tu luz brillará en medio de la oscuridad.

> Hubo un hombre llamado Juan, a quien Dios envió como testigo, para que diera testimonio de la luz y para que todos creyeran por lo que él decía. Juan no era la luz, sino uno enviado a dar testimonio de la luz (Juan 1: 6-8).

Ayer te conté que tuve la oportunidad de visitar los valles valdenses en el norte de Italia. Después de visitar las enormes iglesias de San Pedro en Roma y la Basílica de Santa María de las Flores en Florencia, imponentes y abrumadoras con sus esculturas y lujos, y plantadas en el centro de la ciudad, fue refrescante ver las majestuosas montañas del Piamonte con sus fastuosos valles adornados con flores y árboles frutales. El templo valdense era bastante rústico, pero grande en su pureza. Sin imágenes ni otros adornos que distrajeran al adorador, la Biblia abierta reinaba en el silencio invitando a la meditación. Y es que la verdad no necesita que se le añadan adornos para ser atractiva. La verdad es atrayente en sí misma y su belleza reside tanto en su sencillez como en su pureza.

Después fuimos a una cueva donde los valdenses se refugiaban para adorar en momentos de persecución. Cuenta la historia que en esa cueva fueron descubiertos por traición y, después de tapar la salida, los soldados los asfixiaron con humo. Después de cruzar un estrecho pasaje, se entra a un salón espacioso al que se opone una pared de roca lisa, plana y alta. En la parte superior hay una hendidura por la que entra la luz del sol. Llegamos poco después del mediodía. La luz del sol caía sobre un tronco apoyado en una de las paredes. Decidí ir a explorar el lugar y me paré sobre el tronco para obtener una mejor vista del sitio, cuando mis compañeros me gritaron que no me moviera pero que me diera la vuelta. Al hacerlo, me di cuenta de que la luz iluminaba la cueva que antes había estado oscura. Debido al ángulo en que la luz del sol caía por la hendidura, esta se reflejaba poderosamente sobre mi ropa e iluminaba la cueva. En las fotografías aparezco como si estuviera bañado en luz o abrazado por el fuego. Mi camisa no era blanca sino de color castaño. Si hubiera sido blanca, habría brillado todavía más.

No somos la luz, pero cuando nos colocamos donde la luz brilla, aunque no seamos perfectos, la luz bañará nuestro ser e iluminará nuestro alrededor. Te invito a caminar en el sendero de la luz durante el día de hoy.

Cómo librarse del terror

Cada uno será como un refugio contra el viento, como un resguardo contra la tormenta; como arroyos de agua en tierra seca, como la sombra de un peñasco en el desierto (Isaías 32: 2).

Durante el siglo XIX el mundo cristiano miraba el futuro con grandes esperanzas. Los predicadores proclamaban la Edad de Oro del progreso de la humanidad. Los adventistas eran tenidos como alarmistas porque anunciaban calamidades y terrores.

Pero cuando estalló la Primera Guerra Mundial, seguida de la Gran Depresión de 1929 y luego la Segunda Guerra Mundial, la humanidad comenzó a entender que el progreso natural y la estabilidad internacional estaban muy lejos de alcanzarse. Los días que siguieron al ataque a Pearl Harbor, que obligó a los Estados Unidos a entrar en el conflicto bélico, fueron muy difíciles para Norteamérica. La industria no estaba preparada para construir armamento para una guerra de tales dimensiones. Las batallas se perdían una tras otra, tanto en Europa como en el Pacífico.

En esos momentos de crisis, el presidente Franklin D. Roosevelt repitió una de sus frases favoritas: «No tenemos nada que temer, excepto el temor mismo». Estas palabras dieron ánimo al pueblo norteamericano. Pero si lo analizamos cuidadosamente, veremos que equivale a silbar en la oscuridad, como diciendo que no hay por qué tener miedo. Cuando los temores son imaginarios, de algo sirve silbar en la oscuridad, pero eso no se puede comparar con un haz de luz que penetra la oscuridad y nos muestra que, en efecto, no hay nada que temer.

Dios ha dado su Palabra que es como una lámpara a nuestros pies y «es una luz en mi sendero» (Sal. 119: 105). Cuando los Estados Unidos y la Unión Soviética estaban fabricando y probando sus bombas de hidrógeno, alcanzó gran venta el libro titulado *No Place to Hide* [No hay dónde esconderse], en el que se presentaba el asombroso poder destructivo de las armas nucleares, la futilidad de los refugios contra esas bombas y la facilidad con que un insensato podía desatar una hecatombe mundial.

Si los adventistas han predicado los terrores del fin del mundo, lo cual deben hacer para que nadie ignore que ocurrirá, han predicado con más vigor y elocuencia la gran esperanza de la segunda venida de Jesús en gloria y majestad. No tenemos nada que temer. Él es nuestro amparo y fortaleza. Como dice nuestro texto de hoy: «Cada uno será como un refugio contra el viento, como un resguardo contra la tormenta; como arroyos de agua en tierra seca, como la sombra de un peñasco en el desierto». Confiemos en él. Es la mejor actitud que podemos adoptar al empezar el día.

168

> Y quien dé siquiera un vaso de agua fresca a uno de estos pequeños por tratarse de uno de mis discípulos, les aseguro que no perderá su recompensa (Mateo 9: 41).

Es una gran recompensa por algo, al parecer, de muy poco valor. Dios es quien da ese valor a un vaso de agua. Pero, en cierta medida, el agua es algo sumamente poderoso y, aunque parezca increíble, ese poder es desconocido. El agua es, quizá, la sustancia más importante de la tierra. El papel que desempeñó durante los dos primeros días de la creación fue vital. Todos sabemos que sin agua no seríamos nada.

El 65% por ciento de nuestro cuerpo es agua. El 78% del cuerpo de una rana es agua. El 95% del cuerpo de una medusa es agua. Dependemos del agua para la regulación de la temperatura que sostiene la vida del planeta. El agua de los océanos absorbe una enorme cantidad de la energía solar que llega a la tierra. Si los océanos y los lagos del mundo no absorbieran mucha de la energía solar, por el día nos coceríamos con temperaturas de 148° C y por la noche nos congelaríamos. El agua es esencial para la vida.

Pensamos que sabemos mucho del agua, pero es mucho más lo que ignoramos de ella. Por ejemplo, ¿por qué las moléculas de agua se comportan de la forma en que lo hacen en situaciones diferentes? La mayoría de las sustancias se encogen cuando se enfrían, pero no ocurre lo mismo con el agua: se encoge hasta poco antes de congelarse y luego se dilata. La dilatación del agua congelada tiene poderes increíbles. Por ejemplo, si tomas una bola hueca de hierro cuyas paredes sean de poco más de medio centímetro de grueso, la llenas con agua y la congelas rápidamente en nitrógeno líquido, el globo explotará como una bomba y los trozos de metralla saldrán disparados con una fuerza tal que penetrarán profundamente en una gruesa plancha de acero.

Jesús usó el agua como ejemplo de su capacidad para dar y sostener la vida. Por supuesto, nuestro texto de hoy es una poderosa ilustración: un vaso de agua vale mucho. El que da un vaso de agua a un necesitado tendrá una recompensa eterna. ¿Por qué no iniciamos el día con el deseo de ser como Jesús, de dar y sostener la vida a las personas que nos rodean?

No derrames
el agua de la vida

En el último día, el más solemne de la fiesta, Jesús se puso de pie y exclamó:
«¡Si alguno tiene sed, que venga a mí y beba!» (Juan 7: 37).

A todos nos encantan las acciones heroicas y tenemos una especial admiración por la gente valiente. En la Biblia se mencionan los famosos «treinta valientes de David» (2 Sam. 23: 13-39; 1 Crón. 11: 15-47). Si el jefe era valiente, sus afamados treinta soldados tenían que ser tan valientes como él. Aquellos treinta hombres eran esforzados más allá de los límites del valor humano. Se puede decir que no tenían rivales.

Quizá has escuchado la historia. Una vez, David estaba escondido con sus valientes en las montañas de Judá. Un día que estaba especialmente «melancólico», dijo: «¡Ojalá pudiera yo beber agua del pozo que está a la entrada de Belén!» (2 Sam. 23: 15). Deseo nostálgico. Tristeza natural por estar alejado de su tierra.

Pero los deseos de su jefe eran órdenes para aquellos valientes. ¿Sabes lo que hicieron tres de los valientes?: «Irrumpieron por el campamento de los filisteos y sacaron agua del pozo de Belén [...] y la trajeron a David». Eso es valor. La guarnición filistea tenía varios centenares de soldados bien pertrechados y listos para combatir. Pero los tres jóvenes se abrieron paso a filo de espada hasta el pozo. Imagino que uno echó el balde al pozo, lo sacó con una cuerda y lo vació en el recipiente que habían traído con ese propósito; mientras los otros dos luchaban contra un enjambre de filisteos aterrorizados por su bravura.

Por fin llegaron hasta David con el preciado líquido, pero cuando le llevaron el agua, «no quiso beberla». Me parece que hizo bien. «¡Eso sería como beberme la sangre de hombres que se han jugado la vida!» (2 Sam. 23: 17). Cristo vino con peligro de su vida, con más valor que los tres valientes, y sacó agua del pozo de la vida, de su propia vida, su propia sangre, para darnos una nueva esperanza en este mundo. David no quiso beber el agua, que era la sangre de los «tres valientes». Pero el agua de la vida que Cristo nos da está a nuestro alcance para renovar las energías. Es la única forma de obtener la vida eterna.

En nuestro texto de hoy, Jesús dice: «¡Si alguno tiene sed, que venga a mí y beba!» No derrames el agua de la vida. ¡Pruébala! Llenará el vacío de tu corazón.

¿Quién puede subir al monte del Señor? ¿Quién puede estar en su lugar santo? Solo el de manos limpias y corazón puro, el que no adora ídolos vanos ni jura por dioses falsos (Salmo 24: 3, 4).

Cuando esa mañana Ellen salió de la habitación, su hijo Sam no podía creer lo que veía. Su madre siempre había sido muy exigente con su apariencia personal. Se maquillaba con extremo cuidado, se pintaba y delineaba meticulosamente las uñas y peinaba cuidadosamente su cabello. Esa mañana, sin embargo, algo iba realmente mal. La parte izquierda del cabello de Ellen era una maraña con mechones en forma de nidos por aquí y allá, la mitad izquierda de la cara no había sido maquillada y arrastraba la parte izquierda del chal por el suelo. Ellen, sin embargo, había salido del cuarto solo después de haber pasado media hora maquillándose, peinándose, y arreglándose... la parte derecha del cuerpo. Igualmente, al desayunar, Ellen ignoró completamente lo que se encontraba en la mitad izquierda de su plato.

Ellen no estaba ciega de su lado izquierdo. Sufría de un mal bastante común conocido como «síndrome de negligencia unilateral». El problema no era que Ellen no viera la mitad izquierda, sencillamente no le prestaba atención. El médico le demostró a Sam ese hecho con un experimento sencillo. Si levantaba un dedo a la izquierda de Ellen, frente a sus ojos, pero no lo movía, ella no lo veía. Si el médico movía el dedo entonces ella se percataba de su presencia. El sistema que gobierna el hecho de que prestemos atención a las cosas es bastante complejo y, en gran medida, está lleno de misterios para la ciencia. ¿Qué nos llama la atención, y por qué? ¿Cuáles son los factores determinantes? Estas preguntas son muy significativas, pero todavía no tenemos respuestas satisfactorias para ellas.

Por desgracia, muchos cristianos sufren de un problema similar, al que podemos llamar negligencia espiritual. Son muy cuidadosos con los aspectos externos de su vida. Son meticulosamente celosos y ordenados en el trabajo y en los estudios. Escogen la ropa y el arreglo personal con detenimiento y buen gusto. Sin embargo, su vida interior y espiritual es una maraña de desorden y falta de atención. Cada mañana, al mirarse en el espejo, se aseguran de que todo está bien antes de salir; pero Dios, que ve tanto el exterior como el interior, sabe que algo anda realmente mal. ¿Estás listo esta mañana para salir? ¿Por dentro y por fuera? Con Dios, manos limpias y corazón puro.

> Pero quien se fija atentamente en la ley perfecta que da libertad, y persevera en ella, no olvidando lo que ha oído sino haciéndolo, recibirá bendición al practicarla (Santiago 1: 25).

Ellen no estaba ciega pero, debido a un accidente cerebro-vascular, ignoraba completamente la mitad izquierda de su campo de visión. ¿Qué ocurriría si por medio de un espejo colocado a su derecha Ellen pudiera ver el lado izquierdo que ella ignoraba? ¿Se percataría de que la mitad izquierda de su cabello estaba terriblemente despeinada, que no estaba maquillada y que arrastraba el chal por el suelo?

Cuando el doctor Ramachandran le mostró por medio del espejo su lado izquierdo, pidió a Ellen que describiera lo que ocurría allí. Ella lo hizo sin mayor problema, pero no actuó para remediar la situación. El experimento continuó. Un ayudante del médico sostuvo un bolígrafo en el lado izquierdo, en la zona que Ellen ignoraba, pero plenamente visible por medio del espejo y, además, fácilmente accesible a su mano derecha, su lado sano. El doctor Ramachandran le preguntó:

—¿Ves un bolígrafo?

—Sí—respondió Ellen.

—Muy bien —continuó el médico—. Por favor tómalo y escribe tu nombre en el cuaderno que he colocado en tu regazo.

Ellen hizo, entonces, algo completamente descabellado. Levantó la mano sin dudar y fue directamente al espejo para tomar el bolígrafo. Literalmente golpeó el vidrio y lo arañó durante unos veinte segundos hasta que se dio por vencida.

—No lo puedo alcanzar —dijo con frustración.

Cuando se repitió el proceso Ellen argumentó que el bolígrafo estaba detrás del espejo y se asomó por encima para encontrarlo. Ramachandran decidió dar el nombre de «agnosia especular» a la condición de Ellen, desconocimiento del espejo.

Algunos cristianos sufren también de agnosia especular espiritual. El apóstol Santiago compara «la ley perfecta que da libertad», los Diez Mandamientos, con un espejo mediante el cual podemos analizar nuestra situación ante Dios (Sant. 1: 22-24). Cuando la ley nos revela que somos pecadores, algunos culpan al espejo, la ley, por su situación y lo arrojan a un lado. Otros tratan de utilizar el espejo para resolver su situación. Pero la observancia de la ley no resuelve el problema de los pecados cometidos en el pasado. Para eso necesitas a Jesús. Lo único que la ley puede hacer es revelarnos nuestra situación y llevarnos a Cristo para resolverla. Necesitamos la ley, pero también necesitamos a Cristo.

Y tú, ¿ya te viste en el espejo esta mañana? Si ya lo hiciste, acércate a Cristo para que purifique tu vida.

Mi pueblo es necio, no me conoce; son hijos insensatos que no tienen entendimiento. Son hábiles para hacer el mal; no saben hacer el bien (Jeremías 4: 22).

El doctor V. S. Ramachandran cuenta que nunca olvidará la frustración y desesperación que percibió en la voz de un padre que lo llamó para pedirle ayuda. El hombre había sido diplomático del gobierno de Venezuela y le dijo que su hijo sufría de un cruel engaño o ilusión.

—¿Qué tipo de engaño? —inquirió Ramachandran.

—Mi hijo de treinta años de edad piensa que yo no soy su padre, sino que soy un impostor. Dice lo mismo acerca de su madre. Él afirma que no somos sus padres verdaderos —dijo el hombre haciendo esfuerzos para que no se le quebrara la voz.

Arturo, el hijo de aquel pobre hombre, había sufrido un accidente casi fatal y estuvo en coma durante tres semanas. Cuando salió del coma aprendió a hablar, a caminar y poco a poco recuperó la memoria. Todo parecía volver a la normalidad, con la excepción de que estaba convencido de que su padre no era su padre, sino un impostor. Cuando le preguntaban quién era el hombre que lo cuidaba y se preocupaba por él, Arturo decía que ese hombre era una buena persona, de hecho tenía el mismo aspecto que su padre, pero en realidad no era su padre. «No desea hacerme daño», añadía, «quizá es una persona a quien mi verdadero padre le paga para que me cuide».

Arturo sufría del «síndrome del engaño de Capgras», uno de los más raros en la neurología. Las víctimas, normalmente muy lúcidas, llegan a considerar a sus conocidos más cercanos, usualmente padres, hijos, esposos, hermanos, como impostores.

Es interesante notar, sin embargo, que este tipo de casos no son extraños en la relación entre Dios y sus hijos. Cuando Adán pecó en el jardín del Edén, Satanás logró convencerlo de que Dios no era realmente su Padre, sino un impostor. Dios no era el Creador, sino una persona que había ocultado el secreto que capacitaba al hombre para llegar a ser como Dios. Muchas de estas personas, aparentemente, no rechazan a Dios. Reconocen que el Señor cuida de ellos, les provee lo necesario para vivir y no desea hacerles mal. La diferencia consiste en que no lo reconocen como su Padre y, por lo tanto, no obedecen sus indicaciones. Sus acciones, más que sus palabras, indican el tipo de relación que tienen con él.

¿Quién es Dios para ti? ¿Qué tipo de relación tienes con él? Piensa en esto durante el día.

Si estos callaren...

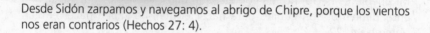

Desde Sidón zarpamos y navegamos al abrigo de Chipre, porque los vientos nos eran contrarios (Hechos 27: 4).

Desde los días del apóstol Pablo hasta Michael Belina Czechowski, la vida de los misioneros no fue fácil. La vida de este último misionero fue más difícil porque ni los mismos adventistas lo apoyaron. Czechowski fue, cuando menos, un adventista muy interesante. Después de obtener el apoyo de los adventistas del primer día para su empresa misionera, zarpó rumbo a Italia donde predicó las doctrinas adventistas del séptimo día. Salió el 14 de mayo de 1864, exactamente diez años antes de que partiera el primer misionero oficial de la Iglesia Adventista hacia el extranjero.

Durante catorce meses Czechowski trabajó entre los valdenses de los Alpes italianos. Allí bautizó a varios creyentes y organizó el primer grupo de adventistas observadores del sábado fuera de Norteamérica. Pero una oposición cerrada lo hizo huir a Suiza donde predicó de casa en casa y en edificios públicos; asimismo, comenzó la publicación de una revista titulada *L'Evangile eternel* [El evangelio eterno]. Cuando salió de Suiza, en 1868, dejó atrás cuarenta nuevos creyentes reuniéndose en varios grupos.

No conociendo con certeza lo que estaba enseñando, pero sabiendo que había sido ignorado por los adventistas del séptimo día, sus patrocinadores adventistas del primer día encomiaron elocuentemente las virtudes de Czechowski y siguieron apoyándolo económicamente. Czechowski predicó el mensaje adventista del séptimo día en Rumanía, Hungría y otros países de Europa. Cuando murió en Austria, en 1876, había puesto el fundamento de la futura misión adventista en Europa.

Para fines del año 1869 la Iglesia Adventista del Séptimo Día había descubierto la naturaleza de la misión europea de Czechowski y vio la mano de Dios en la obra que este misionero había llevado a cabo. Durante el congreso de la Asociación General de 1870, los dirigentes de la iglesia reconocieron oficialmente la mano de Dios en su misión: «Como consecuencia de nuestros temores para confiar nuestro dinero al hermano Czechowski, y nuestro incumplimiento de nuestro deber de instruirlo cuidadosamente en el uso adecuado de los fondos sagrados, Dios utilizó a nuestros decididos opositores para llevar adelante la obra [...]. Reconocemos la mano de Dios en todo esto».

Los hombres de Dios, antiguos y actuales, han llevado a cabo la misión que Dios encomendó a su iglesia. Y tú, ¿quieres participar en esta gran misión?

Nosotros hemos llegado a saber y creer que Dios nos ama. Dios es amor. El que permanece en amor, permanece en Dios, y Dios en él (1 Juan 4: 16).

El amor de Cristo es más fuerte que la muerte. Los que han experimentado su amor, no permiten que nada los separe de él. El apóstol Pablo dice que «nada» (Rom. 8: 35-39) puede separar a un cristiano de su Salvador. Miles han preferido la muerte antes que negar a su Salvador que se entregó por ellos. No todos son llamados a dar testimonio de su fidelidad a su Salvador mediante un sacrificio, pero siempre habrá quienes reciban el elevado honor de ser participantes de los sufrimientos de Cristo.

El amor de Dios alcanza a la gente en todas las circunstancias de la vida. El amor de Dios permanece en medio del desastre e incluso en la misma muerte. En la antigua Unión Soviética se dieron casos de verdadero heroísmo cristiano y certeza del amor divino por la fidelidad que los hijos de Dios manifestaron a favor de su Salvador. Las autoridades arrestaron a Valentina, una joven de veintisiete años, por llevar material de lectura cristiana. La joven creyente, dueña de una sonrisa encantadora y de una fe firme como una roca, fue a dar a un gulag, un campo de trabajos forzados en Siberia, conocido como el Valle de la Muerte, porque pocos reclusos sobrevivían en él. Allí los prisioneros se sentían completamente aislados del mundo. Era un sitio destinado a aplastar el espíritu humano.

Valentina descubrió, sin embargo, que aun allí Dios podía proveerla de todo lo que necesitaba (Fil. 4: 19). En la lobreguez de aquel terrible campo de trabajos forzados conoció a Natasha, otra joven cristiana, con quien, en medio de la noche, se escapaba de las barracas, para orar y conversar bajo los cielos abiertos. A pesar de las circunstancias por las cuales pasaban, Valentina y Natasha disfrutaron de una hermosa camaradería.

«Cantábamos y orábamos durante un rato», recuerda Valentina, «y luego nos íbamos a nuestras respectivas barracas para recuperarnos un poco del frío. Después volvíamos a salir para encontrarnos de nuevo. A veces solo nos quedábamos de pie en silencio mirando juntas al cielo. Nada nos gustaba más que el cielo».

Durante los cinco años que duró su cautiverio Valentina nunca sintió que Dios la hubiera abandonado; al contrario, lo sintió siempre muy cerca de ella. Más de una vez, al recibir una carta con citas bíblicas, comprobó que traían justamente la respuesta a algún pedido o alguna inquietud suya.

Dios te invita esta mañana para que tú también confíes en él.

El mayor regalo

¡Gracias a Dios por su don inefable! (2 Corintios 9: 15).

El actor cómico Billy Crystal estaba filmando una película en Manhattan el día que su hija Lindsay cumplía once años. La llamó a los Ángeles y se disculpó por estar tan ocupado con su trabajo, pero le prometió que recibiría muy pronto un paquete. Lindsay quedó chasqueada, pero le agradeció por el paquete que iba a recibir. Más tarde, ese mismo día, llegó un paquete muy extraño a la puerta de la casa: una caja de cartón de unos dos metros de altura. Lindsay la abrió allí mismo, y ¡su papá estaba dentro del paquete!

Él había tomado un vuelo de Nueva York a Los Ángeles inmediatamente después de su llamada telefónica. Lindsay abrazó repetidamente a su papá, diciendo: «¡Pellízcame, pellízcame!», porque le parecía como un sueño que su papá llegara de forma tan sorprendente e inesperada. Billy Crystal le dio a su hija el regalo más valioso que posiblemente podía concederle: él mismo.

El cielo nos ha dado un regalo más valioso en Jesús: Él se dio por nosotros. Este pensamiento llenó al apóstol Pablo de tanto gozo, que proclamó: «¡Gracias a Dios por su don inefable!» Por su parte, Juan exclamó: «¡Fíjense qué gran amor nos ha dado el Padre!» (1 Juan 3: 1). Sí, se trata de un regalo invaluable: «El que no escatimó ni a su propio Hijo, sino que lo entregó por todos nosotros, ¿cómo no habrá de darnos generosamente, junto con él, todas las cosas?» (Rom. 8: 32).

Cuando el Padre dio a su Hijo, nos dio todo el paquete. Todas las bendiciones del cielo son nuestras. Dios nos da perdón, poder, fuerza, sabiduría, provisiones para las necesidades diarias, seguridad, afirmación, estima, y muchas cosas más. Todo esto revela el amoroso carácter de nuestro Señor. Las bendiciones del cielo no tienen fin. Jesús provee todas las bondades de la vida. En él nada nos falta. Cada momento en este mundo es un regalo de Dios. Los alimentos que comemos provienen de la abundancia del cielo. El amor y el afecto que experimentamos en nuestras relaciones terrenales fluyen del corazón de Dios a través de su Hijo. Podemos regocijarnos en el día de hoy porque todas las bendiciones del cielo están envueltas en un paquete único: Jesús.

Esta seguridad da al cristiano razones para vivir que a veces resultan difíciles de comprender y explicar, dada su naturaleza celestial. Eso es lo que los capacita para pasar, literalmente, por en medio del fuego.

Gracias, Señor, por darnos a Jesús. Porque en él recibimos todas las bendiciones del cielo.

Dices: «Soy rico; me he enriquecido y no me hace falta nada»; pero no te das cuenta de que el infeliz y miserable, el pobre, ciego y desnudo eres tú (Apocalipsis 3: 17).

La señora Dodds empezaba a perder la paciencia. ¿Por qué insistían todos que su brazo izquierdo estaba paralizado cuando ella sabía que se encontraba perfectamente bien? Dodds había sufrido una embolia dos semanas antes. Desde entonces había permanecido en cama sin poder mover su lado izquierdo pero se negaba firmemente a reconocer su situación.

—Señora Dodds, ¿por qué vino al hospital?—preguntó el doctor.

—Bueno, tuve una embolia—contestó ella.

—¿Cómo lo sabe?—continuó el doctor.

—Me caí en el baño hace dos semanas y mi hija me trajo aquí. Me hicieron radiografías y una tomografía del cerebro y me dijeron que tuve una embolia —explicó la enferma.

—¿Puede usted caminar?—preguntó el doctor.

—Por supuesto que sí—contestó la señora Dodds, inmóvil desde la cama.

—¿Puede levantar su mano izquierda?—insistió el médico.

—Por supuesto que sí —afirmó la señora Dodds.

—Toque mi nariz, por favor, con su mano izquierda —pidió el médico.

—Muy bien —aceptó ella, mientras su mano permanecía aparentemente sin vida a su lado.

—Señora Dodds, ¿está usted tocando mi nariz con su mano izquierda? —preguntó el médico.

—Claro que estoy tocando su nariz —respondió la enferma.

—¿Puede usted ver que su mano toca mi nariz? —insistió el médico.

—Sí. Está a unos pocos centímetros de su nariz —insistió la enferma.

Ella no estaba ciega ni estaba loca. Sufría de un caso grave de «anosognosia»: negación de la enfermedad. Otros pacientes con casos menos graves ofrecen excusas para explicar la falta de movimiento. «Hoy no tengo ganas de mover el brazo, doctor»; «Tengo una grave artritis en el hombro»; pero no reconocen su situación.

La actitud de estas personas es sorprendente. No es que sean positivas y vean el lado amable de las peores situaciones. Simplemente niegan su situación desesperada. Muy poco se puede hacer por los enfermos de anosognosia. Lo mismo ocurre con los cristianos laodicenses. El primer requisito para recibir la ayuda de Dios es reconocer que la necesitamos. El Señor no impone su ayuda sobre nadie. Desea que reconozcamos nuestra situación y acudamos a él pidiendo que, por su gracia, actúe con poder en nuestro favor.

¿Para qué seguir engañándote y creer que puedes resolver tus problemas solo? ¡Necesitas ayuda! No olvides que los problemas no se resuelven solos. Esta mañana Dios está a la puerta de tu corazón, ofreciéndote lo que necesitas. ¿Se la abrirás?

177

Por eso te aconsejo que de mí compres oro refinado por el fuego, para que te hagas rico; ropas blancas para que te vistas y cubras tu vergonzosa desnudez; y colirio para que te lo pongas en los ojos y recobres la vista (Apocalipsis 3: 18).

En la lectura anterior te hablé de la señora Dodds y de otras personas que sufren anosognosia (negación de la enfermedad). A pesar de que es evidente que se encuentran paralizadas de un lado de su cuerpo, creen firmemente que están bien y, por lo tanto, niegan su situación o buscan excusas para explicar la incapacidad como si fuera algo temporal.

Los investigadores han encontrado seis tipos básicos de estrategias que las personas enfermas de anosognosia usan para no reconocer su situación:

1. *Negación*. La persona niega abiertamente su parálisis. De hecho puede afirmar que puede ver su miembro paralizado moviéndose y realizando tareas.
2. *Represión*. Después de reconocer su parálisis, recurre a la negación de su situación. Aparentemente, reprime el recuerdo de la parálisis escondiéndolo en algún lugar de su memoria.
3. *Reacción opuesta*. Afirma exactamente lo contrario. Dice que su lado paralizado es realmente más fuerte que el otro.
4. *Racionalización*. Ofrece una razón o excusa para explicar su situación.
5. *Humor*. El paciente hace que los demás sonrían para desviar su atención de la situación en que se encuentra.
6. *Proyección*. La persona culpa a otros por su situación.

¿Te has detenido a pensar cuántas de nuestras excusas para entregarnos a Dios son realmente estrategias para negar el hecho de que lo necesitamos? Algunos afirman que no necesitan entregarse a Dios porque en realidad ya lo han hecho y están a bien con él. Otros aceptan temporalmente su necesidad, pero después la niegan abiertamente. Algunos que tienen problemas con la pornografía o la avaricia, por ejemplo, fustigan a otros por esos males y después adoptan actitudes extremas en cuanto a esas debilidades. Además, hay quienes presentan razones convincentes (para ellos, pero no para Dios) para no aceptar su situación. Finalmente, algunos prefieren refugiarse en los chistes y el resto echa la culpa a otros por su situación. Mientras el orgulloso seguirá «pobre, ciego y desnudo» (Apoc. 3: 17) con tal de no reconocer su situación, el humilde será colmado de riquezas y bendiciones espirituales por nuestro Padre amante.

Lo cierto es que no reconocer nuestros verdaderos problemas nos aleja de un arrepentimiento genuino y, por supuesto, de las soluciones oportunas. De ahí la importancia de ser sinceros en nuestra vida espiritual. ¿No crees que hoy es el momento de reconocer tu necesidad y buscar ayuda divina?

Junto con él les enviamos al hermano que se ha ganado el reconocimiento de todas las iglesias por los servicios prestados al evangelio (2 Corintios 8: 18).

La forma como Dios llama a sus siervos, algunos como el que se menciona en nuestro texto, del cual ni siquiera sabemos su nombre, es extraordinaria. A veces las cosas ocurren como uno piensa que deberían ocurrir. Tal es el caso de John Gotlieb Matteson. Nacido en Dinamarca en 1835, emigró a los Estados Unidos con sus padres en 1854, llevando con él una buena educación, pero también el escepticismo que formaba parte de la cultura de su tierra natal. Considerándose libre pensador, uno de sus pasatiempos favoritos era molestar y confundir a los predicadores con preguntas que no podían contestar.

Pero los librepensadores también encuentran su momento crítico. Y eso precisamente le ocurrió a Matteson cuando escuchó a un predicador que hablaba con entusiasmo de las bellezas del cielo. Como se había criado en la atmósfera de las iglesias «en estado mortal» de Europa, jamás había conocido «la religión viva». Aquella experiencia lo condujo a una serie de acontecimientos de los cuales recuerda: «Solo, en el bosque, encontré a Jesús como mi Salvador personal», en 1859. Muy pronto después de su conversión se sintió llamado a predicar. Y así lo hizo, aunque no conocía muy bien la Biblia. Dios lo bendijo desde el principio, pues la gente respondía a su obvia sinceridad en la predicación. En 1860 ingresó al Seminario Teológico Bautista de Chicago y en 1862 fue ordenado al ministerio.

En 1863 aceptó el mensaje adventista del séptimo día. Su congregación le pidió que les predicara de su nueva fe. Durante seis meses presentó una serie de sermones sobre las creencias adventistas, con el resultado de que todos se unieron a la Iglesia Adventista del Séptimo Día, con excepción de una familia.

Matteson era un predicador efectivo y organizó varias iglesias adventistas de habla danesa en los estados del Medio Oeste de los Estados Unidos. Luego, en 1872, se le ocurrió la idea de publicar una revista en la lengua de sus conversos. Así la revista *Advente Tidende* fue la primera revista publicada en un idioma diferente al inglés en Norteamérica.

Pronto las revistas llegaron a su tierra natal y pidieron un predicador. Así, el hermano Matteson se convirtió en misionero de Dios en su tierra natal. Había ganado el reconocimiento de la iglesia por sus servicios en la predicación del evangelio.

Pídele hoy a Dios que te convierta en un misionero para su causa.

Sin cruz
no hay corona

Vengo pronto. Aférrate a lo que tienes, para que nadie te quite la corona (Apocalipsis 3: 11).

Jesús dijo: «El que no toma su cruz y me sigue no es digno de mí» (Mat. 10: 38). La razón principal por la cual muchos vacilan y deciden no seguir a Jesús, es porque tienen miedo de llevar la cruz. Sin embargo, Jesús no nos quita nada que sea para nuestro bien. Cuando realmente amamos a Jesús, la cruz no es demasiado pesada; en realidad, ni la notamos. Hay quienes dicen: «Yo quiero ser cristiano, pero parece muy difícil. Hay tantas cosas que no debemos hacer… ¡Hacer lo correcto es tan difícil!»

Concretamente, ¿qué es la cruz que Jesús nos pide que llevemos? Es la cruz de la abnegación, la necesidad de abandonar cualquier cosa que se interponga entre nosotros y Dios. Cada uno tiene la suya. Ninguna es igual a las demás. Lo más probable es que sea un hábito, un rasgo que sabemos que no es bueno, pero que lo hemos tolerado por tanto tiempo que nos parece que no podemos abandonarlo sin perder algo precioso. Puede ser el odio, creer que algunas personas nos han perjudicado injustamente y merecen un acto de venganza. Pero sea lo que sea, tenemos que darnos cuenta de que el problema está dentro de nosotros y, además, representa un obstáculo para el desarrollo de nuestra vida espiritual.

Se dice que un día la reina Victoria escuchó un vibrante sermón sobre la venida de Cristo predicado por su capellán, Dean Farrar. Al salir de la capilla le dio la mano, diciendo:

—¡Oh, cuánto me gustaría ver venir a Jesús!

Al ver las lágrimas en los ojos de la reina, el pastor preguntó:

—¿Por qué, Majestad?

—Porque me gustaría mucho quitarme la corona y ponerla a sus pies —respondió la reina.

Ahora mismo tenemos una corona que deberíamos poner a los pies de Jesús. Es la corona de la facultad de elección. El Señor nunca nos obligará a rendirle ese homenaje, pero si lo queremos de verdad, podemos quitarnos esa corona y ponerla a los pies de Jesús. Entonces él pondrá sobre nuestra cabeza otra corona: la corona del amor. Solo cuando esa corona de amor esté firmemente asentada sobre nuestra cabeza, solo cuando el amor de Jesús reemplace nuestro amor al yo, los demás serán atraídos a él. Y lo que es más importante, estaremos cuidando nuestra corona para que nadie nos la quite. Y esto es importante y urgente porque él dijo: «Vengo pronto» (Apoc. 3: 11). ¿Tienes segura tu corona? «Aférrate a lo que tienes». Es urgente.

¡Despierta, brazo del Señor! ¡Despierta y vístete de fuerza! Despierta, como en los días pasados, como en las generaciones de antaño. ¿No fuiste tú el que despedazó a Rahab, el que traspasó a ese monstruo marino? (Isaías 51: 9).

En el Congreso de Viena, en 1815, se reunieron las principales potencias de Europa para repartirse lo que quedaba del derrotado imperio napoleónico. La ciudad era una fiesta y los bailes de gala eran los más espléndidos que se hubieran visto jamás. Pero Napoleón seguía proyectando su sombra. En vez de ejecutarlo o exiliarlo en un país lejano, lo habían enviado a Elba, una isla cercana a las costas de Italia.

Aunque preso en una isla, un hombre tan audaz y creativo como Napoleón Bonaparte podía poner nerviosos a todos, incluso en la distancia. Los austriacos planearon asesinarlo, pero luego decidieron que era demasiado arriesgado. En una de las sesiones del Congreso, Alejandro I, el temperamental zar de Rusia, aumentó la tentación, porque cuando se le negó una parte de Polonia, amenazó: «¡Cuidado con lo que hacen, o liberaré al monstruo!» De todos los diplomáticos presentes, solo Talleyrand, antiguo ministro de Asuntos Exteriores de Napoleón, parecía tranquilo y despreocupado. Era como si supiera algo que los demás ignoraban.

Pues el monstruo escapó. A pesar de que los cañones de varios barcos de guerra ingleses apuntaban a todos los puntos de salida de la isla, Napoleón escapó de Elba el 26 de febrero de 1815. Un barco con novecientos hombres lo recogió a plena luz de día. Los barcos ingleses lo siguieron pero no pudieron alcanzarlo. A pesar de que hubiera sido más seguro abandonar Europa, Napoleón decidió ir a Francia. Resolvió marchar hacia París.

Un ejército dirigido por el mariscal Ney, enviado a detenerlo, desertó en masa y se pasó al pequeño ejército de Napoleón. Por dondequiera que pasaba las ciudades se rendían a sus pies. Francia enloqueció. Napoleón gobernó Francia de nuevo. Esta se considera una de las hazañas más audaces de uno de los hombres más intrépidos de la historia. Pero el país estaba en bancarrota y en junio de ese mismo año, en la batalla de Waterloo, Napoleón fue derrotado definitivamente.

Sus enemigos lo exiliaron en la Isla de Santa Elena, frente a la costa occidental de África. Allí no tenía la menor posibilidad de fugarse.

Satanás es un monstruo que no se le escapará a Dios. Él lo pondrá fuera de combate para siempre. Pídele a Dios que te dé la victoria sobre Satanás ante cualquier situación que enfrentes.

Baruc y la caída de Jerusalén

Así dice el Señor, Dios de Israel, acerca de ti, Baruc: «Tú dijiste: "¡Ay de mí! ¡El Señor añade angustia a mi dolor! Estoy agotado de tanto gemir, y no encuentro descanso"» (Jeremías 45: 2-3).

La experiencia de Baruc puede ser la de cualquier joven que vive en este tiempo. Su nombre significa «bendito» y se menciona solo cuatro veces en la Biblia; una de ellas en Jeremías 51: 59, donde dice que Seraías, el jefe de expedición de Sedequías, era hijo de Nerías y, por lo tanto, posible hermano de Baruc. Esto quiere decir que era miembro de una familia respetada de Judea. Además, Baruc era escriba; es decir, miembro de un selecto grupo de personas que certificaban las transacciones de compra y venta de tierras y escribía importantes textos administrativos y decretos, además de participar en el gobierno de su país.

En los tiempos de Baruc los escribas representaban una clase poderosa de líderes administrativos cuya competencia iba más allá del mero registro de hechos o de números y cifras. Los escribas eran fundamentales para la transmisión de la literatura sapiencial. Aunque el Antiguo Testamento no contiene afirmaciones explícitas de la existencia de escuelas de escribas, es casi seguro que existían. Si tenemos en cuenta estos hechos, es importante recordar que el trabajo de Baruc para Jeremías no fue superficial, sino que representó un compromiso con la inamovible «Palabra del Señor» por parte de Baruc, quien pudo haber hecho carrera en la corte (Jer. 51: 50).

A causa de su servicio al Señor, Baruc perdió todas las oportunidades en el mundo, por lo cual emitió la queja que se menciona en el texto de hoy. Pero Dios le dirigió un mensaje personal, una de las mejores promesas que se encuentran en la Biblia: «A ti te daré la vida por botín» (Jer. 45: 5, RV95). Baruc se enfrentaba a la caída de Jerusalén; tú te enfrentas a la caída del mundo. Es como si Dios te dijera: «No importa lo que ocurra en el mundo, ni las crisis que la humanidad afronte. Yo te voy a preservar la vida no solo en este tiempo, sino, especialmente, en la eternidad». Es una gran promesa. Exactamente la promesa que Dios te hace a ti, a todos los jóvenes, y a todos los seres humanos que se enfrentan a la inevitable caída de la humanidad y el mundo en la crisis final.

Es hora de prepararte para una realidad plena de éxito fuera de este mundo.

Que habite en ustedes la palabra de Cristo con toda su riqueza: instrúyanse y aconséjense unos a otros con toda sabiduría; canten salmos, himnos y canciones espirituales a Dios, con gratitud de corazón (Colosenses 3: 16).

En la novela de Arthur C. Clarke, *El fin de la infancia*, la música era una de las cosas relacionadas con los seres humanos que desconcertaron profundamente a los superseñores, los cuales son seres extraterrestres profundamente estudiosos que, llevados por la curiosidad, deciden asistir a un concierto para entender mejor a la raza terrestre. Así, descienden a la superficie de la tierra y, educadamente, escuchan un concierto y al final felicitan al compositor por su «tremenda inventiva». Todo aquello, sin embargo, les sigue pareciendo terriblemente absurdo. Podemos imaginar a los superseñores cavilando en sus naves intergalácticas sobre lo que han observado.

Es evidente que la música es fundamental para la vida humana; sin embargo, «la música carece de conceptos, no elabora proposiciones; carece de imágenes, símbolos, el material de que está hecho el lenguaje. Le falta poder de representación. No guarda una relación lógica con el mundo».

Si nos detenemos a pensar un poco, el fenómeno musical es desconcertante no solo para los extraterrestres, sino también para nosotros. ¿Te has preguntado cómo adquiere significado la música? ¿De qué manera comunica conceptos, actitudes y experiencias?

Muchas veces se afirma que hay música buena y hay música mala. Yo estoy de acuerdo con esta afirmación. Sin embargo, acepto que el asunto es bastante complicado. ¿Cómo podemos entender, por ejemplo, el hecho de que las obras de J. S. Bach son usadas indiferentemente tanto en la adoración cristiana como en los cultos satánicos? A la luz de este hecho, ¿cómo entendemos el valor moral de la música de Bach? En mi propia experiencia siempre he relacionado la música clásica con el bien y los principios morales elevados, pero me desconcierta el hecho de que los oficiales nazis de los campos de concentración escuchasen la música clásica con regularidad y organizasen conciertos interpretados por los presos para su regocijo personal. ¿Acaso la música clásica no tenía que haber ejercido sobre ellos una influencia positiva?

Mañana estudiaremos la forma en que la música influye en nosotros. Mientras tanto, examina la música que escuchas y la influencia que ejerce sobre ti. ¿Te ayuda para que te acerques a Dios o te hace el camino más difícil? Si Jesús escuchara tu *iPod* durante una semana, ¿lo escucharía con gusto? Buena pregunta, ¿verdad? Medita en ella.

La música
y su valor moral

Anímense unos a otros con salmos, himnos y canciones espirituales. Canten y alaben al Señor con el corazón (Efesios 5: 19).

Lilianne Doukhan, musicóloga de la Universidad Andrews, explica en qué sentido la música nos afecta para bien o para mal: «El poder moral de la música no reside en la música misma, sino donde la música se encuentra con la experiencia; es decir, en un acontecimiento». La música tiene ciertas características que la hacen un instrumento poderoso para el bien o para el mal.

Intensificación. La música intensifica aquellos actos en los que participamos, añade impacto emocional a las experiencias y ayuda a grabarlas profundamente en la memoria. Esto quiere decir que la música es como un amplificador que aumenta el valor moral positivo o negativo de aquello en lo que participamos.

Embellecimiento. La música embellece los acontecimientos, las palabras, las experiencias y las acciones. Este es un asunto al que le prestamos poca atención pero es sumamente importante. Por medio de una música sublime pueden embellecerse elementos realmente malos. Ponte a pensar, las películas y las canciones populares a menudo embellecen el adulterio, la desesperanza, la lujuria y otros crímenes. Debido a que nuestra concepción del universo relaciona lo bueno y lo bello, la música es uno de los instrumentos más poderosos que Satanás utiliza para «legitimar» el pecado; es decir, para llamar a lo malo bueno. Por otro lado, la música también puede embellecer lo bueno dándole poder.

Estimulación. La música, especialmente el aspecto del ritmo, estimula a los oyentes a la acción y los llena de energía.

Poder de asociación. La música establece un vínculo entre el acontecimiento y el ambiente en el que ocurre. De esta manera llegamos a asociar ciertas melodías con ciertas experiencias, lugares y actos. Lo importante es que la música puede traer a la memoria sucesos de cercanía con Dios o de experiencias pecaminosas; de hecho, nos ayuda a volverlos a vivir.

Factor social. La música facilita la interacción social. Es un poderoso catalizador para la realización del bien, o el mal, en la comunidad.

En resumen, aunque se pudiera argumentar que la música no tiene valor moral en sí misma, debemos reconocer que es un poderoso portador de significado moral. Entender esto es de vital importancia para nuestra vida espiritual. La conclusión lógica es que debemos seleccionar cuidadosamente lo que escuchamos. Recuerda que nuestra meta es tener una mente santificada que glorifique a Dios.

Y si me voy y se lo preparo, vendré para llevármelos conmigo. Así ustedes estarán donde yo esté. Ustedes ya conocen el camino para ir adonde yo voy (Juan 14: 3, 4).

Anticipamos el extraordinario día en que los redimidos harán el viaje hacia la Nueva Jerusalén. Hay quienes han dicho, en términos poéticos, que el viaje se hará a través del «bostezo abismal». Así se le llama al corredor de Orión, una abertura vacía, inmensurable, donde no hay nada, rodeada de luces a manera de marco de pedrería. Esa, según se cree, es la puerta del cielo, y por allí entrará el cortejo triunfal de Cristo con los redimidos que van hacia la nueva Jerusalén.

Poesía, metáfora, sueños, esperanzas, es el lugar de origen de la idea del «bostezo abismal». Pero sea por donde sea la entrada, los redimidos pasarán por allí. Eso recuerda lo que ocurrió un día de octubre, en un jardín de niños, en el estado de Rhode Island, Estados Unidos. Una maestra encontró dos orugas de mariposa monarca que se alimentaban de una planta de *Asclepiadea* o algodoncillo. Las orugas se habían formado demasiado entrada la estación para que se desarrollaran antes del invierno, e indudablemente estaban condenadas a morir de frío.

La maestra sacó suficientes hojas como para alimentar a las orugas durante varios días, y las llevó a su aula, donde se alimentaron y estuvieron protegidas del frío. Pronto se formaron sus crisálidas verdes y luminosas. En cada una se desarrolló el proceso de transformación y al mes siguiente, tiempo después de haber llegado el invierno, las dos mariposas monarca surgieron de sus «estuches» y desplegaron sus hermosas alas.

Las monarca emigran hacia el sur en el invierno, pero estas habían salido mucho tiempo después del último vuelo. Las dos mariposas nunca sobrevivirían si se las liberaba en el aire frío de noviembre, en el hemisferio norte. Pero la maestra tuvo una idea. Preparó una jaula pequeña y puso dentro a las dos mariposas. Llevó la cajita al aeropuerto, donde pidió un pasaje para las dos mariposas. El empleado consultado, sin pestañear, hizo lo oportuno para que las mariposas viajaran hacia el sur de forma diferente a cualquier otra monarca del pasado, ya que fueron puestas en la cabina del piloto de un avión de United Airlines. Cuando fueron liberadas, volaron en el aire cálido, como si fuera parte del vuelo migratorio habitual de su especie hacia el sur.

Las mariposas monarca no se dieron cuenta de su viaje, pero tú sí lo disfrutarás en grande. ¡Prepárate para ese gran día!

Las cosas no tendrían que ser así

¿No es acaso el ayuno compartir tu pan con el hambriento y dar refugio a los pobres sin techo, vestir al desnudo y no dejar de lado a tus semejantes? (Isaías 58: 7).

George R. Knight cuenta la historia de Ana More. Gozaba de una excelente educación y de un gran potencial para hacer una buena contribución en favor del adventismo. Era una ávida lectora y había aprendido de memoria el Nuevo Testamento. Tenía una amplia experiencia como maestra, como administradora de escuelas y como misionera a favor de los desplazados de las tribus Cherokee y Chactaw de Oklahoma. También había sido misionera en África Occidental bajo la administración de la American Missionary Association.

Pero un día se encontró con el pastor S. N. Haskell que le entregó muchas publicaciones adventistas, entre ellas, el libro de J. N. Andrews, *History of the Sabbath* [Historia del sábado]. Cuando regresó a África, se convirtió al adventismo. Fue repudiada por su organización misionera, por lo cual en la primavera de 1867, se dirigió hacia Battle Creek, Míchigan, esperando encontrar desahogo y trabajo entre sus hermanos adventistas. Pero al llegar a Battle Creek, los White estaban de viaje y Hannah no pudo encontrar ni trabajo ni un lugar donde quedarse.

Rechazada por los adventistas, se fue a vivir con unos antiguos compañeros misioneros que vivían al norte de Míchigan. A pesar de la forma como los adventistas la habían tratado, no abandonó su fe. Los White, comprendiendo la tragedia, establecieron comunicación postal con ella, prometiendo alojarla en Battle Creek en primavera. Pero tal reparación de la falta ya no se produciría. Ana More enfermó en febrero y murió el 2 de marzo de 1868. Elena G. de White comento después que «murió como un mártir del egoísmo y falta de compasión de los creyentes observadores de los mandamientos» (*Testimonios para la iglesia*, t. 1, p. 584).

Años más tarde, cuando los adventistas trataban de iniciar su programa de misiones extranjeras, Elena G. de White escribió en la *Review and Herald*: «¡Qué útil nos habría sido Ana More para ayudarnos a alcanzar a otras naciones en este momento. Su extenso conocimiento de los campos misioneros nos habría dado acceso a quienes hablan otras lenguas, a los cuales ahora no nos podemos acercar. Dios puso entre nosotros ese don para suplir una necesidad actual, pero no supimos apreciarlo y nos lo arrebató».

Observa los rostros de las visitas los sábados. Saluda, invita, ayuda. Tu amor por las personas es más importante que el conjunto de «doctrinas verdaderas». La verdad no se asienta en el intelecto, se encarna en la acciones.

Juana, esposa de Cuza, el administrador de Herodes; Susana y muchas más que lo ayudaban con sus propios recursos (Lucas 8: 3).

Las mujeres siempre han tenido un papel importante en la obra de Dios. Y lo mismo ocurrió en el adventismo millerita. Lucy Mary Hersey, por ejemplo, se había convertido a la edad de dieciocho años y sintió que Dios la había llamado a predicar el evangelio. En 1842 aceptó la doctrina millerita y acompañó a su padre en un viaje a Schenectady, Nueva York. Allí pidieron al padre que hablara de las bases de su fe. La gente se oponía tanto a la idea de que las mujeres predicaran, que el encargado pensó que era mejor que quien predicara fuera el padre. Pero, milagro de los milagros, el padre se quedó mudo de repente.

Después de un largo silencio el encargado presentó a Lucy, diciendo que era capaz de hablar sobre el tema. ¡Ojalá lo hubiera hecho antes! La respuesta de la gente fue tal, que pronto se mudaron a un local más amplio. Ese fue el principio de un ministerio fructífero que resultó en la conversión de varios hombres que llegarían a ser pastores adventistas.

Pero más éxito tuvo Olive Mary Rice. Convertida al millerismo en 1843, estaba convencida de que «el Señor quería que hiciera algo más que solo asistir a las reuniones de oración». Para el mes de marzo de 1843 el Señor había bendecido su ministerio con centenares de conversiones. Le escribió al editor Joshua V. Himes: «Constantemente, recibo invitaciones para predicar de cuatro o cinco lugares al mismo tiempo».

Rice reconoció que muchos se oponían a su obra porque era una mujer, pero ella declaró que «no se atrevía a detenerse por la única razón de que soy mujer. Me siento justificada ante Dios y espero con gozo rendir cuentas ante él por dar la advertencia a mis prójimos».

Elvira Fassett, por su parte, tuvo que afrontar la oposición de su esposo. Se le había enseñado que una mujer no tiene que hablar en público. Pero, por la presión de otros, acabó decidiéndose y encontró que Dios bendijo sus esfuerzos. Uno de sus conversos más importantes fue su esposo, quien fue testigo del impacto que produjo su predicación y comprendió la importancia de la profecía de Joel 2 de que en los últimos días Dios derramaría sus Espíritu sobre las mujeres jóvenes. Pronto los esposos Fassett formaron un equipo para predicar el evangelio.

Dios quiere utilizarnos a todos en la predicación del evangelio sin importar el color de la piel, el sexo, la nacionalidad o el idioma. ¿Estás dispuesto a involucrarte?

Los ángeles sabían
cuál era el momento exacto

Él ordenará que sus ángeles te cuiden en todos tus caminos. Con sus propias manos te levantarán para que no tropieces con piedra alguna (Salmo 91: 11, 12).

Esta es una de las promesas más repetidas por los cristianos de todos los tiempos. Dios ha honrado la fe de millares de sus hijos fieles que reclamaron esta promesa. Una de esas ocasiones sucedió en uno de los incendios más pavorosos de la historia mundial de la hostelería. Ocurrió en el Hotel Winecoff de Atlanta, Georgia, el 7 de diciembre de 1946. En aquella ocasión, 119 personas perdieron la vida. Gregory Bojae fue uno de los sobrevivientes. Era un cristiano empresario que realizaba sus transacciones como si estuviera en la presencia de Dios.

La noche del 6 de diciembre el señor Bojae llegó al Hotel Winecoff y pidió una habitación en uno de los pisos superiores para disfrutar de una buena vista panorámica. Se lo ubicó en el décimo piso. Antes de dormir analizó, como de costumbre, todas sus transacciones y actividades del día, incluyendo sus pensamientos y deseos, para ver si estaban en armonía con la voluntad divina. Luego se acostó.

El sonido de las sirenas de los camiones de bomberos lo despertó. Las llamas devoraban el hotel: varias veintenas de huéspedes, gritando, se lanzaban al vacío. En un primer momento Bojae quedó paralizado por el terror, pero luego recordó que estaba en manos de Dios. Las palabras del Salmo 91, versículos 11 y 12, lo tranquilizaron. Oró y esperó mientras se vestía. Luego se le ocurrió hacer una cuerda con sábanas, frazadas y colchas. Sabía que la cuerda no alcanzaría para llegar a la calle, pero escuchó las palabras: «Prepara la cuerda». Ató un extremo a la cama y se preparó para bajar, pero la voz le dijo: «Todavía no». El humo ya penetraba en la habitación y sentía que el piso estaba caliente, pero la voz declaró: «Espera un poco».

De pronto oyó las palabras: «¡Ahora!» Salió en medio del humo en el preciso instante en que el cuarto estallaba en llamas. Se deslizó por la cuerda, pero aún faltaban ocho pisos para llegar a la calle. No sabía por cuánto tiempo podría sostenerse. Entonces, a su derecha, apareció un bombero que colocó una soga alrededor del cuerpo de Bojae y lo condujo a un lugar seguro. En ese instante la cuerda que había preparado se quemó.

Como nunca estamos seguros, hagamos lo que hizo Gregorio Bojae. Arreglar cuentas con Dios y con fe reclamar sus promesas antes de que las necesitemos.

Este es el mes para renovar tus suscripciones de 2014. Hazlo cuanto antes (ver página 373).

La paz les dejo; mi paz les doy. Yo no se la doy a ustedes como la da el mundo. No se angustien ni se acobarden (Juan 14: 27).

En 1935, el anatomista James Papez notó que los pacientes que morían de rabia a menudo experimentaban ataques de ira y terror durante las horas que precedían a su muerte. Él sabía que la rabia es transmitida por la mordedura de los perros y pensó que probablemente algo en la saliva del perro se desplazaba por los nervios periféricos de la víctima, pasando por la médula espinal, hasta el cerebro. Después de diseccionar los cerebros de varias víctimas encontró que el virus de la rabia se desplazaba hacia unos ganglios de células nerviosas, o núcleos, conectados por grandes tractos de fibras en forma de «C» que se encuentran ubicados en la profundidad del cerebro. A esto se conoce como sistema límbico, el cual está diseñado para la experimentación y la expresión de emociones.

En la actualidad existe un aparato que parece salido de la ciencia ficción, utilizado en una técnica conocida como estimulación magnética transcraneana. Digamos que es un gorro mágico. Este aparato dispara campos magnéticos extremadamente potentes a lugares muy precisos de tejido del cerebro. Estos experimentos nos ofrecen indicios para entender el funcionamiento de algunas partes de nuestro cerebro. Por ejemplo, si lo aplicas a la corteza motora, podrías experimentar movimientos involuntarios en el hombro, como si fueras una marioneta. Una persona ciega de nacimiento que reciba estímulos en las áreas visuales del cerebro que no se han degenerado, podría asimilar los colores o recuperar en algún sentido la visión. Aplicada la estimulación en otras zonas del cerebro, se podrían recordar escenas del pasado de las que ni siquiera hubiera conciencia.

Si tuvieras la oportunidad de utilizar este aparato, ¿qué te gustaría experimentar? ¿Querrías que se estimularan centros de placer para disfrutar el momento, o hurgar en la profundidad de tu memoria para ver si encuentras algo interesante, o experimentar con el sistema límbico para ver si puedes tener paz y alegría en lugar de ira y terror?

Yo no estoy seguro de qué escogería. Sí estoy seguro, en cambio, de que me gustaría que el Espíritu Santo trabajara en mí para darme paz y seguridad duraderas. Si reflexionas, encontrarás que la verdadera paz solo puede originarse en la seguridad de que hay una provisión perfecta para nuestras necesidades físicas, sociales y espirituales. Dios es el proveedor perfecto que nos la ofrece. ¿Te gustaría poner tu vida en sus manos esta mañana? Acepta hoy la paz verdadera que Cristo ofrece, antes de entrar en tus quehaceres cotidianos.

Este es el mes para renovar tus suscripciones de 2014. Hazlo cuanto antes (ver página 373).

No te fijes
en las apariencias

Cuando llegaron, Samuel se fijó en Eliab y pensó: «Sin duda que este es el ungido del Señor» (1 Samuel 16: 6).

Este es un problema humano de profundas consecuencias: dejarse llevar por las apariencias. Evaluamos a las personas por su exterior: su color, la estatura, el porte, la vestimenta, el aspecto. Pero esto es incorrecto en muchos sentidos.

Con frecuencia, Dios usa a personas sencillas para hacer una gran obra, como fue el caso de William Miller, pero nosotros no siempre entendemos los caminos de Dios. La experiencia de Timothy Cole, pastor de la iglesia de la Conexión Cristiana, de Lowell, Massachusetts, ilustra este hecho. A fines del año 1830 Cole escuchó hablar del notable éxito de Miller como predicador y lo invitó a una semana de reavivamiento en su iglesia. Fue a recibir al famoso evangelista a la estación; esperaba ver a un caballero vestido a la moda, cuya apariencia estuviera a la altura de su reputación.

Cole observó cuidadosamente a todos los pasajeros, pero no vio alguno que se adaptara a la imagen mental que se había formado. Finalmente, un anciano medio tembloroso bajó de uno de los coches. Para consternación de Cole, el «anciano» resultó ser Miller. En aquel momento se arrepintió de haberlo invitado. Alguien con la apariencia de Miller, pensó, no podía saber mucho de la Biblia.

Bastante apenado, Cole condujo a Miller a la puerta trasera de su iglesia, le mostró el púlpito, y se sentó entre la congregación. Miller se sintió un poco incómodo, pero de todos modos continuó con el servicio. Pero si Cole se llevó una mala impresión con la apariencia de Miller, no ocurrió lo mismo con su predicación. Después de escucharlo durante quince minutos se levantó de en medio de la congregación y fue a sentarse detrás del predicador en la plataforma. Miller predicó durante toda la semana y volvió al mes siguiente para una segunda serie. El reavivamiento fue un éxito. Cole mismo aceptó las enseñanzas de Miller y decidió proclamar el mensaje adventista.

El hecho claro y llano es que Dios puede hacer grandes proezas con gente corriente. El periódico *Maine Wesleyan Journal* describió a Miller como un «simple campesino», pero informó que «lograba captar la atención de su auditorio durante una hora y media y hasta dos horas». Por tanto, lo importante no es el instrumento humano, sino el mensaje.

Nunca mires solo lo exterior. No te equivoques como el profeta Samuel, quien se dejó llevar por las apariencias a la hora de elegir un rey para Israel. Asimismo, Miller era una persona sencilla pero con un poderoso mensaje. Dios lo usó y puede usarte a ti también si se lo permites.

Este es el mes para renovar tus suscripciones de 2014. Hazlo cuanto antes (ver página 373).

Pero el que recibió la semilla que cayó en buen terreno es el que oye la palabra y la entiende. Este sí produce una cosecha al treinta, al sesenta y hasta al ciento por uno (Mateo 13: 23).

En *Lest We Forget* [No sea que olvidemos], George Knight señala: «Los adventistas del séptimo día han hallado mucho terreno fértil en, prácticamente, todos los países del mundo. Lejos quedaron los días cuando éramos una iglesia mayoritariamente estadounidense. De hecho, en el año 2007 solo el 8% de los adventistas del mundo vivía en Norteamérica. En la actualidad, más de cinco millones de los aproximadamente dieciséis millones de adventistas viven en África, más de cinco millones en Centro y Sudamérica y más de dos millones y medio en la India y el sudeste asiático. A manera de contraste, la División Norteamericana hasta hace poco no logró superar el millón de miembros».

La formación del entorno adventista se ha transformado a medida que varias regiones del mundo han entrado en una nueva etapa de crecimiento. La India ha hecho un poderoso avance. La feligresía de la División del Sur de Asia aumentó de 290,209 miembros en 1999, a más de un millón para finales de 2005.

El número de miembros es solamente un índice de la dinámica mundial del adventismo. Un vistazo al Informe Estadístico de la Asociación General indica que hasta enero del 2008 teníamos 661 uniones y campos locales, 121,565 congregaciones, 5,362 escuelas primarias, 1,462 escuelas secundarias, 106 colegios y universidades, 30 industrias alimenticias, 167 hospitales y sanatorios, 159 orfanatos y residencias para ancianos, 449 clínicas y dispensarios, 10 centros de producción de radio y televisión y 65 casas editoras. Las diversas instituciones empleaban 203,508 obreros y las publicaciones de la iglesia se distribuyen en 361 idiomas, a la vez que la iglesia predica en 885 lenguas.

La obra, lejos de detenerse, se acelera. Al paso que vamos, para este año seremos veinte millones de adventistas y cuarenta millones entre 2025 y 2030, según las previsiones. Esperamos que el reino del pecado no dure tanto. Dios nunca tuvo el plan de que el adventismo creciera hasta convertirse en una iglesia con muchas y grandes instituciones. Es más, no quiere que exista algún adventista sobre la tierra: quiere que todos estén en el cielo.

Por esa causa se realizan todos los sacrificios y todos los esfuerzos. Las buenas nuevas son que Dios ha guiado a su pueblo más allá de lo que imaginaron los pioneros adventistas. Hará lo mismo en el futuro si no olvidamos quiénes somos y por qué estamos aquí.

Este es el mes para renovar tus suscripciones de 2014. Hazlo cuanto antes (ver página 373).

Poderosas retrospectivas

Esta es la vida eterna: que te conozcan a ti, el único Dios verdadero, y a Jesucristo, a quien tú has enviado (Juan 17: 3).

En su libro *Phantoms in the Brain* [Fantasmas del cerebro], el doctor Vilayanur S. Ramachandran cuenta que Paul, asistente del gerente de un negocio, fue a consultarlo en busca de explicaciones a varios extraños fenómenos que le ocurrían. Desde los ocho años había experimentado convulsiones. El doctor Ramachandran descubriría más tarde que esas convulsiones estaban relacionadas con el sistema límbico, relacionado, entre otras cosas, con la experimentación y expresión de emociones. Durante esas convulsiones Paul había visto luces prodigiosas y había experimentado sensaciones espirituales muy poderosas. Una de las cosas que más le intrigaba, sin embargo, era lo que él llamaba «*flashbacks* [retrospectivas] asombrosas».

—¿Qué tipo de *flashbacks*? —preguntó el doctor Ramachandran.

—Bueno, el otro día, durante una convulsión, podía recordar cada pequeño detalle de un libro que leí hace muchos años. Renglón tras renglón, página tras página, palabra por palabra —contestó Paul.

¿Qué te parece? Yo ya he leído la Biblia por completo muchas veces y la Serie El Gran Conflicto, de Elena G. de White, otro tanto, pero no puedo recordar palabra por palabra lo que dicen. Otros han tomado una ruta más difícil. Durante el verano del año 2011, Larry Lichtenwalter me comentó que memorizaba grandes porciones de la Biblia. Ya en ese momento sabía de memoria todo el libro de Apocalipsis y se encontraba memorizando la carta a los Hebreos. Me repitió de memoria con precisión algunos capítulos de Apocalipsis y también los capítulos 1 y 2 de Hebreos. Eso requiere de mucha dedicación y esfuerzo. Largas horas de repetición y concentración para grabar cada palabra en la memoria. Si quieres saber más, consulta www.larrylichtenwalter.com.

Cuando leí el relato de los fenómenos intrigantes que le ocurrían a Paul, inmediatamente pensé en lo genial que sería que, de forma milagrosa, Dios me hiciera recordar todos los pasajes bíblicos que he leído. Después de pensarlo un poco, sin embargo, llegué a la conclusión de que no es una buena idea. ¿Por qué? Es que Dios no quiere que estudiemos la Biblia únicamente para obtener información. Quiere que meditemos en su Palabra. Que reflexionemos, en el contexto del estudio de la Biblia, qué decisiones son mejores para nuestra vida. Quiere que aprendamos a hablar con él y a escuchar su voz. Quiere ser nuestro Amigo. Desea enseñarnos a pensar y a vivir. Eso no se obtiene con información. Se obtiene mediante una relación. ¿Por qué no abres la Palabra esta mañana y empiezas a conversar con Dios?

Este es el mes para renovar tus suscripciones de 2014. Hazlo cuanto antes (ver página 373).

Más vale ser paciente que valiente; más vale dominarse a sí mismo que conquistar ciudades (Proverbios 16: 32).

En enero del año 1808, el emperador Napoleón regresó a toda prisa del frente de guerra en España a París, porque sus espías y confidentes le habían confirmado el rumor de que su canciller Talleyrand, junto con Fouché, su ministro de Policía, conspiraban contra él. En cuanto llegó a la capital, el consternado emperador convocó a todos sus ministros al palacio. En la reunión, Napoleón comenzó a pasearse de un extremo a otro del salón, despotricando contra los conspiradores, sin hacer acusaciones directas.

Mientras Napoleón hablaba, Talleyrand permaneció apoyado contra la repisa de la chimenea, con expresión de total indiferencia. Napoleón acusó a los especuladores, a los ministros lentos para actuar y a los conspiradores de traición. El emperador esperaba que al pronunciar la palabra «traición», Talleyrand hiciera alguna manifestación de temor, pero se limitó a sonreír, tranquilo y un poco aburrido.

Ver a su subordinado permanecer aparentemente sereno ante acusaciones que podían llevarlo a la horca enfureció a Napoleón. «Hay ministros que quisieran verme muerto», dijo, acercándose a Talleyrand y mirándolo fijamente. Pero el ministro le devolvió la mirada sin dejarse perturbar. Por fin, Napoleón explotó: «¡Usted es un cobarde!», le gritó a Talleyrand. Los demás ministros se miraban entre sí, consternados e incrédulos. Nunca habían visto así al temerario general y orgulloso emperador.

Finalmente, entre otras injurias, le dijo: «Usted no me informó que el amante de su esposa es el duque de San Carlos». Talleyrand le contestó con toda calma: «Por cierto, señor, no se me ocurrió pensar que esa información tuviera alguna relación con la gloria de su majestad y la mía propia». Tras algunos insultos más, Napoleón se retiró.

Talleyrand cruzó el salón con calma. Mientras le ponían el abrigo, miró a los demás ministros, que temían verlo muerto al día siguiente, y les dijo: «Qué pena que un hombre tan grande tenga tan mala educación». Napoleón no dañó al ministro. La noticia de que el emperador había perdido el control y de que Talleyrand lo había humillado, corrió por todo París.

Valía más el ministro que soportó los insultos con perfecto dominio propio, que el poderoso general que había tomado muchas ciudades. No olvides esta lección. El dominio propio es uno de los frutos del Espíritu (Gál. 5: 22, 23). Es una de las virtudes más importantes en la lucha contra el pecado. Pide a Dios que te dé esta virtud hoy.

Este es el mes para renovar tus suscripciones de 2014. Hazlo cuanto antes (ver página 373).

El que se enoja...
pierde

No te dejes llevar por el enojo que solo abriga el corazón del necio (Eclesiastés 7: 9).

A pesar de su ira, Napoleón no hizo arrestar a Talleyrand. Simplemente lo relevó de su cargo y lo desterró de la corte, creyendo que la humillación sería el peor de los castigos. No se dio cuenta de que la noticia de su estallido de ira había corrido como un reguero de pólvora. Todos comentaban cómo el emperador había perdido por completo el control y cómo Talleyrand lo había humillado al mantener la compostura y la dignidad.

Por primera vez la gente había visto al gran emperador perdiendo la calma. Como dijo Talleyrand después del incidente: «Este es el principio del fin». Aunque transcurrieron todavía seis años hasta su caída en Waterloo, Napoleón ya había iniciado su descenso hacia la derrota final. Talleyrand fue el primero en ver las señales de la decadencia. En algún momento de 1808, el ministro decidió que para que la paz regresara a Europa, Napoleón debía desaparecer de la escena. El estallido de furia, que pronto se hizo famoso, surtió un efecto profundamente negativo sobre la imagen pública de Napoleón.

Es el problema con las reacciones furiosas. El que pierde el control y es dominado por la ira, constantemente hace acusaciones injustas y exageradas. Napoleón tenía razón al ponerse furioso por la conspiración de sus dos ministros más importantes, pero al responder con tanta violencia, demostró que había perdido el control de la situación. Eran como los berrinches de un niño porque no puede obtener lo que desea. Una persona madura nunca revela ese tipo de debilidad.

El cristiano no puede dejarse dominar por la ira porque es pecado. Como dijo el apóstol: «"Si se enojan, no pequen". [...]. Abandonen toda amargura, ira y enojo, gritos y calumnias, y toda forma de malicia» (Efe. 4: 26, 31). El consejo es prudente. El enojadizo y el iracundo gritan y maldicen. Un cristiano no se puede permitir una conducta tal. La madurez, la paciencia, la calma, la paz, el dominio propio, constituyen las características más visibles del cristiano.

Ni siquiera frente a la mayor provocación puede el cristiano permitirse un estallido de ira. Es exponerse a todos los errores que una persona puede cometer en ese estado. Napoleón comenzó a caer el día que se permitió el lujo de perder el control y gritar como un niño frustrado. En cuestiones espirituales la caída puede ser más grave. Piénsalo bien antes de permitir que la ira te domine, y lamentes sus nefastas consecuencias.

Este es el mes para renovar tus suscripciones de 2014. Hazlo cuanto antes (ver página 373).

> ¡Ay de ustedes, maestros de la ley y fariseos, hipócritas! Dan la décima parte de sus especias: la menta, el anís y el comino. Pero han descuidado los asuntos más importantes de la ley, tales como la justicia, la misericordia y la fidelidad. Debían haber practicado esto sin descuidar aquello (Mateo 23: 23).

Los «sabedores» o «savants» suelen ser personas que padecen desórdenes mentales graves. Sin embargo, tienen algunos talentos extraordinarios. Existen, por ejemplo, sabedores que tienen un coeficiente intelectual menor a cincuenta; es decir, apenas son capaces de funcionar en una sociedad normal, pero, con mucha facilidad, pueden producir un número primo de ocho dígitos, hazaña que muchos maestros de matemáticas no pueden realizar, o encontrar la raíz cúbica de un número de seis dígitos en pocos segundos.

Tom, por ejemplo, tenía trece años, era ciego e incapaz de atarse los zapatos; nunca recibió clases de piano o música, pero aprendió a tocarlo escuchando a otros. Aprendió arias y otras melodías únicamente de oído y podía tocar cualquier pieza a la primera tan bien como el pianista más experto. En cierta ocasión interpretó tres piezas diferentes a la vez: una con la mano izquierda, otra con la derecha, mientras cantaba la tercera.

Nadia es una jovencita con un coeficiente entre sesenta y setenta, pero a los seis años podía pintar cuadros complejos y de excepcional realismo. Otro niño te puede decir la hora exacta del día en cualquier momento incluyendo los segundos. Tiene la misma precisión que un Rolex. Lo increíble es que a veces susurra la hora del día mientras está dormido. Otro niño puede decir con exactitud las dimensiones de un objeto a pesar de estar a más de seis metros de distancia. Puede decir, por ejemplo: «Esa roca tiene 87 centímetros de ancho».

¿Te has detenido a pensar que es posible que también existan *savants* cristianos? Se especializan en aspectos muy específicos de la Biblia o de la experiencia religiosa, pero son realmente ignorantes en el resto del conocimiento y de los asuntos bíblicos. Generalmente son personas obsesionadas con un solo tema y producen cantidades enormes de escritos con muchas citas promoviendo posiciones extremas. El problema está en que estos sabedores cristianos ignoran las otras citas que podrían proporcionar equilibro a sus enseñanzas.

Dios no está interesado en salvar «religiosos». Él desea que nuestro carácter sea íntegro, de tal manera que la verdad del evangelio se reproduzca equilibradamente en nosotros. No diezmes la menta y el comino mientras descuidas la justicia, la misericordia y la fidelidad. Y tú, ¿qué eres? ¿Destaca más tu religiosidad que tu cristianismo?

Este es el mes para renovar tus suscripciones de 2014. Hazlo cuanto antes (ver página 373).

Consagración y sacrificio - 1

En medio de las pruebas más difíciles, su desbordante alegría y su extrema pobreza abundaron en rica generosidad (2 Corintios 8: 2).

Cuando se propuso la idea de la evangelización vía satélite, muchos dijeron que era demasiado costosa. En ese tiempo los proyectores de video y el equipo para bajar la señal del satélite eran mucho más costosos que hoy. En los Estados Unidos el coste llegaba a los siete mil dólares por iglesia. Las iglesias pequeñas lo consideraron sumamente alto. Por otra parte, la evangelización vía satélite no había sido probada. Las iglesias tuvieron que hacer un esfuerzo de fe. Fue asombroso ver cuántos centenares de iglesias aceptaron el desafío y compraron el equipo. Descubrieron que con la bendición de Dios y la preparación adecuada la evangelización vía satélite funciona muy bien.

El pastor Robert Folkenberg, expresidente de la Asociación General, con el pastor Wakaba, presidente de la Iglesia Adventista de Sudáfrica, planificó desarrollar la primera campaña de evangelización vía satélite en el continente africano. La campaña se realizaría en Soweto, Sudáfrica. La iglesia local entendió el plan, ¿pero podría asimilarlo el resto del continente? ¿Podrían los creyentes comprar el equipo receptor? La verdad es que no era tan sencillo.

En aquel tiempo, en África, el equipo completo para bajar la señal que consistía en una antena parabólica de dos a tres metros de diámetro, el decodificador o receptor y los cables, costaban aproximadamente quince mil dólares. Si una iglesia compraba también un pequeño proyector de video, el paquete total podría costar veinticinco mil dólares. Para poner esta cantidad en la perspectiva de la economía africana, el sueldo de un obrero podría ser cincuenta dólares al mes. En otras palabras, ¡el equipo para la evangelización vía satélite costaba a la iglesia veinticinco años del salario de un miembro!

¿Puedes imaginar cómo reaccionaría una iglesia del «primer mundo» si el equipo para bajar la señal del satélite costara el equivalente a más de dos décadas del salario de un miembro? ¿Cuántas iglesias de Norteamérica habrían hecho esa clase de inversión? ¡Sin embargo, en África, en Europa Oriental y en la India las iglesias hicieron exactamente eso! Los misioneros de ultramar quedaron asombrados y muchos lloraron públicamente cuando conocieron ese inmenso sacrificio económico. Lo hicieron porque querían formar parte de ese nuevo medio de evangelización.

Como en el caso de la ofrenda de la viuda (Mar. 12: 42), Dios siempre ha tocado el corazón de sus hijos para que hagan este tipo de sacrificios y cumplan la misión que les ha encomendado. Y tú, ¿también lo harías?

Este es el mes para renovar tus suscripciones de 2014. Hazlo cuanto antes (ver página 373).

Pero una viuda pobre llegó y echó dos moneditas de muy poco valor (Marcos 12: 42).

Una mañana, los obreros y los misioneros que vivían en el conglomerado de edificios de la misión se despertaron a causa de un ruido extraño: mugido de vacas, balido de ovejas y el cencerro de las cabras. ¿Qué sucedía? Cuando el presidente de la misión adventista, el pastor L. Mubonenwa, salió corriendo a ver lo que pasaba, se encontró con docenas de miembros de la iglesia que lo rodearon. Las mujeres tenían cestas en la cabeza llenas de gallinas, patos y pavos. Los hombres y los niños habían traído un rebaño de ganado a la misión. ¿Qué significaba todo aquello?

Semanas antes el pastor Mubonenwa había escuchado hablar del nuevo concepto de evangelización vía satélite. Pronto reunió a la iglesia. Explicó que gracias a ese método las reuniones de evangelización que se celebraran en Soweto podrían verse y oírse en la región de Caprivi, que estaba a 1,500 kilómetros de distancia.

En aquella aislada tierra fronteriza con Botswana, Zambia y Namibia, la gente vive una vida muy sencilla, seminómada. La prosperidad se mide por la cantidad de animales que las familias poseen.

Cuando los miembros de la iglesia se enteraron del método especial de evangelización decidieron participar aunque no tenían la menor idea de cómo funcionaba. «¿Cuánto va a costar?», preguntó alguien. El presidente de la misión les dijo el costo y todos guardaron silencio. ¡Imposible! Los miembros no tenían dinero. No tenían vehículos que pudieran vender o casas que hipotecar, ni bancos para pedir un préstamo. Un gesto de desesperación se vio en todo el grupo. Deseaban con todo su corazón participar en la evangelización vía satélite de Sudáfrica, pero era imposible. Hicieron algunas preguntas. Formularon algunas quejas. No había solución.

El sol empezó a ocultarse. Nuestros hermanos regresaron a sus hogares. De repente se halló la solución, la cual se esparció por todo el valle: podían vender todos los animales.

Así que al día siguiente, casi de madrugada, pequeños grupos de personas comenzaron a caminar rumbo a la misión. Llevaron su ofrenda. «Pastor», le dijeron, «sabemos de la evangelización desde el cielo. No tenemos dinero para comprar el equipo. Por favor tome nuestros animales y véndalos para comprarlo. No queremos perder esta oportunidad de utilizar este nuevo programa de la iglesia».

El mismo sacrificio que hicieron los macedonios. El mismo sacrificio de siempre. Únete al espíritu de sacrificio. Como la viuda, nunca te arrepentirás.

Este es el mes para renovar tus suscripciones de 2014. Hazlo cuanto antes (ver página 373).

Se mantenían firmes en la enseñanza de los apóstoles, en la comunión, en el partimiento del pan y en la oración (Hechos 2: 42).

Cuando los miembros de la iglesia trajeron todos sus animales a la misión, el presidente les pidió formalmente que confirmaran ante testigos que en realidad querían vender todos sus animales. En una economía donde prácticamente no circula dinero en efectivo, los animales representan los ahorros de toda la vida, el alimento y el transporte de los miembros de la iglesia.

Jannie Bakker, tesorera de la iglesia en el sur de África, contó la historia al equipo de *Hope Channel*. Dijo que la gente de la Misión había vendido los animales en el mercado y enviado el dinero de la región de Caprivi; y ahora pedían que se les enviara el equipo. Todos los miembros del grupo misionero se conmovieron al escuchar la historia. No hubo un ojo que no se humedeciera mientras Jannie explicaba que aquella región de África era una región extremadamente pobre.

Así, en la noche de apertura de Pentecostés '98, con la ayuda de un pequeño generador portátil, la campaña de evangelización de Soweto se vio claramente en las amigables colinas de Caprivi. Centenares de visitantes se sentaron en el suelo para escuchar la predicación del evangelista laico Fitz Henry. Uno de los frutos inmediatos fue la experiencia del pastor Elías Swartbooi, pero esa es otra historia.

Los Hechos de los Apóstoles es un libro bíblico que se escribe diariamente de nuevo en la experiencia del pueblo de Dios. Cada día, en alguna parte del mundo, algún miembro de la iglesia mundial da todo lo que tiene para adelantar la obra de Dios. Puede ser que lo que ves a tu alrededor no sea fervor ardiente por terminar la obra de Dios. Quizá lo que acostumbras a ver sea conformismo, una iglesia cómoda, tranquila y feliz. Pero no creas que todo el movimiento adventista es así. La iglesia mundial es demasiado grande para abarcarla incluso con la imaginación. Millones de miembros están ocupados en la terminación de la predicación del evangelio.

Igual que los miembros de la iglesia del día de Pentecostés vendían sus propiedades y sus bienes, así ocurre hoy. No solo los de la región de Caprivi, en África, hacen sacrificios y se consagran a Dios para terminar la tarea. Todo el pueblo de Dios tiene la vista fija en las señales de los tiempos. Todo indica que el fin se acerca. ¡Únete al equipo ahora mismo para terminar nuestra labor!

Este es el mes para renovar tus suscripciones de 2014. Hazlo cuanto antes (ver página 373).

Habiendo comido, recobró las fuerzas. Saulo pasó varios días con los discípulos que estaban en Damasco, y en seguida se dedicó a predicar en las sinagogas, afirmando que Jesús es el Hijo de Dios (Hechos 9: 19, 20).

S aulo de Tarso era un hombre profundamente religioso y celoso de su fe. Un día, mientras se dirigía a Damasco, tuvo un espectacular encuentro con Jesús. Nunca volvió a ser el mismo después de aquella experiencia. Poco a poco fue descubriendo las bondades del sacrificio de Jesús y la multiforme gracia de Dios. Así fue como se convirtió en el apóstol Pablo, una persona que decidió dedicar su vida a proclamar las buenas nuevas de salvación a todo el mundo. Simplemente, no podía guardarse para sí mismo un mensaje que podía cambiar la vida de mucha gente.

¿Alguna vez has compartido una buena noticia con tus amigos? Seguro que sí. Cuando obtienes buenas calificaciones o tu equipo gana un partido clave, lo más normal es que des la noticia a varias personas. Y es que las buenas noticias son precisamente para disfrutarlas con los demás.

Quiero decirte que hablar de Jesús con tus amigos es precisamente eso: dar una buena noticia. ¡Jesús es el Hijo de Dios! Esta verdad tiene muchísimo significado. Además, si has tenido un encuentro personal con el Señor, equivalente al que tuvo el apóstol Pablo, será difícil que permanezcas callado. La presencia de Jesús en la vida de un joven conlleva soluciones a los problemas, oportunidades de desarrollo, así como una sólida amistad que diluye las confusiones de la existencia. ¡Eso quiere decir que no puedes dejar de esparcir la gran noticia!

Lo más interesante es que esta noticia extraordinaria se puede transmitir de muchas maneras. Por ejemplo, están los métodos tradicionales, como hablar con tus amigos sobre las interesantes verdades del evangelio, orar con ellos o invitarlos a estudiar la Biblia. Pero en la actualidad también existen algunos métodos que nos ha traído la tecnología, como enviar un mensaje con tu teléfono móvil, insertando un breve texto en tu muro de *Facebook* o en *Twitter*, elaborando un breve video para luego subirlo a *Youtube*. En realidad, hay muchas maneras de llevar este mensaje a los demás.

Finalmente, ¿te has preguntado por qué Dios insiste en que te integres a los heraldos del mensaje de salvación? Porque la testificación es una forma de convivir con Jesús y experimentar su poder en nuestras vidas. Compartir a Jesús cambiará tu propia vida y te ayudará a entender nuevas facetas del amor de Dios.

Hoy, decide compartir a Jesús con alguien más. Él se encargará del resto.

Este es el mes para renovar tus suscripciones de 2014. Hazlo cuanto antes (ver página 373).

El valor
de la generosidad

> Ustedes serán enriquecidos en todo sentido para que en toda ocasión puedan ser generosos, y para que por medio de nosotros la generosidad de ustedes resulte en acciones de gracias a Dios (2 Corintios 9: 11).

Probablemente a ti, como a muchos otros jóvenes, te atrae el dinero. De hecho, uno de los sueños de miles de jóvenes es hacerse ricos algún día. Incluso, un buen número de estudiantes confiesa que uno de sus objetivos es amasar una buena fortuna. Sin embargo, lo cierto es que no es el dinero lo que te hace feliz en la vida. ¿Por qué? En realidad, mucha gente rica confiesa que no es más feliz que los empleados de sus empresas. Además, una de sus mayores preocupaciones es conservar sus fortunas y no perder su alto nivel de vida, por lo que su vida no es tan atractiva como muchos piensan.

El texto de esta mañana dice algo muy interesante: Dios enriquece a sus hijos para que practiquen la generosidad. ¡Vaya, eso sí que suena extraño! En la Biblia, el dinero es un medio para honrar al Señor. Además, el uso de los recursos económicos revela el carácter de cada ser humano, de ahí que su administración sea un punto tan importante en la vida espiritual. En el fondo de la generosidad hacia los demás se encuentra una de las grandes bendiciones del cielo: la sensación de estar satisfecho. ¡Y eso sí que te hace ser feliz!

Se cuenta de un pastor que durante una Navidad decidió visitar a una comunidad indígena con víveres, juguetes y asistencia médica. En un principio, había pensado hacerlo con unos cuantos amigos, pero luego invitó a los miembros de su congregación que quisieran acompañarlo. El día señalado había un buen grupo decidido a ir con él. La experiencia resultó altamente satisfactoria para todos los asistentes: observar los rostros emocionados de los niños al recibir los juguetes, mirar a las mujeres agradecidas recibiendo bolsas de alimentos y ropa, así como las palabras de reconocimiento de los pacientes atendidos por los médicos y las enfermeras, fueron momentos únicos. Todo el grupo regresó con una fuerte sensación de satisfacción y, por lo tanto, de felicidad.

El dinero no es malo. La cuestión es para qué quieres usarlo. Si decides usarlo de manera egoísta, te aseguro que entrarás en una espiral interminable de insatisfacción. Es decir, nunca serás plenamente feliz porque sentirás que siempre te falta algo. En cambio, si decides usar el dinero de manera generosa, entonces, harás que otros alaben al Señor a causa de tu bondad y eso te dará grandes satisfacciones.

Que Dios nos ayude a ser generosos.

Este es el mes para renovar tus suscripciones de 2014. Hazlo cuanto antes (ver página 373).

Dar con alegría

Cada uno debe dar según lo que haya decidido en su corazón, no de mala gana ni por obligación, porque Dios ama al que da con alegría (2 Corintios 9: 7).

¡Qué fácil es recibir! ¡Qué agradable es aceptar regalos! Aunque de vez en cuando se ven por ahí jóvenes que tienen problemas hasta para recibir regalos, ¿no crees?

Lo difícil es dar. Sobre todo, dar cuando no esperas recibir nada a cambio. ¿Pero qué puede dar un joven si no tiene dinero? En realidad, los jóvenes representan un poder muy grande en la sociedad. Solo es cuestión de que se organicen y pongan manos a la obra.

Durante el año 2011, una fuerte sequía se cernió sobre los estados del norte de México. Para principios de 2012 la situación era desesperante para los agricultores y sus familias, quienes clamaron para que el gobierno los ayudara. Sin embargo, la peor parte la llevaron los pueblos indígenas que habitan las zonas más recónditas de esos lugares, como los rarámuris, en la sierra de Chihuahua. En realidad, hasta entonces había mucha gente que no sabía de su existencia, pero gracias a algunos reportajes de los noticieros de televisión, su difícil situación se hizo evidente. La sociedad empezó a enviar ayuda a estas comunidades. Lo interesante fue lo ocurrido en el corazón de una niña, Marifer, de solo siete años, alumna del Centro Akela, ubicado en Atizapán de Zaragoza, una provincia del centro del país. La pequeña se propuso reunir diez toneladas de ayuda humanitaria para los rarámuris. Al principio, sus compañeros y maestros sonrieron ante los nobles deseos de la niña, pero ella no cejó en su interés por alcanzar su objetivo. Poco a poco, sus compañeros empezaron a reunir provisiones. Luego se unieron los vecinos de la escuela, así como algunas autoridades del gobierno. La perseverancia de la niña contagió a miles de personas que lograron reunir más de diez toneladas de víveres para las comunidades indígenas del norte de México. Cuando el convoy se dirigía a entregar la ayuda humanitaria, Marifer dijo: «Vamos por la aventura, por conocer y tomar conciencia, ser más sensibles, ayudar, creo que será una buena experiencia».

¡Vaya palabras para una niña! Efectivamente, dar a los más necesitados te hace más sensible y más humano. Representa una experiencia única que te marca para el resto de tu vida. Te recuerda que puedes ser distribuidor de las bendiciones del cielo para el resto del mundo.

No dejes pasar la oportunidad de dar a los más necesitados. Organízate con tus amigos. Te aseguro que la experiencia será inolvidable.

Este es el mes para renovar tus suscripciones de 2014. Hazlo cuanto antes (ver página 373).

Ramanujan

> A uno le dio cinco mil monedas de oro, a otro dos mil y a otro solo mil, a cada uno según su capacidad. Luego se fue de viaje (Mateo 25: 15).

Corrían los primeros años del siglo XX. Srinivasa Ramanujan trabajaba en la oficina del puerto marítimo de Madrás, en la India. Sus deseos de superarse lo impulsaron a matricularse en una institución de educación media superior, pero le fue mal en todas las materias. Sin embargo, tenía un talento matemático extraordinario a pesar de no haber recibido educación formal en esa materia. De hecho, Ramanujan no solo tenía un talento extraordinario para las matemáticas, sino que estaba obsesionado con ellas. Aprovechaba el tiempo para escribir ecuaciones matemáticas pero, debido a que era muy pobre, lo hacía en sobres arrojados a la basura.

Antes de cumplir veintidós años descubrió nuevos teoremas. Ramanujan envió sus sobres con teoremas escritos a mano a varios teóricos en otras partes del mundo, incluyendo a G. H. Hardy de Cambridge, Inglaterra. Cuando Hardy los recibió les echó un vistazo y, pensando que Ramanujan estaba loco, se fue a jugar al tenis. Las fórmulas que había visto, sin embargo, no lo dejaron en paz y decidió volver a echarles un vistazo. En esta ocasión no solamente las revisó, sino que evaluó su validez, y se dio cuenta de que Ramanujan era probablemente un genio matemático de gran calibre. Con el tiempo, Ramanujan fue invitado a trabajar en Cambridge, donde sus contribuciones sobrepasaron en originalidad e importancia a las de sus mentores.

Esta historia es interesante porque, fuera de las matemáticas, Ramanujan no era una persona brillante. Si te hubieras sentado a comer con él, es posible que no hubieras detectado el fulgor de su genio.

Es posible que tú también te hayas sentido como Ramanujan. Si te analizas con detenimiento, te darás cuenta de que tú también tienes por lo menos un talento que Dios te ha dado. Él te dotó con, por lo menos, una habilidad. Recuerda, la parábola de los talentos dice que todos los siervos, que nos representan a nosotros como siervos de Dios, recibieron por lo menos uno. Si utilizas ese talento con fidelidad, Dios no solo te dará éxito sino también su aprobación. Procura descubrir tus talentos y utilizarlos para la causa de Dios.

Este es el mes para renovar tus suscripciones de 2014. Hazlo cuanto antes (ver página 373).

Porque el Señor da la sabiduría; conocimiento y ciencia brotan de sus labios (Proverbios 2: 6).

¿Qué haces cuando la evidencia científica no concuerda con lo que Dios ha revelado en su Palabra? Cuando Mendeléyev arregló los elementos de la tabla periódica siguiendo la secuencia de su peso atómico encontró que algunos no «encajaban». Sus pesos atómicos parecían ser incorrectos. Después de pensar un poco, decidió no rechazar su modelo sino ignorar los pesos anómalos. Concluyó que era posible que el peso de esos elementos hubiera sido calculado erróneamente. Así era. Después se encontraría que esos pesos atómicos estaban equivocados por la presencia de ciertos isótopos que distorsionaban la medición. Es muy cierta, entonces, la afirmación paradójica de sir Arthur Eddington: «No creas en los resultados de los experimentos hasta que hayan sido confirmados por la teoría».

Algo similar pasó cuando el meteorólogo alemán Alfred Wegener observó que América del Sur y la costa oeste de África encajan como piezas de un rompecabezas gigante. Obsesionado con la idea descubrió que el pequeño fósil del mesosaurio solo se encuentra en Brasil y el oeste de África, y que fósiles de dinosaurios se encontraban en estratos de rocas idénticos en Brasil y África oriental. Sugirió entonces que estas dos regiones habían pertenecido a una misma masa terrestre en algún tiempo lejano y que después se habían separado. En el ámbito geológico se rechazó la idea. ¡Todo mundo sabía que los continentes no viajan ni se mueven! Sin embargo, una vez que se descubrió el movimiento de las placas tectónicas, las ideas de Wegener fueron aceptadas. No deberíamos rechazar, entonces, una idea por la simple razón de que no conocemos los mecanismos que la explican. Puede ser que en el futuro sean descubiertos.

No te dejes intimidar cuando tu fe no concuerda con la ciencia. Mientras estudiaba el doctorado en Filosofía de la Religión, hace algunos años, experimenté momentos de fuerte duda debido a las evidencias, aparentemente muy convincentes, que negaban algunas de las verdades que Dios nos ha revelado. En varios de esos momentos me arrodillé al lado del escritorio, en un lugar apartado de la biblioteca, para pedir su dirección. Él nunca me abandonó y me recompensó con creces. Muchas de las dudas que tenía fueron resueltas porque Dios me guió para encontrar las respuestas. De hecho, como resultado, en 2005, obtuve el primer lugar en la *Graduate Student Paper Competition of the Midwest Society of Biblical Literature* [Concurso de trabajos de estudiantes de posgrado de la Sociedad de Literatura Bíblica del Medio Oeste], en la que competían estudiantes de universidades prestigiosas de los Estados Unidos.

Recuerda que Dios es el dueño del conocimiento y nunca se equivoca. Síguelo confiadamente dondequiera que te guíe.

Este es el mes para renovar tus suscripciones de 2014. Hazlo cuanto antes (ver página 373).

Embarazo psicológico

Gran remedio es el corazón alegre, pero el ánimo decaído seca los huesos (Proverbios 17: 22).

Una de las relaciones más intrigantes que la ciencia no ha explorado todavía en profundidad es la de la mente y el cuerpo. Es, sin embargo, una de las relaciones más importantes. ¿Hasta qué punto afectan nuestros pensamientos y emociones nuestra salud? Muchas veces tendemos a pensar que el mundo de los pensamientos, las ideas y los sueños es profundamente personal y sin mayor consecuencia, que podemos darle rienda suelta a lo que pensamos y soñamos despiertos porque realmente no tiene consecuencias. ¿Es realmente así?

Existen algunos fenómenos muy intrigantes, que no entendemos plenamente y que nos hablan del poder que la mente tiene sobre el cuerpo. Se sabe, por ejemplo, que algunas mujeres que desean desesperadamente quedar embarazadas pueden desarrollar todos los síntomas de un embarazo real. Su vientre se hincha en enorme proporción, los pezones se les manchan como a las mujeres embarazadas, dejan de menstruar, producen leche y sienten las patadas del bebé. A este fenómeno se lo conoce como embarazo psicológico.

Un fenómeno igual, o quizá más intrigante, es el de los casos de personalidad múltiple. Es un fenómeno en el que una persona puede asumir dos o más personalidades distintas, cada una de las cuales no es consciente de las otras. Existen informes en la bibliografía clínica de que una personalidad puede ser diabética mientras que la otra no, o que las distintas personalidades pueden presentar constantes vitales y perfiles hormonales diferentes. De hecho, se habla de un caso en que una de las personalidades puede ser alérgica a una sustancia mientras que la otra no, y que una puede ser miope mientras que la otra puede tener una visión óptima. ¿Cómo puede haber cambios físicos tan notables al cambiar de personalidad?

Estos fenómenos, aunque no totalmente comprendidos, hablan del tremendo poder que la mente tiene sobre el cuerpo. Como dice el versículo de esta mañana, los pensamientos y las emociones que permitimos que se apoderen de nuestra mente ejercen una fuerte influencia sobre la salud. Si eres una persona optimista y alegre y tus pensamientos son positivos, no solo tendrás una vida más feliz, sino también más sana.

¿Por qué esta mañana no levantas la cabeza, te pones tu mejor atuendo y sonríes? Tu cuerpo te lo agradecerá. Es una razón para afirmar el mandato divino de cuidar nuestros cuerpos y nuestros pensamientos. Como Elena G. de White dijo en *Testimonios para la iglesia*: «Cada órgano del cuerpo fue hecho para servir a la mente» (t. 3, p. 153). Cuídalos con fidelidad.

Este es el mes para renovar tus suscripciones de 2014. Hazlo cuanto antes (ver página 373).

Acuérdate de tu Creador en los días de tu juventud, antes que lleguen los días malos y vengan los años en que digas: «No encuentro en ellos placer alguno» (Eclesiastés 12: 1).

Cuando Lois Secrist tenía quince años debió haber escuchado el solemne consejo de Dios. Pero no lo hizo. A esa edad prometió que iría como misionera al extranjero, quizá a la India, o a África, para ayudar a los necesitados. Pero nunca cumplió su promesa. Gail Wood cuenta la historia en su artículo «Mission Delayed» [Misión demorada].

A los 23 años Lois se casó con Galon Prater, un apuesto jornalero que con el tiempo se volvió un bebedor empedernido. Muchos años después Galon se convirtió al cristianismo, pero para entonces tenía casi 80 años y su muerte estaba cercana. Cuando murió, el 9 de febrero de 1988, Lois recuperó su antiguo sueño de convertirse en misionera.

Al principio sintió algo de resistencia interior. Ya tenía setenta y seis años y creía que su oportunidad había pasado. Dijo: «Señor, ahora soy demasiado vieja para ir. No puedo». Pero esta formidable abuela, con remordimientos por haber hecho caso omiso al llamado de Dios cuando era adolescente, decidió no rechazar una segunda oportunidad de convertirse en misionera.

A los ochenta y siete años Lois Prater se convirtió en la increíble fundadora de un orfanato en Filipinas, un espacio de salvación para treinta y cinco niños cuyas vidas rescató del rechazo, la mendicidad en las calles y el maltrato paterno. Hoy los huérfanos viven en una casa blanca, muy bien arreglada, de setecientos metros cuadrados distribuidos en dos plantas. Ellos llaman «Lola» a Lois, que en el idioma nativo, el tagalo, significa «abuela». Los «niños», como ella los llama, oscilan entre los ocho meses y los diez años. Cada uno forma parte de una historia desgarradora.

Lois fundó y construyó el orfanato sin pedir préstamos, confiando en el apoyo económico individual que le llega desde los Estados Unidos. A causa de su edad, no la apoya ninguna denominación religiosa y depende únicamente de donaciones privadas. Cuando se le pregunta si eso la pone nerviosa, Lois dice con confianza: «Sirvo a un Dios poderoso. No me siento con suficiente talento para hacer nada de esto, pero Dios me capacita. Mi responsabilidad es hacer lo que puedo».

Gracias al Señor porque Lois pudo cumplir su promesa. Pero no todos tienen esa oportunidad. Es mejor acordarse de Dios en la juventud, cuando la energía está al cien por cien para invertirla en una obra grande. Conságrate hoy a Dios para que te utilice desde tu juventud.

Este es el mes para renovar tus suscripciones de 2014. Hazlo cuanto antes (ver página 373).

¡He comprado tu vida para Dios!

Si alguien afirma: «Yo amo a Dios», pero odia a su hermano, es un mentiroso; pues el que no ama a su hermano, a quien ha visto, no puede amar a Dios, a quien no ha visto (1 Juan 4: 20).

En su libro *Vestiduras de gracia*, Tim Crosby dice: «En la práctica, ¿qué significa amar a nuestros hermanos? ¿Sentir algo en nuestros corazones, o hacer que ellos lo sientan? Creo que no importa para nada lo que sintamos por ellos. Usted puede amar a personas que no le agradan. El amor es un principio y si usted ama motivado por un principio, los sentimientos surgirán».

Luego el mismo autor cita a C. S. Lewis: «No pierdas el tiempo pensando si "amas" a tu prójimo; actúa como si esto fuera un hecho. Tan pronto como lo hagamos, descubriremos un gran secreto: cuando te comportas como si amaras a alguien, llegarás a amarlo de veras».

La novela *Los miserables*, de Víctor Hugo, relata una impresionante historia de amor. Jean Valjean, el protagonista, acaba de purgar veinte años de prisión por robar una hogaza de pan. Cumplió su condena y al salir libre encuentra misericordia y hospitalidad en la casa del obispo, a quienes los ciudadanos llaman «Monseñor Bienvenido» porque es muy bueno.

Pero lo vencen los vicios adquiridos en prisión y le roba al obispo unos cubiertos de plata. Un policía lo detiene y Valjean dice que el obispo se los había regalado. El policía lo lleva ante el obispo y allí Valjean se dispone a escuchar las palabras que lo llevarán a prisión de por vida. Pero nada en la vida lo había preparado para escuchar lo que declara el obispo: «Por supuesto que lo obsequié con esos objetos. Pero, un momento, olvidó lo de más valor. Olvidó tomar los candelabros de plata». Hacía un instante lo esperaba la prisión; ahora, la libertad y la abundancia.

Antes de despedirse, el obispo le dijo: «Hermano Jean, jamás olvides este momento. Con este acto he comprado tu vida para Dios. Ya no te perteneces. De ahora en adelante eres propiedad de Dios».

Mediante ese acto de misericordia la vida de Jean Valjean se convierte en una expresión de amor. Cumple lo que le ha prometido a una agonizante prostituta. Se dedica a criar a la hija de aquella infeliz, llamada Cosette. Tal vez sea cierto lo que dice la obra musical del mismo nombre: «Amar a alguien es contemplar el rostro de Dios».

¡Ve y haz tú lo mismo! ¡Ama como Cristo amó!

Este es el mes para renovar tus suscripciones de 2014. Hazlo cuanto antes (ver página 373).

¿Cultivo de malezas?

Los siervos fueron al dueño y le dijeron: «Señor, ¿no sembró usted semilla buena en su campo? Entonces, ¿de dónde salió la mala hierba?» «Esto es obra de un enemigo», les respondió (Mateo 13: 27, 28).

Todo empezó el día que, junto con unos primos, decidimos cultivar un pequeño huerto. Empezamos a principios del verano cuando la nieve se había derretido y la tierra estaba a punto de reverdecer. Alquilamos un terreno justo detrás de nuestra casa y nos dimos a la tarea de limpiarlo, preparar la tierra y plantar las semillas. En la cabecera de cada surco clavamos una pequeña estaca en el suelo y fijamos en ella un sobre que identificaba las semillas que habíamos sembrado en el surco. ¡Qué precioso se veía nuestro terreno!

Esa noche, sin embargo, cayó una terrible tormenta que continuó durante los siguientes tres días. Cuando cesó, la faz de nuestro terreno se había transformado. Apenas se podía distinguir dónde habían estado los surcos, y los sobres habían sido arrastrados por el vendaval. Para complicar la situación, mi esposa y yo teníamos que salir de viaje. Cuando regresamos, nuestro terreno ofrecía un espectáculo desolador. El sol brillaba con todo su fuerza y la tierra bien hidratada había producido una pequeña jungla. ¡Aquello era un desastre!

Sin embargo, no nos dimos por vencidos. Decidimos limpiar el terreno, pero ¿cómo saber qué plantas quitar? Debido a nuestra inexperiencia no conocíamos cómo eran las plantas de la buena semilla y el viento había arrastrado los sobres. Sin más guía que nuestra intuición, limpiamos nuestro terreno de todo lo que parecía . maleza. Nuestro esfuerzo dio resultados. Pronto vimos que las tomateras, las zanahorias y las calabaceras crecían con vigor.

Había un surco muy singular. Era el más bello de todos, pero no estábamos seguros de qué crecería allí. Más tarde nos dimos cuenta de que en ese surco cultivábamos maleza. ¡Qué decepción!

En la vida cristiana nos puede pasar lo mismo. Si dejas que crezca la maleza junto con la buena semilla, será muy difícil distinguir la una de la otra. Cuanto más tardes en actuar, tanto más difícil será. Una vez que decides desarraigar el mal de tu vida, es preciso que reconozcas que la Biblia es la única guía segura que explica con claridad cuál es la diferencia entre la verdad y el error. Pon atención a la Palabra de Dios, no sea que al final de tu vida te des cuenta de que has estado cultivando malezas. Ten la seguridad de que eso les ocurrirá a «muchos» en aquel día (Mat. 7: 22).

Este es el mes para renovar tus suscripciones de 2014. Hazlo cuanto antes (ver página 373).

¿Entiendes el llamamiento?

Dios nos habla una y otra vez, aunque no lo percibamos (Job 33: 14).

Dicen que en el tiempo en que el telégrafo era el medio más rápido de comunicación a larga distancia sucedió el hecho que dio origen a la siguiente historia. Lo menciona Gary Preston en *Character Formed from Conflict* [Un carácter formado por el conflicto]. Un joven quería presentar una solicitud para trabajar como telegrafista. En respuesta a un anuncio que apareció en el periódico, fue a la dirección anunciada. Cuando llegó, entró a una enorme y ruidosa oficina. Al fondo se oían los ruidos característicos de un telégrafo.

Un letrero en la ventanilla indicaba a los aspirantes que llenaran una solicitud y esperaran hasta que los llamasen a la oficina interior. El joven llenó una solicitud y se sentó con otros siete aspirantes que ya esperaban. A los pocos minutos el joven se puso de pie, atravesó el salón hacia la puerta de la oficina interior y entró. Por supuesto, los demás aspirantes se levantaron, preguntándose qué sucedía. ¿Por qué aquel tipo había sido tan atrevido? El furor se tradujo en un murmullo de ira apenas contenido. Mascullaron entre sí que no habían escuchado alguna llamada. Todos saborearon de antemano la satisfacción de ver que lo echarían de la oficina y lo descalificarían inmediatamente para el empleo.

Pero, ¡oh, sorpresa increíble! A los pocos minutos el joven salió de la oficina interior escoltado por el entrevistador.

—Caballeros —anunció el entrevistador—, muchas gracias por haber venido, pero el empleo se le ha concedido a este joven.

Los demás aspirantes comenzaron a refunfuñar.

—Un momento —dijo uno de ellos—. Hay algo que no comprendo. Él fue el último en llegar, y ni siquiera nos dieron la oportunidad de entrevistarnos. Sin embargo, a pesar de haber llegado el último, le dieron el empleo. Eso no es justo.

—Lo lamento —respondió el empleador—, pero todo el tiempo que ustedes estuvieron sentados aquí el telégrafo ha tableteado el siguiente mensaje en clave Morse: «Si usted entiende este mensaje pase a la oficina interior. El empleo es suyo». Ninguno de ustedes lo escuchó ni lo entendió. Este joven sí. Por lo tanto, el empleo es para él.

Buena lección, ¿verdad? Dios habla en medio del tumulto y el escándalo de la vida. La clave está en oír y entender. Como dice nuestro texto de hoy: «Dios nos habla una y otra vez, aunque no lo percibamos». Por algo dijo Jesús: «El que tenga oídos para oír, que oiga» (Mar. 4: 23). ¿Has oído tú el llamado de Dios? Recuerda que muchos son los llamados, pero pocos los escogidos.

Este es el mes para renovar tus suscripciones de 2014. Hazlo cuanto antes (ver página 373).

En aquel día, siete mujeres agarrarán a un solo hombre y le dirán: «De alimentarnos y de vestirnos nosotras nos ocuparemos; tan solo déjanos llevar tu nombre: ¡Líbranos de nuestra afrenta!» (Isaías 4: 1).

Quizá no era la intención del profeta que las siete mujeres a las que se refería fueran simbólicas de siete iglesias, como lo pensaba el apóstol Juan en Apocalipsis. Porque un buen nombre es muy importante. Llevar el nombre, nada más, sin compromisos, lo único que quieren es llevar el nombre. Es difícil imaginar cómo un movimiento creciente puede subsistir durante casi dos décadas sin un nombre. George Knight señala en *Lest We Forget* [No sea que olvidemos] que, según algunos, elegir un nombre era ser como las otras iglesias. Por otra parte, ¿en qué parte dice la Biblia que las iglesias deben tener un nombre?

Es cierto que la Biblia no dice que Dios pusiera nombre a su iglesia, pero el gobierno sí exige que la iglesia tenga un nombre si quiere poseer propiedades. La necesidad de darle un nombre a la Iglesia Adventista surgió de la necesidad de inscribir la casa editora de Battle Creek, Míchigan, en los registros gubernamentales. A principios del año 1860 Jaime White llegó a la conclusión de que ya no se haría cargo de los aspectos financieros de la institución. Aun consciente de que sin un nombre no podrían registrar las propiedades, R. F. Cottrell escribió: «Sería erróneo "ponernos un nombre", pues eso está en el mismo fundamento de Babilonia». White replicó a la sugerencia de Cottrell (que el Señor cuidaría las propiedades de la iglesia) diciendo: «Es peligroso dejar a Dios lo que él nos ha dejado a nosotros».

En 1860, un congreso de observadores del sábado votó la elección de un nombre para la denominación. Muchos se inclinaban por el nombre «Iglesia de Dios». Pero ya había muchos grupos que tenían ese nombre. Finalmente, David Hewitt sugirió el nombre adventistas del séptimo día. Su propuesta fue aceptada, pues muchos delegados reconocieron que «expresaba nuestra fe y nuestra posición [doctrinal]». Elena G. de White, que había permanecido en silencio durante todo el debate, dijo: «El nombre adventista del séptimo día presenta los verdaderos rasgos de nuestra fe, y convencerá a la mente inquisidora» (*La iglesia remanente*, cap. 11, p. 106).

Tal es el valor de un buen nombre que debemos cuidar y ennoblecer. Recuerda que nuestro testimonio pone en alto el nombre de la iglesia de Dios donde quiera que estemos.

Este es el mes para renovar tus suscripciones de 2014. Hazlo cuanto antes (ver página 373).

Imposible
de restaurar

Es imposible que renueven su arrepentimiento aquellos que han sido una vez iluminados, que han saboreado el don celestial, que han tenido parte en el Espíritu Santo y que han experimentado la buena palabra de Dios y los poderes del mundo venidero, y después de todo esto se han apartado. Es imposible, porque así vuelven a crucificar, para su propio mal, al Hijo de Dios, y lo exponen a la vergüenza pública (Hebreos 6: 4-6).

¿Cómo puede una persona crucificar otra vez a Cristo Jesús? La expresión no puede ser literal porque Jesús está a la diestra del Padre en una posición de poder (Heb. 1: 3; 8: 1). Por otro lado, no crucificamos de nuevo a Cristo cada vez que pecamos. Cristo murió «una sola vez» por nuestros pecados (Heb. 9: 27, 28). Su sacrificio es, por definición, único e irrepetible (Heb. 7: 27; 9: 12; 10: 10).

Esta expresión es una metáfora de un fenómeno que ocurre en la relación individual entre el creyente y Jesús. El creyente crucifica a Cristo Jesús cuando mata su relación con él. En este sentido el creyente crucifica «para sí mismo» al Hijo de Dios.

Este acto implica un rechazo total del principio esencial del evangelio. Jesús definió la vida cristiana como el acto de «tomar la cruz», es decir, «negarse a sí mismo», y seguirle (Mat.16: 24; Mar. 8: 34; Luc. 9: 23). Esto quiere decir que la aceptación de Jesús en nuestra vida implica la crucifixión del yo (Gál. 2: 20). Por eso, Pablo habla de crucificar al «mundo […] para mí» (Gál. 6: 14), «la naturaleza pecaminosa, con sus pasiones y deseos» (5: 24), y la «vieja naturaleza» (Rom. 6: 6).

En nuestra vida solo puede haber un rey, Cristo o el yo. No hay lugar para dos. Esto es metafóricamente una nueva crucifixión porque el individuo repite, en el plano personal, el rechazo de Cristo que efectuaron en la cruz las fuerzas del mal en el plano cósmico.

La gran mayoría de los cristianos experimenta una lucha muy difícil para decidir quién controlará su vida. Por un lado aman a Dios y desean cumplir su voluntad. Por otro lado, se aman a sí mismos y desean llevar a cabo su propia voluntad. Aquellos que, después de haber conocido a Dios matan su relación con él, es decir, que cierran totalmente su vida a su influencia, nunca se podrán recuperar de su situación. ¿Por qué? Porque Dios es el que produce arrepentimiento (Hech. 5: 31) y si le cerramos totalmente la puerta, ¿cómo podremos arrepentirnos? Ábrele hoy la puerta a Jesús y su voluntad.

Este es el mes para renovar tus suscripciones de 2014. Hazlo cuanto antes (ver página 373).

Llegó Pablo a Derbe y después a Listra, donde se encontró con un discípulo llamado Timoteo [...]. Los hermanos en Listra y en Iconio hablaban bien de Timoteo, así que Pablo decidió llevárselo (Hechos 16: 1-3).

Uno de los deberes sagrados de los siervos de Dios es buscar nuevos obreros y nuevos líderes para la obra de Dios. Es lo que hizo Pablo cuando eligió a Timoteo para que fuese su «compañero de milicia».

Tim Crosby, en *Vestiduras de gracia*, narra el relato de Clemente de Alejandría sobre un notable incidente. Esta emocionante historia también aparece en la *Historia Eclesiástica* de Eusebio.

Después de la muerte del emperador Domiciano, el que enviara a Juan a la isla de Patmos, se permitió al apóstol que regresara a Éfeso. Desde aquel lugar viajó a varias comarcas con el fin de nombrar obispos y ordenar a nuevos ministros.

En una ciudad cercana observó a un joven físicamente sano y de fuerte personalidad. Dijo al obispo: «Encomiendo a este joven bajo tu cuidado, en presencia de la iglesia y teniendo a Cristo como testigo». Cuando el obispo aceptó la encomienda, Juan regresó a Éfeso. El obispo llevó a aquel joven a su casa, lo educó, lo amó y, finalmente, lo bautizó.

Elena G. de White declara: «Cuando se convertían hombres promisorios y capaces como en el caso de Timoteo, procuraban Pablo y Bernabé presentarles vívidamente la necesidad de trabajar en la viña del Señor. Y cuando los apóstoles se iban a otra ciudad, la fe de esos conversos no disminuía, sino que se acrecentaba. Habían sido instruidos fielmente en el camino del Señor y enseñados a trabajar abnegada, fervorosa y perseverantemente por la salvación de sus prójimos. Esta solícita educación de los neófitos era un importante factor del notable éxito que obtuvieron Pablo y Bernabé al predicar el evangelio en tierras paganas» (*Los hechos de los apóstoles*, cap. 18, p. 139).

Cuando Pablo regresó a Listra durante su segundo viaje misionero, se encontró con Timoteo «en cuya mente la impresión hecha entonces se había ahondado con el correr del tiempo hasta convencerlo de que era su deber entregarse plenamente a la obra del ministerio», según comenta más adelante (cap. 20, p. 152).

Pablo llegó a amar a Timoteo como a su hijo en la fe. Qué tremenda obra realizaron, unidos por el amor de Cristo, por el amor a su causa y el amor fraternal.

¿Alguna vez has tenido la impresión de que deberías dedicarte al servicio de Dios? Escucha con atención, porque ese llamamiento llega de diversas formas. ¿Qué pasó con el joven de Éfeso? Piensa primero en ti. A él lo veremos después.

Este es el mes para renovar tus suscripciones de 2014. Hazlo cuanto antes (ver página 373).

Les he escrito a ustedes, jóvenes, porque son fuertes, y la palabra de Dios
permanece en ustedes, y han vencido al maligno (1 Juan 2: 14).

La educación de Timoteo fue un éxito total. La educación del joven discípulo de
Juan fue un completo fracaso. Según una antigua tradición, el obispo en algún
momento descuidó al joven, que comenzó a juntarse con amigos desordenados. Al principio los amigos lo sonsacaban pagando la entrada a lugares exclusivos de
entretenimiento y diversión.

Pero luego lo invitaron a que los acompañara en sus correrías nocturnas de robos
y atracos. Finalmente lo hicieron cómplice de delitos más graves. Empezó una vida
de crímenes y delitos. Como era un dirigente nato, pronto se convirtió en jefe de un
grupo de bandoleros, el más violento y peligroso.

Un día llegó el apóstol Juan de visita. Después de atender los asuntos eclesiásticos,
dijo al obispo:

—Hermano obispo, devuelve el depósito que Cristo y yo te confiamos.

Al principio el obispo se sintió confundido, pensando que Juan lo acusaba de
apropiarse de algún dinero. Pero luego Juan añadió:

—Demando de ti el joven que te confiamos.

El obispo suspiró profundamente y estalló en llanto.

—Murió —dijo.

—¿Cómo que murió? —preguntó Juan.

—Murió para Dios, porque se convirtió en alguien malvado y disoluto; se hizo ladrón.
Y ahora, en vez de estar en la iglesia, vive en una montaña con un grupo de maleantes.

El apóstol rasgó su ropa, y dijo:

—¡Qué guardián dejé a cargo del alma de este joven! Tráiganme un caballo y que
alguien me muestre el camino.

Los forajidos tenían centinelas y tomaron preso al apóstol.

—Quiero ver a su jefe. Para eso he venido —les dijo.

Cuando el jefe lo reconoció, se dio la vuelta, esperando esconderse.

—¿Por qué, hijo mío, huyes de mí, de tu anciano padre que llega ante ti desarmado? No temas, arrepiéntete porque todavía hay esperanza para ti. Intercederé por ti
ante Cristo. Detente y acepta que Cristo me ha enviado.

El criminal se detuvo. Comenzó a temblar, soltó su arma, y, llorando amargamente, de rodillas confesó sus pecados a Dios.

Dios llama a jóvenes fuertes, para educarlos para su servicio. No inviertas tu talento
en una causa digna pero que no durará un instante después del milenio. Entrégate a
Cristo, quien dio su vida por ti, para servir en una obra eterna que pronto triunfará.

Este es el mes para renovar tus suscripciones de 2014. Hazlo cuanto antes (ver página 373).

Cuando venga el Espíritu Santo sobre ustedes, recibirán poder y serán mis testigos tanto en Jerusalén como en toda Judea y Samaria, y hasta los confines de la tierra (Hechos 1: 8).

Tom Cicoria tenía 42 años de edad, era cirujano ortopédico y le gustaba hacer deporte. Una tarde, mientras asistía a una reunión familiar, se encontraba al aire libre junto al lago. El día era agradable, pero observaba unas nubes de tormenta a lo lejos. Fue a una caseta de teléfono cercana para llamar a su madre. En *Musicofilia*, Oliver Sacks expresa su testimonio: «Hablaba con mi madre por teléfono. Llovía un poco, se oyó un trueno a lo lejos. Mi madre colgó. El teléfono se encontraba a un paso de mí cuando [un rayo] me alcanzó. Recuerdo el destello de luz que salió del teléfono. Me golpeó el rostro. Lo siguiente que recuerdo es que volaba hacia atrás». Cuando volvió en sí, una mujer le practicaba técnicas de reanimación.

El accidente tuvo secuelas que todavía nos dejan perplejos. De repente, Cicoria sintió el deseo insaciable de escuchar música de piano. Lo único que escuchaba era *rock*, pero ahora estaba obsesionado con el piano. Compró música y se enamoró especialmente de un disco de Vladimir Ashkenazi en el que toca sus piezas preferidas de Chopin. Entonces sintió el deseo de tocar el piano y empezó a tomar lecciones. Después, durante un sueño, comenzó a escuchar música en su cabeza. Cuando despertó seguía escuchándola y se levantó para anotar la melodía, aunque nunca había escrito música. Se levantaba muchas veces a las cuatro de la mañana para tocar hasta que se iba al trabajo. Cuando regresaba, tocaba hasta que se iba a dormir. Cicoria todavía toca el piano y escribe música.

¿No te gustaría que te cayera un rayo para que te empezaran a gustar las cosas que agradan a Dios? Imagínalo. Un rayo para que dejes de comer mucha sal, o mucho azúcar, o sencillamente demasiado. ¿Qué te parece un rayo que borre de tu mente los pensamientos oscuros y sombríos o que te ayude amar a tus enemigos? ¿No sería fantástico?

¿Sabes? En cierta manera eso sí puede ocurrir. Cuando los discípulos oraron a Dios en el aposento alto pidiendo poder, el Espíritu Santo bajó como un rayo de fuego sobre sus cabezas. Los discípulos fueron transformados. Se amaban unos a otros y tenían todas las cosas en común. Eran una comunidad ideal. Dios quiere darnos su Espíritu para lograr lo mismo en nosotros. Pídele esta mañana el poder transformador del Espíritu Santo.

Este es el mes para renovar tus suscripciones de 2014. Hazlo cuanto antes (ver página 373).

¿Tienes problemas? ¡Alégrate!

Queridos hermanos, no se extrañen del fuego de la prueba que están soportando, como si fuera algo insólito. Al contrario, alégrense de tener parte en los sufrimientos de Cristo, para que también sea inmensa su alegría cuando se revele la gloria de Cristo (1 Pedro 4: 12, 13).

Las pruebas que los cristianos afrontan constantemente no constituyen solamente el plan de Satanás para destruirlos, sino la escuela de Dios para darles éxito y perfeccionarlos. La seguridad y la paz excesivas son dañinas. Al menos eso pasa con los bacalaos.

A finales del siglo XIX, en la costa este de los Estados Unidos, existía una gran demanda de bacalao. La fama de dicho pez se propagó inmediatamente por todo el país, incluso hasta la costa oeste. Pero pasó un tiempo antes de que idearan un medio adecuado para enviar el bacalao al otro extremo del país sin que se estropeara. Al principio enviaron los pescados congelados por ferrocarril, el medio más rápido en aquellos días, pero el resultado al cocinar el bacalao no era satisfactorio. Después se le ocurrió a alguien enviar los pescados en vagones de tren convertidos en gigantescas peceras de agua salada. Los bacalaos llegaban vivos, pero al cocinarlos perdían su sabor y su textura natural.

Entonces un investigador descubrió que el enemigo natural del bacalao es el bagre o pez gato. Así que colocaron algunos bagres en los tanques junto a los bacalaos. Los bagres perseguían a los bacalaos durante todo el trayecto hasta la costa oeste. De allí en adelante, al preparar a los bacalaos, estos conservaban su sabor y textura como los preparados en la costa este. Los bagres contribuyeron a que el bacalao se conservara en buenas condiciones, haciendo que conservara su frescura.

Ahora conocemos un poco más el misterio de las pruebas, las luchas y el dolor que afectan al cristiano. Dios no las produce. Las pruebas y los sufrimientos tienen su origen en el mal que reina en el mundo y en Satanás, el originador del mal. Pero Dios, como siempre, convierte el problema en una bendición. Los propósitos de Satanás quedan frustrados y el cristiano se regocija en lugar de llorar cuando comprende y ve los resultados de las pruebas.

Por eso es importante el texto de hoy. Nada hay extraño o incidental en las pruebas. Dios está informado. Sabe lo que pasa. Pero a veces lo permite porque lo necesitamos. No te sorprendas, entonces, si tienes problemas. ¡Ten ánimo! Dios trabaja en la construcción de tu carácter. Estás en la escuela de Cristo. Te matriculaste en el taller de acabados y control de calidad de Dios.

Este es el mes para renovar tus suscripciones de 2014. Hazlo cuanto antes (ver página 373).

Luego vi a otro ángel que volaba en medio del cielo, y que llevaba el evangelio eterno para anunciarlo a los que viven en la tierra, a toda nación, raza, lengua y pueblo (Apocalipsis 14: 6).

Casi podemos escuchar los aleteos proféticos de los tres ángeles. Han volado rápidamente durante la historia adventista, pero en estos últimos días vuelan a mayor velocidad si cabe.

Los hijos de Israel jamás habrían llegado a Canaán sin la fe en Dios que les dio valor para entrar en el Mar Rojo. Del mismo modo, la orden de ir y predicar el mensaje de los tres ángeles a todo el mundo, en combinación con la fe en la misión profética y la dotación del poder del Espíritu Santo, dio a los primeros adventistas el valor y el entusiasmo para hacer por Dios lo imposible.

Mediante ellos, Dios hizo cosas que parecían imposibles. No solamente dieron sus vidas para el servicio misionero, sino que sus diezmos y ofrendas fueron el combustible que impulsó las misiones adventistas. Era un programa en el cual podían tomar parte todos y cada uno de los miembros.

Parte del apoyo económico se entregó a los nuevos ministerios de radio y televisión que ayudaron a dar velocidad al mensaje adventista para llegar hasta los confines de la tierra. Siguiendo el ejemplo del uso de los medios de comunicación de masas de Joshua V. Himes, H. M. S. Richards vio las posibilidades en la radio. En 1930 fundó el programa radiofónico *The Tabernacle of the Air* [El tabernáculo del aire], que pronto cambió su nombre a *The Voice of Prophecy*, conocido en español como *La voz de la esperanza*; y al cabo de no mucho tiempo se convirtió en uno de los primeros programas religiosos que entró en el campo de la difusión nacional en los Estados Unidos.

En un mundo en el cual la televisión todavía era un medio de comunicación nuevo, el programa *Faith for Today* [Fe para hoy], del pastor William Fagal, salió al aire por primera vez en 1950. Y fue seguido inmediatamente por *It Is Written*, conocido como *Escrito está* en español, del pastor George Vandeman.

Los adventistas han centuplicado los esfuerzos de los pioneros en los medios de comunicación de masas en todo el mundo. Además, desde 1971 Radio Mundial Adventista ha desarrollado poderosas emisoras de radio en varias regiones del planeta con el propósito de llegar a todos sus rincones con el mensaje de los tres ángeles. Asimismo, hacia fines de la década de 1990, la iglesia entró en los medios estratégicos de Internet y la televisión mundial vía satélite.

¡Sí, únete al movimiento! Por ningún motivo te quedes fuera de la dinámica mundial del adventismo. Escucha el aleteo de los tres ángeles.

Este es el mes para renovar tus suscripciones de 2014. Hazlo cuanto antes (ver página 373).

El proceso del perdón

Dichoso aquel a quien se le perdonan sus transgresiones, a quien se le borran sus pecados (Salmo 32: 1).

Perdonar a otros es un proceso semejante al de sanar. ¿Alguna vez te has lastimado gravemente? La curación fue un proceso que tomó bastante tiempo, ¿verdad? Yo tengo algo de experiencia en eso. Antes de los veinte años ya había sufrido cuatro fracturas. Todas en diferentes ocasiones. Con mi segunda fractura aprendí lo importante que era seguir con atención el proceso de curación. Una o dos semanas después de haberme fracturado la clavícula izquierda, yo ya me sentía bastante bien pero el médico insistía en que debía guardar reposo. Desesperado, una tarde decidí jugar al baloncesto con mis amigos. No había pasado mucho tiempo cuando resbalé y caí; la fractura volvió a abrirse. ¡Qué dolor sentí cuando volvieron a poner el hueso en su lugar!

Curarse de una herida emocional tiene un proceso análogo al de la curación física que debemos entender si queremos sanar bien. Según Lewis B. Smedes en *Perdonar y olvidar*, el proceso del perdón tiene cuatro etapas:

Sufrimos: El mundo en que vivimos no es justo y las personas que nos rodean no son perfectas. Por tanto, desde muy temprano empezamos a sufrir heridas. Algunas son superficiales y sanan solas. Otras son profundas, se infectan y envenenan nuestro ser robándonos la felicidad y el bienestar.

Odiamos: El odio es la respuesta natural contra aquellas heridas que son profundas e injustas. El odio se concentra en las personas. No odiamos acontecimientos, cosas o instituciones, ni siquiera al mal mismo. Odiamos a las personas que nos hicieron el mal y nos parece imposible desearles que les vaya bien, que sean felices.

Sanamos: Esto pasa cuando Dios nos da la capacidad de separar a las personas del mal que nos hicieron. De esta manera ya no los vemos a través de la lente del mal, sino que recibimos una nueva capacidad para pensar generosamente en ellos. Este milagro nos libera del dolor de la memoria y hace posible que crezcamos y prosperemos en la vida.

Nos reunimos: Esto sucede cuando el que ha sido herido renuncia a la venganza, y el que ha herido renuncia al mal.

Aunque no todas las relaciones fracturadas pueden restaurarse, toda persona que ha sido herida puede sanar por la gracia de Dios. Si te pones a pensar, perdonar a los demás es finalmente mucho más que beneficiarlos con nuestra benevolencia. Perdonar significa sanar para ser feliz y fructificar. ¿Por qué no pides a Dios que hoy inicie este milagro en tu vida?

Este es el mes para renovar tus suscripciones de 2014. Hazlo cuanto antes (ver página 373).

Si ahora te quedas absolutamente callada, de otra parte vendrán el alivio·
y la liberación para los judíos, pero tú y la familia de tu padre perecerán.
¡Quién sabe si no has llegado al trono precisamente para un momento
como este! (Ester 4: 14).

En el admirable designio divino cada persona desempeña un papel determinado
y únicamente ella puede ocupar ese espacio. Esto fue cierto en el caso de la
reina Ester y es cierto también en el tuyo, el mío y el de todos. Al parecer, también para el gerente del Estadio Nacional de Fútbol de Camerún.

Cuando comenzaron los preparativos para la serie *Vision for Life* [Visión para la vida], el primer problema que afrontaron fue la sede de la campaña. Ningún templo adventista de Yaundé podría recibir a todo el público que se esperaba. Después de mucha discusión concluyeron que el único lugar adecuado era el Estadio Nacional de Fútbol. Ninguna iglesia lo había usado antes para alguna actividad religiosa.

Los dirigentes de la Iglesia Adventista de Camerún presentaron su solicitud ante el gobierno y, después de muchas discusiones y negociaciones con diversos funcionarios, el mismo presidente del país concedió el permiso para que los adventistas utilizaran el estadio. Pero cuando se acercaba la fecha, el gobierno retiró el permiso. ¿Razón? Camerún había llegado a las finales de la Copa Africana de Fútbol y las finales se celebrarían en el Estadio Nacional. Ninguna iglesia, ni el mismo presidente, podía impedir la celebración de la Copa. En todo el continente africano miles de iglesias adventistas se preparaban para la campaña. Habían invertido mucho dinero y tenían grandes esperanzas. ¿Qué hacer?

La crisis era grave. Los adventistas utilizaron su recurso principal, la oración. Luego actuaron. Los dirigentes de la iglesia propusieron a los encargados del Estadio Nacional compartirlo con la Copa. Los juegos serían por la tarde, y la campaña de evangelización adventista por la noche. La propia petición era ya una inmensa osadía. Pero el recurso adventista sirvió de nuevo. Se reunieron con el gerente del estadio en el mismo sitio y le explicaron lo que se proponían hacer, para que fuera posible celebrar la campaña después de los juegos cada noche. Para sorpresa de todos, el alto personaje dijo a su asistente: «Cualquier cosa que estas personas deseen y necesiten, dáselo».

Los dirigentes de la Iglesia Adventista de Camerún y de *Amazing Facts* estaban atónitos. Más tarde supieron que el gerente era un adventista que hacía tiempo no iba a la iglesia, a quien Dios había puesto en ese lugar para hacer frente a aquella crisis. ¿Ya sabes cuál es tu lugar en la obra del Señor?

Este es el mes para renovar tus suscripciones de 2014. Hazlo cuanto antes (ver página 373).

Grandes sociedades y climas inhóspitos

Ciertamente, ninguna disciplina, en el momento de recibirla, parece agradable, sino más bien penosa; sin embargo, después produce una cosecha de justicia y paz para quienes han sido entrenados por ella (Hebreos 12: 11).

Los cristianos, especialmente los nuevos en la fe y los jóvenes, tienden a creer que el camino de la fe es de paz, seguridad y felicidad. Pero pronto descubren que no es así. Arnold J. Toynbee dedicó su vida a buscar la respuesta a estas dos interrogantes: ¿Qué hace que una gran nación surja y luego desaparezca? ¿Qué condiciones contribuyen a que una sociedad prospere? Los resultados de su investigación aparecen en una obra de varios tomos titulada *Estudio de la historia*. Estas son las conclusiones resumidas a las cuales llegó después de toda una vida dedicada al estudio:

Primero: no existe ninguna raza superior a las demás. **Segundo:** no es cierto que el medio ambiente aporte las condiciones propicias para el desarrollo de las grandes sociedades. Toynbee descubrió que una vida fácil no contribuye a la grandeza de una sociedad; al contrario, la estorba. Por ejemplo, descubrió que un clima placentero no produce grandes civilizaciones.

Toynbee dice que las grandes civilizaciones surgen como respuesta a los desafíos que afrontan. Una gran dificultad las obliga a hacer un esfuerzo superior. El obstáculo puede ser geográfico, político o militar. Puede ser, incluso, un clima inhóspito. Mientras exista un desafío, algo en contra de lo cual luchar, mientras existan nuevas fronteras, habrá crecimiento. Por eso sucede que, una vez que una civilización ha llegado a la grandeza, se descuida, baja la guardia y entra en decadencia.

Los principios de Toynbee también se aplican a las iglesias, las familias y los individuos. Para crecer se necesita un desafío, un conflicto, una incertidumbre. El historiador británico estableció la siguiente regla: «Eliminar los riesgos estimula la decadencia y a la larga destruirá cualquier sistema».

Por eso Dios no facilita nuestra lucha en el gran conflicto. Sabe que nos hace bien luchar. Nos mantiene despiertos mediante la lucha sin cuartel contra las potestades de las tinieblas. Dios, de una forma muy sabia, se niega a concedernos seguridad absoluta y ausencia de riesgos. No quiere que nos sintamos cómodos y dejemos la lucha y la peregrinación. Una seguridad excesiva es dañina. Un poco de inseguridad nos mantiene alerta.

Por lo tanto, si tienes problemas, ¡no te desanimes! ¡Nunca pienses que tus problemas son indicios de que Dios se ha olvidado de ti! Más bien, son evidencias de que trabaja con éxito en la edificación de tu carácter.

Este es el mes para renovar tus suscripciones de 2014. Hazlo cuanto antes (ver página 373).

Tres veces le rogué al Señor que me la quitara; pero él me dijo: «Te basta con mi gracia, pues mi poder se perfecciona en la debilidad» (2 Corintios 12: 8, 9).

Joni Eareckson Tada relata al principio de su libro *A Place For Healing* [Un lugar de sanación] el encuentro que en cierta ocasión tuvo en el estacionamiento de una iglesia. Joni es una escritora cristiana que quedó tetrapléjica (paralizada de las cuatro extremidades) como resultado de un accidente a la edad de 17 años. Ella ha dedicado su vida al ministerio en favor de personas discapacitadas. Joni nos cuenta cómo un joven muy ferviente llamado David se acercó a ella, se arrodilló al lado de su silla de ruedas, y le preguntó: «Joni, ¿estás segura de que no hay un pecado sin confesar en tu vida? Tengo la convicción de que Dios quiere sanarte».

La respuesta de Joni estuvo llena de sabiduría. Le recordó a David la historia del paralítico que llevaron sus amigos a ver a Jesús y cómo ellos abrieron un agujero en el techo y lo bajaron hasta su presencia (lee Luc. 5: 18-20). Joni le dijo que Cristo decidió curar al paralítico cuando vio la fe de sus amigos, no la del paralítico. Con gracia y la habilidad de una maestra en el arte del debate, presentó su argumento final: «¿No te parece, David, que es posible que al que le falta fe es a ti?».

La idea de que Dios quiere sanar a todos, aunque correcta, es incompleta y puede ser el origen de algunos malentendidos. Dios quiere sanar a todos, pero no es su plan sanar a todos aquí y ahora. ¿Por qué? No creo que podamos entender aquí y ahora todas las razones, pero es posible que el sufrimiento sea necesario para la salvación nuestra o de otros. Jesús dijo que algunos tendrán que perder la mano, o el pie o el ojo para poder salvarse (Mat. 5: 29, 30). En el caso de otros, es posible que su sufrimiento cumpla algún propósito relacionado con la salvación de alguien más. La falta de un milagro no es evidencia de falta de fe de nuestra parte, o de nuestros amigos.

Si Dios no ha contestado tu oración milagrosamente, no sientas rechazo. Estás en compañía de ilustres personajes como Juan el Bautista, Pablo y Jesús, a quienes Dios no rescató milagrosamente. Te invito esta mañana a que confíes incondicionalmente en él.

El orden
de las prioridades

Nadie puede servir a dos señores, pues menospreciará a uno y amará al otro, o querrá mucho a uno y despreciará al otro. No se puede servir a la vez a Dios y a las riquezas (Mateo 6: 24).

Jesucristo dejó bien claro que no podemos servir a dos señores. No podemos colocar a Cristo y a nosotros mismos en el centro de nuestras vidas. Es imposible. Los que aman a Dios con todo su corazón no pueden hacer otra cosa que buscar primero su gloria. Cuando actúan así, las prioridades toman el orden adecuado en sus vidas.

En una de las exhortaciones más desafiantes, pero que brindan mayor seguridad, Jesús aconsejó a sus oyentes que no se preocuparan ni siquiera por sus necesidades físicas y materiales básicas. Entonces, propuso lo siguiente: «Busquen primeramente el reino de Dios y su justicia, y todas estas cosas les serán añadidas» (Mat. 6: 33). Cuando confiamos en Dios y lo amamos hasta el punto de colocarlo en el primer plano de nuestras prioridades, no tenemos de qué afligirnos. Esto no significa que nuestros problemas se van a desvanecer, sino que confiaremos en que nuestro Padre celestial satisfará, como lo ha prometido, las necesidades que nuestros esfuerzos no puedan compensar.

Muchos hoy se vuelven hacia el materialismo y otros mecanismos de escape en una interminable búsqueda por encontrar satisfacciones a su existencia. Por supuesto, a cualquier precio. Pasan el tiempo procurando «vivir la vida», pero descubren que no consiguen lo mejor de la vida. Y así les transcurren los años de manera vertiginosa, en medio de la frustración y el descontento extremos.

Un hombre tenía una esposa cuyo desesperado deseo era acumular objetos materiales. Lo molestaba constantemente para que él le consiguiera algo nuevo: un abrigo, otro automóvil, perlas, pieles, entre otras cosas. Finalmente compró unos lotes funerarios para él y su esposa. Cuando seleccionaban las lápidas, decidió cuáles serían sus epitafios. «La de mi esposa», dijo al marmolista, «dirá: "Se murió por acumulación de objetos materiales". Y sobre la mía escriba: "Él murió por conseguirlos"».

La gente que aquel día se había reunido en el «monte de las bienaventuranzas» tuvo una demostración viviente de que no necesitaban «objetos materiales». Dios proporciona a sus hijos todo lo necesario en el momento que lo necesitan. Lo único por lo cual debemos preocuparnos es que nuestros nombres estén escritos en el libro de la vida. Todo lo demás es secundario. ¿Aceptarás la propuesta que Dios tiene para tu vida?

Manténganse libres del amor al dinero, y conténtense con lo que tienen, porque Dios ha dicho: «Nunca te dejaré; jamás te abandonaré» (Hebreos 13: 5).

No sabemos por qué algunas personas sufren más que otras y, porque no lo sabemos, todavía sufrimos más, especialmente cuando nos comparamos con otros a quienes, al parecer, siempre les va bien. Eso le pasó a Mary Stevenson. Mary nació el 8 de noviembre de 1922 en la ciudad de Pensilvania, Estados Unidos. Su madre murió cuando ella tenía seis años. Durante la Gran Depresión, su padre tuvo que criar a sus hijos sin ayuda. Mary vivió en medio de grandes dificultades.

Durante su adolescencia escribió un poema que se inspiraba en las diferentes cosas que habían afectado su vida y quiso compartirlo con otras personas que quizá habían sufrido lo mismo. El título de aquel poema era «Pisadas en la arena». Es muy posible que lo hayas leído. Es bastante conocido.

A los 16 años Mary se casó con un hombre que abusaba de ella. Debido a eso, se fugó junto con su hijito y se refugió en una reserva «indígena» cerca de Claremore, Oklahoma. Más adelante perdió a su hijito y luchó varios años intentando recuperarlo. Volvió a casarse alrededor de 1950 con un caballero llamado Basil, a quien llamó «El amor de mi vida».

Fue en aquella época que vio impreso por primera vez su poema «Pisadas en la arena», pero se le atribuía a un autor anónimo. Varios abogados le aconsejaron no intentar atribuirse la autoría, ya que no tenía pruebas para reclamarlo. Luego le tocó luchar contra la poliomielitis, y más tarde su esposo sufrió un grave accidente.

En enero de 1980, Basil murió debido a un problema cardiaco. En ese momento Mary decidió mudarse de la casa que habían compartido durante 25 años. Mientras preparaba la mudanza, halló una vieja maleta llena de poemas que había escrito a lo largo de los años. Halló una copia manuscrita del poema con la fecha de 1939. Un experto determinó la validez del documento y con él pudo reclamar la autoría del poema.

Al final el sol brilló de nuevo sobre el oscuro camino de su vida. Entonces comprendió que era verdad lo que ella había escrito en el último verso del poema. Mary Stevenson murió en 1999. Comprobó la veracidad de la promesa de Jesús: quienes permanecen a su lado nunca estarán solos. ¿Puedes sentir la presencia de Dios en tu vida?

Heridas
que duelen

Y si alguien le pregunta: «¿Por qué tienes esas heridas en las manos?», él responderá: «Son las heridas que me hicieron en casa de mis amigos» (Zacarías 13: 6).

Por una ironía de la vida, las personas que amamos son las que tienen mayor capacidad para herirnos. Hace algunos años me ocurrió algo de poca importancia pero que no he podido olvidar. Acabábamos de llegar a un país extranjero en el que mi familia y yo viviríamos durante algunos años. No solo el idioma era diferente, también las tiendas y el funcionamiento de las cosas.

Cierto amigo muy cercano nos llevó a conocer una de las tiendas de restos de serie y decidimos comprar algunos artículos necesarios. Cuando llegó el momento de pagar, escogimos una de las filas que parecían más cortas sin darnos cuenta de que ahí el cajero era automático. Absortos en animada conversación mientras la fila avanzaba, quedamos totalmente sorprendidos cuando llegó nuestro turno y nos saludó una voz femenina muy agradable que salía de la máquina. Era muy tarde para regresar. Las filas eran enormes en otros lados y mucha gente esperaba su turno detrás de nosotros. La máquina era inflexible y quisquillosa en extremo.

Habíamos escogido unas manzanas, pero la máquina insistía en saber cuál de los más de diez tipos del mencionado fruto llevábamos. «¿Cómo se llama esa "hierba" en inglés…? Mejor, ¿por qué no la dejas? De todas maneras sabe muy mal… Suegra, no quite la bolsa de la báscula, por favor… Alma, mejor dejemos esto y vámonos… ¡No! ¿Qué piensas que vas a comer…?» Mi esposa, mi suegra y yo rodeábamos aquella máquina infernal como si entre todos hubiésemos tenido la esperanza de domarla con nuestras miradas. La máquina, impasible, nos recordaba nuestros errores con una voz monótona que, unida a la mirada de los demás, convertía en frenesí nuestra desesperación. Completamente frustrado, miré a mi alrededor buscando una tabla de salvación. Para mi desgracia, vi a mi amigo reírse de nosotros, sin la menor intención, al parecer, de ayudarnos. ¡Sentí una rabia asesina!

Han pasado muchos años. Aunque el asunto carece de importancia, no he podido olvidarlo. Yo esperaba ayuda de mi amigo, no que añadiera fuego al suplicio. Me sentí traicionado.

Cuanto más cercana es una relación, tanto más necesario es pedir perdón y perdonar, porque es más fácil herir. Igualmente, si tienes una amistad íntima con Cristo, sentirás la necesidad de pedir perdón más a menudo. Por fortuna, nadie está más dispuesto a perdonar que él. Lo mismo es cierto de aquellos que son verdaderos amigos. Y tú, ¿sabes perdonar? ¿Es Jesús tu amigo?

No abuses
de tus amistades

En mi primera defensa, nadie me respaldó, sino que todos me abandonaron (2 Timoteo 4: 16).

Quizá te ha fallado algún amigo o alguna amiga. Pero no te desalientes, también le pasó al apóstol Pablo y a Jesucristo. Recuerda: «Todos los discípulos lo abandonaron y huyeron» (Mat. 26: 56). Los seres humanos no somos confiables. No creas que siempre se deba a ingratitud o a traición; a veces es por causas difíciles de precisar. No pienses mal de tus amistades.

De todos modos, es un hecho que no se puede ponderar. Un amigo verdadero está presente cuando todos se han marchado. Hasta las personas más famosas han experimentado momentos de depresión, cuando necesitan un verdadero amigo que los anime. «*Babe*» Ruth fue una de las grandes estrellas del béisbol. Su explosivo bate produjo un total de 714 jonrones. A *Babe* lo admiraban muchas personas, pero con el paso del tiempo su popularidad comenzó a disminuir. Finalmente los *Yankees* lo traspasaron a los *Braves*. Durante uno de sus últimos partidos en Cincinnati, Ruth pasaba por una mala racha. Salió desinflado y realizó malas jugadas, lo que provocó que los *Reds* anotaran cinco carreras en una entrada.

Mientras *Babe* se dirigía a los vestuarios, cabizbajo y desanimado, se escuchó un coro de abucheos entre la «fanaticada». Sin embargo, sucedió algo extraordinario. Un muchacho saltó la valla y con lágrimas en los ojos corrió hacia el gran atleta. Sin pensarlo, se arrojó a las piernas de Ruth y se aferró a ellas. El jugador lo alzó y lo colocó de nuevo en el césped. Acarició suavemente su cabeza, lo tomó de la mano y los dos salieron juntos del terreno de juego.

Creo que podemos proclamar dos verdades. Primera, que la falta de apoyo de un amigo no siempre es ingratitud ni traición. Por lo tanto, no trates con mucha severidad a tus amistades. Segunda, que Jesús perdonó a sus amigos que lo abandonaron y volvió a confiar plenamente en ellos. El apóstol Pablo también. Sigue su ejemplo.

Sin embargo, esta es la verdad más importante: aunque toda amistad terrenal falle, siempre podrás encontrar un amigo en Jesús. Él es un amigo más fiel que un hermano (lee Prov. 18: 24). Es un amigo con quien siempre podemos contar. Pero Jesús no pierde la confianza en sus amigos. Recuerda lo que dijo a los once desertores: «Ustedes son los que han estado siempre a mi lado en mis pruebas» (Luc. 22: 28). Procuremos ser amigos fieles de Jesús, porque él es nuestro Amigo más fiel.

Tu futuro
depende de ti

Por cuanto has hecho esto, de ninguna manera permitiré que tus parientes me sirvan, aun cuando yo había prometido que toda tu familia, tanto tus antepasados como tus descendientes, me servirían siempre. Yo, el Señor, Dios de Israel, lo afirmo. Yo honro a los que me honran, y humillo a los que me desprecian (1 Samuel 2: 30).

¿Leíste bien el texto de hoy? Dios tuvo que desdecirse de su promesa debido a la infidelidad de Elí y sus malvados hijos. Las más solemnes promesas y amenazas de Dios pueden ser condicionales. Con él no hay problemas. Todas sus promesas son más firmes que el cielo y la tierra. El problema somos nosotros. Incluso una promesa irrevocable es condicional. El apóstol Pablo dijo: «Las dádivas de Dios son irrevocables, como lo es también su llamamiento» (Rom. 11: 29). Sin embargo, aunque por su parte sean irrevocables, quedan condicionadas por la nuestra. El Señor hizo a David un firme juramento: «A uno de tus propios descendientes lo pondré en tu trono. Si tus hijos cumplen con mi pacto y con los estatutos que les enseñaré, también sus descendientes te sucederán en el trono para siempre» (Sal. 132: 11, 12).

Dios hizo una promesa irrevocable sobre la presencia de los descendientes de David en el trono, pero únicamente si sus hijos eran fieles al pacto. Una continua desobediencia nos apartará del ámbito de las bendiciones prometidas y borrará nuestro nombre del libro de la vida del Cordero (lee Apoc. 3: 5).

La gracia de Dios es gratuita y abundante. Debemos permitir que fluya constantemente sobre nuestra vida. El pasado no es más que un prólogo. El libro de nuestra experiencia de fe debe escribirse diariamente por una vida de obediencia al Señor. Cada día escribimos nuestro diario de victoria sobre el pecado a través de la fe en Jesús. Cada día escribimos nuestro diario de obediencia por fe. Si te apartaste del sendero de la fe y la obediencia, el destino no está escrito; puedes volver a Cristo porque su gracia es abundante.

¿Cómo están tus relaciones hoy con el Dios compasivo y misericordioso? Olvídate de tu pasado, haya sido bueno o malo. Lo que importa es lo que tienes delante. Ratifica hoy tu pacto con Dios. Las puertas de la gracia siempre están abiertas para que por ella entren todos los que desean perdón y regeneración.

El mal está en el perverso corazón humano que se niega a entregarse a Cristo. Pero él dice: «Al que a mí viene, no lo rechazo» (Juan 6: 37). Búscalo hoy, mañana puede ser demasiado tarde.

Si tu hermano peca contra ti, ve a solas con él y hazle ver su falta. Si te hace caso, has ganado a tu hermano (Mateo 18: 15).

¿Te has preguntado alguna vez cuándo nos pide Dios que señalemos a otros sus faltas con el propósito de restaurar nuestras relaciones? La vida es injusta y los seres humanos somos imperfectos. Si convirtiéramos toda herida en una crisis de perdón entonces nos dedicaríamos toda la vida a reconciliarnos. Cuando nos lastimamos superficialmente, sencillamente lavamos la herida y dejamos que sane sola. Igualmente, hemos de restar importancia a muchas heridas emocionales que padecemos en este mundo. Después de todo, otros también soportan nuestros defectos de carácter. Hay heridas, sin embargo, que no se deben ignorar. Lewis B. Smedes, en su libro *Perdonar y olvidar,* propone tres características: son **personales**, **injustas** y **profundas**. Por tanto, requieren una crisis de perdón.

Personales. Solo podemos perdonar a seres humanos. No a la naturaleza, por ejemplo, o a un sistema. El cáncer pudo habernos arrebatado a nuestro ser querido, pero no podemos perdonarlo. Podemos hacerle la guerra o añorar el día que Dios lo elimine; pero el perdón se da únicamente entre personas.

Injustas. Hay dolores que son el resultado de nuestras acciones. Otros, sin embargo, son totalmente inmerecidos e innecesarios. Estos agravios requieren una crisis de perdón. Los que nos lastiman pueden o no percatarse de lo injusto de su acción. Algunos nos lastiman porque creen que lo merecemos; otros nos hieren con los excesos de sus propios problemas, con sus errores, y aun con sus buenas intenciones. No importa cómo o por qué nos hacen daño sino cómo lo experimentamos.

Profundas. No es fácil definir la profundidad de una herida, porque la medida está encerrada en el corazón de quien la sufre. Me parece que los desaires, las molestias, los desengaños, no deberían crear una crisis de perdón, basta con sacudírnoslos. Hay otras heridas que requieren una crisis de perdón: La deslealtad (cuando tratas a alguien a quien conoces como si fuera un extraño), la traición (cuando tratas a alguien a quien conoces como si fuera tu enemigo) y la brutalidad (cuando tratas de disminuir la excelencia humana de una persona a través de tus acciones).

Si la herida es personal, injusta y profunda no deberías ignorarla, sino enfrentarla por tu bien y el de los demás. Cuando Jesús fue abofeteado injustamente, resistió el mal y dio la oportunidad al otro de arrepentirse (lee Juan 18: 22, 23). Haz tú lo mismo. Enfrenta el mal con la mano extendida del perdón. Si acepta tu mano, has ganado a tu hermano.

Ahora el general obedece nuevas órdenes

El Señor le dijo a Moisés: «¿Por qué clamas a mí? ¡Ordena a los israelitas que se pongan en marcha!» (Éxodo 14: 15).

El general Manuel Noriega fue capturado en 1989, acusado de muy graves delitos. Solo Dios sabe si era culpable de todos los cargos que se le imputaban, pero su vida se convirtió en una lección de fe y esperanza.

Mientras se encontraba en prisión, a principios de 1990, cayó en sus manos un ejemplar del Nuevo Testamento. Luego pidió que un pastor lo visitara. Después de otra visita en julio de 1990, Noriega pidió que lo inscribieran a un curso por correspondencia. Así comenzó a abrirse un mundo nuevo ante él.

En el año 1992, Noriega estuvo recluido durante seis meses en una cárcel de máxima seguridad, donde el capellán era el pastor adventista Mike Lombardo. Mike supo que a Noriega le interesaba el evangelio y lo visitó, oró con él y le regaló un ejemplar de *El camino a Cristo*. Poco después Noriega preguntó a Mike si tenía otros libros de Elena G. de White. Mike le regaló *El Deseado de todas las gentes* y *Palabras de vida del gran Maestro*.

Los libros le agradaron, pero más tarde lo trasladaron a otra prisión en la Florida, Estados Unidos. Al poco tiempo el general Noriega pidió ser bautizado. Después de muchas trabas legales, el 24 de octubre de 1992, Manuel Noriega fue bautizado en los salones de un tribunal federal en Miami.

El pastor Clifton Brannon, que bautizó al prisionero, afirma que se podía sentir la presencia del Espíritu Santo durante la ceremonia bautismal. El grupo cantó el himno «Sublime gracia» y a Noriega se le permitió expresar un breve testimonio.

Un día el evangelista Luis Palau visitó a Noriega en su celda. Este le dijo que cuando él ostentaba el poder en Panamá, tenía a sus órdenes a tres generales que le informaban cada día de los problemas que el país afrontaba. Ahora sus posesiones eran una cama, una mesa y una pequeña bicicleta para hacer ejercicio. Palau le preguntó:

—General, ¿qué piensa hacer cuando salga en libertad?

Noriega contestó:

—He encontrado un nuevo Comandante. Cuando salga en libertad buscaré en esa Biblia que está en mi mesa, preguntándole a mi nuevo General qué debo hacer.

¿Ya le preguntaste a tu General, Jesucristo, lo que debes hacer? Recuerda que no basta la pregunta que le hicimos cuando nos entregamos a él. Cada día debemos recibir nuevas órdenes de marcha. Sigue las órdenes de tu General.

Ama a tus enemigos

Ustedes, por el contrario, amen a sus enemigos, háganles bien y denles prestado sin esperar nada a cambio. Así tendrán una gran recompensa y serán hijos del Altísimo, porque él es bondadoso con los ingratos y malvados (Lucas 6: 35).

Esta orden de nuestro versículo para hoy es una de las más difíciles de cumplir porque se opone totalmente a la naturaleza humana. Pero Peter Miller, un bautista del séptimo día que vivía en Efrata, un pueblo de Pensilvania, en los Estados Unidos, la cumplió. Cerca de su casa había un hotel, propiedad de un hombre llamado Michael Whitman.

Whitman era enemigo de la revolución y miembro de la Junta Directiva de la Iglesia Reformada local. Michael Whitman odiaba a Peter Miller. Un día se encontró con él y le escupió en la cara. Miller no le hizo caso y Whitman siguió hostigándolo y humillándolo. Una noche dos hombres llegaron al hotel de Whitman para hospedarse. El parlanchín Whitman no sabía que eran agentes encubiertos, así que lo apresaron.

Pocos días después, Miller supo que Whitman había sido sentenciado a morir en la horca. ¿Qué habrías hecho tú en lugar de Peter Miller? Se dirigió a pie, por caminos nevados, a entrevistarse con el general George Washington. Intercedió por la vida de Whitman, pero fue en vano. El general Washington le dijo:

—No, Peter, no puedo perdonar a su amigo. Deseo dar un escarmiento con él.

—Él no es mi amigo —dijo Miller—. Michael Whitman es mi peor enemigo. Me provoca continuamente, pero mi Señor me ha ordenado que bendiga a quienes me maldicen y me persiguen.

Washington quedó impresionado.

—¿Dice usted que caminó más de cien kilómetros en medio de este horrible invierno para rogar por la vida de su peor enemigo?

Washington firmó la nota de indulto y la entregó a Miller, que de inmediato se puso en camino a Westchester, lugar donde se llevaría a cabo la ejecución. Miller llegó en el momento justo en que Whitman era conducido al cadalso. Al verlo, Whitman gritó burlonamente.

—Miren, ahí viene ese vejete de Miller, ha caminado cien kilómetros a través de la nieve desde Efrata para darse el gusto de verme colgado en la horca.

Apenas terminó de pronunciar aquellas palabras, Miller gritó a los verdugos:

—¡Alto, traigo una orden de indulto!

Whitman se salvó de la horca, y cuentan que Miller lo llevó de vuelta a Efrata, ya no como enemigo, sino como amigo. Eso hacen los cristianos. ¿Puedes hacerlo tú?

Salvar o perdonar

No alimentes odios secretos contra tu hermano, sino reprende con franqueza a tu prójimo para que no sufras las consecuencias de su pecado (Levítico 19: 17).

El odio es un virus difícil de curar. Es también un parásito que sobrevive a costa de nuestra vida y nuestra felicidad. Sin embargo, aunque ardua, la sanación es posible.

Michael Cristofer, en su obra de teatro *Black Angel* [Ángel negro], cuenta la historia de un general de la Alemania nazi a quien el tribunal de Nuremberg había condenado a treinta años de prisión por las atrocidades que cometieran sus soldados. Se llamaba Hermann Engel. Por cierto, en alemán, Engel quiere decir ángel. Al terminar su sentencia, Engel fue liberado y se retiró a una pequeña cabaña en las montañas de Alsacia, Francia, tratando de olvidar su pasado y vivir en paz. Morrieaux, sin embargo, esperaba su turno.

La familia de Morrieaux, un periodista francés, había sido masacrada por las tropas de Engel. Cuando el tribunal de Nuremberg se negó a sentenciarlo a muerte, Morrieux selló el destino de Engel en su propio corazón. Treinta años después viajó al pueblo cercano a la cabaña y allí convenció a los fanáticos para que subieran y quemaran a Engel y a su esposa. Antes de caer la noche, sin embargo, Morrieaux subió para entrevistar a su víctima. Había detalles de la historia que Morrieaux deseaba investigar. Cuando Morrieaux estuvo frente a Engel, quedó confundido. Vio una figura endeble y temblorosa. Un anciano torturado por su conciencia que solo quería descansar. Conforme avanzaba la entrevista, Morrieaux decidió salvar al pobre anciano. Le reveló lo que pasaría en unas pocas horas y le dijo que estaba dispuesto a sacarlo de allí y salvar su vida. Engel le contestó lentamente: «Iré con usted con una condición: que me perdone». Morrieux trastabilló. Estaba dispuesto a salvar a ese anciano endeble pero, ¿perdonarlo? ¡Nunca!

Esa noche los aldeanos subieron y asesinaron a Engel y a su esposa. ¿Por qué Morrieaux no pudo perdonar? Se había convertido en prisionero de su odio. La venganza se había convertido en su razón de existir y había devorado su alma. En cierto modo, Morrieaux se había convertido en su odio. No le pertenecía. Él pertenecía a su odio.

Dios nos pide que perdonemos a quienes nos hieren. El perdón, y solo el perdón, sanará nuestra alma. Pide a Dios que esta mañana te dé el poder de perdonar a la persona que te haya hecho daño.

Siete veces podrá caer el justo, pero otras tantas se levantará; los malvados, en cambio, se hundirán en la desgracia (Proverbios 24: 16).

El pastor Tim Crosby, en su libro *Vestiduras de gracia*, dice algo extraordinario con relación al texto de hoy: «Quizá usted esperaba leer algo como: "El hombre malvado cae siete veces, pero el justo permanece firme". Pero no es eso lo que dice. Dios dice que el justo cae siete veces, pero que cada vez que cae se levanta, se sacude y sigue adelante hacia su objetivo. Amigo, ese es el secreto del éxito financiero, social o espiritual».

Richard Edler escribió un libro al que le puso por título *If I Knew Then What I Know Now* [Si entonces hubiera sabido lo que sé ahora]. El autor pide a varios ejecutivos que mencionen lo más importante que han aprendido en sus vidas, algo que desearían haber sabido veinticinco años antes.

Para Bill Lipien, presidente de Mitchun, Jones & Templeton, la enseñanza más importante es: «Sé consciente de que en un treinta por ciento de los casos fracasarás estrepitosamente».

J. Melvin Muse, presidente de Muse Cordero Chien and Associated, afirma: «Comete numerosos errores. Los errores alimentan un rápido desarrollo profesional. Aprende a recuperarte de forma brillante. Luego no cometas el mismo error una segunda vez. Haz esto y tu progreso hacia la cumbre será más veloz que el de tus colegas conservadores».

El éxito se encuentra al otro lado del fracaso. Tienes que fracasar si quieres triunfar. Los grandes triunfos surgen del fracaso repetido. ¿Cuántas veces has fracasado después de tu bautismo? No me refiero necesariamente a apostatar, salir de la iglesia e irte al mundo de cabeza, aunque eso también está incluido. Me refiero a pecar abiertamente, cometer errores penosos. Es posible que la mayoría, o quizá todos tus errores, sean desconocidos para los demás. Algunos de esos errores solo los conocen Dios, tú y Satanás. Otros únicamente Dios y tú, porque son pecados cometidos en el santuario de la conciencia; es decir, en la mente. Y es posible que otros únicamente Dios los conozca, pero de todos ellos te puedes volver a levantar. Es la maravilla del perdón y la gracia del Señor.

Dios lo dijo en nuestro texto de hoy: puede perdonar la misma falta muchas veces, porque sabe que sus hijos corren el riesgo de caer muchas veces y no quiere que teman acercarse a él en busca de perdón. Aférrate a su gracia y su misericordia y avanza hacia la perfección, aprovechando los errores del pasado.

229

La escuela del éxito - 2

Todos los que el Padre me da vendrán a mí; y al que a mí viene, no lo rechazo (Juan 6: 37).

Para llegar a dominar una habilidad se necesitan mucha práctica y perseverancia. El que aprende a tocar un instrumento lo sabe muy bien. Cuando alguien aprende a tocar el piano, su dedo va miles de veces a dar en la tecla equivocada. Es como un requisito que no está escrito en el manual. Interesante, ¿verdad? No desanimarse por fracasar miles de veces antes de aprender a tocar.

Jaime y Josefina son los padres de un bebé perfectamente normal. El pequeño, que es un hato de energía, comienza a dar sus primeros pasos, se cae una y otra vez. Ellos observan sus progresos, al principio con satisfacción y luego con temor. Finalmente deciden llevar un registro. Cada caída del bebé se indica con una marca o símbolo. Al final se dan por vencidos. Después de que su bebé se caiga trescientas veces en una semana deciden hacer algo para poner fin a aquella dolorosa práctica. Llegan a la conclusión de que aprender a caminar es muy difícil, así que le amarran los pies para que no camine y deje de darse de bruces contra el suelo.

Ridículo, ¿verdad? Pues Dios tampoco hace eso. Lo importante es que todo aquel que lo intente aprenderá a caminar. Muchos hombres afamados y exitosos llegaron a la cumbre pasando por el camino del fracaso habitual, estrepitoso y doloroso. Walt Disney, por ejemplo, que muchos reconocen como uno de los hombres más creativos que han existido, fue despedido de un periódico «porque carecía de creatividad». Después de aquel primer fracaso quedó varias veces en bancarrota antes de construir sus famosos parques recreativos. A «Babe» Ruth, el famoso bateador, lo «poncharon» mil trescientas veces. Pero consiguió setecientos catorce jonrones. Es decir, fue «ponchado» dos veces por cada jonrón que bateó.

Algunos escritores confiesan que durante sus inicios recibieron más de doscientas cartas de rechazo. Así que ya sabes el precio del éxito. En realidad, implica un trabajo muy duro. Ninguno se puede considerar escritor si no ha fracasado muchas veces. Por ejemplo, el novelista inglés John Creasey llegó a acumular setecientas cincuenta y tres cartas de rechazo. Luego publicó quinientos sesenta y cuatro libros.

Lo mismo pasa en el camino de la vida cristiana. El cristiano cae, se equivoca, peca, comete errores de toda clase. Pero, de todas esas situaciones, se levanta y al fin logra desarrollar un carácter como el de Cristo.

Hace mucho tiempo se me apareció el Señor y me dijo: «Con amor eterno te he amado; por eso te sigo con fidelidad» (Jeremías 31: 3).

En su libro *Perdonar y olvidar*, Lewis B. Smedes cuenta la historia de Fouke y su esposa Hilda. Fouke era un panadero alto y delgado que vivía en la aldea de Faken, en lo más recóndito de Frisia, en los Países Bajos. Era tan recto que su justicia parecía brotar desde sus labios delgados y la gente prefería mantenerse alejada de él. La esposa de Fouke, Hilda, era pequeña y redonda. Su calidez no repelía a la gente con sus lecciones de honradez, sino que más bien los invitaba a su corazón que siempre parecía estar abierto para servir a todos.

Hilda amaba y respetaba a su esposo, pero anhelaba de él algo más que su justicia y rectitud, y en ese anhelo secreto residía la razón de su tristeza. Un día, después de haber trabajado toda la mañana amasando pan, Fouke regresó a casa donde encontró a un extraño en la cama con Hilda.

La historia del adulterio se convirtió en la conversación de la taberna y el escándalo de la congregación de Fouke. El recto panadero sorprendió a todos, sin embargo, cuando anunció que perdonaba a su esposa como la Biblia decía que debía hacerlo. Sin embargo, en lo profundo de su corazón, Fouke no podía perdonar a su esposa por haberlo traicionado tan dolorosamente. Cuando pensaba en ella sentía que el corazón se le llenaba de rabia. En su interior la despreciaba y la odiaba. Quizá sin saberlo, Fouke había perdonado a Hilda solo para castigarla con el peso de su rectitud.

La falsedad de Fouke, sin embargo, no era aprobada en el cielo. Cada vez que Fouke sentía ese odio secreto, un ángel bajaba y colocaba una piedrecita del tamaño de un botón en el corazón de Fouke. Las piedrecitas fueron aumentando el dolor y el odio. El corazón creció tanto que Fouke se dobló bajo su peso y el dolor se hizo insoportable hasta que el hombre deseó morir.

Esa noche, el ángel que colocaba las piedrecitas anunció a Fouke que su dolor podía ser curado. Si recibía el milagro de los ojos mágicos, su corazón lastimado se renovaría.

Mañana continuaré con esta historia. Es posible que tú pases por la situación de Fouke. Alguien te lastimó, hay odio y dolor en lo más profundo de tu corazón. Ese dolor tiene solución si recibes el milagro de los ojos mágicos. Ese milagro lo puede hacer Dios en tu vida.

Sáname, Señor, y seré sanado; sálvame y seré salvado, porque tú eres mi alabanza (Jeremías 17: 14).

El dolor por la terrible traición de Hilda había llegado a ser insoportable para Fouke, pero el ángel le había anunciado que existía un remedio. Fouke necesitaría el milagro de los ojos mágicos, un par de lentes prodigiosos que le permitirían ver hacia atrás, hasta el momento en que se inició su dolor, y percibir a Hilda no como la esposa cruel que lo había traicionado, sino como una mujer débil que lo necesitaba. Esta manera nueva de ver las cosas iniciaría el proceso de curación.

Al principio Fouke no creía que fuera posible, pero se sometió a la voluntad del ángel. Al ponerse los lentes y mirar hacia atrás empezó a percibir a su esposa como nunca antes. Hilda no era un monstruo. Era una mujer buena pero débil y necesitada. Cada vez que Fouke miraba hacia atrás con los lentes prodigiosos, el ángel llegaba y le quitaba una piedrecita. Conforme Fouke empezó a ver a Hilda con sus nuevos ojos, poco a poco, en su corazón nacía un nuevo sentimiento de respeto y de afecto por ella.

El milagro del perdón se inicia cuando Dios nos da la capacidad de ver a nuestros enemigos, no a través de los lentes del odio, sino a través de los lentes de la gracia; cuando los separamos del mal que nos hicieron. Del mismo modo, Dios quita nuestros pecados y los pone sobre Cristo Jesús, y no nos mira a través de la lente de nuestra maldad. Esta nueva percepción de nuestros enemigos nos ayuda a ver quiénes son en realidad. No son monstruos, sino personas débiles, falibles y necesitadas de nuestra ayuda más que de nuestro odio. Esta nueva percepción hace posible que en nuestro interior surja un nuevo sentimiento hacia ellos y renunciemos a la venganza.

El perdón es como una intervención quirúrgica en el corazón que quita el dolor, libera nuestra memoria del pasado y nos ayuda a mirar con gozo y confianza hacia el futuro. El perdón no depende de la actitud del ofensor. Es algo que ocurre en el corazón del ofendido. Es salud para él. Si el ofensor está dispuesto, podrá beneficiarse de una reconciliación. El ofendido, sin embargo, siempre ha sido libre para sanar.

Puede ser que hayas vivido con el peso del odio y el deseo de venganza torturándote el corazón. ¿Por qué no pedir a Jesús los lentes prodigiosos en este momento?

Él dará vida eterna a los que, perseverando en las buenas obras, buscan gloria, honor e inmortalidad (Romanos 2: 7).

¿Sabías que la perseverancia desempeña una función importante en nuestra salvación? En opinión de Tim Crosby los cristianos debemos...

- Mantenernos fieles a las enseñanzas de Cristo (Juan 8: 31).
- Sufrir con Cristo (Rom. 8: 17).
- Perseverar en la misericordia divina (Rom. 11: 32).
- Aferrarnos con firmeza a las enseñanzas de los apóstoles (1 Cor. 15: 2).
- Mantenernos firmes en la fe (Col. 1: 23).
- Mantener firme la confianza hasta el fin (Heb. 3: 6, 12-14).
- Permanecer en lo que hemos oído desde el principio (1 Juan 2: 24).

A Winston Churchill, ya viejo y enfermo, le pidieron una vez que diera un discurso de graduación en la Universidad de Oxford. Ese día pronunció lo que se ha considerado el discurso de graduación más breve de la historia.

El hombre que había inspirado y estimulado a Inglaterra para que entrara, perseverara y ganara la guerra contra Hitler se acercó tambaleante al podio. Puso a un lado su bastón, miró a su joven público, movió su rostro y gritó: «¡No se rindan nunca!»

Dio un paso atrás, contemplando de nuevo los rostros de aquellos jóvenes. Mediante una gran reserva interna, la legendaria voz de Churchill aumentó su intensidad, gritando: «¡No se rindan nunca!» Después de una larga pausa, rugió: «¡No se rindan nunca!»

Después, tomó el bastón y se dirigió a su asiento. Pasmados, los graduandos permanecieron sentados en silencio. Pero pronto comenzó una oleada de aplausos que concluyó en una atronadora ovación.

Creo que los cristianos que caen y se levantan reciben una ovación por parte de Dios. No creo que sea falta de reverencia imaginarlo. La Biblia dice que una gran nube de testigos mira nuestra carrera cristiana. Los ángeles se alegran cuando nos levantamos de nuestras caídas. Una de las más satisfactorias experiencias para Dios y los ángeles es ver que los cristianos convierten una derrota en victoria.

Es el significado final de Lucas 15: 10, cuando Cristo dijo: «Les digo que así mismo se alegra Dios con sus ángeles por un pecador que se arrepiente». A perseverar se ha dicho. Lo aconseja el himno: «Nunca os rindáis».

Hay que terminar la carrera

También nosotros, que estamos rodeados de una multitud tan grande de testigos, despojémonos del lastre que nos estorba, en especial del pecado que nos asedia, y corramos con perseverancia la carrera que tenemos por delante (Hebreos 12: 1).

En el espectáculo de la carrera del cristiano, el principal espectador es el Padre mismo. Nuestro éxito le interesa más que a nosotros mismos o a cualquier otro ser del universo.

En 1992, durante los juegos olímpicos de Barcelona, Derek Redmond, velocista inglés, había competido en las semifinales de los cuatrocientos metros. Para él, esa carrera era una especie de revancha. Cuatro años antes, en las olimpiadas de Seúl, se había desgarrado el tendón de Aquiles durante los calentamientos y no pudo competir. Ahora se le presentaba otra oportunidad.

Sonó el disparo de salida y los corredores salieron en busca del triunfo. Pero a una distancia de ciento cincuenta metros de la meta a Derek se le desgarró un músculo y cayó al suelo presa de un intenso dolor. Los camilleros corrieron hacia él pero les hizo señas de que se alejaran, se levantó como pudo y comenzó a andar a saltos dirigiéndose a la meta.

De repente un hombre saltó de las gradas, corrió hacia Derek y echó su brazo sobre sus hombros. Juntos saltaron durante los últimos cien metros hasta llegar a la meta. El ayudante era Jim Redmond, el padre de Derek. Había hecho un gran sacrificio para que su hijo llegara a la competición. Cinco minutos más tarde, padre e hijo llegaron a la meta y sesenta mil personas les brindaron una gran ovación de pie.

Cuando lo entrevistaron, el padre dijo: «Hicimos un pacto: mi hijo iba a terminar la carrera. Esta es su última olimpiada. Entrenó durante ocho años. Yo no podía permitir que no terminara la carrera».

Eso es lo mismo que nuestro Padre celestial hace por nosotros. No se avergüenza de llamarse nuestro Dios (Heb. 11: 16). Cuando lo buscamos tirados en el suelo, paciente y amoroso nos levanta y nos acompaña el resto de la ruta. No permitirá que nos quedemos en el camino si queremos llegar a la meta y clamamos por su ayuda. Es una verdad bíblica.

Acércate hoy a tu Dios y Salvador mientras te empeñas en terminar la carrera que él te propone para hoy y para toda tu vida.

Ellos eran en total doscientos ochenta y ocho, incluyendo a sus demás compañeros, y habían sido instruidos para cantarle al Señor (1 Crónicas 25: 7).

El capítulo 25 del primer libro de las Crónicas dice que los doscientos ochenta y ocho músicos eran hijos de Asaf, Hemán y Jedutún, los tres profetas musicales. Aquellos músicos, que estaban bajo la dirección del genial rey David, eran intérpretes extraordinarios. ¿Cómo sería la música que ejecutaban, los conciertos que daban?

¿Cómo podía ser de otra manera en una época en que Dios bendecía a su pueblo en todas las formas imaginables? Floreció el genio musical de David, la virtud sapiencial de Salomón y la naturaleza musical de Asaf, Hemán y Jedutún con sus doscientos ochenta y ocho hijos. Debió ser una época maravillosa.

Dicen que una vez le preguntaron al biólogo y filósofo Lewis Thomas cuál sería la obra que recomendaría lanzar al espacio con la idea de que algún día la descubriera alguna civilización galáctica; ya sabes, algo así como una cápsula del tiempo sideral. Thomas sugirió que se podía realizar una transmisión ininterrumpida de las obras de Johann Sebastian Bach, «aunque eso sería presumir un poco», añadió.

¿Te imaginas? Tan bella consideraba la música de Bach que temió que sería un poco presuntuoso exhibirla ante las inteligencias galácticas. Los que saben, dicen que la música de Bach es la más maravillosa de toda la que han producido los genios musicales de la historia. Tim Crosby recopiló los comentarios al respecto:

- «Algo de lo que no estoy del todo seguro es si los ángeles tocan música de Bach al alabar a Dios». *Karl Barth.*
- «Bach es único, al igual que Dios». *Héctor Berlioz.*
- «Bach representa la música más excelsa y la más pura que jamás se haya escuchado». *Pablo Casals.*
- «Bach se asemeja a un astrónomo que con la ayuda de un clave encuentra las estrellas más resplandecientes». *Frédéric Chopin.*
- «La más elevada música cristiana de todo el mundo [...]. Si la vida me hubiera arrebatado la fe y la esperanza, esta sencilla pieza me las habría devuelto». *Felix Mendelssohn-Bartholdy.*
- «Bach representa el principio y el final de toda música». *Max Reger.*
- «La música moderna se lo debe todo a Bach». *Nikolái Rimski-Kórsakov.*

Lo bueno de todo esto es que la música de Bach, como la música de los tres profetas musicales y sus doscientos ochenta y ocho hijos, honra a Dios. La buena noticia es que, aunque seamos inexpertos, algún día también lo honraremos con el cántico de Moisés y el Cordero.

La importancia del trabajo

Trabaja seis días, y haz en ellos todo lo que tengas que hacer (Éxodo 20: 9).

Un día como hoy, pero de 1931, se publicó en México la primera Ley Federal del Trabajo. Como en muchos países, antes de que se legalizaran las relaciones laborales, hubo grandes injusticias y luchas incansables que derivaron en diversas reglas para regular las actividades de los trabajadores. Con el paso de los años la perspectiva del mundo del trabajo ha cambiado. Por ejemplo, hoy tenemos una dura crisis económica internacional que ha puesto en peligro el empleo de millones de personas.

En realidad, el trabajo es un don de Dios que surgió antes de la entrada del pecado. Eso significa que no tiene ninguna connotación negativa ni es un castigo de Dios para los seres humanos. La Biblia dice: «Dios el Señor tomó al hombre y lo puso en el jardín del Edén para que lo cultivara y lo cuidara» (Gén. 2: 15). No obstante, mucha gente considera que el trabajo es una especie de maldición, una actividad que preferiría evitar. Incluso, en diversas culturas se presenta la imagen de la persona de éxito como alguien que disfruta de mucho dinero sin necesidad de trabajar.

Lo cierto es que el trabajo es un mandamiento divino. ¿Puedes leer entre líneas del cuarto mandamiento de la ley de Dios? ¡Sí! ¡Ahí está! En realidad, si Dios te pide que descanses un día a la semana, en este caso el sábado, es porque espera que trabajes los otros seis. Por lo tanto, el trabajo es parte de los preceptos divinos; y si es así, de ninguna manera es motivo de desdichas, adversidades o malos momentos. Al contrario, el trabajo es una verdadera bendición del cielo para formar tu carácter, de modo que sea apto para la vida celestial.

En los tiempos de los antiguos hebreos se consideraba muy importante que un joven supiera trabajar. Las poblaciones israelitas no toleraban muchachos vagos, haraganes ni ociosos. Todo el mundo tenía que estar trabajando. ¿Sabes? Creo que hoy es muy importante cambiar de actitud en cuanto al trabajo. Por todos lados se habla de desempleo, pero lo cierto es que hoy muchos quieren ganar suficiente dinero a cambio de poco trabajo. La cuestión es que la actitud que tienes hacia el trabajo influye mucho en la manera en que te desempeñas laboralmente. Por eso es muy importante aprender a trabajar. Un joven trabajador es de enorme valor en estos tiempos.

Decide hoy cambiar de actitud hacia el trabajo y pide a Dios que te ayude a disfrutarlo.

Disculpar no es perdonar

Cristo es nuestra paz: de los dos pueblos ha hecho uno solo, derribando mediante su sacrificio el muro de enemistad que nos separaba (Efesios 2: 14).

El teólogo escocés Hugh Ross Mackintosh definió una vez el perdón de la siguiente manera: «Es un proceso activo de la mente y del temperamento de alguien lastimado, por medio del cual anula un daño moral para hermanarse con el que lo ha lastimado, restableciendo la libertad y la alegría de la amistad». ¿No te parece admirable? El perdón hace posible que exista hermandad donde había enemistad y gozo donde había dolor. Cuando éramos esclavos del odio y el resentimiento, el perdón hizo posible la existencia de la confianza y el amor.

¿Cuál es la clave de la reconciliación? De acuerdo con Mackintosh, la clave está en la anulación del «daño moral». Esto es muy importante, porque el daño que nos han hecho se convierte en un obstáculo real entre nosotros y quienes nos lastimaron. Cuando alguien nos ha herido injusta y profundamente, ese acto se convierte en una «pared intermedia de separación» que nos impide tratarnos como hermanos, porque la confianza o el amor fueron traicionados. Esta separación es natural y apropiada porque nos protege de sufrir más injusticias.

Por eso, disculpar a otros no es perdonarlos, sino todo lo contrario. Cuando disculpas a alguien niegas que hubiera un daño y por tanto no es necesario perdonar. Si deseas realmente destruir la «pared intermedia de separación», primero debes reconocer que existe.

No me refiero aquí a ser muy sensibles. No debemos dar importancia a asuntos triviales. Sin embargo, sí debemos reconocer las heridas profundas. Pero no podemos quedarnos allí. Tenemos que renunciar a la venganza y, mediante los lentes prodigiosos de la gracia, perdonar a nuestros enemigos por el mal que nos hicieron.

Cuando pecamos contra Dios, él no disculpó nuestro pecado. Reconoció plenamente su gravedad. Pero no se quedó allí. También retiró el «daño moral» que habíamos infligido, satisfizo los requerimientos de la justicia. Por medio de Jesús, Dios derribó la «pared intermedia de separación» e hizo posible la reconciliación entre nosotros y el cielo.

¿Existe un «problema moral» que te separa de Dios? Te invito a confesarle tus pecados y aceptar el medio que ha provisto en Cristo para reconciliarnos con él. Dios no te disculpa. Te perdona. No tienes que fingir o esconderte. Únicamente acepta su mano extendida en busca de tu amistad.

¿Cuándo es posible la reconciliación?

> Por tercera vez Jesús le preguntó: «Simón, hijo de Juan, ¿me quieres?» A Pedro le dolió que por tercera vez Jesús le hubiera preguntado: «¿Me quieres?» Así que le dijo: «Señor, tú lo sabes todo; tú sabes que te quiero» (Juan 21: 17).

Siempre es posible perdonar a quien nos ha hecho daño. De hecho, la Biblia requiere que, por nuestro propio bien, perdonemos a los que nos han ofendido, sin importar la gravedad de la herida que hayamos sufrido, o si la persona pide o desea el perdón. Es unilateral y sana al que lo otorga.

La reconciliación, sin embargo, no siempre es posible. La reconciliación depende de dos personas y ambas necesitan invertir mucho en el proceso para que se produzca. ¿Cuándo es posible la reconciliación y la renovación de una amistad profunda? Lewis B. Smedes enuncia cuatro condiciones:

- Primera, *se debe comprender y aceptar la realidad del daño*. Quien hizo el daño debe reconocer que hubo sufrimiento, que fue injusto y profundo. Hay quienes lastiman a otros sin darse cuenta. Mientras no lo acepten, no habrá reconciliación genuina. El reconocimiento de la falta contribuye a la reparación del daño causado.
- Segunda, *quien hirió debe sentir la herida que causó*. No es suficiente un asentimiento intelectual del problema. Debe sentir el dolor que causó.
- Tercera, al dialogar tiene que *actuar con sinceridad*. El diálogo establece el foro, el espacio en el que ocurre la reconciliación. Debe haber disposición a escuchar el relato del herido y tratar de entenderlo con sinceridad. El que fue herido también debe asegurarse de que el otro ha comprendido.
- Finalmente, debe haber *sinceridad en cuanto a un futuro común*. Esto incluye una promesa de que quien hizo daño no volverá a herir nunca más.

La experiencia de José nos proporciona un ejemplo muy útil al respecto. Él había perdonado a sus hermanos y renunciado a la venganza antes de que ellos se aproximaran. Cuando llegaron, sin embargo, José no se dio a conocer a ellos inmediatamente. Quería saber si habían cambiado. Los probó para saber si era posible una reconciliación. Jesús hizo lo mismo.

Los cuatro elementos mencionados no se dan con facilidad. Es un proceso difícil que requiere mucho amor en el que perdona y humildad en el ofensor. También requiere tiempo. Y no siempre es perfecto, porque nadie lo es. ¡Pero es posible! Dios hoy puede obrar un milagro en tu vida. ¿Qué dices?

Rescata a los que van rumbo a la muerte; detén a los que a tumbos avanzan al suplicio. Pues aunque digas, «Yo no lo sabía», ¿no habrá de darse cuenta el que pesa los corazones? ¿No habrá de saberlo el que vigila tu vida? ¡Él le paga a cada uno según sus acciones! (Proverbios 24: 11, 12).

Oskar Schindler era un rico empresario alemán que salvó a miles de judíos durante la Segunda Guerra Mundial. Es posible que hayas visto la película sobre su vida y su obra dirigida por Steven Spielberg, *La lista de Schindler*. El clímax de la película surge un poco antes del final. Después de despedirse de los judíos a quienes había salvado la vida, justo antes de marcharse, le regalaron un anillo de oro como símbolo de su gratitud. Habían obtenido el oro de la prótesis dental de uno de los trabajadores y lo fundieron para hacer un anillo que tenía grabada una frase del Talmud: «Quien salva una vida, salva al mundo entero». Cuando se lo entregaron a Schindler este se sintió halagado, pero al mismo tiempo avergonzado. Dijo:

—Es de oro. ¡Pude haberlo vendido para salvar una vida más! Stern, pude haber hecho más, mucho más.

—Oskar —dijo Ithzak Stern—, hiciste mucho; ahora hay mil cien personas vivas, gracias a ti. Míralas.

—Yo malgasté mucho dinero, no te imaginas cuánto —se lamentó Schindler entre lágrimas—. Mira este coche, ¿por qué lo conservé? Podría haber salvado diez personas más. Mira este botón, podría haber salvado dos personas más. Este oro, dos personas más.

Luego, llorando sin consuelo, dijo:

—Podría haber salvado una persona más. ¿Por qué no lo hice?

Esto sucederá en el fin. ¿Cuántos lamentarán haber vivido pensando solo en sí mismos? Procura que no te pase a ti. ¿Qué tipo de persona era Oskar Schindler? Un nazi que vivía en la Alemania nazi. ¿De dónde sacó la inspiración y la fuerza para llevar a cabo una obra como aquella? Creo que del mismo depósito de donde podemos sacarlas nosotros, del corazón de amor de Dios.

¡Cuántas cosas se verán en su verdadera dimensión cuando todo termine! ¡Cuántas cosas desearemos haber vendido para predicar el evangelio y salvar una vida más! Algo que veremos cuando venga el reavivamiento que esperamos en el seno del pueblo de Dios será la piedad primitiva registrada en la Biblia: «Vendían sus propiedades y posesiones, y compartían sus bienes entre sí según la necesidad de cada uno» (Hech. 2: 45). Hoy es el momento de colaborar con Dios.

¿Quién se me ha llevado la nariz?

Aun si alguno de nosotros o un ángel del cielo les predicara un evangelio distinto del que les hemos predicado, ¡que caiga bajo maldición! (Gálatas 1: 8).

¿Te has preguntado alguna vez hasta qué punto te puedes fiar de tus sentidos? Muchas veces pensamos que si hemos experimentado algo entonces debe ser cierto. Pero no todo lo que experimentamos es confiable. De hecho, la Biblia dice que Satanás puede engañarnos y que, por lo tanto, lo único en lo que realmente podemos confiar más allá de toda duda es en la Palabra de Dios.

Un experimento sencillo puede mostrártelo. Necesitarás la ayuda de dos amigos a quienes llamaré Julio y Mina. Siéntate con los ojos vendados y pide a Julio que se siente frente a ti y te mire fijamente. Pide a Mina que se coloque a tu derecha y que siga con precisión las siguientes instrucciones:

Toma mi mano derecha y guía mi dedo índice a la nariz de Julio. Mueve mi mano en una manera rítmica para que mi dedo índice golpee repetidamente su nariz en una secuencia al azar como en código Morse. Al mismo tiempo, usa tu mano izquierda y golpea mi nariz con el mismo ritmo y al mismo tiempo. El golpeteo de mi nariz y el de la nariz de Julio deben estar en perfecta sincronía.

Después de treinta o cuarenta segundos, la mayoría de las personas siente algo realmente extraordinario: que tocan sus propias narices a un metro de distancia, o que se la han dislocado y trasladado a un metro de distancia. Es una ilusión extraordinaria, pero sencillamente eso, una ilusión. ¿Por qué sucede? Tu cerebro percibe el golpeteo en tu dedo índice y en tu nariz y advierte que están en perfecta sincronía. Entonces razona: «El golpeteo en mi nariz es idéntico a las sensaciones en mi dedo índice. ¿Por qué son las dos secuencias idénticas? La probabilidad de que esto sea una coincidencia es cero. Por lo tanto, la explicación más probable es que mi dedo índice golpea mi nariz. Pero también sé que mi mano está a un metro de distancia de mi rostro. Esto quiere decir que mi nariz también debe estar allá, a un metro de distancia».

¿Te das cuenta de que nuestros sentidos también nos pueden engañar? Yo te animo a confiar más en lo que la Palabra de Dios dice que en la opinión de tus propios sentidos. Créeme, es más seguro.

> Mi propósito ha sido predicar el evangelio donde Cristo no sea conocido, para no edificar sobre fundamento ajeno. Más bien, como está escrito: «Los que nunca habían recibido noticia de él, lo verán; y entenderán los que no habían oído hablar de él» (Romanos 15: 20, 21).

La decisión de cumplir la Gran Comisión ha impulsado a la iglesia a ir a todas partes del mundo para predicar el evangelio. El apóstol Pablo predicó desde Jerusalén, pasando por toda Asia Menor, hasta Iliria (Montenegro) en Europa. En nuestro tiempo, nuestra iglesia, heredera de la comisión evangélica, lucha para alcanzar cada país, región, grupo étnico, cultural y social. Hace años la División Sudamericana adoptó un lema que señala muy bien el espíritu que domina a la Iglesia Mundial:

- De país en país, hasta que hayamos alcanzado el último país.
- De isla en isla, hasta que hayamos alcanzado la última isla.
- De ciudad en ciudad, hasta que hayamos alcanzado la última ciudad.
- De pueblo en pueblo, hasta que hayamos alcanzado el último pueblo.
- De aldea en aldea, hasta que hayamos alcanzado la última aldea.
- De casa en casa, hasta que hayamos alcanzado la última casa.
- De persona a persona, hasta que hayamos alcanzado la última persona.

Esta gran tarea incluye la responsabilidad de visitar a Danica Camacho, la bebé nacida el martes 29 de octubre de 2011 que se convirtió en la habitante número siete mil millones de nuestro poblado mundo. Nació en el Hospital Fabella, en Manila, Filipinas. De acuerdo con la agencia AFP, los padres de la pequeña, Camille y Florante, recibieron a altos funcionarios de la Organización de las Naciones Unidas (ONU) en Filipinas, quienes le llevaron un pastel. Cabe aclarar que la recién nacida es una de varios bebés que fueron declarados habitantes número siete mil millones del planeta. La ONU estableció el 31 de octubre de 2011 como la fecha simbólica en que el mundo alcanzó esa cifra.

Los adventistas tienen la responsabilidad de visitar a Danica Camacho para explicarle lo que significa el evangelio eterno en el contexto de los grandes acontecimientos de los últimos días. Hoy la tarea de predicar el evangelio a los siete mil millones es una misión humanamente imposible, pero se completará cuando seamos bautizados por el Espíritu Santo, como los apóstoles el día de Pentecostés (lee Hech. 1: 4-8).

Colócate en la fila de los que recibirán ese bautismo. Es nuestra necesidad más urgente. Prepárate para participar en la culminación de la obra.

En esto conocemos lo que es el amor: en que Jesucristo entregó su vida por nosotros. Así también nosotros debemos entregar la vida por nuestros hermanos (1 Juan 3: 16).

Según el *Comentario bíblico adventista*, en el texto de hoy Juan anima a sus lectores a fomentar el amor que lleva, de ser necesario, hasta el sacrificio supremo. Dar la vida por la de otra persona es la prueba suprema del amor. La prueba de amor que ofreció Cristo fue mayor, porque no dio la vida solamente por sus hermanos, sino por sus enemigos.

En *El hombre en busca del sentido último*, Viktor Frankl narra la historia de Janusz Korczack, médico polaco que dirigía un orfanato en Varsovia. La historia no le ha hecho justicia, quizá porque muy pocos supieron de su amor sacrificado. Pero los judíos no lo olvidaron. Le erigieron una conmovedora estatua en el Yad Vashem, en Jerusalén. Dice la inscripción: «El doctor Korczack fundó un orfanato para salvar a los huérfanos de los judíos que habían muerto cuando los nazis aniquilaron el gueto de Varsovia. Pero en 1942 los nazis deportaron a sus huérfanos al campo de concentración de Treblinka y a Korczack le ofrecieron la opción de quedarse. Pero Korczack desestimó la oferta y subió al tren que los deportaba, con dos pequeños huérfanos en sus brazos mientras les contaba historias alegres. Los nazis lo mataron por solidaridad con sus huérfanos. El gran hombre no sobrevivió a causa de su sentido de la vida, sino que murió por causa de él. Otros héroes reales fueron asesinados por defender a un compañero, o por ocupar el lugar de otro recluso en la fila, o por negarse a cumplir una orden de las SS para agredir a otra persona, o por dar un trozo de pan a un niño hambriento».

Ese amor que es capaz de hacer tal sacrificio no es explicable por lo que sentimos humanamente. Es algo divino, que Dios hace nacer en el corazón humano. Se podría afirmar que no todos estamos llamados a mostrar una prueba de amor supremo dando, literalmente, la vida por otra persona. Sin embargo, todos debemos experimentar ese amor supremo en los múltiples sucesos de nuestra vida cotidiana. A veces se requiere más amor y más valor para vivir una vida consagrada a Dios en las variadas circunstancias de la vida que para realizar un acto heroico en un momento de crisis. ¿Te has preparado para ir contracorriente con tal de vivir los principios de la Palabra de Dios?

Entonces oí una voz del cielo, que decía: «Escribe: "Dichosos los que de ahora en adelante mueren en el Señor"». «Sí», dice el Espíritu, «ellos descansarán de sus fatigosas tareas, pues sus obras los acompañan» (Apocalipsis 14: 13).

Rachel Beckwith tenía solo nueve años cuando murió, el 23 de julio del 2011; apenas dos semanas antes de que yo escribiera esta reflexión. Puedes leer su historia en el artículo del *New York Times* «Rachel's Last Fund Raiser» [La última colecta de Rachel], de Nicholas Kristof. Desde muy pequeña, tuvo el deseo de ayudar a otros. A los cinco años donó su cabello a una organización llamada *Locks of Love* [Rizos de amor] que hace pelucas para niños que han perdido el cabello por causa del cáncer u otras enfermedades. Después de que le cortaran el cabello, Rachel anunció que se lo dejaría crecer para volverlo a donar. Y así fue.

Cuando tenía ocho años, Rachel decidió donar su fiesta de cumpleaños número nueve el 12 de junio de 2011, con el objetivo de construir pozos para personas necesitadas en África mediante una organización llamada *Charity: Water*. Pidió a sus amigos que, en vez de darle un regalo, donaran nueve dólares en la página de Internet que había designado (charitywater.org/rachel). Se propuso una meta de trescientos dólares, pero entristeció cuando solo pudo recaudar doscientos veinte. El 20 de julio, Rachel sufrió un accidente mientras viajaba en automóvil con su familia y quedó gravemente herida. Sus amigos y miembros de iglesia, buscando cómo apoyarla, se enteraron de su colecta y empezaron a donar dinero en su página de Internet. Muy pronto las donaciones sobrepasaron los trescientos dólares y se recaudaron 47,544 dólares antes de que la pequeña muriera, rompiendo el récord del famoso cantante Justin Bieber, que había regalado su fiesta de cumpleaños número diecisiete. El 23 de junio, Rachel fue desconectada de los aparatos que la mantenían con vida porque era claro que nunca despertaría. Sus padres habían decidido donar una vez más su cabello y varios órganos para dar vida a otros niños. La colecta de Rachel siguió creciendo. Consulté su página poco antes de escribir esta lectura, y llevaba más de un millón de dólares. Quién sabe cómo terminará lo que ella inició con amor.

Lo mismo pasa cuando, con amor, comunicamos el evangelio de Cristo Jesús. Puede ser que por medio de ti se conviertan solo unas cuantas personas, pero no sabes hasta dónde llegará esa cadena. Cuando siembras con amor la semilla del evangelio, el Espíritu Santo potenciará tu esfuerzo y los resultados serán eternos. Todos tenemos el privilegio de iniciar una cadena de vida que alcanzará hasta la eternidad. ¿Ya iniciaste la tuya?

¿Qué esperanza tienen los impíos cuando son eliminados, cuando Dios les quita la vida? ¿Escucha Dios su clamor cuando les sobreviene la angustia? (Job 27: 8, 9).

Durante la década de 1920, un ladrón llamado Arthur Berry se hizo famoso en Estados Unidos. Era un ladrón de joyas muy diestro, con un estilo especial. No le robaba a cualquiera. Las damas elegantes de Boston anunciaban con orgullo que Arthur Berry había condescendido a robarles sus diamantes.

Por supuesto, la policía no pensaba lo mismo de él. Lo perseguía día y noche, pero otra de sus habilidades era escaparse de la justicia. Mas una noche lo sorprendieron mientras robaba en una casa; le dieron tres balazos, cayó por una ventana, pero escapó. Finalmente una mujer celosa lo denunció y Berry pasó 18 años en prisión. Cuando salió se fue a vivir a un pequeño pueblo de Nueva Inglaterra.

Un día se supo dónde vivía y numerosos periodistas acudieron a entrevistarlo. Le preguntaron lo acostumbrado, pero un joven reportero le planteó una pregunta muy perspicaz: «¿A quién le robó usted más?»

Arthur Berry contestó que aquella era la pregunta más fácil de contestar de todas. «El hombre a quien más le robé fue a Arthur Berry. Yo pude haber sido un magnate de Wall Street. Pude haber sido un empresario de éxito si hubiera utilizado de forma legal los talentos que Dios me dio. Pude haber tenido éxito en los negocios, pero pasé más de la mitad de mi vida en la cárcel».

Terribles palabras, ¿verdad? Qué desgracia es perder todas las oportunidades de la vida y luego mirar hacia atrás para ver lo que pudo haber sido y no fue. ¿Te imaginas? Saber que pudimos haber sido un gran artista, un gran misionero, un gran empresario, un gran servidor público y, sin embargo, terminar nuestros días avergonzados por haber desperdiciado el tiempo en tonterías. Desperdiciar una vida tan valiosa en simplezas es una tragedia, por decirlo suavemente.

Por supuesto, lo más aterrador es la posibilidad de mirar la santa ciudad desde afuera de los muros de piedras preciosas. Saber que pudimos estar dentro y, sin embargo, nos encontramos fuera. Procura no equivocarte en esto. Toma todas las medidas de precaución que puedas para que eso no te suceda. Sería una tragedia eterna. No puedo imaginar lo que sentirá una persona que fue cristiana adventista, que conoció la verdad y, sin embargo, se encuentre fuera de la ciudad de Dios. Procura que no sea tu caso.

¡Fíjense qué gran amor nos ha dado el Padre, que se nos llame hijos de Dios! ¡Y lo somos! El mundo no nos conoce, precisamente porque no lo conoció a él (1 Juan 3: 1).

Juan no intenta describir el amor de Dios, sino destacar su altura, profundidad y anchura. Por eso dice «Fíjense qué gran amor» nos ha manifestado Dios, y luego suspende su intento de describirlo. Viktor Frankl narra en *El hombre en busca del sentido último* lo que le sucedió en el campo de concentración cuando un incidente le recordó a su esposa separada cruelmente de su lado. La fila de prisioneros caminaba por una carretera, en medio del frío invierno, sin abrigos, casi desnudos, antes del amanecer, rumbo al trabajo. El dolor y el sufrimiento eran atroces. Pero la mente de Frankl se concentró en el recuerdo amoroso y al parecer se acercó a una comprensión de la profundidad del amor de Dios.

«Por primera vez comprendí la sólida verdad dispersa en las canciones de tantos poetas o proclamada en la brillante sabiduría de los pensadores y los filósofos: el amor es la meta última y más alta a la que puede aspirar el hombre. Entonces percibí en toda su profundidad el significado del mayor secreto que la poesía, el pensamiento y las creencias humanas intentan comunicarnos: la salvación del hombre solo es posible en el amor y a través del amor. Intuí cómo un hombre, despojado de todo, puede saborear la felicidad […] si contempla el rostro de su ser querido. Aun cuando el hombre se encuentre en una situación de desolación absoluta, sin la posibilidad de expresarse por medio de una acción positiva, con el único horizonte vital de soportar correctamente, con dignidad, el sufrimiento omnipresente, aun en esa situación, ese hombre puede realizarse en la amorosa contemplación de la imagen de su persona amada. Ahora sí entiendo el sentido y el significado de aquellas palabras: "Los ángeles se abandonan en la contemplación eterna de la gloria infinita"».

Quizá esa comprensión del amor de Dios capacitó a los mártires para cantar en medio del martirio y morir alabando a Dios. Es el amor que todos debemos cultivar para amar a Dios con todo nuestro corazón, toda nuestra alma y toda nuestra mente. Creo que ese amor se pide y se recibe del Señor, pero también se cultiva y se ejercita en la práctica de la vida cristiana. Es el amor de los cristianos maduros, porque han conocido más de cerca a Dios. Busquemos ese amor hoy.

¿Perfectos o solo perdonados?

«El ladrón no viene más que a robar, matar y destruir; yo he venido para que tengan vida, y la tengan en abundancia» (Juan 10: 10).

Una calcomanía en el parachoques del automóvil decía esto: «Los cristianos no son perfectos, solo son perdonados». Cuando lo leí por primera vez, el pensamiento me dejó intrigado. ¿Es lo que realmente somos? ¿Perdonados, nada menos y nada más?

La «calcomanía teológica» hace dos aseveraciones y ambas son correctas. Sí, ningún ser humano, con la excepción de Jesús, es perfecto. También es cierto que Dios proporciona el perdón sin excepción a todos los que aceptan a Cristo como su Salvador personal; y esto no depende de que sean perfectos. Sin embargo, algo no parece correcto con respecto al mensaje de la calcomanía, especialmente si la leíste en el parachoques de un automóvil cuyo conductor se metió rudamente en tu carril y hace sonar la bocina desconsideradamente contra los otros conductores.

¿Es verdad que el perdón es lo único que identifica a una persona como cristiana o la única cosa que importa en la vida de un cristiano? Por desgracia, lo que esta calcomanía realmente comunica es que «ser perdonado es todo lo que importa en el cristianismo, lo que es genuinamente esencial». Desde este punto de vista, lo único que importa es que antes de morir le digas a Jesús: «Perdóname, te entrego mi vida», para escapar de la muerte eterna. Puedes leer un buen análisis al respecto en el libro *The Divine Conspiracy* [La conspiración divina], de Dallas Willard.

La Biblia dice, sin embargo, que Jesús no vino y murió únicamente para proporcionarnos perdón sino para darnos vida y dárnosla en abundancia (lee Juan 10: 10). Cuando Jesús dijo esto se refería al presente, a la vida que vivimos en este mundo antes de que venga por segunda vez. Si esto es cierto, la diferencia entre un cristiano y uno que no lo es, va más allá del hecho de que uno es perdonado y el otro no. Debes percibir la diferencia en las «vidas» que ellos viven, ¿no es cierto?

Cuando Jesús nos perdona también nos da su Santo Espíritu para implantar los principios de su reino en nuestras vidas. Si permitimos que Dios haga esto en nosotros, seremos realmente dichosos. Cristo vino para hacernos fructíferos en los frutos del Espíritu Santo que se resumen en el principio del amor. Todo el que se entrega a Cristo es un árbol fructífero en el huerto de Dios. ¿Eres un árbol fructífero o estéril? La decisión está en tus manos.

No pierdas la fe

> Pero nosotros no somos de los que se vuelven atrás y acaban por perderse, sino de los que tienen fe y preservan su vida (Hebreos 10: 39).

Viktor Frankl cuenta la historia de un prisionero que perdió la fe y la esperanza: «El prisionero que perdía la fe en el futuro estaba condenado. Con la quiebra de la confianza en el futuro faltaban las fuerzas del asidero espiritual; el prisionero se abandonaba y decaía, se convertía en sujeto del aniquilamiento físico y mental. Normalmente esto se producía de repente, en forma de crisis, cuyos síntomas resultaban familiares para el prisionero experimentado.

»Una vez fui testigo de la pérdida de la fe en el futuro y el peligro de darse por vencido. F., el jefe de mi barracón, compositor y libretista famoso, me confió un día:

—Me gustaría contarle algo doctor. He tenido un extraño sueño. Una voz me invitaba a desear cualquier cosa, bastaba con preguntar lo que quería saber y mis preguntas serían respondidas de inmediato. ¿Sabe qué pregunté? Cuándo terminaría la guerra para mí. Ya sabe lo que quiero decir, doctor, ¡para mí! Conocer cuándo seríamos liberados de este campo y cuándo terminarían nuestros sufrimientos.

—¿Y cuándo tuvo usted ese sueño? —le pregunté.

—En febrero de 1945 —contestó.

Por entonces estábamos a principios de marzo.

—¿Qué respondió la voz en su sueño?

En voz baja, casi furtivamente, me susurró:

—El treinta de marzo.

»Cuando F. me contó aquel sueño todavía se encontraba rebosante de esperanza y convencido de la veracidad del oráculo de la voz. Sin embargo, a medida que se acercaba el día prometido, las noticias que recibíamos sobre la guerra menguaban las esperanzas de ser liberados en la fecha indicada. El 29 de marzo, de repente, F. cayó enfermo con una fiebre muy alta. El 30 de marzo, el día en que según su profecía terminaría la guerra y el sufrimiento para él, empezó a delirar y perdió la conciencia. El 31 de marzo falleció».

Los cristianos han salido vencedores en situaciones que no ofrecían ninguna esperanza humana, porque la fe en Dios y sus promesas les daba valor para afrontar todos los dolores y sufrimientos. Cuán ciertas son las palabras del apóstol: «Nosotros no somos de los que se vuelven atrás y acaban por perderse, sino de los que tienen fe y preservan su vida» (Heb. 10: 39).

Si sufres por cualquier causa, cobra ánimo con estas palabras. El cristiano es más que vencedor porque su fe está firme en Dios. ¡No pierdas la confianza en Dios!

La buena suerte de Freddie

El mejor de ellos es más enmarañado que una zarza; el más recto, más torcido que un espino. Pero ya viene el día de su confusión; ¡ya se acerca el día de tu castigo anunciado por tus centinelas! (Miqueas 7: 4).

Hay una historia muy reveladora de lo que Dios quiere hacer con nosotros. La cuenta Leo R. Van Dolson en *Un llamado al reavivamiento.* Un bebé llamado Freddie fue entregado a una agencia de adopción, pero como había nacido sin brazos se lo colocó en la lista de los difíciles de adoptar. Frances y Edwin Pearson llegaron a la agencia en busca de un niño. La señora Pearson le echó una mirada llena de orgullo a su marido, de porte atlético, y dijo que sería buen padre para un varoncito.

Los Pearson admitieron que no tenían mucho dinero, pero la esposa insistió, diciendo:

—Tenemos mucho amor… ¡Lo hemos ahorrado!

La trabajadora social entrevistó concienzudamente a la pareja y, finalmente, les dijo que había disponible un niño de trece meses. Los Pearson estaban entusiasmados. Entonces sacó la fotografía de Freddie, y les dijo:

—Es un chiquillo maravilloso, pero nació sin brazos.

Los Pearson estudiaron detenidamente la fotografía.

—Podría jugar fútbol —sugirió la señora Pearson.

—Los brazos no son tan importantes. Se las podrá ingeniar sin ellos. Si le faltara la cabeza sería otro asunto. Le podemos enseñar un montón de cosas —añadió el señor Pearson.

—¿Les parece que podrían acogerlo, entonces? —preguntó la representante de la agencia.

—¿Podríamos? ¡Podríamos! —respondieron los Pearson—. ¡Lo necesitamos!

Así fue como la feliz pareja acogió a Freddie en su hogar y sus corazones.

Dios nos necesita. Seis mil años de degradación nos han desfigurado, estropeado y deformado. ¡Pero Dios nos necesita todavía! Quiere recibirnos para sanarnos completamente.

Dios discute con nosotros como en los días de Miqueas: «Pueblo mío, ¿qué te he hecho? ¡Dime en qué te he ofendido!» (Miq. 6: 3). La tragedia es que millones preferirán quedar deformes y torcidos como el espino y la zarza, negándose a ir a Cristo para que los adopte y los sane verdaderamente en el seno de su familia. Dios quiere ayudarnos y salvarnos más de lo que nosotros jamás podremos comprender. ¿Ya escuchaste y aceptaste su llamado? Si no, apresúrate, porque el tiempo apremia. No necesitas buena suerte, como Freddie, sino fe en Jesucristo.

El que se mantenga firme hasta el fin será salvo (Mateo 24: 13).

Ya sé que no hay una bienaventuranza que lo diga así (bienaventurados los que perseveran), pero creo que es verdadera. Es lo que dice, en esencia, nuestro texto de hoy. Ningún otro rasgo de carácter es tan crucial para el éxito como la perseverancia. El apóstol escribió: «Han oído hablar de la perseverancia de Job» (Sant. 5: 11). Dios elogia a los perseverantes (lee Apoc. 2: 3).

A un niño que era muy tímido en la escuela le pusieron el sobrenombre de «*Sparky*». Así se llamaba un caballo que aparecía en las tiras cómicas. A él le iba tan bien en la escuela, que lo adelantaron de grado. Cuando estaba en primer grado, su mamá lo ayudó para que les llevara presentes del Día de la Amistad a todos en su clase, de manera que ninguno se sintiera mal por no haber recibido nada. Sin embargo, su timidez le impidió poner los regalos en la caja que estaba frente al salón de clases para ese propósito, así que se devolvió a casa con ellos.

Con el paso del tiempo, se convirtió en un adolescente muy tímido, porque era el de menos edad de su clase en la secundaria. Un momento desagradable ocurrió cuando le rechazaron sus dibujos para el anuario de la secundaria.

Sparky fue víctima de muchos rechazos durante su vida. Incluso cuando le propuso matrimonio a la mujer de la que se enamoró, fue rechazado. Finalmente, se casó con otra.

Su única habilidad era el dibujo, y él se sentía orgulloso de sus obras de arte. Pero nadie las apreciaba. Sin embargo, no se dio por vencido. *Sparky* comenzó a considerar la posibilidad hacer carrera como artista profesional. Un día se le ocurrió comenzar a escribir su autobiografía mediante caricaturas. En ellas describía su niñez, mostrando al niño introvertido que no lograba tener éxito. Utilizó a un personaje conocido hoy en la mayor parte del mundo. Charles «*Sparky*» Monroe Schulz fue el creador de la famosa tira cómica *Peanuts*, de Charlie Brown, el niño cuya cometa no volaba, y su inseparable perro Snoopy.

Sparky triunfó al fin en la vida, mientras sus compañeros «más inteligentes» se perdieron en el olvido. Pero en la vida espiritual el asunto es aún más importante. Aquí la perseverancia es de la mayor trascendencia. De los perseverantes es el reino de los cielos. Si caes, si el enemigo se regocija derribándote, no te rindas, no te desanimes. Todavía hay esperanza para ti. Dios es especialista en levantar a quien ha caído.

249

Cambio de fortuna

> Por el contrario, se rebajó voluntariamente, tomando la naturaleza de siervo y haciéndose semejante a los seres humanos (Filipenses 2: 7).

La vida de Moisés ha alimentado la imaginación de la humanidad durante largo tiempo. Hasta el personaje de *Superman* se inspiró parcialmente en el modelo de Moisés. De hecho, sus creadores, dos judíos intelectuales de Cleveland, llamados Jerry Siegel y Joe Shuster, articularon la historia previa del superhéroe a partir del Antiguo Testamento. Así como el bebé Moisés flotó en una barquilla de juncos en el río para escapar de sus perseguidores, el bebé Kal-El fue lanzado al espacio en un cohete para salvarlo. Igual que Moisés, creció en un ambiente extraño antes de ser llamado a rescatar a la humanidad.

Lo que más cautiva de Moisés son las grandes vicisitudes por las que pasó. Fue condenado antes de ser concebido; nació en esclavitud; se convirtió en el príncipe heredero al trono de la nación más poderosa del planeta; fue traicionado por los esclavos a quienes quería defender; huyó al desierto y se convirtió en pastor de ovejas; Dios lo honró y estuvo en su presencia; se convirtió en el dirigente de la nación israelita, pero no pudo entrar en la tierra prometida por un error que cometió. Lo que más me asombra es que, si lo analizamos bien, veremos que Moisés pasó por estas experiencias por su propia decisión. Cuando tuvo la gloria de Egipto a sus pies, la abandonó voluntariamente para liberar a una raza de esclavos. ¿Harías tú lo mismo?

Ha habido otros, sin embargo, que han ennoblecido a la humanidad con su ejemplo. John Leonard Dober y David Nitschman, un alfarero y un carpintero respectivamente, en el año 1732 fueron los primeros misioneros moravos. Estos hombres de ocupación humilde eran realmente extraordinarios. Aceptaron el llamado como misioneros para toda la vida y llevar el evangelio de Cristo a los esclavos de las Indias Occidentales. Sin embargo, para poder alcanzarlos con el evangelio se vendieron a sí mismos como esclavos. Cuando el barco salía del puerto pronunciaron las inolvidables palabras: «Que el Cordero que fue inmolado reciba la recompensa por su sufrimiento». Para honrar a su Señor, entregaron sus vidas. Pocos lo son en circunstancias tan dramáticas, pero todos somos llamados. Jesús hizo lo mismo por ti. Decide seguirlo hoy sin importar lo que pase.

Clama a mí y te responderé, y te daré a conocer cosas grandes y ocultas que tú no sabes (Jeremías 33: 3).

ACTS 2000 Manila fue la primera de las diez grandes series de evangelización vía satélite que el programa de televisión adventista *Escrito está* programó para el año 1999 en todo del mundo. Esas series de reuniones eran el cumplimiento de los sueños del equipo y, en realidad, un plan muy ambicioso.

ACTS 2000 produciría una serie completa de presentaciones del evangelio de Cristo vía satélite con traducción a múltiples idiomas y miles de iglesias a través de todo el mundo.

Durante los preparativos para el acontecimiento, se recibió un mensaje urgente en las oficinas centrales. En *Miracle Factor* [El factor milagro], Kandus Thorp reproduce la tensa situación: «Necesitamos la urgente e inmediata intervención de Dios a favor de ACTS 2000 Manila. Esta es la situación: "El programa comienza el viernes por la noche, con una prueba de la transmisión programada para la noche del jueves. En este momento son las 2:00 p.m., del miércoles. El equipo llegó el miércoles de la semana pasada, hace ocho días, pero debido a los días festivos no pudimos iniciar el trámite para sacarlo de la aduana hasta el lunes. A pesar de todo lo que hemos hecho, todavía no hemos tenido éxito. El gobierno filipino pide 330,000 dólares de depósito por la importación temporal"».

¿Cómo intervendría Dios en Manila en un tiempo tan breve? El pastor Mark Finley y el equipo de *Escrito está*, junto con los líderes de la División Asia-Pacífico Sur, pidieron a Dios que abriera el camino. Centenares de iglesias por toda la División habían instalado antenas parabólicas y estaban listas para la serie de evangelización vía satélite que iba a durar catorce días. En lugares tan lejanos como Corea, Japón, China, Guam e Indonesia, esperaban ansiosos la transmisión de los programas.

Pero sin el equipo, no habría campaña de evangelización. Todo parecía perdido. La iglesia no disponía de la cantidad solicitada para el depósito. Pero Dios tenía un plan. El fiel pastor Bienvenido V. Tejano, que también servía como embajador de Filipinas en Papúa Nueva Guinea, entregó personalmente la solicitud al presidente Joseph Estrada el miércoles por la noche ya muy tarde. Dos horas más tarde, el presidente Estrada envió una carta instruyendo a la autoridad aduanera filipina que entregara el equipo inmediatamente y sin costo alguno.

Dios intervino en favor de su pueblo. Las conferencias vía satélite se realizaron con éxito a través de las ondas del Pacífico Sur. La promesa de Dios sigue vigente. Aplícala a tu vida.

Pancho Villa

> Cuando les dimos a conocer la venida de nuestro Señor Jesucristo en todo su poder, no estábamos siguiendo sutiles cuentos supersticiosos sino dando testimonio de su grandeza, que vimos con nuestros propios ojos (2 Pedro 1: 16).

En la biografía que escribió Paco Ignacio Taibo II sobre el revolucionario mexicano Doroteo Arango, mejor conocido como Pancho Villa, recoge una frase anónima referente al personaje: «No están mal las leyendas, porque no tienen leyenda los que no se la merecen».

Pancho Villa se ha convertido con los años en una verdadera leyenda. Ramón Puente, uno de sus biógrafos, dice: «No lo entienden. Harán de él caricaturas, semblanzas de un detalle o de un aspecto de su persona; fabricarán con él leyendas y novelas». Al parecer, él mismo intuía que su vida sería legendaria, porque dijo a un periodista: «Amigo, la historia de mi vida se tendrá que contar de distintas maneras».

Por ejemplo, su lugar de nacimiento ha sido objeto de las más absurdas historias. Según un diccionario editado en 1965, era colombiano, hijo de padre colombiano y madre mexicana. Nació supuestamente en Medellín; a los cuatro años, sus padres habrían emigrado a México y se establecieron en Durango. Esta excéntrica versión se originó en la *Enciclopedia Sopena*, editada en la década de 1930.

Los estadounidenses también reclamaron la ciudadanía de Villa. Varios soldados del décimo batallón de caballería juraron que su nombre real era Goldsby y se incorporó al ejército en Maryland. Después habría tenido problemas en el ejército y cruzó la frontera hacia México donde se hizo bandolero, para luego convertirse en revolucionario.

En 1956, Marsilio T. Álvarez afirmó que Pancho Villa era centroamericano, basándose en datos que consideraba exactos. Por su parte, el historiador soviético Lavrensky aseguraba que Villa era un mestizo de origen español e indígena tarahumara.

Siempre me ha parecido fascinante observar cómo diferentes sociedades y comunidades han peleado el derecho de que Pancho Villa sea en alguna medida parte de ellas. Esto me hace pensar en algo todavía más extraordinario. Cristo Jesús, el Hijo del Padre, que ha conquistado el mal y se ha sentado a la diestra de Dios, ¡es también un ser humano! Adoptó nuestra naturaleza humana para siempre.

Por los siglos de los siglos, los seres humanos tendremos la tristeza de haber sido la única raza que se rebelara contra el gobierno justo y amante de Dios, pero también el privilegio de decir que nuestro hermano está sentado en el trono del universo. ¿No te parece estupendo?

Por lo tanto, yo también, excelentísimo Teófilo, habiendo investigado todo
esto con esmero desde su origen, he decidido escribírtelo ordenadamente
(Lucas 1: 3).

El Espíritu Santo dirigió al apóstol Lucas y todos los demás biógrafos de Jesús.
El registro que nos legaron es histórico, fidedigno y confiable. Su historia asombrosa es realmente producto de su grandeza y un testimonio a la verdad de
su vida.

Pancho Villa ha ejercido sobre la historia una fascinación difícil de entender. Rommel, Mao Zedong y el Subcomandante Marcos estudiaron sus métodos de lucha. Se
tomó una fotografía al lado del general George Patton, y el presidente Roosevelt de
Estados Unidos se ocupó personalmente de él. Villa era un hombre que tenía fama
de ebrio, pero nunca bebía. De hecho, fusiló a sus oficiales borrachos y destruyó las
garrafas de aguardiente de las cantinas de todos los pueblos por donde pasaba. Se
sabe que las calles de Ciudad Juárez apestaban a aguardiente porque Villa mandó
vaciar en ellas todo el licor que había en las cantinas.

Villa apenas sabía escribir y, sin embargo, cuando fue gobernador de Chihuahua
fundó cincuenta escuelas en un mes. Ha sido el único mexicano que estuvo a punto
de comprar un submarino. Montaba un caballo llamado Siete Leguas, que en realidad
era una yegua. Villa era un hombre a quien odiaban tanto, que para matarlo le dispararon ciento cincuenta tiros al automóvil en que viajaba; tres años después de muerto, alguien robó la cabeza de su cadáver. Pero casi cien años después de su muerte, se
lo ama tanto, que cada año la cabalgata de los Dorados de Villa, una asociación con
miles de miembros, invade la ciudad de Parral, Chihuahua, donde murió. Fue un
hombre que logró engañar a sus perseguidores hasta después de muerto, pues aunque oficialmente se dice que está sepultado en el Monumento a la Revolución en la
Ciudad de México, se cree con mucho apoyo histórico que, en verdad, sigue enterrado en el panteón de Parral.

Por supuesto, entre los seres humanos muchas veces la grandeza viene de la fama,
lo cual no es muy confiable. Lo interesante es que parece que nosotros llevamos en la
sangre la necesidad de engrandecer a otros. En realidad, es muy probable que así nos
haya creado Dios. Puso dicha tendencia para que nosotros pudiéramos honrarlo y
glorificarlo. Pero al no hacerlo, corremos el riesgo de canalizar nuestra alabanza a
simples hombres y mujeres. Lo cierto es que no hay hombre en la historia más grande que Jesús. Solo él merece nuestro reconocimiento.

Pecado imperdonable

Si después de recibir el conocimiento de la verdad pecamos obstinadamente, ya no hay sacrificio por los pecados (Hebreos 10: 26).

Este es uno de los versículos más duros de la Biblia. ¿Quiere decir que aquellos que pecan después de conocer la verdad no tienen perdón? No. Dios nos ha pedido que perdonemos a otros setenta veces siete y, por supuesto, él está dispuesto a perdonarnos más que eso (lee Hech. 5: 31). De hecho, en la Biblia encontramos muchos ejemplos de esto (Adán, Noé, Abraham, Moisés, Pedro y otros).

El pasaje de hoy se refiere a un pecado específico. Se lo describe como «pisotear al Hijo de Dios», «profanar la sangre del pacto» e «insultar al Espíritu de la gracia» (lee Heb. 10: 29). ¿En qué consiste este pecado?

«Pisotear al Hijo de Dios» es una expresión muy significativa. Pisotear a una persona era una imagen común para referirse a la derrota y subyugación absoluta de los enemigos por parte de un monarca (2 Sam. 22: 39; Sal. 18: 36, 38; 47: 3). Esto fue lo que hizo Josué con los cinco reyes cananeos a los que derrotó (Jos. 10: 24, 25) y lo que Dios promete hacer, en favor nuestro, con Satanás (Rom. 16: 20). Pisotear al Hijo de Dios implica que el pecador considera a Jesús un enemigo a quien debe subyugar.

«Profanar la sangre del pacto» significa considerar que la sangre de Cristo no es un elemento que limpia nuestros pecados, sino que nos contamina. La Biblia dice que la sangre de Cristo limpia nuestros pecados (Heb. 9: 14), pero el ofensor considera que debe evitarla como si fuera lepra.

Finalmente, el ofensor «insulta al Espíritu de la gracia». El Espíritu Santo es el agente de la gracia de Dios y de su misericordia, pero este ofensor lo rechaza y lo insulta. Hay aquí un elemento de insolencia y arrogancia que invita el juicio de Dios.

¿Te das cuenta? Esta ofensa no es resultado de la ignorancia, sino el acto decidido de destruir totalmente la relación con Dios. La única manera de ser salvos es por medio de la fe en el sacrificio de Cristo Jesús (Hech. 4: 12) y la aceptación del ministerio del Espíritu Santo en favor nuestro (Efe. 4: 30). Pero si rechazas totalmente estos medios, ¿qué otro te queda para salvarte? Ninguno.

Te invito a que hoy confirmes tu fe en Cristo Jesús y te sometas al liderazgo del Espíritu Santo. Ese es el camino de la salvación. El asunto es urgente y muy serio. Pronto ya no quedarán oportunidades.

¿Cuánto mayor castigo piensan ustedes que merece el que ha pisoteado al Hijo de Dios, que ha profanado la sangre del pacto por la cual había sido santificado, y que ha insultado al Espíritu de la gracia? (Hebreos 10: 29).

¿Crees que es posible ir más allá de la misericordia divina? El caso del impío rey Manasés es esclarecedor en este sentido. Fue un monarca cruel que «derramó tanta sangre inocente que inundó a Jerusalén de un extremo a otro» (2 Rey. 21: 16). Fue también un rey sumamente perverso. No solo «se postró ante todos los astros del cielo y los adoró» (vers. 3), sino que cometió una abominación: «Sacrificó en el fuego a su propio hijo» y practicó la hechicería (vers. 6). La Biblia menciona con énfasis un acto de soberbia, insulto y desafío a Dios. Después de deshacer las reformas religiosas de su padre y construir altares a dioses paganos en los dos atrios de la casa del Señor, Manasés erigió «la imagen de la diosa Aserá que él había hecho» y la puso ahí. El contexto sugiere que Manasés erigió esta imagen en el lugar santísimo, en el lugar del arca del pacto. Sin embargo, cuando Dios afligió a Manasés y permitió que lo llevaran cautivo y con grilletes a Babilonia, «se humilló grandemente ante el Dios de sus padres» y Dios lo perdonó (2 Crón. 33: 10-13). Su conducta posterior muestra que su arrepentimiento fue genuino (vers. 14-16).

Lo que sorprende del caso de Manasés no es la insolencia y profundidad de su rebeldía, sino la dimensión y la generosidad del perdón divino. La sangre de Cristo es suficiente para perdonar cualquier pecado. Dios no puede salvar, sin embargo, a aquellos que rechazan los medios que él utiliza para salvarlos. Elena G. de White lo dice muy bien: «Hemos de acudir a Cristo así como somos. Pero nadie se engañe a sí mismo pensando que Dios, en su gran amor y misericordia, salvará incluso a quienes rechazan su gracia» (*El camino a Cristo*, cap. 3, p. 47).

El pecado imperdonable es mucho más que un suceso puntual; se trata de una actitud. Dios puede perdonar nuestros pecados, por muy graves que sean; pero se niega a forzar nuestra voluntad. Él desea que lo busquemos voluntariamente. No puede obligarnos a amarlo. Eso tiene que ser una decisión consciente de cada ser humano. Si lo hacemos, nos recibirá con los brazos abiertos. ¿Qué decisión tomarás?

Una invitación a la victoria

De hecho, considero que en nada se comparan los sufrimientos actuales con la gloria que habrá de revelarse en nosotros (Romanos 8: 18).

Respecto al texto de hoy, dice el *Comentario bíblico adventista*: «Todos los sufrimientos de esta vida presente se hunden en la insignificancia cuando se comparan con la gloria futura». Uno de los primeros directores de la *Review and Herald*, Urías Smith, después de describir en una serie de artículos las maravillas del cielo, el 21 de julio de 1874 publicó una invitación al compromiso, repetida once veces, que constituye un llamamiento para todos:

«Estemos allí.

»Reposemos bajo la sonrisa perdonadora de Dios, con quien hemos sido reconciliados, y no pequemos más.

»Accedamos al eterno manantial de vitalidad, el fruto del árbol de la vida, para no morir jamás.

»Descansemos bajo la sombra de sus hojas que estarán al servicio de las naciones, para no sentirnos fatigados nunca más.

»Bebamos de la fuente del agua de vida, para nunca más tener sed.

»Sumerjámonos en su plateado estanque, para sentirnos refrescados.

»Caminemos sobre sus doradas arenas, y démonos cuenta de que ya no seremos exiliados nunca más.

»Cambiemos la cruz por la corona y sintamos que los días de nuestra humillación han concluido.

»Abandonemos el cetro, tomemos la palma y convenzámonos de que ya recorrimos el camino.

»Pongamos a un lado las vestiduras de nuestra milicia, cambiémoslas por el ropaje blanco del triunfo, y sentiremos que el conflicto ha terminado y hemos obtenido la victoria.

»Cambiemos el raído y sucio cinturón de nuestro peregrinaje, por la gloriosa vestidura de la inmortalidad, y sentiremos que el pecado y la maldición jamás podrán contaminarnos».

Tenemos que estar allí y, por la gracia de Dios, allí estaremos. Pero para que eso suceda, tenemos que prestar atención ahora al sonido admonitorio de la trompeta de Joel 2: 1, que nos invita a un reavivamiento y una reforma en el seno del pueblo de Dios. Es posible que nuestro deseo de experimentar ese reavivamiento y esa reforma se vea rodeado de pruebas y tentaciones, pues el enemigo está resuelto a impedirlo. No lo permitamos.

Hace tiempo que la trompeta de alarma ha sonado en Sión, la iglesia, llamándonos a prepararnos para el día de la segunda venida de Jesús, «pues ya viene el día del Señor» (Joel 2: 1), más cercano hoy que nunca antes. «Reavivamiento ahora» debe ser nuestra permanente respuesta al llamado de Dios. ¡Decídete, hoy es el momento!

Así que en todo traten ustedes a los demás tal y como quieren que ellos los traten a ustedes. De hecho, esto es la ley y los profetas (Mateo 7: 12).

El siguiente relato llega rodando como un guijarro a la orilla del río. Dos hombres estaban sentados junto al fuego en una plácida noche de otoño. Uno era el jefe Teedyuscung, de los delaware; el otro era un amigo íntimo suyo, cuyo nombre no trascendió. Habían estado sentados durante mucho tiempo, casi sin hablar, pensando cada uno en sus propias preocupaciones. El amigo reflexionó sobre los problemas interpersonales y recordó que una vez había escuchado la regla de oro cristiana. Se dirigió a Teedyuscung.

—Jefe, una vez escuché un principio de excelencia y gran utilidad.

Teedyuscung levantó su mano abierta, detuvo a su amigo para que no siguiera. Después dijo:

—No me hables de la excelencia ni alabes ese principio. Sencillamente dímelo, y yo te diré si es digno de confianza.

Así que en términos sencillos, el amigo explicó la regla de oro a Teedyuscung. Este de inmediato exclamó:

—¡Eso es imposible! —y los dos hombres siguieron sentados en silencio durante varios minutos.

Finalmente Teedyuscung rompió el silencio y dijo:

—He pensado en esa regla de oro.

Luego dijo con solemnidad:

—Si el gran espíritu que creó al hombre le diera un corazón nuevo, entonces sería posible.

En la vida cristiana, la mayor fuente de problemas se encuentra en las relaciones interpersonales. La única manera de vivir en paz en este mundo es impedir la aparición de problemas con los padres, los hermanos, las amistades, los jefes del trabajo; el prójimo en general. El secreto es la regla de oro. Es el método más sencillo del mundo y el más efectivo… pero el más difícil de poner en práctica.

La regla de oro es:

• Busca primero el bienestar de los demás y después el tuyo. Procura que ellos, y no tú, reciban primero la atención, el reconocimiento, los premios y todas las ventajas.

• Si hay un solo lugar, un solo vaso de agua, un solo premio, una sola mención honorífica, cédelos a tu prójimo.

Con razón dijo el jefe Teedyuscung que eso es solamente posible «si el gran espíritu le da un nuevo corazón al hombre». Pide esta mañana al Espíritu Santo que implante la regla de oro en tu corazón.

Una carrera contra la muerte

El que es perseguido por homicidio será un fugitivo hasta la muerte. ¡Que nadie le brinde su apoyo! (Proverbios 28: 17).

El sentimiento de culpa es mortal. El doctor Vernon Coleman, en su libro *How to Stop Feeling Guilty* [Cómo dejar de sentirnos culpables], cuenta el caso de un joven que pasó una noche de juerga en un bar. Cuando regresaba a su casa, mareado por la copas, tuvo la sensación de que golpeó algo con su automóvil, pero no le dio importancia. Al otro día, ya más sobrio, vio que el parachoques delantero del vehículo estaba dañado. Después leyó en el periódico que un conductor había golpeado a una anciana, dejándola muerta en el lugar del accidente.

El joven se convenció de que había matado a la anciana, pero temiendo las consecuencias decidió guardar el secreto. Desde ese momento la culpa lo atormentó y lo hizo sentir miserable. Incluso tuvo alucinaciones. Muchas veces consideró la conveniencia de confesar lo que había hecho, pero nunca lo hizo. Unos veinte años más tarde decidió que no podía soportarlo más y se suicidó. Dejó una nota en la que explicaba que él había sido el conductor que atropelló a la mujer encontrada aquella noche de hacía veinte años.

La policía que investigó el caso consultó en los periódicos de la época la historia de la muerte de la anciana sucedida dos décadas atrás y encontró que el reportero había cometido un error. La anciana ya había sido atropellada en el mismo lugar y, por lo tanto, cuando el automóvil del entonces joven borracho la golpeó, ya estaba muerta. No era culpable. Su sufrimiento y su muerte fueron en vano. El sentimiento de culpa es mortal.

La culpa es la percepción de haber hecho algo moralmente incorrecto. Todos los seres humanos se sienten culpables delante de Dios y muchos nos sentimos culpables delante de los hombres. Es el dolor universal, es la enfermedad universal. En realidad, la culpa puede ser un camino para que te acerques al Señor buscando la paz. Sí, la única solución al problema de la culpa es la confesión y la seguridad del perdón.

No guardes nada en tu alma que haga que te sientas culpable. Gracias a Dios, el alivio al sentimiento de culpa está al alcance de todos. Dios sana el alma culpable y detiene la carrera contra la muerte. Acepta la sanidad del Señor en tu corazón. Él puede hacer este milagro.

Al primero lo llamó Manasés, porque dijo: «Dios ha hecho que me olvide de todos mis problemas, y de mi casa paterna» (Génesis 41: 51).

Olvidar no es lo mismo que perdonar. Si te pones a pensar, te darás cuenta de que nadie puede perdonar aquello que ha olvidado. De hecho, cuando las heridas que otros nos han hecho son profundas y nos han lastimado, cuando el dolor del recuerdo perdura en la memoria, es cuando enfrentamos realmente la crisis del perdón. Este hace posible que sanemos la memoria.

En algunas circunstancias es bueno olvidar las heridas que otros nos han hecho. Si estas son triviales y poco profundas, debemos olvidarlas y dejar que se sanen solas. No podemos andar por la vida como ropavejeros, cargando un saco de recuerdos dolorosos y sin mayor significado. Hay, sin embargo, heridas más profundas y graves. Necesitan que se les aplique un tratamiento para atenderlas oportunamente. De otra manera se infectarán y envenenarán todo nuestro ser.

Una vez que hemos perdonado es posible olvidar. ¿Qué significa esto? La historia de José es un buen ejemplo.

Sus hermanos lo vendieron como esclavo injusta y traidoramente. Génesis 41: 51 dice que Dios hizo olvidar a José los problemas y la casa de su padre donde había sufrido tanto. ¿Olvidó José el odio y las palabras crueles de sus hermanos, el día que le quitaron el manto de colores, lo insultaron de distintas maneras y lo lanzaron cruelmente al foso? ¿Acaso fue cuando se sentaron a comer y lo abandonaron para que muriera de hambre? ¿Y cuando regatearon el precio para venderlo como esclavo, la agonía y el terror que se apoderó de él mientras cada uno de sus hermanos se negó a escuchar su clamor para que lo liberaran? En realidad no olvidó. Cuando volvió a ver a sus hermanos muchos años después recordó a cada uno por su nombre, el orden en el que habían nacido y quiénes habían sido más crueles con él. Entonces, ¿en qué sentido olvidó? En el sentido de que renunció a la venganza, en el sentido de que amaba a sus hermanos como si no le hubieran hecho daño. Es decir, olvidó el dolor y la ira asociados con la herida. José había sanado y por lo tanto pudo olvidar.

Ya que vivimos en un mundo tan cruel, es posible que alguien te haya herido. Sería bueno que tú también empezaras hoy a perdonar para que puedas olvidar y sanar. Con la ayuda de Dios puedes lograrlo. Decídete.

Él me enseñó cómo es Jesús

Yo les digo: No resistan al que les haga mal. Si alguien te da una bofetada en la mejilla derecha, vuélvele también la otra (Mateo 5: 39).

Podemos aprender un poco mejor este difícil mandato mediante una historia reciente de las actividades misioneras en zonas remotas. John Selwyn, quien fuera obispo de una misión en Indonesia, en el Pacífico Sur, había sido un famoso boxeador en sus días de estudiante en el Colegio de Eaton y la Universidad de Cambridge.

Un día el obispo tuvo que reprender a un isleño que sufría un ataque de mal genio. Enojado por lo que Selwyn dijo, el isleño cerró los puños y le propinó al obispo un tremendo puñetazo en el rostro. Este, que todavía estaba bastante fuerte, podría haber dejado fuera de combate al isleño con un gancho de izquierda, pero no lo hizo. En cambio se quedó mirando el rostro de su atacante con serenidad. El agresor estaba tan avergonzado, que escapó a la selva.

El incidente pasó casi inadvertido. Pocos años después, cuando Selwyn había regresado a Inglaterra, el hombre que antes lo golpeara fue a ver al obispo que había tomado el lugar de Selwyn para confesar su fe y ser bautizado. Cuando se le preguntó qué nombre deseaba tener como cristiano, dijo: «Quiero llamarme John Selwyn, porque él me enseñó cómo es Jesús».

El caso de David, cómo perdonó la vida a Saúl, es más conocido. Mediante su ejemplo podemos aprender más de este principio de devolver el mal o los insultos con bendiciones. Sin duda recuerdas lo que pasó en una cueva. Según la forma de pensar en aquellos tiempos, Dios había puesto a Saúl en manos de David. Pudo haberlo matado, según la ley de la guerra. Pero no fue así. Aunque solo cortó el borde del manto del rey, ese sencillo acto le pareció reprobable y se sintió culpable por ello (1 Sam 24: 4-16). En otra ocasión, David y uno de sus comandantes entraron hasta el mismo corazón del campamento y llegaron hasta donde el rey dormía. Pudieron matarlo, pero David no lo permitió (1 Sam. 26: 8-25).

¡Qué hermosa actitud tuvo David hacia el hombre que trataba de matarlo! Cuán diferente sería la calidad de nuestras relaciones si permitiéramos que fuera Dios quien nos vindicara ante nuestros enemigos. Si alguien te ha hecho daño, sigue el consejo de Jesús. Perdona, olvida y, si es necesario, vuelve la otra mejilla. Serás un héroe o una heroína de Dios.

Así que recomiendo, ante todo, que se hagan plegarias, oraciones, súplicas y acciones de gracias por todos, especialmente por los gobernantes y por todas las autoridades, para que tengamos paz y tranquilidad, y llevemos una vida piadosa y digna (1 Timoteo 2: 1, 2).

La vida nos somete a grandes aflicciones, pero Dios ha provisto un remedio para aliviar la tensión que nos producen. Esto queda ilustrado con la experiencia de Leonard Mulcahy. Trabajaba en el Centro de Rehabilitación Psiquiátrica de la Universidad de Boston, en Massachusetts, e impartía cursos de aptitud física, bienestar y recuperación. En un artículo publicado en *Psychiatric Rehabilitation Journal* habló de los días felices de su niñez y de su cariñosa familia. Decía que estaba mentalmente sano, practicaba deporte y tenía muy buenas relaciones con sus amigos y familiares.

Pero mientras estudiaba en la universidad comenzó a experimentar síntomas de depresión. Pasó por momentos depresivos, soledad, ideas suicidas y hasta paranoia. Pero la oración fue el punto de apoyo de su vida. Al contar su historia dijo: «Dediqué mucho tiempo a orar […]. Oré por la gente que tenía necesidades y por personas que estaban en la calle sin hogar. La oración fue la salvación de mi vida y me ayudó a encontrar un lugar para mí en este mundo».

Cuando los síntomas de la depresión comenzaron a aparecer, Leonard dijo a su terapeuta que estaba demasiado enfermo para orar. Pero ella lo animó a orar de todas maneras y alimentar su vida espiritual. Leonard trabajó como voluntario en un comedor de beneficencia y participó regularmente en círculos de oración. Concluye su testimonio diciendo: «A lo largo de mi experiencia, con muchas pruebas y tribulaciones, la oración me sostuvo avanzando por el camino correcto de la integridad espiritual en lugar de la autodestrucción y la muerte […]. La oración me permitió estar plenamente vivo y espiritualmente despierto, y eso fue lo principal».

La antigua enfermedad del dolor y la tristeza humana se ha actualizado. Ahora se llama «depresión» porque ha adquirido nuevas manifestaciones físicas y espirituales. Pero Dios tiene el mismo remedio que siempre ha prescrito para esta enfermedad: la ayuda divina que podemos obtener por medio de la oración. ¿Qué esperas? Abre un espacio de tu tiempo y ten un encuentro con Dios. Necesitas convivir más con tu Padre celestial y conocerlo. Eso puede provocar un gran cambio en tu vida.

¿Basura moral reciclada o eliminada?

Ya no hay ninguna condenación para los que están unidos a Cristo Jesús pues por medio de él la ley del Espíritu de vida me ha liberado de la ley del pecado y de la muerte (Romanos 8: 1, 2).

Algunos piensan que Jesucristo es algo así como el director de un sistema muy eficiente de administración del pecado localizado en el santuario celestial. A través de la confesión los cristianos depositan diariamente los pecados que cometen en el contenedor celestial. Después de esto, Cristo aplica su sangre en nuestro favor por medio de nuestra fe. La sangre de Jesús funciona, entonces, como un poderoso limpiador capaz de arrasar con cualquier tipo de basura moral y nos deja completamente limpios.

¡La realidad es que Jesús es mucho más que eso! La eliminación de los residuos humanos es imperativa para la supervivencia del ser humano. Los gobiernos gastan grandes cantidades de dinero para recolectar, transportar, procesar y reciclar o enterrar la basura porque entienden que es crucial para la conservación del medio ambiente y la salud de sus ciudadanos. Dios también entendió desde el principio que el pecado destruye la vida. Por eso, antes de crear el universo, diseñó un plan para eliminar el pecado para siempre, si este llegaba a existir (1 Ped. 1: 20). Esto es lo que llamamos el plan de salvación y las tres Personas de la Trinidad se involucraron plenamente en él.

A Dios, sin embargo, no le interesa únicamente recolectar nuestra basura moral. No está satisfecho con ser el vehículo que viene cada día para llevarse la basura de nuestros pecados. Dios quiere erradicar el pecado mismo. Esta es la razón por la cual el ministerio de Cristo Jesús en el Santuario celestial no solamente proporciona perdón por los pecados, sino también poder para vivir una vida nueva, una vida potenciada por el Espíritu Santo. Este es el propósito de su gobierno.

El propósito del ministerio de Cristo en el Santuario celestial es asegurar que recibamos los beneficios de su sacrificio en favor nuestro. Este propósito se cumple únicamente cuando, después de haber sido perdonados por los pecados cometidos, también somos librados de nuestra esclavitud del pecado. La entronización de Jesús a la diestra del Padre garantiza esta libertad. Cristo está en el santuario celestial, esperando que le demos la oportunidad de libertarnos del pecado y su dominio. Nadie sabe cuánto tiempo más esperará. ¿Por qué no pides a Jesús que inicie en ti esa liberación hoy mismo?

Mientras estaba aún hablando, apareció una nube luminosa que los envolvió, de la cual salió una voz que dijo: «Este es mi Hijo amado; estoy muy complacido con él. ¡Escúchenlo!» (Mateo 17: 5).

Hace unos días comenté que el camino hacia la gloria es el sendero angosto de la cruz. La transfiguración ilustra esto de manera asombrosa. Los discípulos estaban desanimados por la descripción que hizo Jesús de su próximo sufrimiento. Seguramente estarían mucho más desanimados cuando experimentaran lo que les había anunciado. No estaban preparados para soportar un dolor tan grande.

Con el fin de ayudarlos a prepararse para el trauma de la cruz, Jesús permitió que Pedro, Santiago y Juan lo acompañaran a la cumbre del monte donde fue transfigurado. Allí oyeron la voz de Dios que anunciaba una vez más: «Este es mi Hijo amado; estoy muy complacido con él» (Mat. 17: 5). Se había hecho el mismo anuncio en ocasión del bautismo de Cristo. Cuando somos bautizados, aunque no veamos la paloma ni escuchemos la voz, no existe duda de que el Señor se complace en nosotros y nos hace sus hijos y sus hijas.

Los hijos no son esclavos. Jesús explicó a los discípulos que los hijos de Dios son libres. Juan presentó un diálogo interesante en el cual Jesús expresó la misma idea: «Jesús se dirigió entonces a los judíos que habían creído en él, y les dijo: "Si se mantienen fieles a mis enseñanzas, serán realmente mis discípulos; y conocerán la verdad, y la verdad los hará libres". "Nosotros somos descendientes de Abraham", le contestaron, "y nunca hemos sido esclavos de nadie. ¿Cómo puedes decir que seremos liberados?" "Ciertamente les aseguro que todo el que peca es esclavo del pecado", respondió Jesús. "Ahora bien, el esclavo no se queda para siempre en la familia; pero el hijo sí se queda en ella para siempre. Así que si el Hijo los libera, serán ustedes verdaderamente libres"» (Juan 8: 31-36).

La libertad que Jesús les ofreció, además de la libertad del pecado, también incluye la libertad de la muerte. Paradójicamente, únicamente cuando aceptamos la cruz de Cristo podemos encontrar verdadera libertad. Si hemos encontrado la autoridad de Aquel a quien queremos servir y obedecer, hemos encontrado el secreto de la libertad. El ser humano solo es libre cuando se somete a la autoridad de Dios y obedece su santa ley que se llama «la ley que nos da libertad» (Sant. 2: 12). ¿Ya eres libre?

Las mujeres como ella no deben morir

> Rizpa hija de Ayá tomó un saco y lo tendió para acostarse sobre la peña, y allí se quedó desde el comienzo de la siega hasta que llegaron las lluvias. No permitía que las aves en el día ni las fieras en la noche tocaran los cadáveres (2 Samuel 21: 10).

No podemos comprender la magnitud de la tragedia que les ocurrió a Rizpa y a Merab. Dos hijos de Rizpa y cinco de Merab fueron ejecutados el mismo día. Solo Dios puede comprender la profundidad del dolor de aquellas mujeres. A nosotros nos queda el asombro, la compasión y la lección de aquel amor filial tan grande.

Dice el *Comentario bíblico adventista* que, por regla general, los cuerpos de los ahorcados debían ser sepultados el mismo día en que eran colgados (Deut. 21: 22, 23). Pero en este caso habían sido ahorcados por una deuda de sangre inocente, un caso que en el Antiguo Testamento era sumamente grave y debía expiarse con sangre.

Rizpa evitó que los buitres y las fieras carroñeras devoraran los cuerpos de sus hijos y sus sobrinos. Si comenzó su odisea «desde el comienzo de la siega» y la terminó hasta que llovió a principios del otoño, quiere decir que cuidó los cadáveres de sus hijos alrededor de unos cuatro meses. Durante todo ese tiempo vivió sobre un peñasco.

Una mujer llamada Altagracia Mercado hizo un sacrificio muy grande por su patria. En México se la conoce como la «heroína de Huichapán». Cuando comenzó la lucha por la independencia del país ella armó un pequeño ejército con su propio dinero y se unió a la lucha por la libertad. Además, se puso a la cabeza de sus tropas y planteó batalla a las fuerzas realistas. En un encuentro desafortunado perdió el combate y cuando se dio cuenta solo quedaba ella en pie. Sin demostrar temor, combatió hasta ser capturada por el enemigo. Su valor causó mucha admiración en los mandos españoles, por lo cual, aunque la orden era no tomar prisioneros sino fusilarlos, el coronel ordenó que la dejaran en libertad diciendo: «Mujeres como ella no deben morir».

Lucha por demostrar un amor y un valor semejante al de Rizpa y Altagracia Mercado, al ser leal a los que amas o merecen tu lealtad. También lucha con valor por liberarte de aquellas prácticas que te esclavizan y te alejan del reino de Dios. Dile esta mañana que te libere de aquello que te ha dominado. Hoy puede ocurrir un milagro.

Jesús ha llegado a ser el que garantiza un pacto superior. […] Por eso también puede salvar por completo a los que por medio de él se acercan a Dios, ya que vive siempre para interceder por ellos (Hebreos 7: 22, 25).

Los gobiernos de todo el mundo tienen el propósito esencial de proteger los derechos fundamentales de sus ciudadanos. El segundo párrafo del preámbulo de la Declaración Universal de los Derechos Humanos, firmada en la Organización de las Naciones Unidas en 1948, enfatiza cuatro derechos: a la libertad de expresión, a la libertad de conciencia, de no sufrir necesidad y de no padecer temor. De igual manera, el sacrificio de Jesús protege los derechos de los seres humanos que entran en un nuevo pacto con Dios (Heb. 7: 22; 8: 6).

El nuevo pacto garantiza o promete cuatro beneficios a los creyentes: Dios (1) pondrá sus leyes en nuestras mentes, (2) será nuestro Dios, (3) todos lo conocerán y (4) perdonará nuestros pecados (Jer. 31: 31-34).

No es que el Señor ofrezca las garantías del nuevo pacto a los seres humanos porque sea su derecho inalienable. De hecho, los seres humanos renunciaron a ese derecho en el jardín del Edén. Debido a su victoria en la cruz, Cristo fue nombrado gobernador de un nuevo pueblo de Dios. Así como cualquier país se beneficia de un buen gobierno, los creyentes se benefician del gobierno de Cristo Jesús. De igual manera, los creyentes cosechan los beneficios de la victoria de Jesús. Por lo tanto, cuando Jesús pide al Padre bendiciones para nosotros, no es un favor. Reclama los beneficios de su victoria para compartirlos con nosotros. Por eso Hebreos dice que debemos acercarnos a Dios «confiadamente» (4: 16), con «plena seguridad» (10: 22). Podemos dudar de nuestra dignidad para recibir estos beneficios, pero nunca de la dignidad de Cristo Jesús.

No todos los seres humanos pueden acercarse con confianza a Dios. Esto es muy importante. Solamente los seguidores de Cristo se benefician de las garantías que su reino les proporciona. Esto nos ayuda a entender un aspecto importante de la vida cristiana. Lo que determina nuestra elegibilidad para los beneficios del nuevo pacto no es nuestra capacidad para derrotar a Satanás, puesto que Jesús ya lo derrotó, sino nuestra lealtad. El asunto crucial no es nuestra fuerza, sino nuestro amor por Jesús; es decir, si pertenecemos o no a su reino.

Jesús intercede siempre por nosotros. Esa intercesión permanente es la garantía de nuestra salvación. Acércate hoy al trono de la gracia para encontrar toda la ayuda que necesitas.

Veneno para las relaciones afectivas - 1

Donde hay envidias y rivalidades, también hay confusión y toda clase de acciones malvadas. En cambio, la sabiduría que desciende del cielo es ante todo pura, y además pacífica, bondadosa, dócil, llena de compasión y de buenos frutos, imparcial y sincera (Santiago 3: 16, 17).

Según el apóstol, los celos ejercen mucha influencia en la vida. Dice que se encuentran en la génesis de toda obra perversa. Es posible que sean peores de lo que imaginamos. Donde más sentimos su efecto es en las relaciones afectivas: el noviazgo, el matrimonio, la vida familiar.

Parece que los celos son la primera expresión del mal en los seres humanos. Sybil Hart y Heather Carrington, del Departamento de Desarrollo Humano y Estudios sobre la Familia de la Universidad Tecnológica de Texas, querían investigar si los bebés a los seis meses de edad ya experimentaban celos. Treinta y dos madres primerizas aceptaron participar en el estudio con sus bebés. Los resultados fueron publicados en la revista *Infancy*.

Las investigadoras hicieron registros en video de dos minutos de cada par con dos cámaras: una enfocada sobre la madre y la otra en el bebé. Este miraba a su madre que sostenía una muñeca grande, a quien le hablaba de forma agradable y le acariciaba el abdomen. Luego el bebé miraba a su madre mientras esta leía un libro en voz alta y, otra vez, con tono de voz agradable. Las investigadoras registraron y evaluaron las emociones que los bebés mostraron. Aunque los bebés pasaron la mayor parte del tiempo viendo a sus madres, exhibieron significativamente más respuestas negativas cuando veían a su madre actuando con la muñeca que cuando leía un libro. Eso indica que los celos son un rasgo genético que aparece en una etapa muy temprana del desarrollo.

Los celos no solo aparecen muy temprano en la vida, sino que se extienden hasta el más remoto pasado de la historia humana. Sabemos que los celos están considerados como el primer pecado y existieron antes de que la humanidad fuera creada. Existen ahora y existirán hasta que Cristo venga y transforme a los redimidos.

Casi con toda seguridad, de alguna manera y en algún grado, a todos nos afecta este mal. Debemos tener cuidado, porque los celos están muy cerca de la envidia y la avaricia. ¿Cómo estás tú? Recuerda que Jesús tiene el remedio: «La sabiduría que desciende del cielo es [...] llena de compasión y de buenos frutos» (Sant. 3: 17). Pídela a Dios.

> Las obras de la naturaleza pecaminosa se conocen bien: inmoralidad sexual, impureza y libertinaje; idolatría y brujería; odio, discordia, celos, arrebatos de ira, rivalidades, disensiones, sectarismos (Gálatas 5: 19, 20).

Saúl tuvo celos de David y quiso matarlo. Los dirigentes judíos tuvieron celos de Jesús y por eso lo mataron. ¿Por qué los principales sacerdotes, los ancianos, los fariseos y otros estaban celosos de Jesús y, más tarde, de sus discípulos?

- Tenían mucha autoridad, pero el pueblo común les tenía poco respeto. Sin embargo, a Jesús lo respetaban por causa de su ejemplo, su amor por los seres humanos y su modo de hablar.
- El deseo de aprobación de los líderes judíos repelía a las multitudes, mientras que la humilde sinceridad de Jesús y de los apóstoles atraía grandes masas.
- Los líderes religiosos no podían realizar milagros en el nombre de Dios, pero Jesús y los apóstoles daban evidencias constantes de que los poderes sobrenaturales del Omnipotente actuaban por medio de ellos.
- Aunque los principales sacerdotes conocían la ley, usaban su comprensión para beneficio propio, mientras que Jesús ofrecía una interpretación de la ley y nada hacía para beneficiarse a sí mismo.
- Jesús a menudo hacía preguntas que ellos no podían, o no querían, contestar.
- Ellos buscaban la alabanza y se aseguraban de que los vieran orar en la sinagoga u otros lugares públicos. Jesús no «se vestía» de religiosidad.
- Ellos veían la superioridad de Jesús y temían que llegara a ser rey de los judíos, con el poder que ellos anhelaban para sí mismos.
- Cuando a menudo lograban engañar a los demás con sus pretensiones de piedad, de todos modos no podían engañar a Jesús.

Los celos y la envidia aumentan proporcionalmente al éxito experimentado por los demás. Esta es una tendencia diabólica de la naturaleza humana y todos somos propensos a seguirla.

Si tienes celos en tu corazón, recuerda que la única solución es el amor de Jesús, pues este nos capacita para amarnos unos a otros. Difícilmente podemos sentir envidia de una persona a quien amamos como a nosotros mismos. Gracias a Dios por esta magnífica solución. Evita con todas tus fuerzas y con la ayuda de Dios las obras de nuestro cuerpo mortal y procura desarrollar más el don del amor de Cristo, que es el fruto de su Santo Espíritu.

Esta mañana te sugiero que le digas a uno de tus amigos lo mucho que lo admiras y lo bien que desempeña alguna actividad. Eso te ayudará a eliminar la mala semilla de los celos en tu corazón.

Perdonar no significa tolerar

El Señor les dijo a Moisés y a Aarón: «Por no haber confiado en mí, ni haber reconocido mi santidad en presencia de los israelitas, no serán ustedes los que lleven a esta comunidad a la tierra que les he dado» (Números 20: 12).

Dios nos pide que perdonemos a otros por el daño que nos han hecho, pero nunca nos ha pedido que lo toleremos todo. Perdonar y tolerar no son lo mismo. Si tú y yo perdonamos, sanaremos de nuestras heridas emocionales y podremos mirar hacia el futuro con la confianza de crecer y prosperar; pero nada de esto podremos garantizar si toleramos el mal.

Lewis B. Smedes cuenta en su libro *Perdonar y olvidar* la historia del doctor Harry Den Best, cirujano principal del Departamento de Cardiología del prestigioso equipo de cirujanos del Atlantic Medical Center. El programa de residencia en cirugía de ese hospital es el más importante de la costa este de los Estados Unidos y, por lo tanto, extremadamente exigente. Se toleran pocos errores. Hay uno, sin embargo, que Den Best nunca tolera. Un interno o cirujano residente no puede iniciar un procedimiento sin consultarlo primero con él.

Fred Bush era un médico interno brillante pero muy soberbio. Cierta noche uno de los pacientes en terapia intensiva tuvo una recaída doce horas después de una operación. Había que hacer algo, pero eran las dos de la mañana y Bush sabía que Den Best estaría en la sala de operaciones a las cinco de la mañana, así que decidió proseguir sin su autorización. Llevó al paciente al quirófano y resolvió brillantemente el asunto. Diez minutos después de que Den Best llegara al hospital esa mañana la carrera de Bush como cirujano terminó abruptamente. Den Best podía estar dispuesto a perdonar personalmente a Bush por su error de juicio, pero no podía tolerar su acción, entre otras cosas, por el bien de otros.

Aunque Dios perdonó a Moisés, no toleró su pecado al golpear la roca. Las acciones y las palabras de Moisés podían hacer creer al pueblo que era su poder, y no el de Dios, el que había hecho salir agua de la roca. Esto habría sido catastrófico para Israel, y el Señor, por amor a su pueblo, no toleró aquella acción. Por más que Moisés rogó, Dios no le permitió entrar a la tierra prometida. Vence hoy la tentación de tomar para ti la gloria que solo pertenece a Dios. No olvides que, de lo contrario, podrías enfrentarte a graves consecuencias eternas para ti y para otros.

Más peligroso que entrar en un nido de víboras

Cualquiera que mira a una mujer y la codicia ya ha cometido adulterio con ella en el corazón (Mateo 5: 28).

Esta definición del adulterio se aplica directamente a las tentaciones contemporáneas: revistas y películas pornográficas, locales donde se practica el nudismo y el sexo cibernético. Es difícil creer que los habitantes de Sodoma y Gomorra hayan tenido más incitaciones a la corrupción sexual que las que actualmente tienen los seres humanos en Internet. Navegar por «la red» puede ser muy peligroso, es como correr el riesgo de quedar atrapados en medio de un tiroteo a fuego cruzado, o entrar en un nido de víboras. Las tentaciones contra la pureza del alma son muchas.

El «cibersexo», que es una conversación erótica, quizás romántica, en línea, ha tenido un incremento fenomenal en los últimos tiempos. Ahora participan hombres y mujeres por igual. El resultado es una destrucción de vidas, familias, hogares, matrimonios e hijos. El doctor Julián Melgosa dice: «Se estima que el 9% de los que prueban el "cibersexo" pueden acabar siendo adictos. Los indicadores de la adicción incluyen cambios en la personalidad, demandas de privacidad, ignorar las tareas domésticas, falta de interés en tener sexo con el cónyuge, mentiras respecto a gastos en la tarjeta de crédito y falta de interacción con los miembros de la familia».

Por su parte, la doctora Jennifer P. Schneider, especialista en medicina interna, medicina de adicciones y gestión del dolor, hizo una encuesta entre personas cuyos cónyuges estaban involucrados en el sexo por Internet. Quienes respondieron afirmaron que se sentían heridos, traicionados, rechazados, abandonados, devastados, solitarios, avergonzados, aislados, humillados, celosos, enojados y que sufrían de baja autoestima.

Los males son interminables y su estudio todavía está inconcluso. Pero ya se conocen muchas consecuencias del «cibersexo». La sabiduría está en no dar el primer paso, porque nadie sabe quién quedará prendido en la red de la adicción a este vicio actual. Dicen que hay quienes tienen propensión al alcoholismo, pero no se volverán alcohólicos quienes nunca beban una copa. Un solo trago puede desencadenar los tentáculos del trastorno que nadie sabe que existe en su interior. Lo mismo pasa con el sexo cibernético. Lo mejor es, como dijo el sabio Salomón: «Aléjate de la adúltera; no te acerques a la puerta de su casa» (Prov. 5: 8).

Bien dice el profeta que quien «cierra los ojos para no contemplar el mal [...] morará en las alturas» (Isa. 33: 15-16). Niégate a ver el mal en Internet, en la pantalla, en los libros y en las revistas.

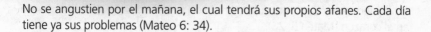

Un día a la vez

> No se angustien por el mañana, el cual tendrá sus propios afanes. Cada día tiene ya sus problemas (Mateo 6: 34).

Una canción muy conocida lo dice: «Señor, por mi bien, yo quiero vivir un día a la vez». Thomas Carlyle, el renombrado escritor escocés, experimentó de la manera más completa la verdad del consejo de Jesús, que expresa nuestro versículo para hoy. Ricky Christian narra en su libro *Alive* [Vivo] la experiencia de Carlyle. El historiador acababa de concluir un manuscrito sobre la historia de la Revolución Francesa. El día que terminó entregó la única copia del manuscrito al famoso filósofo John Stuart Mill para que lo leyera y lo criticara.

Fue entonces cuando sucedió lo inimaginable. El criado de Mill usó el manuscrito para encender el fuego en la chimenea. El rostro de Carlyle palideció cuando el filósofo le dio la devastadora noticia. Se habían perdido dos años de su vida. Se habían desperdiciado miles de largas y solitarias horas que había pasado escribiendo. No había modo alguno de reescribir el libro. Cayó entonces en una profunda depresión.

Cierto día, tiempo después, mientras caminaba por las calles de la ciudad, Carlyle observó un muro de piedra que estaba en construcción. Quedó paralizado. Concluyó que el extenso y elevado muro se erigía piedra por piedra. Una piedra a la vez. ¡Eureka! Él podía reescribir su libro de la misma manera. Si procedía a escribir una página a la vez, con el paso del tiempo podría rehacer la obra. Eso fue precisamente lo que hizo.

Christian observa: «A menudo, cuando nos enfrentamos a situaciones aparentemente imposibles, vemos el muro y no los ladrillos individuales. Pero la carga es más soportable si la tomamos día a día, tarea tras tarea [...]. Cristo oró por el pan de cada día, por el sustento diario. No se preocupó por el mañana, la próxima semana o el año siguiente. La ayuda de Dios viene día tras día».

Cuán consoladora es esta verdad. Jesús no hacía planes anticipados, no tenía itinerarios. Dios le revelaba cada día su voluntad. Era una de las razones por las cuales podía dormir en medio de la más terrible tempestad. Dios lo había enviado a ese viaje, y su persona y el éxito de su misión dependían de quien lo había enviado. Los itinerarios son necesarios en una época como la nuestra, pero Dios todavía dirige a sus hijos. Confíale tu vida hoy.

¿Integridad o destreza?

De nuevo lo tentó el diablo, llevándolo a una montaña muy alta, y le mostró todos los reinos del mundo y su esplendor. «Todo esto te daré si te postras y me adoras». «¡Vete, Satanás!» le dijo Jesús. «Porque escrito está: "Adora al Señor tu Dios y sírvele solamente a él"» (Mateo 4: 8-10).

El 9 de diciembre de 2007, Stanley Fish, uno de los más reconocidos académicos en los Estados Unidos, escribió en su *blog* que «la integridad, la cualidad de mantenerse firme por los mismos valores en cualquier situación sin importar con quién habla usted, probablemente no sea un requisito para navegar en las aguas traicioneras y siempre cambiantes de la diplomacia nacional e internacional». Lo que verdaderamente importa en un dirigente, sugiere, no es la integridad, sino la habilidad para obtener lo que la nación necesita. Lo esencial no es el carácter, sino la destreza para ganar.

Esta cuestión sobre el liderazgo ha sido discutida por largo tiempo. John Milton argumentó en el siglo XVII que el gobernante debería ser elegido por causa de «la eminencia de su sabiduría e integridad» (*El ejercicio de la magistratura y el reinado*). Thomas Hobbes, su contemporáneo, contestó que el mérito del líder no reside en su virtud como ser humano, sino en su aptitud y habilidad (*Leviatán*). Maquiavelo, más de un siglo antes, había anticipado la posición de Hobbes con una importante limitación: que el líder proyecte una imagen de integridad y no de mera habilidad (*El príncipe*).

Jesús también tuvo que responder a esta pregunta. Cuando Satanás se dio cuenta de que no podía vencerlo con engaños, lo llevó a un monte muy alto, le mostró todos los reinos del mundo y sus riquezas y entonces le dijo: «Te voy a dar todo esto si me adoras. Es decir, yo te lo doy todo; tú solo dame tu integridad. Estamos solos. Nadie se dará cuenta». De esta manera, Jesús podía ganarlo todo y todavía proyectar una imagen de integridad, aunque falsa. Pero Jesús rechazó la oferta y mantuvo su integridad. Sabía que solamente Dios puede dar porque él es el único dueño de todo.

Si sufres tentación, no renuncies a tu integridad. Recuerda que solo Dios puede dar porque todo le pertenece. Satanás ofrece lo que no es suyo y algún día tendrá que devolverlo. Por desgracia, muchos caen aún en el engaño. Miles entregan su futuro a Satanás a cambio de promesas que no puede cumplir. Sigue mejor el ejemplo de Jesús.

Cincuenta años de rodillas

Jesús les contó a sus discípulos una parábola para mostrarles que debían orar siempre, sin desanimarse (Lucas 18: 1).

En el diario de George Mueller, reformador cristiano de la época victoriana, encontramos el siguiente registro de su devoción por la oración perseverante: «En noviembre de 1844 empecé a orar por la conversión de cinco personas. Oraba todos los días, sin una sola excepción, estuviera enfermo o sano, en tierra o en el mar, y a pesar de cualquier presión que pudiera producirse por mis compromisos. Transcurrieron dieciocho meses antes de que se convirtiera la primera de las cinco. Agradecí entonces a Dios y oré por las demás. Pasaron otros cinco años y se convirtió la segunda. Agradecí a Dios nuevamente por la segunda y oré por las otras tres. Día a día oré por ellas. Transcurrieron seis años más antes de que se convirtiera la tercera. Agradecí a Dios una vez más y continué orando por las otras dos [...]. Pero estas siguieron sin convertirse».

Treinta y seis años después, Mueller escribió que las otras dos, hijos de un amigo suyo, seguían sin convertirse: «Sin embargo, confío en Dios, oro y espero la respuesta. Ellos aún no se han convertido, pero se convertirán».

En 1897, cincuenta y dos años después de que Mueller comenzase a orar, por fin aquellos dos hombres se convirtieron. Mueller ya no vivía. Ese gran hombre entendió lo que Jesús quiso decir cuando aconsejó a sus discípulos que debían orar sin cesar.

¿Lo entendemos nosotros? ¿Lo entiendes tú? Los ángeles se asombran de que oremos tan poco. Se asombran de que gente tan necesitada de ayuda divina como nosotros, casi no ore. En *El camino a Cristo* (cap. 11, p. 139), Elena G. de White declaró: «¡Cuán extraño es que oremos tan poco! Dios está listo y dispuesto a escuchar la oración de sus hijos, y no obstante hay por nuestra parte mucha vacilación para presentar nuestras necesidades delante de Dios. ¿Qué pueden pensar los ángeles del cielo de los pobres seres humanos desvalidos, sujetos a la tentación, y que sin embargo oran tan poco y tienen tan poca fe, cuando el gran Dios lleno de infinito amor se compadece de ellos y está dispuesto a darles más de lo que pueden pedir o imaginar?»

La viuda sintió una profunda necesidad y perseveró. No tenía otro recurso. No había otra autoridad a quien acudir. Solo el juez injusto podía ayudarla y ella perseveró hasta recibir la ayuda que necesitaba. Si el juez injusto le concedió su petición, con más razón Dios te concederá lo que le pidas.

Muertos de miedo

No tengas miedo de lo que estás por sufrir. Te advierto que a algunos de ustedes el diablo los meterá en la cárcel para ponerlos a prueba, y sufrirán persecución durante diez días. Sé fiel hasta la muerte, y yo te daré la corona de la vida (Apocalipsis 2: 10).

Dios aconseja constantemente que no temamos por nada. Su consejo es oportuno porque, al parecer, el temor es una emoción natural del ser humano. De hecho, es posible morir literalmente de miedo. Durante el terremoto del 17 de enero de 1994 en Los Ángeles, Estados Unidos, más de cien californianos prácticamente murieron de miedo, según afirma Robert Kloner, cardiólogo del Hospital El Buen Samaritano.

La investigación de Kloner ha demostrado que el miedo puede ocasionar un paro cardiaco. En muchos casos el cerebro libera una mezcla de sustancias tan poderosas, que hacen que el corazón se contraiga con mucha fuerza y no se vuelve a relajar.

En un estudio realizado en Cleveland se investigaron las causas de muertes violentas de quince víctimas mortales de asalto, aun cuando sus asaltantes no las hirieran con tanta gravedad como para lesionar sus órganos internos. Charles Hirsch, médico funcionario de la ciudad de Nueva York, determinó que, probablemente, debido a un susto mortal, se habían desgarrado fibras y producido lesiones en once de los quince casos.

El neurólogo Martin A. Samuels del Instituto Médico de Harvard, que ha hecho investigaciones en este campo, cuenta que su gato encontró a un ratón de campo. Solamente puso su garra sobre la cola al ratón, y lo sacudió un poco. A los veinte minutos el ratón moría a pesar de no tener heridas graves. Samuels dice: «Es común que en estos casos los animales caigan muertos».

El miedo es igualmente peligroso para el ser humano. Experimentar un gran susto puede volver diabética a una persona en un instante. Quizá seamos muy frágiles, o acaso el temor es peligroso de manera natural y afecta nuestra integridad física y mental.

Pero una cosa es cierta: Dios ha prometido libertarnos del temor. Su consejo de hoy es claro: «No tengas miedo de lo que estás por sufrir». Seguramente impedirá que se cumplan en nosotros los efectos naturales, no importa lo fuerte que sea el impacto del temor. Qué bueno es saber que sus promesas son específicas: «El Señor es mi luz y mi salvación; ¿a quién temeré?» (Sal. 27: 1). Si eres algo aprensivo, pide a Dios que te libere del temor.

Evita el peligro

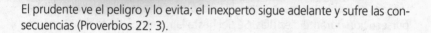

El prudente ve el peligro y lo evita; el inexperto sigue adelante y sufre las consecuencias (Proverbios 22: 3).

Por razones que los científicos no logran explicar, algunas personas sufren convulsiones repentinas provocadas por ciertas notas o temas musicales. Un acorde de sol menor en ciertos registros provoca convulsiones a determinados individuos. David Poskanzer, Arthur Brown y Henry Miller describen el caso de un hombre de 62 años que perdía la consciencia repetidamente mientras escuchaba la radio, siempre a las 8:59 p.m., en punto. Después se descubrió que el ataque lo provocaban las campanas de Bow Church que la BBC emitía justo antes de las noticias de las nueve.

Uno de los casos más sorprendentes fue el del eminente crítico musical del siglo XIX llamado Nikonov, que sufrió su primer ataque mientras escuchaba la ópera *El profeta*, de Meyerbeer. A partir de entonces se volvió más y más sensible a la música, hasta que llegó el momento en que cualquier melodía, por más suave que fuera, le provocaba convulsiones. La música de fondo de Wagner, por ejemplo, le provocaba una interminable sucesión de espasmos de la que no podía escapar. Nikonov amaba la música y era, además, músico de profesión, pero tuvo que renunciar a ella. Si escuchaba una banda que tocaba por la calle, se cubría los oídos y corría hacia el portal o la calle lateral más cercana. Nikonov adquirió una fobia tan profunda a la música que escribió un panfleto titulado *Miedo a la música*.

Al igual que sucedía con Nikonov, hay ciertas situaciones que pueden provocar perjuicios graves a nuestra salud espiritual. Son asuntos aparentemente inofensivos que desencadenan fuertes convulsiones en nuestra experiencia cristiana. Algunas personas no pueden tolerar una broma sencilla sin que eso las lleve a responder airadamente o a albergar resentimiento en sus corazones. Otros no pueden tolerar la crítica de los demás. Necesitan la aprobación a toda costa y una palabra de crítica, aunque sea menor o bien intencionada, crea en ellos una crisis espiritual. Hay quienes optan por el alcohol o las drogas, con sus devastadoras consecuencias. Puede ser que tu profesión misma, o algunas cosas que disfrutas en gran medida, sean la causa de graves trastornos en tu relación con Dios. Analízate y procura encontrar los elementos que desencadenan el mal que sufres.

No importa lo mucho que se recomienden algunas prácticas sospechosas, mejor aléjate de ellas antes de que sea demasiado tarde. Recuerda el consejo bíblico: «El prudente ve el peligro y lo evita; el inexperto sigue adelante y sufre las consecuencias» (Prov. 22: 3).

> Sean bondadosos y compasivos unos con otros, y perdónense mutuamente, así como Dios los perdonó a ustedes en Cristo (Efesios 4: 32).

En Irlanda se produjo un ejemplo verídico y espléndido de lo que significa perdonar como Dios lo hace, y también de cómo perdonar a los que nos han hecho daño. El padre de la señora Jo Berry, el honorable miembro del Parlamento inglés sir Anthony Berry, murió a causa de una bomba que un terrorista de Irlanda del Norte hizo estallar en 1984. El asesino se llamaba Patrick Magee. El atentado fue terrible y sangriento. Cuatro personas más murieron en el ataque. Magee estuvo catorce años en prisión y fue liberado en 1999.

La señora Jo Berry se entrevistó con Patrick en el año 2000. Hablaron durante tres horas y Patrick dijo: «Nunca antes me encontré con una persona como usted, señora. No sé qué decir. Quiero escuchar de su dolor». Tuvieron otras oportunidades de encontrarse y profundizar su amistad. Patrick expresó remordimiento por las vidas inocentes que se habían perdido como resultado de sus acciones violentas, y Jo llegó a comprender mejor la vida de Patrick y cómo había terminado por hacer lo que hizo.

Su amistad no solamente fue sanadora para ambos, sino que llegaron a ser agentes de acción para la paz. Han hablado sobre la paz y el perdón a la juventud de Austria, Israel, Sudáfrica y España. En octubre de 2009 dieron su testimonio en el Parlamento británico como parte de un programa sobre el perdón.

Perdonar y olvidar una ofensa y un daño tan grandes solo es posible porque Jesús transforma el corazón y le quita la dureza del odio, a la vez que le da la suavidad del amor, como dice Ezequiel 36: 26. Mientras moría en la cruz, Jesús nos dio el máximo ejemplo del perdón, para que todos sus discípulos hagamos lo mismo: «Padre», dijo Jesús, «perdónalos, porque no saben lo que hacen» (Luc. 23: 34).

Es posible que hayas tenido la sensación de que el perdón te resulta literalmente imposible. Hay ofensas que parecen imposibles de perdonar. Humanamente es así. Únicamente la gracia de Cristo puede hacer que una persona sea capaz de perdonar una ofensa como la que perdonó Jo Berry. Recuerda, sin embargo, que el texto dice: «Perdónense mutuamente, así como Dios los perdonó a ustedes en Cristo».

¿Ya te ha perdonado Jesús? ¿Ya hiciste las paces con él? Entonces puedes comenzar a hacer la paz con los demás.

También ustedes deben estar preparados, porque el Hijo del hombre vendrá cuando menos lo esperen (Mateo 24: 44).

Chuck Yeager, el famoso héroe de guerra y piloto de pruebas que superó la barrera del sonido por primera vez, en su autobiografía habla de su vuelo trasatlántico con la famosa mujer piloto Jackie Cochran a fin de visitar la Unión Soviética. Antes de salir habían recibido el permiso del Estado Mayor de la Fuerza Aérea para su abastecimiento y servicio de mantenimiento. El general previamente había enviado cartas a los comandantes de las bases que encontrasen en la ruta.

Una de las primeras paradas fue en Presque Isle, Maine, en los Estados Unidos, alrededor de las dos de la madrugada. Casi se les había terminado el combustible cuando se acercaban al aeropuerto. Pero cuando se pusieron en contacto con la torre de control, les negaron el permiso para aterrizar. Yeager dijo que tenían permiso del general White, pero el personal de la torre sencillamente contestó: «También lo tiene Marilyn Monroe».

Discutieron unos momentos por radio. Finalmente Yeager les dijo que era una emergencia y que tendrían que dejarlos aterrizar pues ya no les quedaba combustible. La torre de control amenazó con apagar las luces de la pista de aterrizaje, pero ellos aterrizaron. Tan pronto el avión se detuvo, lo rodearon agentes de seguridad de la Fuerza Aérea que escoltaron a los tripulantes detenidos a la base de operaciones. Finalmente llegó el comandante.

—Retírense inmediatamente —les dijo—. Esta base está cerrada al tráfico civil.

Jackie Cochran pidió permiso para hacer una llamada telefónica con su tarjeta de crédito, aun cuando eran las dos y media de la madrugada. Despertó al general White en su casa de Washington y le explicó la situación. White pidió hablar con el comandante de la base. Cuando ella le pasó el teléfono al comandante, este se puso en posición de firmes, murmurando: «Sí, Señor» una y otra vez mientras hablaba con el Jefe del Estado Mayor.

Cuando colgó dijo a Jackie:

—Señora Cochran, tiene todo lo que desee o necesite a su disposición, incluyendo esta base aérea.

El comandante no había leído la correspondencia. No sabía que esos huéspedes muy importantes pasarían por su base. Hoy muchos no saben que Jesús pronto vendrá. Incluso algunos que lo saben no están preparados.

Y tú, ¿ya leíste «la correspondencia»? Léela, porque pronto vendrán visitantes importantes a esta tierra, Jesús y sus ángeles. Sería muy grave que no te prepararas para recibirlos como corresponde.

La mentalidad pecaminosa es muerte, mientras que la mentalidad que proviene del Espíritu es vida y paz (Romanos 8: 6).

En 1876, el famoso escritor Mark Twain, autor de *Las aventuras de Tom Sawyer* y cuyo verdadero nombre era Samuel Langhorne Clemens, escribió un relato titulado «Una pesadilla literaria». (Este relato más tarde recibiría el nuevo título de «Taladren, hermanos, taladren»). En el texto relata el desamparo que siente el narrador ante unas «rimas cantarinas» que han secuestrado su cerebro:

«Al instante se apoderaron de mí completamente. Las tuve danzando por la cabeza todo el desayuno [...]. Les planté cara durante una hora, pero no sirvió de nada. Mi cabeza seguía tarareando [...]. Me fui al centro, y al poco descubrí que mis pies llevaban el ritmo de esa implacable cantinela [...]. La estuve repitiendo toda la velada, me fui a la cama, di vueltas y la canté en voz baja toda la noche».

¿Te ha pasado alguna vez que una melodía pegadiza se te queda grabada en la mente y no hay manera de librarse de ella? A las melodías impertinentes y pegadizas se las llama «gusanos auditivos», pero realmente deberíamos llamarlas «gusanos cerebrales», porque el fenómeno ocurre en el cerebro, no en el oído. Algunas personas combaten estos «gusanos» con mayor o menor éxito cantando, escuchando la melodía completa que traen en la cabeza para que deje de repetirse, o desplazándola con otras melodías.

Este fenómeno me hace recordar la voz del Espíritu Santo. Cuando actuamos en contra de la voluntad de Dios y quebrantamos su ley, nuestra conciencia nos reprende. Allí, implacable como un «gusano cerebral», la voz de la conciencia nos recuerda que hemos hecho mal y debemos arreglar la situación. No importa dónde vayamos o nos escondamos, el Espíritu Santo siempre nos encontrará. Muchos luchan contra esta voz ahogándola con distracciones y placeres, otros con paciencia esperando que se agote, y otros racionalizando su conducta.

El Espíritu Santo, sin embargo, no actúa como un «gusano cerebral». No se apodera de nuestra conciencia. No secuestra nuestra vida interior sino que nos llama con amor. La Biblia lo llama el «Espíritu de la gracia» (Heb. 10: 29), refiriéndose a su forma de actuar. Tú puedes rechazarlo si así lo deseas y su voz se hará cada vez menos perceptible. Pero no lo hagas. Dios te buscará dondequiera que estés, sin importar que hayas caído muy bajo, y te hablará con amor. Si escuchas su voz hoy y aceptas su reprensión amorosa, serás más feliz y tu vida alabará a su Creador.

Once mil metros de profundidad

Vuelve a compadecerte de nosotros. Pon tu pie sobre nuestras maldades y arroja al fondo del mar todos nuestros pecados (Miqueas 7: 19).

En *El Rey ha nacido*, Leo R. Van Dolson cuenta la historia de un anciano que era un buen cristiano y amaba mucho al Señor. No tenía mucha educación formal, pero siempre alababa a Dios sin importar dónde estuviera. De manera especial, en la iglesia se escuchaba su fuerte «amén», siempre que se decía o hacía algo que glorificara al Señor.

Un médico miembro de aquella iglesia se molestó con el anciano porque decía «amén» en voz alta y con mucha frecuencia. Cierto día, el ancianito fue a ver al médico por una dolencia que, aunque no muy grave, requería ayuda médica. El médico, más que curar al anciano, quería impedir que dijera «amén» tan a menudo.

—Tardaré unos minutos en atenderlo —le dijo el médico—. Aquí tiene un libro sobre exploraciones científicas. Si encuentra en él algo para lo que pueda decir «amén», dígalo en voz alta, como en la iglesia, de modo que pueda oírlo desde mi consultorio.

Apenas se hubo retirado, el médico escuchó un fuerte «amén». Volvió corriendo a la sala de espera y preguntó al anciano:

—¿Qué encontró en ese libro para gritar «amén»?

—Bueno, apenas tomé el libro —le respondió el anciano— y lo abrí encontré que una expedición al Pacífico Occidental había descubierto un lugar donde el océano tiene una profundidad de once mil metros. ¡Alabado sea el Señor!

—¿Por qué lo alegra saber que el mar es tan profundo?

—Porque la Biblia dice que Dios arroja todos mis pecados a lo profundo del mar. Hay once kilómetros de agua sobre ellos. ¡Alabado sea el Señor!

Pero hay algo más que once kilómetros de agua sobre nuestros pecados. Han quedado tan cubiertos por la sangre de Cristo que Dios mismo no los puede ver. Cuando nos perdona, los olvida. El perdón que él nos da es imposible para nosotros, a menos que nuestros corazones estén tan llenos del amor de Cristo que nos olvidemos del «yo».

Jesús nos pide que tomemos nuestra cruz de negación del yo y lo sigamos. Pero cuando, por fe, aceptamos su cruz, descubrimos que, en cambio, él pone una corona de amor sobre nuestra cabeza. Con ella, los pensamientos de paz y amor llenan tanto nuestras almas que el amor de Cristo se refleja a todo nuestro alrededor.

Es el secreto para poder llevar la cruz de Jesús y tener la seguridad de que nuestros pecados están olvidados para siempre en el fondo del mar.

«Exterminaré a la langosta, para que no arruine sus cultivos y las vides en los campos no pierdan su fruto», dice el Señor Todopoderoso (Malaquías 3: 11).

Hace algunos años fui testigo de una situación extraordinaria que nos recuerda hasta qué punto Dios es bueno, y fiel a sus promesas. Trabajaba yo en una iglesia de la Ciudad de México a la que pertenecía una mujer realmente asombrosa. Era de un espíritu muy agradable y Dios la usaba de manera muy efectiva para el bien de otros. Parecía que dondequiera que ella fuera quedaba la fragancia suave del conocimiento de Cristo. En cierta ocasión llegó a la iglesia temprano para el servicio del miércoles por la noche, pero se quedó en el taxi conversando con el conductor. Al principio me preocupé porque se retrasaba, pero después vi que el taxista estacionaba su vehículo y acompañaba a nuestra hermana para escuchar el sermón de esa noche. Quedé profundamente conmovido.

Su influencia también se dejaba sentir en su familia. Ella era la única adventista pero sus hijos la apoyaban y la respetaban mucho. Uno de ellos tenía varios taxis y aceptó la verdad de que Dios bendice a aquellos que le devuelven el diezmo de sus ganancias. Para ese momento yo trabajaba en la oficina de la Asociación local. El hijo de esa hermana venía cada cierto tiempo, depositaba el diezmo y, después, orábamos juntos.

Cierto día llegó visiblemente emocionado y me dijo que tenía algo extraordinario que decirme. Pocos días antes le habían robado uno de sus taxis. Normalmente esos automóviles nunca aparecen porque los ladrones inmediatamente los desmantelan y venden las piezas en el mercado negro. En algunos casos, los restos del vehículo aparecen tiempo después en algún suburbio de la inmensa metrópoli. Cuando el joven recibió la noticia de que le habían robado su taxi, acudió inmediatamente a su madre, muy preocupado, pero ella le dijo que mantuviera la calma. Entonces se arrodillaron y pidieron a Dios que les devolvieran el taxi. Pocas horas después recibió una llamada; una persona decía que su taxi estaba estacionado cerca de su casa y que debía ir a recogerlo. Cuando el joven fue al lugar indicado, encontró para su sorpresa que no faltaba ni una pieza del taxi. Estaba entero.

Luego me dijo: «Pastor, mis compañeros taxistas me preguntan cómo es posible que lo haya recuperado entero. Yo les digo que la mejor forma es devolver el diezmo porque Dios se encarga de proteger nuestros taxis». Su historia me conmovió. ¿Crees tú en las promesas de Dios?

¿Para qué tanto esfuerzo?

¿Qué provecho saca el hombre de tanto afanarse en esta vida? (Eclesiastés 1: 3).

¿**H**as visto a un joven esforzado y lleno de entusiasmo en las actividades que lleva a cabo? No es muy común, ¿verdad? Es cierto que este tipo de personas no abunda. La mayoría prefiere dar el mínimo esfuerzo y conformarse con muy poco.

Se cuenta que en cierta universidad, un profesor se esforzaba por motivar a los alumnos para que se entusiasmaran con su asignatura que, por cierto, era una de las más complicadas del curso. De pronto, un joven levantó la mano y preguntó al maestro:

—¿Cuál es la mínima nota que necesitamos para aprobar su materia?

El profesor se quedó petrificado por la pregunta. Luego, respondió:

—Aquí hay un problema de otro tipo. Cierren sus libros. Debemos hablar de esto con mayor detenimiento.

Así fue como el profesor trató de explicarles la importancia de dar el mayor esfuerzo en cualquier actividad en que uno se involucra. Los jóvenes iban asimilando lentamente lo que el profesor trataba de enseñarles.

Dios no espera lo mismo de todos nosotros. Claro que no espera lo mismo de un niño que de un adulto, o de un anciano y de un joven. No espera los mismos resultados; sin embargo, sí espera un esfuerzo equivalente. ¿Por qué? Porque la *voluntad* revela el carácter de una persona. Lo importante no son exclusivamente las calificaciones en la escuela, ya que dependen de diversas circunstancias, sino el trabajo y el empeño con que lo realices. Entonces, ¿es necesario esforzarse por obtener una buena nota en la escuela? Por supuesto que sí, ya que eso revela tu carácter. Elena G. de White se refiere al carácter como un verdadero tesoro, el cual representa «la posesión más valiosa de la tierra y el cielo» (*La educación*, cap. 15, p. 125). Luego agrega: «La edificación del carácter es la obra más importante que jamás haya sido confiada a los seres humanos y nunca antes ha sido su estudio diligente tan importante como ahora. Ninguna generación anterior fue llamada a hacer frente a problemas tan importantes; nunca antes se hallaron los jóvenes frente a peligros tan grandes como los que tienen que arrostrar hoy» (*Ibíd.*, cap. 25, pp. 203, 204).

¿Te das cuenta? La edificación del carácter es la obra más importante de toda tu vida. ¿Por qué? Porque el carácter es lo único que llevaremos al cielo. Es el gran tesoro de la existencia humana. Por eso hay que cuidarlo mucho, edificándolo con los mejores hábitos; entre ellos, el esfuerzo.

Hoy te invito a que te esfuerces al máximo en lo que vayas a realizar. Recuerda que el empeño que pones en hacer las cosas es un indicio de tu carácter.

Jesús le preguntó: «Judas, ¿con un beso traicionas al Hijo del hombre?» (Lucas 22: 48).

La traición es una de las acciones más infames. Jesús mismo sufrió una terrible traición a manos de uno de sus propios discípulos. La siguiente historia puede ayudarte a percibir las nefastas consecuencias de una traición.

A mediados del siglo IX, un joven de nombre Miguel III ascendió al trono del Imperio Bizantino. Como era un muchacho inexperto, sintió la necesidad de tener un consejero en quien pudiera confiar. Inmediatamente pensó en Basilio, su mejor amigo. Basilio no tenía experiencia alguna en la política y el gobierno (era el jefe de los establos reales), pero había demostrado una y otra vez su lealtad y gratitud hacia Miguel.

Los dos hombres se habían conocido años antes, cuando Miguel visitaba los establos. En cierta ocasión, un caballo salvaje se asustó y comenzó a galopar fuera de control, poniendo en gravísimo peligro la vida del príncipe. Pero Basilio, joven jinete de Macedonia, salvó la vida de Miguel al controlar al caballo desbocado. .

La fuerza y el valor del muchacho impresionaron de tal modo a Miguel que inmediatamente lo ascendió a jefe de los establos imperiales. Colmó a su siervo de obsequios y favores; así que terminaron por ser grandes amigos. Cuando fue ascendido a emperador y necesitó un consejero de confianza, inmediatamente pensó en Basilio y lo nombró administrador y consejero principal.

Basilio aprendió con rapidez. Pronto se convirtió en un brillante consejero y comenzó a ganar influencia, riqueza, poder y alianzas en el senado y el ejército. Con el paso del tiempo, el verdadero carácter de Basilio salió a relucir. Convenció al emperador de que destituyera a su tío Bardas, el que le había ayudado a acceder al trono y era comandante del ejército. Luego Basilio mismo lo asesinó a puñaladas.

La historia es triste y dolorosa. Basilio convenció a Miguel de que lo nombrara comandante en jefe del ejército. Llegó un momento en que tenía más riquezas y más poder que el propio emperador. Un día Miguel se despertó rodeado de soldados. Basilio contempló impávido cómo lo asesinaban. Después de autoproclamarse emperador, cabalgó por la calles de Bizancio llevando en la punta de su lanza la cabeza de su antiguo amigo.

La lealtad es una de las virtudes más excelsas de un ser humano. Nadie que traicione a otro puede aspirar a ser recordado con honor. Que la lealtad a Dios, a tu familia, a tus amigos, a tu iglesia, sea una de las características más destacadas de tu carácter.

Por qué persiguieron a Galileo

Entre ustedes no debe ser así. Al contrario, el que quiera hacerse grande entre ustedes deberá ser su servidor (Mateo 20: 26).

Tú sabes que hay una conspiración contra la verdad. Desde Caín, que persiguió a Abel, el odio contra la verdad ha sido continuo y con frecuencia quienes creen en ella son perseguidos.

La leyenda dice que Galileo Galilei fue perseguido porque defendía la teoría copernicana de que la Tierra gira alrededor del Sol. Se ordenó a Galileo que se presentase ante la Inquisición en Roma y, si no iba voluntariamente, se lo llevaría encadenado a las prisiones de ese alto tribunal. Galileo, que ya tenía setenta años, fue interrogado largamente y amenazado con la tortura. Al no tener defensa, adoptó la única opción razonable que le quedaba y el 22 de junio de 1633 recitó, de rodillas, la abjuración prescrita en la gran sala del convento dominicano de Santa María Sopra Minera: «Con el deseo de disipar de la mente de Vuestras Eminencias y de todo verdadero cristiano esta vehemente sospecha arrojada sobre mí, con corazón sincero y fe verdadera, abjuro, condeno y rechazo los errores y herejías mencionados, y en general, toda herejía y secta contraria a la Santa Iglesia».

Pero en realidad fue el mismo Galileo el que más hizo para que lo persiguieran. La misión de su vida, según sus propias palabras, era «lograr alguna fama». Orador y panfletista inflamado, cuando estudiaba en la Universidad de Pisa lo llamaban «El pendenciero». Publicó un poema satírico burlándose de los profesores que asistían al aula vestidos con la toga. Se atribuyó en Venecia la invención del telescopio y fue ingrato e injusto con Kepler. Cuando Einstein se refirió a este hecho dijo: «Esto, ¡ay¡, es vanidad. Se la encuentra en muchos científicos».

La Iglesia Católica lo toleraba. El Vaticano elogió la investigación de Galileo con el telescopio y lo honró con un día de ceremonias en el Colegio Romano. El papa era su amigo y el cardenal Bellarmino aceptó que, si la teoría copernicana era correcta, «tendríamos que proceder con gran circunspección para explicar los pasajes de la Escritura que parecen enseñar lo contrario».

Pero Galileo estaba desbocado. Se burlaba de los jesuitas y de toda autoridad que no concordaba con él. Se puede decir que por su falta de humildad, prudencia y sabiduría, encendió los fuegos de la persecución en su contra.

Galileo carecía de humildad. Presenta tú la verdad con humildad y no despiertes por tu imprudencia la animosidad de los demás contra ti o contra la verdad que buscas defender.

Dichoso el que tiene en ti su fortaleza, que solo piensa en recorrer tus sendas. Cuando pasa por el valle de las Lágrimas lo convierte en región de manantiales (Salmo 84: 5, 6).

En septiembre de 2010, Joni Eareckson Tada publicó su libro titulado *A Place of Healing* [Un lugar de sanación]. La pregunta fundamental que plantea es la siguiente: Si Dios quiere sanar a las personas, ¿por qué no siempre lo hace? Esta es una pregunta especialmente importante para Joni. Hace más de cuatro décadas, sufrió un accidente cuando se arrojó al agua en la bahía de Chesapeake. Quedó tetrapléjica, es decir, paralizada de las cuatro extremidades. Además, en años recientes ha sufrido un dolor crónico atroz. Por si esto fuera poco, le diagnosticaron cáncer de mama en el verano de 2010. En una entrevista con la revista *Time* después de la publicación del libro, Joni confesó que se ha encontrado a sí misma algunas veces pensando: «Señor, esto es demasiado como para soportarlo, ¿estás seguro de que sabes lo que haces?».

Es posible que tú también te hagas esta pregunta o te la hayas hecho en el pasado. Si no es así, es posible que te la plantees en el futuro, porque vivimos en un mundo de pecado donde el dolor nos alcanza a todos. Yo también me hice esta pregunta cuando mi hijo murió en mis brazos el 21 de julio de 2003.

No sé si Joni contestó finalmente la pregunta en su libro (salió a la venta una semana antes de que yo escribiera estos renglones, así que no lo tenía en mis manos). Sin embargo, temo que su pregunta solamente recibirá respuesta cuando se la hagamos personalmente a Dios en el cielo. Joni, sin embargo, hizo una revelación extraordinaria a *Time*. En ese momento explicó que si Dios la hubiera sanado milagrosamente cuando tenía 17 años, no habría podido ministrar a tantas personas inválidas o discapacitadas, ni habría sido un motor clave para la legislación en los Estados Unidos (que ha tenido impacto en diversos lugares del mundo) en favor de las personas con alguna discapacidad.

Tú y yo debemos hacer lo mismo. Hemos de pedir al Señor que extraiga algo de nuestro dolor. Algo que redunde en beneficio para otros. Hemos de evitar que nuestro sufrimiento sea estéril, sin sentido, que se desvanezca en la historia sin haber dejado huella. Eso es lo que Cristo hizo con su dolor. Lo utilizó para salvarnos. ¿Permitirás que Dios extraiga de tu sufrimiento algo bueno para ti y para los demás?

¿Demasiada autoestima?

Nadie tenga un concepto de sí más alto que el que debe tener, sino más bien piense de sí mismo con moderación (Romanos 12: 3).

Una sana autoestima es un valioso ingrediente de la personalidad. Contribuye a la felicidad y al sentido de realización en la vida. No se debe confundir con el error contra el cual aconseja el apóstol Pablo. La siguiente historia puede ilustrarlo.

Un hombre de baja estatura, llamado Charles J. Guiteau, fastidió tanto al secretario de estado James G. Blaine, de los Estados Unidos, que un día este lo amenazó: «Nunca más vuelva a molestarme con respecto al consulado de París». Lo que el hombrecito quería era, nada menos, que lo nombraran cónsul estadounidense en París. Estaba convencido de que era la persona más apta para dicho puesto.

Finalmente escribió una carta al presidente James A. Garfield en la que decía: «Usted y el Partido Republicano se arrepentirán… El señor Blaine es un malvado, un genio del mal, usted no tendrá paz hasta que se lo haya quitado de encima».

El presidente ignoró su carta y Guiteau decidió matarlo, pensando que después sería proclamado héroe y salvador, el hombre fuerte del Partido Republicano, y que luego la nación, agradecida, lo elegiría presidente para suceder al traidor. El 16 de junio de 1881, un mes antes del intento de asesinato, Guiteau intentó justificar su «divinamente inspirado» atentado mediante un «discurso dirigido al pueblo norteamericano».

Ese discurso fue asombroso. No se sabe si era producto del cerebro de un demente perspicaz o de un megalómano desorbitado. Pero la historia es triste. El 2 de julio de 1881, Guiteau perpetró su atentando. Le disparó tres veces por la espalda al presidente James A. Garfield, uno de los mejores hombres que ha producido la nación estadounidense, quien murió al cabo de dos meses del ataque. Guiteau nunca perdió la esperanza de que lo absolvieran en su juicio, que duró sesenta y dos días. Creía que después del proceso haría una gira de conferencias por Europa y que regresaría a su país a tiempo para la campaña presidencial de 1884.

Pero aunque lo declararon demente, el jurado lo condenó a muerte. Cuando le pusieron el dogal en el cuello, Guiteau recordó a los asistentes a su ejecución que algún día le erigirían un monumento a su memoria. Un monumento con una inscripción que dijera: «Aquí yace el cuerpo de Charles A. Guiteau, patriota y cristiano. Que su alma esté en la gloria».

Apliquemos hoy el buen consejo de Pablo: «Nadie tenga de sí un concepto más alto del que debe tener» (Romanos 12: 3).

Acerquémonos, pues, a Dios con corazón sincero y con la plena seguridad que da la fe, interiormente purificados de una conciencia culpable y exteriormente lavados con agua pura (Hebreos 10: 22).

Una de las condiciones más claras para acercarse a Dios es una fe firme. Los que siguen a Cristo deben tener plena certeza de su existencia y también de su dirección divina.

Durante la Segunda Guerra Mundial el *Lady Be Good*, un bombardero norteamericano que intervino en la campaña del norte de África, no regresó a su base después de una misión sobre territorio italiano. Su desaparición se consideró como una tragedia más de la guerra. Pero años después el misterio aumentó, pues se lo descubrió en el desierto del Sahara a unos 650 kilómetros de su base. Sus tripulantes habían abandonado los restos de la máquina y partido en busca de ayuda. Sus restos fueron hallados a unos 160 kilómetros del avión. Los investigadores revisaron los instrumentos del aparato y comprobaron que todavía funcionaban. Llegaron a la conclusión de que el bombardero, cumplida su misión, regresaba a la base cuando lo sorprendió una corriente de aire que duplicó su velocidad sin que lo notaran los tripulantes. Estuvieron sobre su base antes de lo que esperaban y convencidos de que los instrumentos funcionaban mal, continuaron volando hasta que se les acabó el combustible. Perecieron porque actuaron guiados por su propio parecer y no confiaron en las indicaciones de los instrumentos.

Es una historia trágica. Pero si nos ponemos a reflexionar, aprenderemos una gran lección. El apóstol Pablo dice: «Vivimos por fe, no por vista» (2 Cor. 5: 7). Cuán cierto es que los cristianos confían más en lo que creen que en lo que ven. Es lo que dicen las Escrituras. Por eso se nos aconseja acercarnos a Dios «con la plena seguridad que da la fe». Una fe que nos permita confiar más en lo que Dios ha dicho que en lo que a nosotros nos parece correcto. Miles de cristianos hallan difícil confiar en Dios tan completamente. Es poner la vida en sus manos.

Eso les pasó a los pilotos del *Lady Be Good*. Decidieron ignorar lo que sus instrumentos les decían. En ese caso se habrían salvado si hubieran creído más a sus instrumentos que a sus opiniones. A medida que se acerca el tiempo del fin, es más y más necesario aprender a confiar implícitamente en Dios pase lo que pase. Acércate a Dios en plena certidumbre de fe, como aconseja el apóstol.

El caso de la lupa extraviada

Las moscas muertas apestan y echan a perder el perfume. Pesa más una pequeña necedad que la sabiduría y la honra juntas (Eclesiastés 10: 1).

Cómo conocí a uno de mis mejores amigos fue realmente singular. Mi familia y yo nos habíamos mudado recientemente al Estado de Míchigan, en Estados Unidos, donde yo realizaría estudios de posgrado. Un sábado nos invitó una familia de nuestra iglesia a comer a su casa. Mi cuñada había llegado el día anterior con regalos para los niños, entre ellos uno muy interesante: una lupa que había comprado en Miami por un dólar en una tienda *Family Dollar*, una cadena nacional de establecimientos bastante comunes en dicho país. Mi hijo, entonces de cinco años, tomó la lupa y se fue a explorar rocas, árboles, caracoles, hojas y otros tesoros en el jardín de la casa. No mucho tiempo después regresó con el rostro lleno de lágrimas y una historia de agravios:

—¡Mamá! Un señor me regañó y me quitó mi lupa.

Mi esposa le preguntó cuál era la razón. Mi hijo le explicó que el señor decía que la lupa era de su hijo.

A ese caballero, mi futuro amigo, lo habían invitado a comer a casa de unos amigos que eran vecinos de quienes nos habían invitado a nosotros. Mi esposa se dirigió a aquella casa armada con la convicción de que tenía la razón y le preguntó por qué le había quitado la lupa al niño. El señor le mostró la lupa y le dijo que su hermana se la había traído a su hijo desde California el día anterior. Mi esposa no cedió terreno. Le dijo que esa lupa la había traído su hermana el día anterior desde Miami, Florida. Finalmente, después de dialogar un poco, mi esposa recuperó la lupa, aunque todavía sin convencer al señor y a su hermana.

Horas después, cuando regresamos a nuestra casa, el caballero nos fue a buscar con una sonrisa sumisa para disculparse y nos mostró una lupa idéntica a la de nuestro hijo que ellos habían encontrado posteriormente. Su hermana la había comprado en un *Family Dollar* de California.

Así comenzó una amistad muy especial que continúa hasta hoy. De hecho, un mes antes de escribir esta meditación me hospedé en su casa, en Puerto Rico. ¿No te parece que habría sido muy triste que una lupa de un dólar hubiera impedido una amistad tan profunda? No dejes que las cosas pequeñas entorpezcan lo que podría ser una amistad extraordinaria. No permitas que un pequeño pecado te separe de tu Padre celestial.

Que nadie te menosprecie por ser joven. Al contrario, que los creyentes vean en ti un ejemplo a seguir en la manera de hablar, en la conducta, y en amor, fe y pureza (1 Timoteo 4: 12).

En *Lest We Forget* [No sea que olvidemos] George Knight narra la experiencia de John N. Loughborough, que tenía 17 años cuando sintió que Dios lo llamaba a ser predicador. Durante nueve semanas estuvo enfermo de malaria. Finalmente, desesperado, clamó: «Señor, quítame estos escalofríos y estas fiebres, y saldré a predicar».

Los escalofríos y las fiebres cesaron ese mismo día. Pero John no tenía un solo centavo para viajar. Después de varias semanas de trabajar como leñador logró ahorrar un dólar. «Esa cantidad —dijo—, me llevaría adonde yo deseaba ir, pero, ¿y la ropa? El señor con quien estuve trabajando me dio un saco y un par de pantalones bastante raídos, pero como era un hombre mucho más alto que yo, aquella ropa, después de recortarla unos quince centímetros, no se veía muy elegante que digamos. En lugar de abrigo, mi hermano me dio un capote un tanto extraño, al cual le había cortado un buen trozo».

Después contó: «Con esa curiosa combinación de harapos y el dólar que poseía, decidí ir a cierta zona donde nadie me conocía y traté de predicar. Si fracasaba, ninguno de mis amigos se enteraría, y si tenía éxito, lo tomaría como una evidencia de que era mi deber predicar».

En su primera noche predicó en una pequeña iglesia bautista llena hasta reventar. «Canté, oré y canté otra vez —informó—, y hablé sobre la caída del hombre. En vez de sentirme apenado como yo temía, la bendición de Dios descendió sobre mí y hablé con libertad. A la mañana siguiente me dijeron que diecisiete pastores habían estado presentes en la reunión la noche anterior.

»La siguiente noche la iglesia estaba llena otra vez. Supongo que la razón de su interés era la curiosidad de escuchar a aquel predicador principiante. Al final de la reunión, el pastor se puso de pie y anunció que la noche siguiente se iniciaría una clase de canto y por lo tanto mis reuniones debían terminar. Pero en el acto un señor de apellido Thompson se puso de pie y dijo: "Señor Loughborough, estas clases de canto se han organizado con el propósito de poner fin a sus reuniones"». Entonces procedió a invitar al joven predicador a una escuela que tenía un salón más grande, y una vez más el edificio estaba a reventar la primera noche. Dios puede usarte de la misma manera. Alístate en sus filas.

El joven predicador cabalga de nuevo

Esfuérzate por presentarte a Dios aprobado, como obrero que no tiene de qué avergonzarse y que interpreta rectamente la palabra de verdad (2 Timoteo 2: 15).

Era natural que el joven Loughborough temiera encontrarse con otros predicadores en sus reuniones. Ese temor pronto se hizo realidad cuando el ministro que le había cancelado las reuniones decidió visitarlo en una tertulia informal que John celebraba con quienes habían asistido a sus reuniones.

—Bueno —dijo el predicador visitante—, tuvo una buena asistencia la noche anterior.

—Sí, y parecen muy interesados —dijo el joven.

—Probablemente tuvieron curiosidad de oír predicar a un muchacho, pero, ¿escuché bien cuando le oí decir que el alma no es inmortal?

—Sí, lo dije —dijo el joven predicador.

—Bueno, entonces, ¿cómo explica usted el texto que habla del castigo del alma que nunca muere?

—No conozco ningún texto que diga eso —dijo sorprendido el joven predicador—. La mitad de mis citas provienen de la Biblia y la otra mitad del himnario metodista.

—Le aseguro que el texto que menciono está en la Biblia —dijo el viejo predicador con mucho énfasis—. Se encuentra en el capítulo 25 de Apocalipsis.

—Entonces se encuentra tres capítulos fuera de la Biblia —dijo el joven predicador—, porque Apocalipsis solamente tiene veintidós capítulos.

—Permítame su Biblia y se lo mostraré.

Para asombro de todos los presentes intentó buscar el texto, solo para quedar en ridículo. Devolvió su Biblia al joven predicador y se excusó diciendo que tenía otro compromiso.

En aquellos días, los líderes cristianos tenían muy escasa preparación académica. La mayoría de los predicadores eran autodidactas, lo cual explica este suceso. En un contexto tal, el conocimiento de la Biblia era una gran ventaja.

Muchas cosas han cambiado desde entonces, pero no la importancia de conocer la Biblia. La Palabra de Dios es un don especial del cielo. Sin embargo, cuántos todavía la desconocen tanto como aquel ministro. Con mucha razón el apóstol Pablo hizo al joven Timoteo la solemne exhortación: «Esfuérzate por presentarte a Dios aprobado, como obrero que no tiene de qué avergonzarse y que interpreta rectamente la palabra de verdad» (2 Tim. 2: 15). «Interpretar» es, en realidad, «usar bien», o mejor dicho, «cortar rectamente».

El consejo no es solo para los predicadores, sino para los cristianos en general, que también deben ministrar. Estudiarla, comprenderla y explicarla bien es responsabilidad de todos los cristianos. La salud espiritual depende directamente de eso. Muchos la desconocen. ¿Tú la conoces bien?

Un nuevo corazón

Crea en mí, oh Dios, un corazón limpio, y renueva la firmeza de mi espíritu (Salmo 51: 10).

Es posible que hayas leído algo sobre el efecto Mozart. En 1993, Rauscher, Shaw y Ky investigaron el efecto que tenía escuchar la música de Mozart en el razonamiento temporal espacial. Descubrieron que había una mejoría por un período de tiempo en aquellos que la escuchaban antes de hacer el examen. Los resultados fueron publicados en la famosa revista *Nature*. Al siguiente año el columnista Alex Ross del *New York Times* escribió que «experimentos científicos» apoyaban la idea de que escuchar a Mozart hacía más inteligentes a las personas. Todo esto resultó en un aumento en las ventas de discos con música de Mozart y otra música clásica que, según aseguraban, harían más inteligentes a los bebés. Los estados de Georgia y Tennessee en Estados Unidos regalaban discos compactos con música clásica a las nuevas mamás y el estado de Florida ordenó que se tocara música clásica y de Mozart en las guarderías públicas.

Otros estudios científicos han puesto en duda la validez del efecto Mozart. De hecho, el estudio original no aseguraba que la música de Mozart puede hacer a las personas más inteligentes, solamente sugiere que hay una mejoría temporal en el razonamiento lógico y que, de hecho, esa mejoría es pasajera. Lo que sí está fuera de duda es que un intenso entrenamiento musical durante la infancia, cuando el cerebro es joven y moldeable, produce cambios sorprendentes en la anatomía de ese órgano. Imágenes magnetoencefalográficas demuestran que ciertas regiones del cerebro, como el cuerpo calloso, la corteza auditiva y el plano temporal, se desarrollan mucho más.

Todo esto habla de la importancia de los primeros años en la formación del individuo. Muchas veces se afirma que el carácter de una persona ha sido formado básicamente a los siete años. Este es un pensamiento aterrador. ¿Somos prisioneros del éxito o del fracaso de nuestros padres al formarnos cuando éramos niños? ¿Qué esperanza tienen aquellos que fueron descuidados o expuestos a la violencia desde la infancia?

La Biblia no nos deja sin esperanza. Dice que Dios puede renovar nuestra mente. No sabemos todo lo que estos milagros implican, pero podemos observar las evidencias en la transformación milagrosa de muchas personas. Esto es lo que el salmista le pidió a Dios cuando dijo: «Crea en mí un nuevo corazón». Este milagro puede empezar a producirse en tu vida hoy, si lo deseas. ¿Tienes tal anhelo?

La última gran selección

Pondrá las ovejas a su derecha, y las cabras a su izquierda (Mateo 25: 33).

Viktor Frankl cuenta esta historia en su libro *El hombre en busca de sentido último* y la titula «La primera selección»:

«Nos ordenaron formar en dos filas, una de mujeres y otra de hombres, para desfilar ante un oficial de alta graduación de las SS (los escuadrones de seguridad de la Alemania nazi). Era un hombre alto y delgado, impecable y reluciente que le sentaba perfectamente. Había adoptado una posición aparentemente relajada, sujetándose el codo derecho con la mano izquierda. Movía con parsimonia el dedo índice de su mano derecha hacia un lado o hacia el otro, hacia la derecha o hacia la izquierda.

»En aquellos momentos ignorábamos totalmente el siniestro significado de aquel leve movimiento de su dedo: apuntaba unas veces a la izquierda y otras a la derecha, con mayor frecuencia hacia la derecha.

»Al atardecer nos explicaron el significado del "juego del dedo". Se trataba de la primera selección, el primer veredicto sobre nuestra aniquilación o nuestra supervivencia. Los pocos que nos habíamos salvado, del numeroso grupo inicial, conocimos la verdad aquella misma noche. Pregunté a los reclusos antiguos si sabían el posible paradero de mi amigo y colega P.

»—¿Lo enviaron a la izquierda?

»—Sí —contesté.

»—Entonces allí lo tienes —fue la respuesta.

»—¿Dónde?

»Su mano señaló una chimenea situada a unos cientos de metros de nosotros, que escupía una llamarada de fuego al cielo gris de Polonia.

»—Allí flota tu amigo elevándose hacia el cielo —contestaron con brusquedad—. Aun así no alcancé a comprender del todo sus palabras. Tuvieron que explicarme la verdad en toda su crudeza».

La enorme injusticia de esta escena nos impide compararla sin explicaciones con la justa escena que menciona nuestro texto. Los judíos y los otros que murieron en las cámaras de gas de los campos de exterminio de los nazis eran inocentes. El Holocausto constituyó una de las injusticias más grandes de la historia. La frialdad con que el elegante oficial de las SS desviaba el dedo hacia la derecha o hacia la izquierda es espeluznante: decretaba la vida o la muerte con solo mover un dedo.

Cuando el gran Juez envíe a la derecha o a la izquierda a todos los seres humanos en el juicio final, sencillamente les indicará el camino que eligieron libre y voluntariamente. Elijamos con sabiduría hoy. Dios nos ha dado la libertad de elección para que decidamos personalmente nuestro destino. ¿Qué decisión tomarás?

Dios aún conduce a su pueblo

Atravesaron la región de Frigia y Galacia, ya que el Espíritu Santo les había impedido que predicaran la palabra en la provincia de Asia. Cuando llegaron cerca de Misia, intentaron pasar a Bitinia, pero el Espíritu de Jesús no se lo permitió (Hechos 16: 6, 7).

No sabemos por qué el Espíritu Santo no permitió a Pablo y a Silas que predicaran el evangelio en Asia y en Bitinia. Pero sí sabemos por qué hizo que el pastor William Costa Jr. tomara la decisión de enviar el equipo de transmisión por avión y no por tierra. La historia, tal como la cuenta Kandus Thorp en *Miracle Factor*, sucedió así:

La iglesia adventista de Brasil es entusiasta y dinámica. Muy pronto captó la visión del evangelismo vía satélite. En Sudamérica practican la «evangelización integral», lo que quiere decir que todas las actividades de la iglesia se concentran en la evangelización. De modo que cuando se hicieron los planes para que el pastor Alejandro Bullón dirigiera una serie de evangelización vía satélite desde Belén, Brasil, en diciembre de 1998, centenares de iglesias comenzaron a instalar antenas parabólicas y a prepararse para las reuniones.

Las oficinas centrales de ATN están situadas en Novo Friburgo, cerca de Río de Janeiro. Con la esperanza de ahorrar dinero los hermanos decidieron enviar el equipo de transmisión por tierra una distancia de 3,500 kilómetros. Había tiempo suficiente y las carreteras eran buenas, así que todo parecía en orden. Pero cuando la fecha se acercaba, el pastor William Costa Jr. comenzó a sentirse muy preocupado. «Sencillamente siento que algo no anda bien. No sé por qué, nunca antes me había sentido así», dijo a su esposa.

Aquella tarde, al escuchar el informe meteorológico, su ansiedad se concentró en la larguísima carretera de Río hasta Belén. Habría fuertes lluvias tropicales. Preocupado, el pastor William llamó a Jorge Florencio, ingeniero encargado de la transmisión, y le pidió que empaquetara el equipo y lo enviara por aire.

—¿Por qué, pastor? No hay razón alguna. Puedo llevarlo todo por tierra y ahorraremos mucho si lo hacemos así.

—No sé, Jorge, pero algo me dice que deberíamos enviar el equipo por aire —dijo el pastor.

El equipo se envió por aire y llegó a tiempo a Belén. Pero ese mismo día, los noticieros dijeron que las lluvias habían provocado grandes deslizamientos de tierras y derrumbes, y que la carretera estaba cerrada. Si el equipo se hubiera enviado por tierra no habría llegado a tiempo. Dios guió al pastor William Costa Jr. del mismo modo que había guiado a los misioneros Pablo y Silas.

Cooperemos con Dios en su obra y sigamos sus indicaciones.

Tono absoluto

Nos convenía tener un sumo sacerdote así: santo, irreprochable, puro, apartado de los pecadores y exaltado sobre los cielos (Hebreos 7: 26).

Cierto joven que conozco posee tono u oído absoluto, una habilidad que a mí siempre me ha parecido extraordinaria pero que para él es de lo más natural. Una persona que tiene tono absoluto puede decir la nota de cualquier sonido de manera inmediata, sin pensar, sin reflexionar ni compararlo con algún patrón externo. Para él, identificar el tono de un sonido es tan sencillo y natural como para ti y para mí lo es identificar el color de un objeto.

Cuando tenía unos ocho años, mi joven amigo empezó a componer piezas para piano y para violín, pero todo lo hacía en su cabeza y en cualquier lugar sin necesidad de sentarse con el instrumento para revisar sus melodías y armonías. Más tarde comprendí que tenía tono absoluto. Una vez le dijo a su profesor de piano que el timbre de la escuela sonaba en re bemol. El maestro inmediatamente lo constató. Nunca lo he visto equivocarse. Sir Frederick Ouseley, profesor de música en Oxford, que también tenía tono absoluto, observó cuando tenía cinco años de edad: «Imagínate, papá se suena en sol». También decía que tronaba en sol o que el viento soplaba en re, o que el reloj, con un carillón de dos notas, sonaba en sí menor.

El tono absoluto me hace pensar en Cristo Jesús. Podríamos decir que él tiene tono absoluto en cuanto a la justicia. Sabe de manera inmediata y con precisión absoluta qué está bien y qué está mal, sin necesidad de pensar, reflexionar, o comparar sus juicios con un patrón externo de justicia, y nunca se equivoca. Su capacidad de discernimiento es el resultado de que él es perfecto.

Jesús es santo, irreprochable, puro y apartado del pecado. Nosotros, en cambio, no somos así. El pecado está en nosotros mismos y nos engaña. Nuestro sentido de la justicia es relativo. Sabemos que hay ciertas cosas que no son correctas, pero en otros casos nos cuesta trabajo discernir entre el bien y el mal. Por eso es tan importante que le pidamos a Jesús que «afine» nuestras vidas de acuerdo con el tono de la orquesta celestial. Cristo nos guía por medio de su Palabra, la Biblia. Pero esto es apenas el inicio. Jesús también desea comunicarse con nosotros directamente a nuestra mente. Puede hacerlo mediante la oración y la meditación en su Palabra. ¿Qué te parece si esta mañana empiezas tus ejercicios de «afinación»?

Se me ha presentado una gran oportunidad para un trabajo eficaz, a pesar de que hay muchos en mi contra (1 Corintios 16: 9).

Los adversarios a los que el apóstol Pablo se enfrentó en Éfeso siempre han existido. En la época del apóstol solían ser personas. Pero durante la campaña de evangelización vía satélite NET '99 New York, fueron equipos electrónicos de transmisión, computadores y ladrones. Kandus Thorp nos cuenta la historia.

Marcelo Vallado, ingeniero de *Adventist Media Production* (AMP) no podía creer lo que veía. Se le hizo un nudo en el estómago. Acababa de llegar de Chile, donde había instalado el equipo de transmisión para ACT 2000 Chile. Solo tenía dos días para instalar el equipo en Nueva York, y luego volaría a Alemania para ayudar en el primer programa de evangelización vía satélite producido en ese país.

El problema era que el equipo había llegado dañado. Se había caído de un montacargas. El golpe había quebrado el embalaje y, sin duda, también había arruinado el decodificador. Sin él no se podría emitir la señal. Rápidamente, Marcelo instaló la antena parabólica y los convertidores en el tejado. Incluso antes de que el equipo se dañara se había preocupado por esa transmisión. En la ciudad de Nueva York hay muchas restricciones con relación a la frecuencia de las transmisiones. Además, los rascacielos impiden el acceso a muchos satélites. En el edificio en particular desde donde transmitiría AMP, el área de producción estaba ocho pisos por debajo del tejado, por lo cual se necesitaría un cable muy largo para llevar la señal desde el decodificador hasta la antena, cosa que también podría crear problemas.

Cuando la antena estuvo lista, Marcelo se dirigió al área de producción para instalar el decodificador. ¿Funcionaría? La última vez que se había utilizado había sido en Ghana, África, donde la transmisión se hizo en formato PAL. Pero en Nueva York necesitaba cambiarlo al formato NTSC. Normalmente eso no requiere mucho tiempo, pero en este caso, el decodificador no funcionó. El problema era que la computadora no se podía comunicar con el decodificador. Obviamente algo se había dañado en el accidente… Pero ¿qué?

Cuidadosa y sistemáticamente Marcelo revisó todas las tarjetas del decodificador. Finalmente llamó al fabricante y un ingeniero lo ayudó. Después de mucho trabajo, todo quedó listo para la transmisión.

Marcelo estaba exhausto y no había comido desde hacía horas. Todavía quedaba mucho por hacer, pero él y el resto del personal técnico fueron a comer. Cuando regresaron, Marcelo vio con horror que su computadora especializada había desaparecido. ¿Se podría realizar la campaña evangelizadora? ¿Todavía hace Dios milagros por su pueblo?

Múltiples
adversarios - 2

Cuando los judíos de Tesalónica se enteraron de que también en Berea estaba Pablo predicando la palabra de Dios, fueron allá para agitar y alborotar a las multitudes (Hechos 17: 13).

Durante el brevísimo tiempo que los técnicos dejaron la oficina para ir a comer, alguien había entrado y robado el maletín de Marcelo Vallado. ¡Contenía su computadora personal y el programa que utilizaba para hacer funcionar el decodificador! Ahora no tenía ni pasaporte para el viaje a Alemania, ni computadora para utilizar el decodificador para la prueba de transmisión que estaba programada para esa misma noche. Centenares de iglesias esparcidas por toda Norteamérica estaban listas para probar sus equipos.

Marcelo miró el reloj. La prueba de transmisión se haría en una hora. El decodificador es como una computadora, pero necesita otra computadora, que funciona como un servidor que controla todas sus funciones. Marcelo pensó en comprarla, pero comprendió que no tendría tiempo para configurarla. Así que con una oración en su corazón, decidió hacer lo que nunca antes había hecho: anular el sistema y hacer funcionar el decodificador en modo manual.

Lo increíble sucedió. ¡Asombrosamente, logró que el decodificador funcionara sin la computadora maestra! Envió una fuerte señal al satélite. En menos de 24 horas Dios lo había ayudado a resolver el inmenso problema ocasionado por el daño al decodificador y el robo de la computadora maestra que operaba el decodificador, así que otra serie de evangelización vía satélite comenzó a tiempo. ¡Nadie, en toda Norteamérica, notó la diferencia!

Pocas horas más tarde un agente de la compañía de seguridad del edificio encontró el pasaporte y el billete de avión del viaje de Marcelo a Alemania. Estaban en el cesto de basura de uno de los baños de un piso más abajo. Marcelo viajó a Alemania a tiempo para una campaña de evangelización que comenzó el siguiente fin de semana.

En menos de tres semanas Marcelo había trabajado en tres continentes distintos y Dios lo había ayudado para lanzar tres grandes campañas de evangelización. El programa de televisión *Amazing Facts* y la iglesia adventista de Alemania estimaron que estos tres acontecimientos resultaron en el bautismo de unas quince mil personas.

¿Cómo resolvió el apóstol Pablo los problemas planteados por los adversarios judíos en Berea? Elemental: con la ayuda de Dios. Cualquiera que sea tu edad, tu preparación y tus talentos, únete al esfuerzo ahora mismo. La obra sigue adelante con la misma oposición y con el mismo éxito de siempre. No te quedes fuera del equipo ganador.

Porque lo dice el excelso y sublime, el que vive para siempre, cuyo nombre es santo: «Yo habito en un lugar santo y sublime, pero también con el contrito y humilde de espíritu, para reanimar el espíritu de los humildes y alentar el corazón de los quebrantados» (Isaías 57: 15).

A Michael Torke, quien llegaría a ser un famoso compositor de música contemporánea, le regalaron un piano a los cinco años y le asignaron una profesora. Le encantaba la música y había mostrado ya, a esa edad, un talento extraordinario.

En cierta ocasión le dijo a su maestra:

—Me encanta la pieza «azul».

—¿Azul? —respondió confundida la maestra.

—Sí —contestó Michael—, la pieza en re mayor… El re mayor es azul.

—No para mí —replicó la maestra.

Ambos quedaron confundidos, pero sobre todo Michael, pues él imaginaba que todas las personas veían colores asociados con los tonos musicales. Michael tenía una condición llamada «sinestesia», en la que la estimulación de un sentido, en este caso el oído, afecta o activa un sentido diferente, en este caso la vista. Desde su niñez Michael había visto los tonos en colores establecidos que no cambian: sol menor es ocre o amarillo brillante; re menor, color grafito; fa menor, color terroso…

La experiencia musical de estas personas debe ser realmente interesante. En su libro *Musicofilia*, Oliver Sacks nos dice cómo describe Jacques Lusseyran la sinestesia que adquirió con su ceguera: «Cuando emitía un sonido en la cuerda del la, el mi, el sol o el do, ya no lo oía. Lo miraba. Tonos, acordes, melodías, ritmos, todo era inmediatamente transformado en imágenes, curvas, líneas, formas, paisajes y sobre todo colores […]. En los conciertos, la orquesta me parecía un pintor. Me inundaba de todos los colores del arco iris. Si el violín tocaba un solo, de repente me llenaba de oro y fuego, con un rojo tan brillante que no había visto nunca. Cuando era el turno del oboe, un verde claro me invadía, tan fresco, que parecía sentir el aliento de la noche […]. Veía la música y podía hablar su lenguaje».

Nunca pensé que el sonido y el color se pudieran mezclar de manera tan maravillosa. Tampoco pensé que Dios pudiera hacerse hombre para salvarme, pero lo hizo porque me amaba. Él hizo lo impensable para salvarnos. Cuando pienses que Dios es demasiado sublime para escucharte a ti, piensa en Jesús. Pídele en este día que te dé una vislumbre de su gloria, y que el gozo de su presencia desborde en tu corazón.

Raíces de amargura

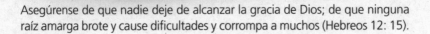

Asegúrense de que nadie deje de alcanzar la gracia de Dios; de que ninguna raíz amarga brote y cause dificultades y corrompa a muchos (Hebreos 12: 15).

Muchas personas que desean alcanzar la gracia de Dios no se dan cuenta de que en sus vidas tienen raíces de amargura que destruirán todos sus esfuerzos por hacer el bien. Las raíces de amargura se refieren a «pequeñas transgresiones» de los mandamientos de Dios, aparentemente inofensivas. Estas pequeñas transgresiones son generalmente realizadas por «buenos» motivos, pero si cavamos más profundo, nos daremos cuenta de que se originan en la falta de fe o en el orgullo.

Examinemos el caso de Salomón. Dios le había dado sabiduría, paz y prosperidad muy abundantes (1 Rey. 10). Salomón amaba profundamente a Dios y deseaba honrarlo en todo lo que hacía. Con la grandeza que Dios le había dado llegó la oportunidad de hacer una alianza con una de las naciones más poderosas de aquel tiempo, Egipto. Estas alianzas acostumbraban consumarse con el casamiento del rey con una princesa de la otra nación. Dios había prohibido claramente en Deuteronomio 7: 1-3 hacer este tipo de alianzas con personas de otra nación. Pero Salomón razonó que si se casaba con la hija del faraón conseguiría gran prosperidad para Israel y, además, podría influir sobre aquella potencia para llevarle el conocimiento del Dios verdadero. Me parece sin embargo, que en lo profundo del corazón se mezclaban el deseo de grandeza y el temor necio de que Dios no le pudiera dar la prosperidad sin esas alianzas.

Aparentemente todo salió bien. Elena G. de White dice que la hija del faraón se convirtió a la religión israelita. Sin embargo, una raíz de amargura había brotado. Su ejemplo influyó para que otros hicieran lo mismo. Cientos de mujeres hermosísimas de otras naciones llegaron a Israel y formaron hogares ahí.

También influyó para mal en Salomón. Pensó que era más sabio que Dios y con el mismo pretexto de llevar el conocimiento del Señor a otras naciones, se casó con las hijas de los reyes paganos, cercanos y lejanos, e hizo alianzas con ellos. Por eso tuvo setecientas esposas y trescientas concubinas, que fueron una maldición para su reino y para su vida. Lee además el capítulo 3 de *Profetas y reyes* para abundar en este tema.

Te invito a que analices tu vida y veas si hay alguna raíz de amargura. No permitas que el deseo de grandeza o prosperidad, o el temor de no ser feliz, te lleven a violar alguno de los mandamientos de Dios. Si permaneces fiel, Dios te dará más de lo que has soñado. Conságrate a él.

La mujer fue y se lo contó al hombre de Dios, quien le mandó: «Ahora ve a vender el aceite, y paga tus deudas. Con el dinero que te sobre, podrán vivir tú y tus hijos» (2 Reyes 4: 7).

El profeta había muerto y dejado deudas. Su viuda y sus hijos afrontaban ahora una crisis. El acreedor solicitó que dos de los hijos le sirvieran como esclavos hasta que terminaran de pagar la deuda. Por eso la viuda pidió ayuda al profeta Eliseo (2 Rey. 4: 1-7).

El bondadoso profeta le dijo: «¿Qué puedo hacer?». ¿Cómo ayudarla? Finalmente le dijo: «Declárame qué tienes en casa». Date cuenta de que Dios usa lo que tenemos. Cuando le preguntó a Moisés «¿Qué tienes en tu mano?», fue porque sabía qué era lo único que tenía. La conclusión lógica es: «¿Qué tienes tú?». Dios tomará lo poco que tengas y hará maravillas con ello si te consagras a él.

Quizá tus oportunidades sean muy pocas, pero dile a Dios que es lo único que tienes y pídele que te indique cómo aprovecharlas. O puede ser que tus talentos y capacidades sean escasos. Conságrate a Dios y pon ese talento a su servicio y él hará maravillas.

Lo único que tenía la viuda del profeta era «una vasija de aceite», probablemente no muy grande. De verdad era pobre. Eliseo salió con una solución divina, milagrosa, al más puro estilo bíblico: «Ve y pide para ti vasijas prestadas a todos tus vecinos, vasijas vacías, no pocas». La orden era muy explícita. Pide vasijas «a todos tus vecinos». No te quedes corta, no seas pesimista, piensa en grande. No vayas a pedir dos o tres cacerolas de tus vecinos más cercanos. Ve a todo el pueblo. No dejes una sola casa sin visitar. Pide que te presten todas las vasijas que tengan, sean grandes o pequeñas. Si es posible ve a los pueblos vecinos. Pide prestadas muchas vasijas. Fue muy explícito: «Vasijas vacías, no pocas».

El profeta alentó a la mujer para que tuviera fe, que pensara en grande. La solución no era solo pagar la deuda, sino hacer provisión para vivir. Su necesidad inmediata era la deuda, pero Dios pensó en la solución completa. Así es Dios. Tiene interés en todo lo que nos afecta. Ella solo había pedido solución para el problema de la deuda, pero Dios hizo provisión para el problema de la subsistencia. Confía en que hará lo mismo para ti y tu familia.

La viuda
que se volvió rica - 2

Recuerden esto: El que siembra escasamente, escasamente cosechará, y el que siembra en abundancia, en abundancia cosechará (2 Corintios 9: 6).

Según el *Comentario bíblico adventista*, «la respuesta de la viuda sería la medida de su fe, y como consecuencia también la medida de lo que habría de recibir de parte del Señor. Si su fe hubiera sido poca, habría recibido poco; si mucha, recibiría mucho». La cantidad de vasijas que pidiera prestadas sería la medida de su fe.

Pero, gracias a Dios, la incredulidad no fue un obstáculo para la viuda. Actuó al punto con fe. Siguió al pie de la letra las instrucciones del profeta y consiguió también la cooperación de sus hijos. La fe y la obediencia de la viuda engendraron fe y obediencia en sus hijos. La fe produce fe, y la obediencia de uno fomenta la obediencia de otros.

La Biblia no dice cuántas vasijas pidió prestadas. Solo dice que «en seguida la mujer dejó a Eliseo y se fue» (2 Rey. 4: 5). En esta mina de instrucción bíblica hay un tentador filón de reflexiones. El profeta había aconsejado a la viuda que después de pedir prestadas todas las vasijas que encontrara en su pueblo, en la región, en la provincia, fuera a su casa y se encerrara con sus hijos, para llenar de aceite las vasijas. Ella hizo caso sin titubear.

Dicha experiencia está en armonía con el consejo de Jesús: «Tú, cuando te pongas a orar, entra en tu cuarto, cierra la puerta y ora a tu Padre, que está en lo secreto. Así tu Padre, que ve lo que se hace en secreto, te recompensará» (Mat. 6: 6). La mujer convirtió la sesión de vaciar vasijas en una sesión de oración. Fue una empresa de oración. Plenamente convencida de que Dios estaba con ella, convirtió aquel acto en una oración actuada. Vivió su fe y dio vida a su dedicación. Fue un testimonio ante sus vecinos que después llegaron a saber lo que había sucedido. Porque no cabe duda de que aquella mujer llenó muchas tinajas de aceite y fue un testimonio viviente ante sus vecinos del poder de la fe.

¿Con cuánta frecuencia te encierras para orar, es decir, para tener una sesión privada con Dios? Recuerda que «tu Padre, que ve lo que se hace en secreto, te recompensará». ¿Tienes hoy el deseo de poner en práctica este sabio consejo?

> Cuando ya todas estuvieron llenas, ella le pidió a uno de sus hijos que le pasara otra más, y él respondió: «Ya no hay». En ese momento se acabó el aceite (2 Reyes 4: 6).

Ahora la viuda y sus hijos, convertidos en equipo de trabajo y socios en la oración, iniciaron la prueba de la fe: «Empezó a llenar las vasijas que ellos le pasaban» (2 Rey. 4: 5). Eran personas de fe, empeñadas en la realización de un milagro. Habían pedido prestadas vasijas vacías, todas las que pudieron conseguir. Luego llegó el final. «Cuando ya todas estuvieron llenas, ella le pidió a uno de sus hijos que le pasara otra más, y él respondió: "Ya no hay"». Cada nueva vasija era una prueba de la fidelidad de Dios. Él y Eliseo eran fieles a sus promesas. Ahora quedaba consumada la medida de fe de ellos. El hijo contestó, pues, que ya no tenían vasijas.

¿Cuántas habían pedido prestadas? ¿Siguieron el consejo del profeta? ¿Pidieron prestadas todas las vasijas que les fuera posible conseguir? Cuando Dios prometió recompensar a quienes fueran fieles en la devolución de sus diezmos, dijo: «Derramo sobre ustedes bendición hasta que sobreabunde» (Mal. 3: 10). Muy pocos cristianos a lo largo de la historia se han atenido a la literalidad de esta promesa. Dios no habla aquí figuradamente. Habla de manera literal. A todos los que traigan con fidelidad el diezmo al «alfolí» de Dios, se les promete darles más bendiciones de las que necesitan.

Cuando se acabaron las vasijas vacías, se terminó el aceite. Es como si Dios, por medio de Eliseo, se hubiera propuesto dar a sus hijos una lección de fe a través de esta historia. Es un antecedente divino de la multiplicación de los panes y los peces. Dejaron de multiplicarse en el momento en que todos saciaron su hambre. Es la promesa divina: «Mi Dios les proveerá de todo lo que necesiten, conforme a las gloriosas riquezas que tiene en Cristo Jesús» (Fil. 4: 19). Aquí también Dios, por medio del apóstol, habla de manera literal y muy seriamente. Satisfará todo lo que les falte a sus hijos.

Cuando la viuda y sus hijos le contaron a Eliseo lo que había sucedido, el profeta dijo a la viuda: «Ahora ve a vender el aceite, y paga tus deudas. Con el dinero que te sobre, podrán vivir tú y tus hijos» (2 Rey. 4: 7). Lo que restaba, seguramente, era suficiente. Todas las promesas de Dios son una prueba de fe. Ejercítate en la fe, como la viuda y sus hijos.

Nadie vive para sí

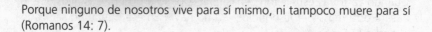

Porque ninguno de nosotros vive para sí mismo, ni tampoco muere para sí (Romanos 14: 7).

Sean Swarner se ha fijado como meta ayudar a los sobrevivientes al cáncer para que hagan realidad sus sueños. El primer paso fue aprovechar su organización sin fines de lucro llamada *Cancer Climber Association*. Quiere infundir en los sobrevivientes al cáncer una sensación de esperanza mediante sus realizaciones físicas. Por ejemplo, a fines de 2011 se propuso llevar a quince sobrevivientes al cáncer a escalar el Kilimanjaro, la montaña más alta del continente africano.

En realidad, la ascensión al monte Kilimanjaro requiere poca habilidad como escalador, pero exige mucha fuerza de voluntad para soportar el esfuerzo. El objetivo era recaudar fondos para sostener la organización de Swarner, y muchos de los que han sobrevivido al cáncer desearon unirse a esa causa verdaderamente inspiradora.

Lo que atrae a muchos es la cálida sonrisa de Swarner y sus grandes hazañas. Nicole Torrecampo, promotora de actos deportivos de Nueva York, Estados Unidos, dijo: «Su historia me pareció muy inspiradora. Cuando la leí, dije: "Tengo que hacer esto". Al conocer su experiencia me sentí muy humilde, pero todos podemos salir adelante. Nada puede detenerlo si usted tiene un verdadero deseo».

Brian Novak llegó a la misma conclusión. Dos meses después de terminar la página web de Swarner, al diseñador de páginas de Internet se le diagnosticó cáncer de colon. Novak pidió a Swarner que fuera su confidente después de la operación para extirpar el tumor y durante los seis meses de quimioterapia que siguieron. Un año más tarde, Novak, junto con una mujer que perdió una pierna debido a un cáncer de hueso, llegó a la cima del Kilimanjaro.

«Ahí estaba yo, un año después de haber terminado el tratamiento de quimioterapia, un año después de quedar totalmente acabado físicamente —decía Novak—, escalando una de las siete cumbres y, literalmente, en la cima del mundo tanto física como mentalmente. Definitivamente, fue uno de los grandes momentos de mi vida».

Desde que tenía 25 años Swarner se ha dedicado a crear estas experiencias y recuerdos para sí mismo y para aquellos que luchan contra el cáncer. A esa edad aceptó las desgracias de su niñez y decidió dedicar su vida al servicio de los demás.

Desde entonces, como dice nuestro texto de hoy, no ha vivido para sí. Dedícate a servir, primero a Dios y luego a los demás. No utilices tu vida y tus dones para servirte nada más a ti.

> También Enoc, el séptimo patriarca a partir de Adán, profetizó acerca de ellos: «Miren, el Señor viene con millares y millares de sus ángeles» (Judas 14).

Durante mucho tiempo los religiosos han sido quienes se han referido a la segunda venida de Jesús en gloria y majestad, así como lo que comúnmente se conoce como el «fin del mundo». Incluso, el año pasado seguro que escuchaste sobre las supuestas profecías de los mayas sobre el fin del mundo. Sin embargo, hoy, un buen número de ambientalistas y científicos aseguran que un colapso en el planeta es muy probable, dadas las condiciones de nuestro mundo. No obstante, los cristianos sabemos que el centro de la noticia sigue siendo la misma: Jesús vendrá para intervenir directamente en los asuntos del planeta.

Enoc, el séptimo hombre que vivió después de Adán, comentó la noticia que seguramente Adán ya conocía, pero sus comentarios no se registraron. La segunda venida de Jesús con sus millares y millares de ángeles (Dan. 7: 10; Mat. 16: 27) será el acontecimiento de los siglos. Se viene anunciando desde hace miles de años. Es natural que así sea, pues será la única vez en la historia que «todos» los millares y millares de ángeles que Dios tiene a su servicio vengan a la tierra juntos. Por supuesto que este acontecimiento entra en la categoría de sensacional con todos los derechos que le da su calidad de único, grandioso, espectacular, terrible, glorioso, aterrador, sublime y gozoso. Ningún otro acontecimiento de la historia puede recibir todos esos calificativos.

La segunda venida de Jesús en gloria y majestad es la esperanza bendita de la humanidad (Tit. 2: 13). Ya sabes que todos los reflectores proféticos se concentran en este acontecimiento. La primera venida de Jesús hace absolutamente necesaria la segunda. Cuando venga por segunda vez terminará la obra que comenzó a realizar en la primera. Todas las esperanzas de todos los hijos de Dios, desde Adán hasta el último que viva, se concentran en la segunda venida de Jesús. Los cristianos que se sienten felices y dichosos pueden olvidarse de su venida y no desearla, aunque eso no quiere decir que no crean en ella y no la esperen. Pero los que sufren dolores irremediables, como una enfermedad crónica en fase terminal, o la muerte de un ser amado, los que ya no tienen esperanza en este mundo, esperan en silencio su venida.

No olvides la antigua y sensacional noticia. Es la única noticia verdaderamente buena que existe en este mundo. Prepárate para recibir a Jesús.

Talentos corrompidos

El Señor habló con Moisés y le dijo: «Toma en cuenta que he escogido a Bezalel, hijo de Uri y nieto de Jur, de la tribu de Judá, y lo he llenado del Espíritu de Dios, de sabiduría, inteligencia y capacidad creativa para hacer trabajos artísticos en oro, plata y bronce, para cortar y engastar piedras preciosas, para hacer tallados en madera y para realizar toda clase de artesanías. Además, he designado como su ayudante a Aholiab hijo de Ajisamac, de la tribu de Dan» (Éxodo 31: 1-6).

Una de las cosas más admirables que nos puede suceder es recibir algún talento de Dios para utilizarlo en el avance de su obra. Cuando Dios entregó a Moisés los planos de la construcción del santuario del desierto, el trabajo era tan especial y difícil que dio talentos extraordinarios a dos hombres para que dirigieran la obra: Bezalel y Aholiab. ¡Qué privilegio!

Elena G. de White dice que los hijos de Bezalel y Aholiab heredaron en gran medida las habilidades dadas a sus padres, y durante mucho tiempo se mantuvieron humildes. Con el tiempo, sin embargo, empezaron a pedir salarios más elevados por sus habilidades especiales, y después empezaron a trabajar para reyes de las naciones vecinas donde ganaban más. El noble espíritu de sus padres fue reemplazado poco a poco por el egoísmo y el deseo de riqueza.

Uno de los descendientes de Aholiab fue Hiram Abí, que trabajaba para Hiram, rey de Tiro, y fue contratado para dirigir la construcción del hermoso e imponente templo de Salomón. Aquel hombre era muy hábil, pero también egoísta y amaba el dinero, y exigió un salario exorbitante por sus servicios. Salomón debió prever hacia dónde conduciría ese espíritu y confiar en que Dios dotaría de talentos a otro hombre que dirigiera la obra, pero no fue así, y cedió a sus demandas. Pronto quienes estaban bajo la dirección de Hiram Abí empezaron a pedir salarios elevados, e imperceptiblemente el espíritu del egoísmo dominó el servicio del templo y la nación. Dios había dado muchas riquezas a Salomón que debieron usarse para ayudar a los pobres, pero unos pocos se beneficiaron de ellas y los pobres fueron oprimidos. Para mantener el estilo de vida de la nación, Salomón empezó a exigir impuestos elevados y el país se hundió en una tiranía. Para entenderlo mejor, lee el capítulo 4 de *Profetas y reyes*.

Cuando Dios nos da talentos espera que los usemos para su obra y para nuestro propio sustento. Sin embargo, tenemos que mantener un espíritu de abnegación. ¿Usas los talentos que Dios te dio para la edificación de su reino?

El talento de Mozart

Después de mucho tiempo volvió el señor de aquellos siervos y arregló cuentas con ellos (Mateo 25: 19).

Se dice que Johannes Chrysostomus Wolfgangus Amadeus Mozart, a quien todos conocemos sencillamente como Mozart, tenía una memoria extraordinaria. Las crónicas de la época lo mencionan con frecuencia. Podía memorizar un número de 48 cifras después de escucharlo una vez y no olvidarlo jamás.

Un día, en la corte del palacio imperial, exactamente el día en que el emperador José II había conocido a Mozart, le dedicaron al gobernante una sonata para piano. El emperador no solamente había escuchado todas las leyendas del genio de Mozart, sino que estaba orgulloso porque el virtuoso músico era austriaco, así que en reconocimiento a su genio, decidió regalarle la partitura.

El joven Mozart abrió las páginas de la composición, las vio solamente una vez, y le dijo al emperador que era mejor que Su Majestad las conservara, pues él ya las había memorizado por completo. Ante el rostro, un tanto asombrado y otro tanto incrédulo del emperador, el autor de algunas de las páginas musicales más hermosas de la historia, para demostrar su increíble capacidad, se sentó ante un clavicémbalo y ejecutó la sonata que el monarca le ofreciera unos minutos antes, en medio del silencio y la admiración de toda la corte imperial. Hay de hecho otras anécdotas más sensacionales de la vida de aquel genio.

Extraordinario, ¿verdad? ¡Quién fuera Mozart! No podemos, o más bien, no tenemos que hacer comparaciones. Cada quien recibió sus talentos que con justicia repartió el Dios de los cielos (1 Cor. 12: 11).

Él sabe cuántos talentos dio a cada uno, y por cada uno de ellos lo hará responsable. Llegará el día en que dirá a cada uno: «Rinde cuentas de tu administración, porque ya no puedes seguir en tu puesto» (Luc. 16: 2).

Es emocionante pensar que Dios le pedirá cuentas a Mozart por los enormes talentos que le concedió. Por lo menos el talento de la música lo cultivó muy bien. Sabemos que antes de realizar las hazañas con el piano y la composición que se le atribuyen, practicó las diez mil horas de rigor para los genios de clase mundial.

¿Y tú, ya sabes cuáles son tus talentos? ¿Tienes la certeza de que los has cultivado hasta tu máxima capacidad? Cada vez que te falten deseos de poner en práctica las habilidades que posees, recuerda la parábola de las monedas de oro. ¿No te gustaría que a ti también te dijera el Padre: «¡Hiciste bien, siervo bueno y fiel! Has sido fiel en lo poco; te pondré a cargo de mucho más. ¡Ven a compartir la felicidad de tu señor!»?

No ames al mundo

No amen al mundo ni nada de lo que hay en él. Si alguien ama al mundo, no tiene el amor del Padre (1 Juan 2: 15).

Hace varios años tuve la oportunidad de visitar los monasterios de Meteora, en Grecia. Están construidos en la cima de riscos rodeados de precipicios prácticamente inaccesibles. Ahora existen ascensores, pero durante mucho tiempo la única manera de subir era mediante cestos colgados de cuerdas que medían decenas de metros. Quedé muy impresionado al ver cuevas en las paredes de montañas elevadas habitadas todavía por eremitas, aislados totalmente del resto del mundo.

El ascetismo no se originó en el cristianismo. Los filósofos griegos, especialmente los seguidores de Pitágoras y Platón y los estoicos, llevaban vidas frugales. Los cínicos llegaron a mayores extremos en la negación de sí mismos. También los sacerdotes de Serapis en Egipto, donde surgió el monaquismo cristiano, llevaban una vida monástica.

El ascetismo surgió, por un lado, del deseo de dominar la naturaleza humana pecaminosa y huir de la corrupción del mundo y, por el otro, de obtener méritos y una santidad extraordinaria. El primer eremita fue Pablo de Tebas (250 d. C.), de quien la tradición dice que vivió solo en una cueva durante 113 años, hasta que Antonio Abad reveló su existencia al mundo. Antonio mismo, padre del monaquismo cristianismo (aproximadamente 251-356 d. C.), vivió solo en el desierto durante 35 años. Simeón el Estilita fue uno de los más impresionantes (390-459 d.C.). Se enterró hasta el cuello durante varios meses para dominar su cuerpo pecaminoso. Después se instaló en lo alto de una columna de treinta metros de altura, donde permaneció durante 36 años, hasta su muerte. Allí hacía ejercicios muy dolorosos. Dicen que una vez tocó sus pies con la frente 1,244 veces sin parar.

El error capital del monaquismo es creer que el pecado está en el mundo, no en el corazón humano. Dios no nos pide que abandonemos el mundo, sino que no amemos su pecado y su corrupción. Cristo amó al mundo y vino a vivir en él, pero no participó del pecado del mundo. Jesús también nos ha dicho que somos la sal de la tierra y, por lo tanto, tenemos que esparcir el sabor del evangelio al relacionarnos con, y amar a, los que están a nuestro alrededor. ¿Das testimonio al mundo de que Cristo vive en ti?

Tomás «el Gemelo»

> Tomás, al que apodaban el Gemelo, y que era uno de los doce, no estaba con los discípulos cuando llegó Jesús (Juan 20: 24).

La historia del apóstol Tomás no se narra en la Biblia. Solamente se registran la información de su llamado, y los incidentes en que participa en la historia evangélica los narra Juan en su Evangelio.

En los únicos incidentes en que Tomás interviene, habla y actúa en el relato bíblico, se lo presenta ligado con la incredulidad. Las Escrituras muestran que fue lento para creer las enseñanzas, las promesas y las predicciones de Jesús. De allí nació la leyenda de «Tomás, el incrédulo», aunque según el *Diccionario bíblico adventista del séptimo día*, «tal vez no haya sido más lento que los demás» (para creer).

Es curioso que Tomás signifique «gemelo» y «Dídimo» sea su nombre griego, que también significa «gemelo». El conocimiento de que era «gemelo» de otro hermano o hermana cuyo nombre no se conoce, le da a Tomás cierto encanto y atractivo histórico.

¿Se veía afectado por el fenómeno de los gemelos en la historia? Es una interesante posibilidad humana. Los hermanos gemelos James Lewis y James Springer fueron separados al nacer y terminaron en distintos hogares adoptivos. Sin saber nada el uno del otro, ambas familias llamaron «James» a los muchachos. Los dos terminaron siendo policías y se destacaron por sus habilidades en mecánica y carpintería.

Ambos se casaron con mujeres llamadas «Linda» y tuvieron hijos, uno llamado James Alan y el otro James Allan. Los gemelos Jim se divorciaron de sus esposas y se casaron de nuevo con dos mujeres llamadas «Betty». Además, los dos tenían un perro de nombre To.

¿Casualidad? ¿Misterio? ¿Determinismo genético? ¿Se vio afectado Tomás por su condición de gemelo? ¿Quién era su otro hermano o hermana? ¿Fue discípulo o discípula también de Jesús?

Elena G. de White nos da un consejo con respecto a nuestro Señor: «Sería bueno que cada día dedicásemos una hora de reflexión a la contemplación de la vida de Cristo. Debiéramos tomarla punto por punto, y dejar que la imaginación se posesione de cada escena, especialmente de las finales» (*El Deseado de todas las gentes*, cap. 8, p. 66).

Si conviene imaginar lo que falta en la narración de la vida de Jesús, quizá no sea inútil con Tomás. ¿Tienes un gemelo o gemela? Felicidades, ya tienes un par en la Biblia. Procura aprender algo de él.

Pero todos podemos aprender de Tomás. Era lento para creer como algunos de nosotros. Pero el Señor tuvo paciencia y le dio toda la evidencia que necesitaba para creer. Seguramente hará lo mismo con nosotros. Digámosle como Tomás: «¡Señor mío y Dios mío!».

No hagas
que alguien tropiece

No hagan tropezar a nadie, ni a judíos, ni a gentiles ni a la iglesia de Dios. Hagan como yo, que procuro agradar a todos en todo. No busco mis propios intereses sino los de los demás, para que sean salvos (1 Corintios 10: 32, 33).

Siempre ha habido asuntos que tienen la capacidad de dividir a los miembros de una iglesia o de una comunidad. Muchos de esos asuntos ni siquiera están relacionados con la ley o la doctrina, sino con divergencias en discernimiento espiritual, convicciones y prácticas que son el resultado de diferencias de contexto, de educación o de convenciones humanas. Es decir, dos personas que aman a Dios pueden ver un mismo problema de maneras completamente diferentes.

En la época de Pablo, uno de estos asuntos era el de comer o no carne que se hubiera sacrificado a los dioses paganos (Rom. 14-15; 1 Cor. 8-10). No era necesariamente que algunos cristianos fueran a templos paganos para comer, sino que la carne que se vendía en el mercado a veces había sido sacrificada a los ídolos. Unos argumentaban que comprar esa carne era participar en la adoración a los ídolos; otros decían que no, que la compraban en el mercado, no en el templo, y que por el hecho de adquirirla no participaban en la adoración. ¿Qué hacer entonces? Encontrarás que en la iglesia puede haber problemas similares con los estilos de música en la adoración, el arreglo personal entre otros. Estos conflictos muchas veces generan intolerancia y división. El apóstol Pablo nos da tres consejos valiosísimos en las cartas que escribió.

Primero, no juzguemos a otros (Rom. 14: 3, 4). Vence la tentación de considerar a los que piensan diferente a ti como poco espirituales, especialmente en asuntos que no son muy claros en la Biblia.

Segundo, no hagas que alguien más tropiece (Rom. 14: 13; 1 Cor. 8: 9). Si tus prácticas no están fundamentadas en los principios correctos, perjudicarán a otros. El amor a los demás es la verdadera evidencia de que Cristo vive en ti.

Tercero, no des lugar a que se hable mal del bien que practicas (Rom. 14: 16). Puede ser que te hayas convencido de que algo que practicas no es malo en sí mismo, pero otros, incluso los no creyentes, lo consideren malo. No permitas que por tus acciones hablen mal del evangelio. Glorifica a Dios en todo lo que hagas.

La importancia de la culpa

No seamos como Caín que, por ser del maligno, asesinó a su hermano. ¿Y por qué lo hizo? Porque sus propias obras eran malas, y las de su hermano justas (1 Juan 3: 12).

El apóstol Juan contesta la pregunta que él mismo hace. Caín mató a su hermano porque tuvo el odio natural, satánico, que sienten la injusticia por la justicia y el injusto por el justo. Por supuesto, tú sabes que hay mucho más cuando buscas una respuesta humana al horrible acto que el primer hombre nacido en este mundo cometió. ¿Cómo es posible que llegara tan pronto al nivel de perversidad que se requiere para cometer un asesinato? No lo sabemos, pero nos preguntamos: ¿Será que ya era un psicópata? ¿Tan pronto?

Kent Kiehl, profesor asociado de Psicología en la Universidad de Nuevo México, Estados Unidos, se sumergió en el mundo, por lo general horrible, de los psicópatas criminales. Exploró sus mentes. Literalmente escaneó sus cerebros para buscar en la estructura anatómica algo físico que pudiera explicar por qué las personas tienen una casi completa incapacidad para cometer terribles crímenes sin sentir el menor sentimiento de culpabilidad o lo que llamamos remordimiento.

El interés que Kiehl tiene en los psicópatas se inició cuando tenía ocho años y vivía en Tacoma, Washington. Su padre, que trabajaba en el periódico local, un día llegó a su casa y contó a la familia la historia de un tal Ted Bundy, cierto joven aparentemente encantador, inteligente y de aspecto sano, que había asaltado y asesinado a unas treinta mujeres. En la revista *New Yorker*, John Seabrook reprodujo las palabras de Kiehl: «Aquel era un tipo que había crecido en esta misma calle. Yo dije que quería comprender por qué las personas hacen cosas malas, por qué alguien podía ser como Ted Bundy, quería estudiar el cerebro».

La psicopatía se caracteriza por un vacío moral; una incapacidad para experimentar empatía o remordimiento. Pero la idea de vivir en un mundo donde no haya sentimiento de culpa es horrible. Que alguien pueda cometer el crimen más atroz y no sentir algún remordimiento es aterrador.

De lo que sí estamos seguros es que Dios salva a sus hijos de todas estas manifestaciones, y también de la angustia y el temor que puedan sentir ante todos los psicópatas que rondan las calles de las ciudades y los campos de este mundo. Vivir en Cristo es tener paz ahora y para siempre. No comiences el día sin encomendarte a él.

Les dijo: «Vayan por todo el mundo y anuncien las buenas nuevas a toda criatura. El que crea y sea bautizado será salvo, pero el que no crea será condenado» (Marcos 16: 15, 16).

El pastor Dwight Nelson, orador de la serie de evangelización vía satélite *Next Millennium Seminar* [Seminario del próximo milenio], difundida del 9 de octubre al 14 de noviembre de 1998, dijo: «Dentro de muchos años a partir de hoy, llamaremos a esta serie «*God's Moments*» [Momentos de Dios], una época en que él actuó en todo el mundo de maneras que solamente comprenderemos en la eternidad». NET'98 fue la campaña vía satélite mayor y la única verdaderamente global hasta ese momento. Fue difundida en cuarenta idiomas y alcanzó a la gente en más de cien países.

En un artículo publicado en diciembre de 1998 en *Adventist Review*, Jack Stenger la describió así: «Es posible que para comprender el alcance de NET'98, necesitemos un poquito de matemáticas: seis continentes, doce satélites, veinticinco técnicos de difusión y producción, cinco cámaras, veintidós poderosos reflectores, mil quinientos voluntarios, treinta y un programas, siete mil seiscientos sitios de reunión (dos mil en Norteamérica), cien (o más) países, millones de televidentes potenciales, un mensaje, un mundo, un Dios. Todo nos habla de una aventura que llevó el mensaje adventista a un público mundial como nunca antes».

NET'98 fue difundida desde la hermosa iglesia *Pioneer Memorial* en el campus de la Universidad Andrews, en Berrien Springs, Míchigan, Estados Unidos. El orador, el pastor Dwight K. Nelson, presentó los mensajes de Cristo con un enfoque nuevo y atractivo. Con energía y humor, el pastor Nelson expuso la necesidad que la humanidad tiene de Cristo. El lema que usó en la serie fue el siguiente: «Una amistad eterna con Dios». En la noche de apertura, el pastor Nelson estableció la meta para el *Next Millennium Seminar*: «Dios no es alguien a quien debamos temer, sino alguien de quien tenemos que ser amigos». Miles de personas en todo el mundo escucharon y vieron mientras él exponía el mensaje del evangelio noche tras noche.

Las noticias y los informes que llegaron de todo el mundo fueron inspiradores. Un resumen de los resultados de NET'98 dice que fueron asombrosos. No podremos decir nunca cuándo ni cómo terminará la predicación del evangelio. Pero sí podemos afirmar que NET'98 fue un gran movimiento de evangelización internacional. Nos acercó a la meta de la terminación de la predicación del evangelio en todo el mundo. Únete al grupo ganador. Hoy puede ser el gran día.

Conversaba y discutía con los judíos de habla griega, pero ellos se proponían eliminarlo (Hechos 9: 29).

El pastor Dalbert Elías, coordinador de NET'98 en las Islas Británicas, informó lo siguiente: «Ha sido la mejor campaña evangelizadora que jamás hemos realizado. NET'98 ha sobrepasado todas nuestras mayores expectativas. Ha sido asombrosa por diferentes razones. Desde el punto de vista de la interculturalidad, NET'98 constituyó un éxito extraordinario. Las iglesias inglesas e irlandesas se unieron en la proclamación del evangelio. Anteriormente, aunque ambas culturas funcionaban bien, cada una hacía las cosas a su manera en cuestiones de evangelismo. Pero esta vez compartieron la misma campaña. Esta armonía en la evangelización bastó para justificar la campaña NET'98». Kandus Thorp recoge el testimonio entero en *Miracle Factor* [El factor milagro].

«Las almas que se ganaron gracias a NET'98 están en vías de convertirse en los mejores resultados de todos los tiempos. Los bautismos que hemos celebrado como resultado de NET'98 en este momento alcanzan a una media de más de siete por cada iglesia participante. Solamente se necesita que sean tres por cada iglesia participante para sobrepasar la media anual en la Unión».

El «factor de bienestar» producido por NET'98 produjo un incremento en los diezmos. Además, las iglesias que se unieron vía satélite descubrieron un nuevo sentimiento de pertenencia. El hecho de equipar las iglesias con equipo de recepción vía satélite creó una sensación de pertenencia a la hermandad de iglesias adventistas en una escala desconocida hasta ese momento.

A manera de resumen, NET'98 fue una bendición por las siguientes razones:
- el alegre reavivamiento que los miembros experimentaron,
- la emoción de renovar la fe en el maravilloso mensaje adventista,
- los miembros que fueron motivados para dedicar de nuevo sus vidas a Cristo,
- los miembros que entonces recuperaron el sentimiento de santo orgullo por su iglesia,
- los miembros que de nuevo se establecieron sobre el firme fundamento de la fe adventista,
- los que no eran miembros y vieron que la Biblia se había vuelto para ellos un libro viviente de forma muy relevante,
- los que no eran miembros y se acercaron de nuevo a Jesús, después de vagar perdidos por el mundo,
- los que no eran miembros y, gracias a la campaña, decidieron bautizarse,
- los excelentes recursos que pueden utilizarse a partir de entonces en todos los países, en cientos de miles de hogares, para que la influencia de NET'98 continúe aunque pasen los años.

Tú también puedes participar en las obras de la evangelización mundial con tus recursos y los talentos que Dios te ha dado. ¿Tienes la voluntad?

Cuando los líderes se conocen

Viviré con toda libertad, porque he buscado tus preceptos (Salmo 119: 45).

George R. Knight cuenta la siguiente historia en su libro *Lest We Forget* [No sea que olvidemos]. John Norton Loughborough había predicado como adventista dominical durante unos tres años y medio, cuando conoció a un predicador adventista del séptimo día. A Loughborough le habían dicho que el grupo que estaba a punto de conocer no solamente guardaba el sábado en vez del domingo, sino que cuando se reunían gritaban, aullaban y tenían un comportamiento escandaloso en sus reuniones. Asimismo, a estos creyentes se les atribuían diversas actitudes fanáticas en sus prácticas religiosas.

Por tanto, Loughborough no estaba muy ansioso por conocer a ese tipo de gente. Pero un hombre de Rochester, Nueva York, llamado Orton, le comunicó que los adventistas del séptimo día celebraban reuniones en el número 124 de la Avenida Mount Hope, y que tenían que asistir a ellas.

Loughborough declinó la invitación al principio, pero Orton le respondió: «Usted tiene la obligación de asistir, porque algunos miembros de su rebaño se han unido a los adventistas del séptimo día y su deber es sacarlos de esa herejía y traerlos de vuelta al redil. Ellos le darán a usted la oportunidad de hablar en la reunión. Por tanto, prepare bien sus textos bíblicos y podrá mostrarles en dos minutos que el sábado ha sido abolido».

Con aquel desafío resonándole en los tímpanos, Loughborough preparó sus textos bíblicos y, en compañía de varios de sus miembros adventistas del primer día, se dirigió a la reunión de los adventistas sabáticos.

El joven predicador nunca más sería el mismo. Las reuniones eran totalmente ajenas al fanatismo y a cualquier demostración ruidosa. Un ministro de nombre John Nevins Andrews tomó los mismos textos sobre la ley y el sábado que Loughborough había preparado, y los explicó uno por uno. Andrews no solamente citó los mismos textos, sino que lo hizo, según Loughborough dijo después, en el mismo orden en que él los tenía anotados. Aquello fue demasiado para él. Loughborough aceptó el sábado en septiembre del año 1852 e inmediatamente comenzó a predicar como adventista del séptimo día.

Muchos años después sería el pionero que llevaría el mensaje adventista a California y a Inglaterra. Sirvió como pastor y administrador en varios lugares de Estados Unidos y publicó la primera historia de la Iglesia Adventista del Séptimo Día en 1892, *The Rise and Progress of Seventh-day Adventists* [Origen y progreso de los adventistas del séptimo día], reeditado en 1905 como *The Great Second Advent Movement* [El gran movimiento del segundo advenimiento].

¿Deseas también que Dios te use? La decisión es tuya.

> Porque ante todo les transmití a ustedes lo que yo mismo recibí: que Cristo murió por nuestros pecados según las Escrituras, que fue sepultado, que resucitó al tercer día según las Escrituras (1 Corintios 15: 3, 4).

La resurrección de Jesucristo es el acontecimiento más grande que han contemplado los ojos humanos. Por causa de lo que sucedió el día en que Jesús resucitó de los muertos, para todos los que duermen en él, hoy descender al sepulcro es solamente un viaje de ida y vuelta, poco más que un trámite. La seguridad de nuestra vida eterna descansa en la resurrección de Cristo. La evidencia más convincente de su resurrección es el testimonio del creyente con respecto a la presencia y el poder de un Cristo resucitado en su propia vida.

Aunque ninguno de los evangelistas hace una lista de las diez apariciones de Cristo después de su resurrección, con el propósito de tener el cuadro completo, aquí te las presento:

1. Juan 20: 11-18. Aparición a María junto a la tumba.
2. Mateo 28: 8-10. Aparición a María Magdalena y a la otra María en el camino de regreso para informar de la tumba vacía a los discípulos.
3. Lucas 24: 34; 1 Corintios 15: 5. Aparición a Pedro antes de presentarse ante los otros discípulos.
4. Lucas 24: 13-35. Aparición a dos discípulos en el camino a Emaús.
5. Juan 20: 19-23. Aparición a diez discípulos en el aposento alto el domingo de tarde. Tomás estuvo ausente.
6. Juan 20: 26-29. Aparición a los discípulos, incluyendo a Tomás, en el aposento alto una semana más tarde.
7. Juan 21: 1-14. Aparición a siete discípulos un tiempo más tarde, cuando pescaban en el mar de Galilea.
8. Mateo 28: 16-20; 1 Corintios 15: 6. Aparición a los discípulos y a quinientos hermanos más en un monte en Galilea.
9. 1 Corintios 15: 7. Se apareció a Jacobo.
10. Lucas 24: 50-51; Hechos 1: 2-9. Aparición a los diez discípulos mientras caminaba con ellos de Jerusalén a Betania, y luego ascendió al cielo.

Esto significa que hubo numerosos testigos de la victoria de Jesús sobre el pecado, la muerte y el sepulcro. El glorioso hecho es que obtuvo la victoria para nosotros. Satanás es un enemigo derrotado. No temas. Todo está bajo control. Todas las batallas están ganadas, incluyendo la final. Por lo tanto, es hora de confiar en Jesús.

Ray Krone
comienza de nuevo

Cristo nos libertó para que vivamos en libertad. Por lo tanto, manténganse firmes y no se sometan nuevamente al yugo de esclavitud (Gálatas 5: 19).

¿De qué nos liberó Jesús? De las consecuencias y de la esclavitud del pecado, dice el evangelio. Pero también de nociones equivocadas y doctrinas extrañas que perturban la vida y pueden conducirnos a la perdición, como las que amenazaban a los cristianos de Galacia (Gál. 3: 1-29). Asimismo, también nos liberó de las injusticias humanas. La justicia humana padece muchos males por ser humana y la ejercen seres humanos equívocos y falibles.

Fue lo que le pasó a Ray Krone, un preso que estuvo en la lista de los sentenciados a la pena capital. En abril de 2002 llegó a ser el centésimo preso exculpado en los Estados Unidos desde que la pena de muerte fue instituida de nuevo en el año 1976 gracias a la prueba del ADN. Krone pasó más de diez años en la cárcel por un asesinato que no había cometido.

¿Qué hizo Krone en su primer día de libertad? Se fue a comer a un restaurante, nadó en la piscina de un hotel, lanzó gritos de alegría mientras el agua envolvía su cuerpo libre y su mente se regocijaba en la libertad. Casi inmediatamente después de su liberación comenzó a censurar las debilidades del sistema de justicia que lo habían llevado a perder su fe en la justicia humana. A Krone lo habían condenado, no una, sino dos veces por el mismo delito, la última vez a cadena perpetua.

Cuando le preguntaron cómo pensaba reconstruir su vida, Ray Krone respondió: «No pienso en reconstruir, pienso en comenzar de nuevo. Tengo una vida flamante, nueva, con sueños nuevos... No quiero ser negativo, vengativo o rencoroso. No tengo tiempo para eso».

Dios liberta a sus hijos de la esclavitud del pecado y sus consecuencias eternas para que, libremente, puedan elegir ponerse bajo su servicio. Ahora ya no es esclavitud, es servicio voluntario abnegado y por amor. Es una forma de vida muy satisfactoria, que conduce al ser humano a la plenitud del desarrollo de todas sus facultades; es decir, su ser entero. La persona a quien Cristo libera también debe buscar un nuevo comienzo, no una reconstrucción de su pasado. Nada estuvo bien anteriormente, ni siquiera lo que parecía. La vida del cristiano debe ser una nueva vida, ahora en Cristo, que es la clave para poder vivirla. Comienza tu nueva vida en él hoy mismo.

Anímense unos a otros con salmos, himnos y canciones espirituales. Canten y alaben al Señor con el corazón (Efesios 5: 19).

Una de las cosas que más disfruto en la vida es escuchar buena música y leer un buen libro en paz. No siempre puedo, pero a menudo disfruto este placer junto con mi familia, que también ama la música. De hecho, el mejor momento de la semana para nosotros es el viernes, a la puesta del sol, cuando nos reunimos para recibir el sábado. Mi hijo se sienta al piano, mi hija lo acompaña en el violonchelo y mi esposa y yo cantamos durante casi una hora. Después de eso comemos pan especial, que es nuestro preferido y exclusivo del sábado.

La música que escogemos puede ser una enorme bendición para nuestra vida espiritual. Te sugiero seis principios para la elección de buena música. Hoy te mencionaré los primeros tres.

La música que escuchas dice mucho de ti. Sería bueno que analizaras la música que escuchas para entenderte un poco mejor. Hace un tiempo observé que mi hijo solamente escuchaba música en tono menor y mayormente melancólica. Él no se había dado cuenta y se sorprendió un poco cuando le hice la observación. Después de un corta conversación, nos dimos cuenta de que estaba triste por la pérdida de un ser querido. Este análisis lo ayudó a comprenderse mejor. Hoy aquella crisis ha quedado en el pasado, lo cual también se ha reflejado en la música que escucha.

La música que escuchamos viene asociada con un paquete cultural. Los diferentes estilos de música están normalmente asociados con lugares, personas y acciones. Esto quiere decir que la música que escuchamos facilita las relaciones con un determinado grupo de personas, estimula cierto tipo de conductas, y nos asocia con cierto tipo de valores e ideas. Si la música que escuchas te dirige a lugares y situaciones que no favorecen tu vida espiritual, o sugiere pensamientos que te alejan de los principios cristianos, entonces debes pensar seriamente en cambiarla. La vida cristiana de por sí ya es bastante difícil como para añadirle un lastre.

La música que escuchas afecta tu bienestar físico y emocional. La música te puede motivar y estimular, pero también te puede deprimir. Como los efectos varían según la persona, es importante que analices el efecto que la música que escuchas ejerce sobre ti. Una vez que seas consciente de esto querrás buscar música que contribuya a tu bienestar físico y emocional.

Mañana continuaremos con el mismo tema.

También había cantores que eran jefes de familias patriarcales de los levitas, los cuales vivían en las habitaciones del templo. Estos estaban exentos de cualquier otro servicio, porque de día y de noche tenían que ocuparse de su ministerio (1 Crónicas 9: 33).

¡Imagínate lo importante que es la música, para que Dios mismo ordenara que en el servicio del templo hubiera músicos que trabajaran día y noche! Esto es realmente sorprendente. Ayer te hablé de los primeros tres principios que podrían servirte al elegir la música que escuchas. Hoy te hablaré de los últimos tres. Si quieres saber más, te recomiendo consultar *In Tune With God* [En sintonía con Dios], de Lilianne Doukhan.

Escucha activamente y crea una conciencia musical. Es posible que muchas veces la música que escuchas no la hayas elegido tú, sino que, sencillamente, es la que escuchan tus amigos, tu familia o tus compañeros de trabajo o de la escuela. Es decir, consumes la música pasivamente. Yo te animo a que la consumas activamente. No permitas que otros determinen tus gustos. Amplía tus horizontes musicales explorando diferentes tipos de música. Procura siempre experiencias musicales que afirmen valores elevados como el respeto a otros, la alegría de vivir y tu bienestar físico y emocional.

Analiza las expectativas que tienes cuando escuchas música. Puedes preguntarte qué esperas experimentar cuando escuchas tu música preferida. ¿Por qué te gusta esa música? ¿Qué te atrae de ella? ¿Qué te impulsa a escuchar tu música favorita? ¿Qué tipo de pensamientos sugiere a tu mente? ¿Qué tipo de experiencia buscas?

Escucha música que promueva normas morales elevadas. El poder más grande que tiene la música es su capacidad para embellecer. Puede ser que la música de una canción que escuches sea muy bella y edificante, pero su letra contenga valores muy bajos. Muchas canciones hablan de adulterio, sensualidad, venganza y otros sentimientos y acciones contrarios a los principios bíblicos. La música es uno de los medios más efectivos que Satanás utiliza para llamar a lo malo bueno, y tú no deberías permitirte caer en la trampa o jugar su juego. Elige, en cambio, música que fortalezca los elevados valores del reino de Dios. Esto no quiere decir que siempre debas escuchar música religiosa, sino que cualquier música que escuches se apegue a valores morales elevados.

Si eres de los jóvenes a quienes les gusta escuchar música constantemente, haz de tu experiencia musical un momento de descubrimiento y reflexión. Después toma las riendas de tu vida y escoge aquella música que contribuirá a tu bienestar físico y espiritual. Encontrarás que la música purifica y perfecciona.

Efraín se mezcla con las naciones; parece una torta cocida de un solo lado
(Oseas 7: 8).

¿**B**uen símil, verdad? El profeta, por inspiración divina, compara a Israel (Efraín) con una torta puesta sobre las brasas, que no se ha volteado y, por lo tanto, se quema por un lado y queda cruda por el otro. Con eso quería ilustrar la condición espiritual de Israel como resultado de haberse mezclado con otras naciones. La torta era una especie de pan delgado que se cocía rápidamente sobre cenizas o piedras calientes. Pero debía voltearse con rapidez, pues de otro modo se quemaba de un lado y quedaba cruda por el otro. El *Comentario bíblico adventista* dice: «Esta es una gráfica descripción de inconsecuencia e inconstancia espirituales. Los israelitas declaraban que eran adoradores [del Señor], pero estaban entregados a la idolatría de los paganos».

Esto me recuerda a la pareja que buscaba una alfombra y aprendió que hay dos métodos para darle color: el método del «rábano» y el de la «remolacha». En el método del rábano la alfombra se teje con hilos de un color neutro que luego se tiñe. El resultado es una alfombra que se parece a un rábano: rojo en la superficie y blanco en su núcleo. Las alfombras tejidas con el método de la remolacha están formadas con fibras saturadas de un color específico. No necesitan teñirse y se parecen a la raíz que les da el nombre, la remolacha, rojas por fuera y por dentro. El método del rábano es efectivo, pero estas alfombras pierden su color más rápidamente que las tejidas con el método de la remolacha, en que el color es parte de las fibras, en vez de aplicarse en la superficie. La pareja eligió la alfombra «remolacha» y años más tarde se alegraron por su durabilidad.

Aunque la ilustración a veces parece un poco ofensiva, existen cristianos que parecen tortas sin voltear. Por supuesto, no tenemos derecho a calificar la experiencia de un cristiano y clasificarlo como «alfombra rábano», roja por fuera y blanca por dentro; o «alfombra remolacha», roja por dentro y por fuera. Lo que sí podemos, y es nuestro deber hacer, es analizarnos a nosotros mismos y asegurarnos de que nuestra experiencia no sugiera alguna de estas ilustraciones. Ser cristianos consecuentes, no decir una cosa y hacer otra.

Para que un cristiano pueda librarse del peligro de una experiencia como la que describió el profeta Oseas, con frecuencia, tiene que hacer un alto en el camino de la vida cristiana para analizarse y reconocer con honestidad su verdadera condición. ¿Cuándo fue la última vez que lo hiciste?

Más amor
que el de una madre

Grabada te llevo en las palmas de mis manos; tus muros siempre los tengo presentes (Isaías 49: 16).

El texto de hoy contiene una de las ilustraciones más claras de la profundidad y la perdurabilidad del amor de Dios. Es imposible que él olvide las promesas que hizo a sus siervos, pues los tiene esculpidos en la palma de la mano. Según el *Comentario bíblico adventista*: «Las huellas de los clavos en las manos de Cristo serán por los siglos sin fin de la eternidad un recordatorio permanente de su amor por los pecadores».

En esta ilustración también puede verse un insondable amor. El presentador de noticias Paul Harvey contó una interesante historia del cuidado de Dios sobre miles de prisioneros aliados durante la Segunda Guerra Mundial, muchos de los cuales eran cristianos. Uno de los bombarderos norteamericanos salió de la isla de Guam hacia Kokura, Japón, con una carga mortal. Como las nubes cubrían el área del objetivo enemigo, el B-29 voló en círculos durante casi una hora hasta que la reserva de combustible descendió a un nivel peligroso. El capitán y su tribulación, frustrados, porque estaban directamente sobre su blanco principal pero sin poder cumplir su misión, finalmente decidieron que sería mejor dirigirse hacia un blanco secundario.

Así fue, se dio la orden: «Suelten las bombas», y el B-29 regresó a su base. Más tarde, un oficial recibió una noticia sorprendente: una semana antes de la misión de bombardeo, los japoneses habían transferido una de sus mayores concentraciones de prisioneros norteamericanos a la ciudad de Kokura. Al saber esto, el oficial exclamó: «¡Gracias a Dios por esa nube protectora! Si la ciudad no hubiera estado escondida habría sido destruida, y miles de prisioneros norteamericanos habrían muerto».

Dios está entre bambalinas y dirige todas las escenas en las que participa. Tenemos que aprender esto y dejar que actúe. Él ha dicho que su amor por nosotros supera al amor de una madre por sus hijos. Sabemos lo que son capaces de hacer las osas cuando alguien toca a sus oseznos. Es extraño que dudemos de ese amor. Naturalmente, una madre no deja voluntariamente que su hijo sufra. Pues Dios tampoco contempla tranquilo el sufrimiento de sus hijos. Pero así como una madre no puede evitar a sus hijos todos los sufrimientos, el Señor tampoco. Al igual que cualquier madre, sufre con sus hijos cuando en su sabiduría decide no librarlos del sufrimiento. Confía hoy en el amor inmensurable de Dios, que tiene tu nombre esculpido en la palma de la mano.

Me regocijo en debilidades, insultos, privaciones, persecuciones y dificultades que sufro por Cristo; porque cuando soy débil, entonces soy fuerte (2 Corintios 12: 10).

Quizá Sean Swarner podría decir, en cierto sentido humano, las mismas palabras del apóstol Pablo. Cuando tenía trece años, se fracturó una rodilla mientras jugaba al baloncesto. Veinticuatro horas después, había empeorado. En su pueblo no podían darle un diagnóstico fiable, así que fueron a un hospital de la ciudad de Columbus donde le diagnosticaron la enfermedad de Hodgkin en su cuarta etapa, la que precedía a la muerte. Le dieron tres meses de vida.

Aunque sus padres no le revelaron la gravedad de su enfermedad, él hizo su propia investigación en la biblioteca del hospital. Pero los terribles pronósticos no lo detuvieron. Pasó más de un año soportando una quimioterapia brutal y tomando esteroides, que lo hicieron aumentar más de treinta kilos de peso. «De por sí ya es difícil ir a la escuela como un muchacho normal», dijo un día, «pero ahora, mientras mis amigos andan tras las jovencitas, a mí se me cae el vello de todo el cuerpo y no quiero que nadie me vea».

Con el tiempo, Sean volvió a practicar atletismo y pronto rompió las mejores marcas de natación; albergó esperanzas de formar parte del equipo olímpico norteamericano. Pero dos años más tarde, durante una de sus visitas regulares al hospital, los médicos descubrieron que le crecía un tumor en el pulmón derecho. En esa ocasión se le diagnosticó un tumor de Askin. Le dijeron que le quedaban dos semanas de vida.

Pero, de nuevo, luchó por sobrevivir. Pasó el décimosexto año de su vida en un estado de coma inducido y, después, otro año en tratamientos diversos. Después de una segunda recuperación milagrosa, dijo: «Definitivamente supe que tenía una nueva oportunidad en la vida. Desde ese momento comencé a ver las cosas de manera diferente».

Sean terminó la licenciatura con buenas notas y luego se dirigió a la Universidad de Florida para estudiar un doctorado en Psicología. Su ideal era ayudar a los pacientes con cáncer. Pero poco después de comenzar el posgrado comprendió que no estaba preparado para hacer frente al desgaste emocional de su propio cáncer y no digamos el de los demás. Así que abandonó el doctorado.

En busca de nuevos desafíos, decidió afrontar el mayor de todos: escalar el monte Everest. Desde entonces visita centenares de hospitales alrededor del mundo, y muestra a las personas que están al borde de la tumba que todavía pueden realizar grandes cosas. Decide hoy, por la gracia de Cristo, hallar fuerza en la debilidad.

317

El zapatero más santo

¡Ya se te ha declarado lo que es bueno! Ya se te ha dicho lo que de ti espera el Señor: practicar la justicia, amar la misericordia, y humillarte ante tu Dios (Miqueas 6: 8).

Se cuenta la historia de un cristiano de la antigüedad que se llamaba Antonio. Con el fin de alcanzar la perfección mediante la abnegación y la reflexión, se fue a vivir al desierto. En ese lugar llegó a sentirse bastante satisfecho de sí mismo. Cierto día en que expresaba en alta voz su convicción de que era el más santo de los habitantes de la tierra, escuchó una voz que reconoció era la del Señor.

—No, Antonio —le dijo la voz—. Conrado el zapatero remendón que vive en Jerusalén es más santo que tú.

—¿Qué hace él que no haga yo? —preguntó Antonio.

—Anda, y verás por ti mismo de qué se trata —le replicó el Señor.

Cuando llegó a Jerusalén, Antonio encontró el humilde taller de Conrado, el zapatero remendón. Cuando le preguntó qué había hecho para que el Altísimo lo considerara más santo que él, Conrado respondió:

—He hecho poco además de sentarme aquí y remendar los zapatos que me trae la gente. Pero arreglo cada par como si se tratara de las mismas sandalias de Jesús. Eso es todo lo que hago, y siento que es muy poco.

Se dice que Antonio inclinó humildemente la cabeza y partió de allí, decidido a regresar adonde vivía la gente para servirla como si sirviera al Señor mismo. Cuando estamos dispuestos a humillarnos, a vaciarnos de nosotros mismos para convertirnos en vasijas capaces de contener las misericordias de Dios, y caminar humildemente por los senderos del servicio, el Señor nos puede utilizar. Nos llenará de bendiciones para que las compartamos con los que nos rodean.

Quizá hayas escuchado la anécdota de aquella niñita que oró: «Querido Señor, haz que toda la gente mala se convierta en buena, y que la gente buena sea amable». Es un desafío para que nosotros manifestemos el amor y la bondad de Cristo. Es decir, humillarnos para andar con Cristo también significa ser amables y bondadosos con los demás. Elena G. de White dice: «La religión no es solo un conjunto de doctrinas áridas, sino una fe práctica que santifica la vida y corrige la conducta en el círculo familiar y en la iglesia» (*Testimonios para la iglesia*, t. 4, p. 337).

Cristianos educados, amables, bondadosos como era Jesús, son los que heredarán el reino de los cielos. ¿Actúas con amabilidad y bondad en tu hogar y en la iglesia?

Padre nuestro...

Ustedes deben orar así: «Padre nuestro que estás en el cielo, santificado sea tu nombre» (Mateo 6: 9).

Cuando los antiguos oraban, procuraban mencionar todos los títulos de los dioses a los que se dirigían por temor a ofenderlos con alguna omisión. Esto podía ser una tarea desafiante. El historiador Eusebio menciona, por ejemplo, en su *Historia de la iglesia*, los títulos que el emperador Galerio Maximiano usó en un edicto para aliviar la persecución que sufrían los cristianos. Recordemos que según la percepción pagana, Galerio era divino y se le ofrecían sacrificios y plegarias a lo largo del Imperio. La salutación recitaba así:

«El emperador César Galerio Valerio Maximiano, Augusto Invicto, Pontífice Máximo, Germánico Máximo, Egipcio Máximo, Tebeo Máximo, Sármata Máximo cinco veces, Persa Máximo dos veces, Carpo Máximo seis veces, Armenio Máximo, Medo Máximo, Adiabeno Máximo, Tribuno de la Plebe veinte veces, Imperator diecinueve veces, Cónsul ocho veces, Padre de la Patria, Procónsul»

¡Qué impresionante fue, entonces, que Jesús enseñara a sus discípulos a dirigirse a Dios únicamente con el título «Padre nuestro que estás en los cielos»!

Existen muchos nombres y títulos de Dios solo en el Antiguo Testamento. *Elohim*, el Dios creador; *Yahveh-Yireh*, el Señor proveerá; *Yahveh-Nissi*, el Señor es nuestro estandarte; *Yahveh-Rapha*, el Señor que sana; *Yahveh-Shalom*, el Señor es nuestra paz; *Yahveh-Raah*, el Señor es nuestro pastor; *Yahveh-Sidkenu*, el Señor es nuestra justicia; *Yahveh-Sebaoth*, el Señor de los ejércitos; *Yahveh-Shamah*, el Señor está presente y cerca; *Yahveh-Maqodeshkim*, el Señor te santifica. Estos son algunos, pero el Señor también es *El-Shaddai* (el Todopoderoso), *El-Olam* (el Eterno), *El-Elyon* (el Altísimo), etcétera.

Todos estos nombres o títulos de Dios enfatizan algunos de sus atributos por los cuales lo amamos y adoramos. Me parece, sin embargo, que la apelación «Padre nuestro» une todos ellos en un solo concepto abarcador que habla a lo más profundo de nuestro ser. Jesús deseaba que sus discípulos comprendieran que Dios es al mismo tiempo poderoso y amante, superior y cercano, autoridad y amigo, modelo e inspiración. Jesús también enfatizó que Dios no es solamente «El que...» es o hace esto o aquello sino también nuestro «Padre». No es una autoridad lejana, como el presidente de un país. Dios te pertenece tanto a ti como a mí. Si existe alguna diferencia entre nuestras relaciones con él, no es porque él tenga preferidos, sino porque tú y yo establecemos los límites. «Padre nuestro...»

¡Qué maravillosa bendición, ser hijos e hijas del Creador del cielo y de la tierra! Disfrutemos nuestro privilegio desde hoy mismo.

Las promesas de Miqueas también son para ti

Ellos pastorearán a Asiria con la espada; con la daga, a la tierra de Nimrod. Si Asiria llegara a invadir nuestro país, si llegara a profanar nuestras fronteras, ¡él nos rescatará! (Miqueas 5: 6).

En la actualidad muchos habitantes de nuestro mundo se sienten confundidos por el rápido ritmo de los acontecimientos. El *statu quo* y la estabilidad con que contaban han desaparecido en gran medida. Cuando las cosas parecen más desesperadas necesitamos aferrarnos a las promesas de Dios. La historia de los Kuwamoto, que vivían en Hiroshima, Japón, ilustra cómo actúa Dios. La señora Kuwamoto consideraba que su esposo era un caso sin remedio. Estaba en la cocina cuando estalló la bomba atómica. La casa se desplomó y los sepultó a todos. La señora estaba bastante maltrecha, pero logró salir arrastrándose entre los escombros. Sacó a su huésped que también estaba entre los escombros, pero al señor Kuwamoto lo aplastaba una pesada viga. Por más que empujaba y tiraba de él, la señora no conseguía liberar a su esposo.

La radiación térmica de la bomba, con temperaturas superiores a los 3,000 grados centígrados, se combinó con los fuegos de las cocinas para producir devastadoras tormentas de fuego que barrieron la ciudad. El incendio se acercaba a lo que había sido la casa de los Kuwamoto. El señor se dio cuenta de que estaba condenado. Allí tuvo con su esposa la conversación más seria de su vida. Hasta ese momento no había querido escucharla cuando lo instaba a arreglar sus cuentas con Dios. Pero ahora manifestó un temeroso interés en la verdad. Confesó sus pecados y su testarudez. Dijo que sabía que lo que ella había intentado enseñarle a lo largo de muchos años era verdad. Quería que Dios lo perdonara y le pidió que orara por él para que pudieran estar juntos en el cielo. Después de la oración insistió en que ella lo dejara y huyera para salvar su vida. Para ella fue terrible abandonar a su compañero a la muerte, pero él insistió y por fin ella escapó.

Al día siguiente, la señora Kuwamoto se abrió pasó por en medio de los escombros de la ciudad destruida. Apenas pudo identificar su hogar. Cuando por fin lo consiguió, vio que su casa había sido totalmente destruida. Encontró los restos de su esposo, se arrodilló para elevar una oración silenciosa y lo encomendó a su Padre celestial, agradecida porque al fin había aceptado la salvación. Así actúa Dios. Confía en sus promesas. Las promesas de la Biblia siguen vigentes.

El comandante se acercó a Pablo y le dijo: «Dime, ¿eres ciudadano romano?» «Sí, lo soy». «A mí me costó una fortuna adquirir mi ciudadanía», le dijo el comandante. «Pues yo la tengo de nacimiento», replicó Pablo (Hechos 22: 27, 28).

En la experiencia del apóstol Pablo que narra el texto de hoy se ve claramente la importancia de la ciudadanía. El concepto es fundamental en la historia de Roma. El *ius civitatis* (ciudadanía) se podía conseguir de varias maneras: por nacimiento (hijo legítimo de padre *civis romanus*), por liberación de la esclavitud, al comprar por una buena suma de dinero a algún magistrado competente, o por conquista. El apóstol Pablo era ciudadano romano por nacimiento y por eso se libró de un castigo injusto, como nos cuenta el libro de los Hechos 22: 24-29.

Los emigrantes conocen por propia experiencia la importancia de la ciudadanía. Dolly Morrison contó la historia de su padre, un inmigrante que llegó a Estados Unidos desde Rusia. Cuando los miembros de la familia se hicieron ciudadanos, se dieron cuenta de que no habían incluido a su hijo Louis en la solicitud con el resto de la familia. A causa de una serie de errores imprevistos pasó mucho tiempo antes de que su solicitud fuera aprobada.

Finalmente Louis se presentó ante el tribunal con otras cuatrocientas personas para hacer el juramento como ciudadanos. Aguardó con impaciencia que lo llamaran por su nombre. Cuando el secretario casi terminaba la lista sin pronunciar el suyo, se preguntó: «¿Por qué no dijo mi nombre?». Cuando el secretario mencionó 398, 399, 400... había terminado. Louis estaba abrumado. Su nombre no había aparecido. Se precipitó hacia el frente y chocó con una silla, pero se las ingenió para arrebatar de la mano del secretario el libro que ya estaba cerrado. En estado casi agónico, gritó: «¿Por qué no me llamó?». Llorando desesperadamente se inclinó sobre el libro del cual se habían leído los nombres.

El juez ordenó al empleado que revisara el libro. Cuando lo hizo encontró que el nombre de Louis Morrison era el segundo de la lista. Inadvertidamente lo había omitido de la lectura. Cuando se le comunicó lo que había sucedido, gritó: «Gracias a Dios, mi nombre estaba escrito en el libro».

El apóstol Pablo dice: «Somos ciudadanos del cielo» (Fil. 3: 20). Debe haber un libro de registros. Asegúrate de que tu nombre esté escrito allí. Algunos llorarán amargamente cuando descubran que su nombre no está en el libro. Será el despertar más amargo que jamás podamos imaginarnos. Asegúrate de que tu nombre esté en el libro. Pide hoy a Dios que lo anote.

El caballo
de Hernán Cortés

Nuestro Dios está en los cielos y puede hacer lo que le parezca. Pero sus ídolos son de oro y plata, producto de manos humanas (Salmo 115: 3, 4).

El último reino maya en sucumbir a la dominación española fue el de los itzáes, que vivían en lo que es hoy la isla de Flores en el lago Petén Itzá, Guatemala. Hernán Cortés fue el primero que visitó el reino en 1525 mientras viajaba a Honduras por la costa del Caribe. Cuando Cortés se preparaba para partir, notó con tristeza que uno de sus caballos se había clavado una astilla grande en una pata. Como no podía llevarlo, le regaló el precioso animal al gobernador Ah Kaan Ek, quien prometió cuidar al extraño animal. Los caballos no eran conocidos en América antes de la llegada de Colón.

Los registros históricos nos cuentan que los mayas llegaron a adorar al caballo como dios y le pusieron por nombre Tziminchaak. También le ofrecieron la alimentación digna de los dioses, flores y aves. El pobre animal murió de hambre no mucho tiempo después. Entonces los mayas hicieron una imagen de piedra del caballo y la veneraron durante décadas.

En 1618, los sacerdotes fray Bartolomé de Fuensalida y fray Juan de Orbita visitaron el reino de los itzáes con el deseo de convertirlos al cristianismo. Allí, ante los atónitos ojos de los sacerdotes, los indígenas les mostraron la imagen tallada en piedra de Tziminchaak y les narraron su historia. En un arrebato de furia, Orbita destruyó la imagen en el mismo momento ante la consternación de la población, pero tuvo que huir con su compañero porque el pueblo hizo entonces planes para matarlos. En 1623, el sacerdote Diego Delgado y noventa acompañantes visitaron una vez más a los itzáes para intentar convertirlos, pero fueron sacrificados en un mismo día como retribución por la destrucción de la imagen. En 1695, fray Andrés de Avendaño y Loyola visitó el reino una vez y vio en el templo el hueso de una pierna y la cadera de Tziminchaak, que todavía era adorado. El reino maya sucumbió dos años después.

La historia quizá nos haga sonreír, pero si piensas con cuidado comprenderás que nosotros cometemos errores semejantes. ¿Cuántas veces rendimos adoración al dinero, al trabajo y a nuestra carrera, pensando que resolverán nuestros problemas? ¡Muchas veces a costa de nuestra salud y de nuestra familia! Por desgracia, en determinado momento nos muestran que no merecían el servicio y la adoración que les ofrecíamos. Mejor pon tu confianza en el Dios verdadero que creó el cielo y la tierra. Él nunca te fallará.

Al ver la señal que Jesús había realizado, la gente comenzó a decir: «En verdad este es el profeta, el que ha de venir al mundo». Pero Jesús, dándose cuenta de que querían llevárselo a la fuerza y declararlo rey, se retiró de nuevo a la montaña él solo (Juan 6: 14, 15).

El día que Jesús alimentó a una multitud de cinco mil hombres, sin contar las mujeres y los niños, su ministerio llegó a la cúspide de la fama. Enormes multitudes de Galilea y Judea lo seguían, celebraban sus milagros y escuchaban arrobados sus enseñanzas.

En cierta ocasión, mientras predicaba y realizaba milagros todo el día, se apoderó del pueblo la convicción de que Cristo era el rey que lo libertaría del yugo romano. Tenía todas las características del Mesías prometido. Era el hombre fiel de la familia real de David a quien Dios había anunciado por medio de Jeremías como «nuestra salvación» (Jer. 23: 6). Jesús era un hombre sabio, como Salomón, que juzgaría con justicia y sabiduría al pueblo y le traería prosperidad. También era un profeta por medio de quien Dios actuaba poderosamente. Sanaba a los enfermos y resucitaba a los muertos, como Elías y Eliseo siglos antes. Jesús era sin duda el profeta que Moisés había anunciado: «El Señor tu Dios levantará de entre tus hermanos un profeta como yo. A él sí lo escucharás» (Deut. 18: 15).

Este fue un momento de gran alegría para los discípulos. Habían dejado todo por seguir a Jesús. Muchos los habían calificado de locos por seguir a un desconocido que no había estudiado en las prestigiosas escuelas rabínicas. Jesús no mostró interés alguno por reclamar el trono de Israel. Los discípulos dijeron a la multitud que era la modestia de Cristo lo que le hacía rechazar el honor de proclamarse rey (*El Deseado de todas las gentes*, cap. 40, p. 346). Entonces, Juan 6: 15 dice que la multitud decidió tomar a Jesús por la fuerza y proclamarlo rey. Sin embargo, él desbarató sus planes y ordenó a los discípulos que subieran a la barca. La expresión griega de Mateo 14: 22 (*anagkazo*) significa literalmente que los «forzó» a embarcarse. Elena G. de White dice en cuanto a los discípulos: «Nunca antes había parecido tan imposible cumplir una orden de Cristo» (*Ibíd.*).

¿En algún momento te ha pedido Cristo que hagas algo que no quieres? Jesús, que veía más allá de lo que la ambición descontrolada de los discípulos y la multitud podía, quería ofrecer algo mejor que un reino temporal en la tierra. Si Jesús te ha negado algo, seguramente quiere ofrecerte algo mejor. ¿Tienes la voluntad de confiar en él?

Caminó sobre el mar

Sálvame, Dios mío, que las aguas ya me llegan al cuello. Me estoy hundiendo en una ciénaga profunda, y no tengo dónde apoyar el pie. Estoy en medio de profundas aguas, y me arrastra la corriente. (Salmo 69: 1, 2).

El 26 de diciembre de 2004 un tremendo tsunami devastó las costas de catorce países en el océano Índico. El detonador fue un movimiento sísmico que tuvo su epicentro a ciento sesenta kilómetros de la isla Simeulue, al oeste de Sumatra, donde una falla en la placa tectónica ubicada a treinta kilómetros de profundidad se hundió más de veinte metros, lo que produjo un sismo de magnitud de entre 9.1 y 9.3 grados en la escala Richter. El sismo produjo una ola de treinta metros de altura que mató aproximadamente a doscientas treinta mil personas en los diversos países. ¿Te imaginas cómo podrías huir de una ola de ese tamaño?

Muchas veces las pruebas que enfrentamos son como tsunamis que golpean nuestra vida. Por ejemplo, una enfermedad devastadora que arrasa con tus finanzas y de todas maneras tus seres queridos no tienen perspectivas de salvarse; o un vicio que no puedes controlar; el deseo imperioso y urgente de hacer algo que sabes a la larga te perjudicará pero no lo puedes evitar. Es como sentir que te hundes, te ahogas poco a poco.

Si lees los Salmos, te darás cuenta de que las muchas aguas, o las aguas profundas, son símbolos de los enemigos del justo. Si lees el Salmo 69 verás claramente que las aguas profundas se refieren a los adversarios del salmista, que quieren tragárselo vivo. La misma idea puedes encontrarla en el Salmo 144 y en otros Salmos.

La Biblia dice algo más de las aguas profundas o el mar. Dios es más poderoso que el mar y gobierna sobre él. Job 38: 8 dice que el Señor lo encerró con puertas. En el Salmo 74: 13 se dice que Dios divide el mar con su poder y Job 9: 8 e Isaías 43: 16 dicen que Dios abre camino en el mar y anda sobre él. Mi texto preferido al respecto es Salmo 77: 16, que describe cómo el mar tiembla de miedo cuando Dios se acerca. Sí, nuestro Dios es todopoderoso. Lo demostró en la salida de Egipto cuando abrió el mar para que pasara su pueblo.

La promesa de Dios es grandiosa. Él quiere abrir las aguas que amenazan tu vida para que obtengas la victoria. ¿Se lo permitirás hoy?

> En la madrugada, vio que los discípulos hacían grandes esfuerzos para remar, pues tenían el viento en contra. Se acercó a ellos caminando sobre el lago, e iba a pasarlos de largo (Marcos 6: 48).

Hace algunos años, mientras vivía en Míchigan, nos pasó algo que siempre me ha dejado pensativo. Mi esposa se dirigía a nuestro hogar en el automóvil con nuestros hijos mientras yo trabajaba en casa. En cuestión de minutos, el cielo se oscureció completamente, empezó a llover con intensidad y a soplar un viento muy fuerte. Era el inicio, o quizá una de las capas externas de un tornado. Mi esposa decidió entonces refugiarse en la primera área de servicio que pudo encontrar.

Mientras mi esposa estaba en la gasolinera recordó lo que habíamos hecho en casa unos días antes. Varios tornados habían azotado algunas regiones cercanas a donde nosotros vivíamos y habíamos visto en la televisión cómo arrasaban estaciones de servicio similares a donde se encontraba mi esposa. Fue cuando ella se dio cuenta de que no tenía protección. La decisión fue rápida. Tomó a mis dos hijos, se subió al automóvil y condujo en medio de la tormenta hasta la casa, que se encontraba no muy lejos de allí.

Algo similar le pasó a Pedro cuando Jesucristo apareció caminando sobre las aguas del lago. Los discípulos habían luchado sin éxito contra la tormenta toda la noche, y para ese momento se habían dado cuenta de que su barca no les ofrecía seguridad. Jesús hizo como que iba a adelantárseles porque nunca nos impone su salvación. Solicita siempre nuestro permiso. Pedro se dio cuenta de que su única salvación estaba con Jesús. Pensó: «¡Yo no me quedo! Esta barca se va a hundir. Yo me voy con el Maestro». Entonces gritó: «¡Señor, yo me quiero ir contigo!».

La petición de Pedro no era la de una fe aventurera que deseaba probar nuevas experiencias. Era una llamada de auxilio que surge del temor. Entonces Jesús le dijo: «Ven, ¡deja la barca!». Es que las «barcas» no pueden superar las tormentas más violentas que nos presenta la vida. Cuando la tormenta azota, tenemos que dejar la barca de las soluciones humanas y aferrarnos al poder de Cristo. Es preciso que obedezcamos su voluntad aunque parezca descabellado.

Jesús no calmó la tempestad, pero sí capacitó a Pedro para que caminara sobre el mar. ¿Estás en medio de una tempestad? Puede ser que Dios no la calme, pero sí te puede dar poder para vencerla. Sin embargo, es preciso que primero abandones las barcas humanas y confíes en Jesús.

¡Qué hermosos son, sobre los montes, los pies del que trae buenas nuevas; del que proclama la paz, del que anuncia buenas noticias, del que proclama la salvación, del que dice a Sión: «Tu Dios reina»! (Isaías 52: 7).

En la época de Martín Lutero, el canto penetraba todos los aspectos de la vida y era considerado el idioma universal del pueblo. Además de usarlo para el entretenimiento, el juego o la danza, el canto tenía la función esencial de ser el medio por el cual se propagaban las noticias. Estas las diseminaban trovadores itinerantes que las cantaban en lugares públicos como las tabernas y los mercados. Los trovadores usaban melodías conocidas o también baladas (algo así como discursos cantados) para entregar su mensaje. Con frecuencia los cantos empezaban con la expresión: «¡Vengan a escuchar las buenas noticias!»

El canto también se utilizaba como propaganda. A principios del siglo XVI, cantos políticos y parodias circulaban en forma de periódicos y se cantaban en lugares públicos al tono de melodías conocidas. Una de las formas más populares eran los llamados *Volkslieder* (cantos populares) y las *Volksballaden* (baladas populares) muy comunes en los carnavales. También existían los *Hoflieder* (cantos de la corte) y *Gesellschaftslieder* (cantos sociales) de los *Meistersingern* (maestros cantores), que eran de naturaleza más refinada y usados en los estratos sociales más elevados.

Lutero, que amaba la música y era cantante y laudista consumado, concibió la idea de usar el canto para diseminar el evangelio. No solamente utilizó las formas elevadas de los *Meistersingern*, sino que también empleó las formas populares y familiares de los trovadores. Ya fueran propaganda, parodias, diseminación de noticias, o relación de historias, Lutero encontró en todos estos tipos de cantos una forma de compartir las buenas nuevas y su éxito fue espectacular. Los cantos impresos en forma de panfletos (o recopilados como himnarios), a menudo eran copiados sin autorización de los impresores para satisfacer la demanda urgente del pueblo. Así, gracias a la creatividad y el poder de los cantos de Lutero, el evangelio llegó a penetrar todos los aspectos de la vida de la sociedad de su tiempo.

Dios también necesita hoy personas creativas y apasionadas que encuentren nuevos medios para predicar el evangelio. Los primeros adventistas utilizaron la prensa escrita y las reuniones en el campo y bajo tiendas para influir en la sociedad de su tiempo. Dios busca personas que encuentren nuevos medios para diseminar las buenas nuevas a todos. Para que el resto del mundo las escuche en sus casas, en el trabajo o donde quiera que vayan. ¿Ya te preparaste para aceptar el desafío?

Ellos leían con claridad el libro de la ley de Dios y lo interpretaban de modo que se comprendiera su lectura (Nehemías 8: 8).

Ayer te conté cómo Lutero, con sus cantos, transformó la sociedad de su tiempo. ¿Cómo podemos hacer hoy para esparcir el evangelio con más efectividad? Las estrategias que siguió nos sugieren dos principios importantes.

Lutero comprendió cómo era la sociedad de su tiempo. Se ha dicho que el invento de la imprenta aceleró la propagación de la Reforma, pero el canto fue un factor todavía más importante. Los libros eran objetos escasos y muy costosos. En la práctica, los libros se leían en voz alta en reuniones públicas y a menudo seguían discusiones en las casas, los hostales y otros lugares públicos o privados. El canto tenía el poder adicional de ayudar a la memorización y era parte de la tradición de heraldos que propagaban las noticias.

Familiaridad. Lutero sabía que la herramienta para propagar el evangelio tenía que ser eficiente y práctica. Así que tomó las melodías conocidas que casi todos habían escuchado y sustituyó la letra trivial o secular de esos cantos por el evangelio. De esta manera, logró hablar al corazón de las personas porque ya amaban las melodías que cantaban. Además, ayudó a que la gente se interesara en lo que decía la letra más que en la melodía.

Nosotros también debemos ser muy sabios cuando compartimos el evangelio. Si quieres hablar de Cristo a un amigo, ponte a pensar en qué cosas son las más importantes para él. ¿Cuáles son los medios y formas de comunicación que le gusta utilizar? ¿Qué cosas son familiares para él y están cerca de su corazón? Una vez que conozcas y entiendas a tu amigo, adáptate a él y comunícale el evangelio de manera que lo pueda entender y amar. Esto requiere que lo escuches con atención y después te prepares para hablar su «idioma».

Eso hicieron Esdras y los levitas cuando explicaron la ley al pueblo en la época de Nehemías. Interpretaban el mensaje para que la gente lo entendiera. Si lees Nehemías 8: 9 encontrarás que la lectura de la ley causó una impresión tan fuerte que la gente se puso a llorar. Pide a Dios que te dé sabiduría para entender a tus amigos y comunicarles el evangelio de manera que toque su corazón. Recuerda que tienes un lugar asignado.

No hay nada que temer

Esa noche se le apareció el Señor, y le dijo: «Yo soy el Dios de tu padre Abraham. No temas, que yo estoy contigo. Por amor a mi siervo Abraham, te bendeciré y multiplicaré tu descendencia» (Génesis 26: 24).

El título de la lectura de hoy es también el título de uno de mis cantos preferidos. Este precioso himno, *No Need to Fear* [No hay nada que temer], lo escribió Graham Kendrick, uno de los compositores de himnos más influyentes de nuestro tiempo y lo interpreta Wintley Phipps.

Graham Kendrick compuso este canto en 1999 cuando la incertidumbre por el inicio del nuevo siglo y el problema llamado Y2K (expresión popular inglesa que quiere decir año 2000) estaba en pleno auge. Se temía que un problema técnico de los sistemas informáticos de aquel momento pudieran causar graves catástrofes. Estas nunca sucedieron, pero el mensaje del himno de Kendrick, «No hay nada que temer», será relevante hasta que Cristo venga.

El himno dice: «No hay nada que temer cuando la tormenta de la opresión llama a tu puerta. No hay nada que temer aunque el mal parezca muy fuerte, su orgullo y poder no durarán mucho tiempo. No hay nada que temer a la envidia y la burla de aquellos que se jactan de lo que tienen […] porque, ¿qué es lo que queda cuando el corto día de la vida termina? Sus glorias son como un sol pronto a ocultarse».

¿A qué le temes? ¿A qué problema te enfrentas? ¿Un maestro o jefe de trabajo que te oprime? ¿Temes la burla de aquellos que presumen de la inteligencia que tienen, del prestigio que disfrutan, del poder que ejercen o del dinero que ostentan?

Mientras escribía estos renglones escuchaba noticias de personas que eran víctimas de actos violentos y me sentí tentado a temer. Me sentí tentado a olvidar que mi vida pertenece a Dios y está escondida en la palma de su mano.

Recuerda: no hay nada que temer. Tu Padre que está en los cielos es fuerte y nadie puede arrebatarte de su mano. Piensa en el amor que Dios te ha revelado en tu propia vida. Piensa en la historia del pueblo elegido y recuerda que el Señor nunca les ha fallado a sus hijos. Si tu vida pasa por la noche de la incertidumbre, no temas, pronto acabará y en la mañana de la resurrección lo verás cara a cara. La gloria del que se jacta es un sol pronto a ocultarse. No necesitas temer. Los que están con Dios se dirigen hacia el amanecer eterno.

El mar ya no existía

Vi un cielo nuevo y una tierra nueva, porque el primer cielo y la primera tierra habían dejado de existir, lo mismo que el mar (Apocalipsis 21: 1).

Tan bonito que es el mar, ¿verdad? Cuando tengo oportunidad, a mí me gusta ir a la playa para bañarme y jugar en medio de las olas. Sin embargo, Apocalipsis dice simbólicamente que no habrá mar en la Tierra Nueva. ¿Por qué?

En la Biblia el mar es un símbolo que representa la esfera dominada por los enemigos de Dios. En la cosmovisión del Próximo Oriente antiguo, el mar representaba el caos, un lugar de monstruos de extraordinario poder y, por esa razón, fuera del límite del poder humano. Por eso los enemigos de Dios y de su pueblo son representados en la Biblia como bestias que surgen del mar para aterrorizar y destruir a su pueblo.

Daniel 7 dice que de una tormenta en el mar surgen varias bestias enemigas de Dios y su pueblo, un león con alas de águila, un oso que se alza más de un lado, un leopardo con cuatro cabezas y una bestia espantosa y terrible. Como sabes, las bestias representan a imperios terribles que persiguieron al pueblo de Dios: Babilonia, Media y Persia, Grecia y Roma. Apocalipsis 13: 7 también describe a un dragón que perseguirá al pueblo de Dios en el tiempo del fin. Esta bestia también sale del mar.

Esos monstruos que surgen del mar y representan a los enemigos de Dios también son conocidos en la Biblia como las bestias mitológicas Leviatán y Rahab. Así, el faraón de Egipto es considerado el Leviatán en Salmo 74: 14, Rahab en Salmo 89: 10 e Isaías 30: 7 y 51: 9, 10, y el «gran monstruo que yace en el cauce de tus ríos» en Ezequiel 29: 3 y 32: 2. Babilonia es igualada a un monstruo devorador en Jeremías 51: 34.

Cuando Dios dice que en el cielo no va a existir más el mar, quiere decir que los enemigos del pueblo de Dios ya no existirán porque habrán sido derrotados por completo. El mar era considerado símbolo de la muerte, el sufrimiento y el dolor. Por eso, tres versículos después, Juan dice: «Él les enjugará toda lágrima de los ojos. Ya no habrá muerte, ni llanto, ni lamento ni dolor, porque las primeras cosas han dejado de existir» (Apoc. 21: 4).

Vive este día con la esperanza dichosa de que Cristo vendrá muy pronto.

329

Caminar
sobre el mar

Cuando los discípulos lo vieron caminando sobre el agua, quedaron ate-
rrados. «¡Es un fantasma!», gritaron de miedo. Pero Jesús les dijo en seguida: «¡Cálmense! Soy yo. No tengan miedo» (Mateo 14: 26, 27).

Una de las experiencias más conmovedoras de mi vida fue navegar en el Mar
de Galilea. Fue especialmente conmovedora para mí porque el lago no es
muy grande, y no existe duda de que Cristo caminó sobre el agua en ese
lugar cuando estuvo en la tierra.

Ayer te comentaba que el mar era considerado como un símbolo del mal y del
caos que amenazan la vida del ser humano. Representan aquellas fuerzas que nos
superan y no podemos controlar. Pero Dios las domina. La Biblia cuenta que en una
ocasión los discípulos navegaban en el Mar de Galilea cuando los sorprendió una tormenta. Ellos lucharon toda la noche pero no pudieron acercarse a su destino y temie-
ron hundirse en las turbulentas aguas. Pero Jesús no los olvidó. Marcos 6: 48 dice que
mientras oraba en el monte, Jesús los vio remar con fatiga y decidió ir caminando
sobre el mar para ayudarlos.

Este acto de Jesús fue muy significativo. Solamente Dios puede caminar sobre el
mar. El Antiguo Testamento menciona constantemente que el Señor camina sobre
el mar (Job 9: 8; Sal. 77: 19; Isa. 43: 16; 51: 10). Pero Jesús es el que camina sobre el
mar en el Nuevo Testamento porque él es Dios, es el Señor del Antiguo Testamento.
Por eso dice la Biblia que cuando Jesús subió a la barca lo adoraron (Mat. 14: 33).

Según Elena G. de White, la tempestad que se desató esa noche fue de tal magnitud que los cansados discípulos «se dieron por perdidos». Lo que ellos no sabían era
que «Jesús no los había olvidado. El que velaba en la orilla vio a aquellos hombres que
llenos de temor luchaban con la tempestad. Ni por un momento perdió de vista a sus
discípulos [...]. Como una madre vigila con tierno amor a su hijo, el compasivo Maestro vigilaba a sus discípulos» (El Deseado de todas las gentes, cap. 40, pp. 348, 349).

Nuestro Salvador tiene poder para calmar las tempestades que ahora azotan nuestra vida, y también para dominar aquellas circunstancias que a nosotros nos parecen
insuperables. Puede dominar nuestro temperamento irrefrenable, nuestros pensamientos y aun nuestras emociones. Permite al Señor que controle tu vida y él te ayudará a cultivar lo mejor de ti.

Declaren y presenten sus pruebas, deliberen juntos. ¿Quién predijo esto hace tiempo, quién lo declaró desde tiempos antiguos? ¿Acaso no lo hice yo, el Señor? Fuera de mí no hay otro Dios; Dios justo y Salvador, no hay ningún otro fuera de mí (Isaías 45: 21).

La creencia de que el mundo antiguo de las culturas mesoamericanas (mexicas, mayas, olmecas, zapotecas, totonacas, etcétera) llegó a su fin cuando Hernán Cortés conquistó a los mexicas en 1521 está muy extendida, pero no fue así. El último reino mesoamericano en caer fue el de los itzáes mayas el 13 de marzo de 1697, casi dos siglos después de la caída de Tenochtitlán. Aquel reino se encontraba en lo que es hoy la isla de Flores, en Guatemala. La historia de su caída contiene importantes lecciones para nosotros.

Lo más asombroso de dicha caída es que supuestamente cumplió las antiguas profecías mayas. Numerosos documentos relatan cómo Ah Kaan Ek, el último rey maya, tenía un fuerte sentido de lo inevitable de la caída, porque las profecías sagradas decían que una nueva época habría de empezar. El año 1697 marcaba el final de la era.

Cuando fray Bartolomé de Fuensalida y fray Juan de Orbita visitaron el reino en 1618 para convertir a los mayas al cristianismo, Ah Kaan Ek les dijo: «Todavía no es tiempo de abandonar a nuestros dioses… Ahora es la era del 3 Ahau». Después explicó: «Las profecías nos dicen que el tiempo vendrá para abandonar nuestros dioses, dentro de varios años, en la era del 8 Ahau». David Stuart hace un buen análisis en su libro *The Order of Days* [El orden de los días].

Setenta y siete años después, fray Andrés de Avendaño y Loyola visitó el reino maya Itzá convencido de que esta vez tendría éxito. Avendaño había estudiado una y otra vez las profecías mayas y llegado a la conclusión de que el tiempo que mencionara Ah Kaan Ek había llegado. La misión de Avendaño tuvo un éxito modesto. Dos años después, Martín de Ursúa, gobernador de Yucatán, se lanzó a la conquista de los itzáes, pero cuando llegó a su capital Tayazal, ya estaba abandonada. Los itzáes habían cumplido su propia profecía.

¿Cómo podemos entender esta historia? ¿Conocían los vaticinadores mayas el futuro? ¿Podían ellos predecir los eventos que les acontecerían? ¿O será que Dios inspiró a esos profetas de alguna manera? Mañana lo analizaremos.

La Biblia dice, sin embargo, que solamente Dios conoce el futuro. Fuera de él, nadie más. No confíes en las palabras de otro poder porque son engañosas y te llevarán a la destrucción. Confía en las promesas de Dios; ellas son la garantía de un futuro prodigioso.

La caída
de los itzáes - 2

Con respecto a la vida que antes llevaban, se les enseñó que debían quitarse el ropaje de la vieja naturaleza, la cual está corrompida por los deseos engañosos; ser renovados en la actitud de su mente; y ponerse el ropaje de la nueva naturaleza, creada a imagen de Dios, en verdadera justicia y santidad (Efesios 4: 22-24).

¿Podían los profetas mayas realmente predecir el futuro? Un análisis cuidadoso revela que, realmente, no.

Los mayas consideraban que el tiempo era cíclico y que cada era tenía su propio carácter y personalidad. Por eso, cada una tenía su propio ídolo, su propio sacerdote y sus propias profecías. El carácter y las profecías de cada una determinaban acontecimientos pasados. Las profecías consistían sencillamente en una reflexión sobre la historia. Esto quiere decir que en gran medida los mayas pensaban que los hechos de las eras pasadas se repetían cíclicamente en las subsiguientes.

Uno de los textos mayas más importante que nos queda es el *Chilam Balam*, que lleva el nombre de un famoso profeta. Este compendio de escritos describe la historia de las eras pasadas. Es muy interesante destacar que de las eras antiguas, 8 Ahau, la era de la profecía de 1697, describe grandes cambios y destrucción. De acuerdo con el *Chilam Balam*, Chichén Itzá, que hoy es un famoso sitio arqueológico de Yucatán, México, fue abandonada en la era 8 Ahau. De la misma manera, cuando el ciclo se cumple trece eras después (alrededor de 256 años), los itzáes vuelven a abandonar sus ciudades y se establecen en Chakán Putúm. Un ciclo después, los itzáes la abandonaron. Todos estos abandonos sucedieron en la era 8 Ahau. Una cita del *Chilam Balam* es muy significativa en este sentido: «Este [el 8 Ahau] era siempre el katún [la era] cuando los Itzáes iban debajo de los árboles, debajo de los arbustos, debajo de las enredaderas, para su desgracia».

¿Te das cuenta? Los mayas eran prisioneros de su historia. No es que las profecías mayas predijeran acontecimientos del futuro al que los mayas no podían escapar, sino que eran una repetición del pasado que ellos estaban condenados a repetir.

Muchas veces Satanás utiliza esta estrategia con bastante éxito para nuestra perdición. A menudo nos dejamos convencer de que si nuestra familia ha creído algo siempre, o ha tenido ciertas prácticas, entonces nosotros estamos obligados a hacer lo mismo. ¿Quién ha determinado que así sea? Otras veces pensamos que nuestros errores pasados tienen que determinar nuestro futuro. ¿Por qué? Dios compró tu vida en la cruz con su sangre para darte el derecho a escoger tu propio futuro. Que nadie te convenza de lo contrario.

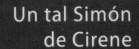

> Cuando se lo llevaban, echaron mano de un tal Simón de Cirene, que volvía del campo, y le cargaron la cruz para que la llevara detrás de Jesús (Lucas 23: 26).

Dice Leo R. Van Dolson en *El Rey ha nacido* que en Londres hay una estatua de Cristo que lleva su cruz. Se dice que miles de personas pasan junto a ella cada día sin siquiera mirarla. Una inscripción al pie de la estatua dice: «¿No les importa en absoluto, caminantes?».

Jesús tomó la cruz voluntariamente por cada uno de nosotros. ¿Te preocupa? ¿No te duele pensar en ese sacrificio hecho en tu favor? ¿Qué significa para nosotros? ¿Estamos dispuestos a llevar la cruz de la negación del yo por causa de él? Simón de Cirene no tenía pensado cargar una cruz, pero la llevó con la convicción de que era necesario llevarla voluntariamente, no porque los soldados romanos lo obligaran.

Cristo dijo: «El que no carga su cruz y me sigue, no puede ser mi discípulo» (Luc. 14: 27). Vivir una vida de amor en el hogar, desarrollar el verdadero afecto hacia los padres le cuesta algo al «yo». Tenemos que aprender a entregarnos, a sacrificar tiempo y placer, a trabajar de verdad para que eso sea una realidad.

Una joven cantante llevaba una cruz que le parecía tan pesada que estuvo tentada a abandonarlo todo. Angustiada, tomó el teléfono. Casi antes de que su amiga le contestara, le gritó, diciéndole: «¡Algo terrible ha pasado! ¡Ya no soy cristiana! ¡Lo abandoné todo!».

Inmediatamente colgó el teléfono, pero entonces, sus ojos se fijaron en un cuadro en el que aparece Cristo en el Getsemaní. El corazón que ella pensaba tener muy frío comenzó a palpitar y cayó de rodillas bañada en lágrimas. No podía negar a su Señor; habría sido una ingratitud demasiado grande. Una culpa insoportable, negar al Salvador. Allí mismo consagró su vida al servicio de Dios.

Con los ojos nublados por las lágrimas, comenzó a cantar:

> *Por mí el Salvador, oró. En el Getsemaní,*
> *la amarga copa la bebió, el buen Jesús por mí.*

Esas palabras borraron inmediatamente todo lo que había dicho poco tiempo antes. Recuerda que el camino a la gloria es el sendero angosto de la cruz. Cuando tomamos la cruz de Cristo, él transforma esa cruz de negación del yo en una de amor. Desde ese momento en adelante, llevar la cruz resulta un privilegio.

No temas llevar la cruz de Cristo. Todo aquel que lo ama, la lleva con alegría.

Crisis
de personalidad

Las naciones cuyo territorio vas a poseer consultan a hechiceros y adivinos, pero a ti el Señor tu Dios no te ha permitido hacer nada de eso. El Señor tu Dios levantará de entre tus hermanos un profeta como yo. A él sí lo escucharás (Deuteronomio 18: 14, 15).

El 13 de junio de 2011, la Sociedad del Planetario de Minnesota, en Estados Unidos, hizo un anuncio que dejó asombradas a una gran cantidad de personas. Declaró que debido a la atracción que la Luna ejerce sobre la Tierra, la alineación de las estrellas ha cambiado más o menos un mes, y este cambio no es reciente sino que ha sido así durante muchísimos años. Esto quiere decir, por ejemplo, que si los astrólogos dicen que eres Piscis, eres realmente del signo anterior (Acuario). Megan Friedman lo reportó en la revista *Time*. Por si fuera poco, la Sociedad también mencionó que existe otro signo del Zodiaco, Ofiuco, el portador de serpientes.

¡El anuncio provocó una reacción «astronómica» entre el público cuando se dio cuenta de que toda la vida había leído los consejos astrológicos incorrectos! Alguien dijo por ahí: «No importa lo que diga el Planetario de Minnesota, son realmente puras boberías». Los astrólogos, que se pusieron furiosos por el anuncio, argumentaron que su seudociencia no se basa en el movimiento del Sol a través de las estrellas, sino en el movimiento del Sol y los planetas a través de las estaciones. Pero esto tiene la complicación de que en el hemisferio austral las estaciones son diferentes.

La astrología está basada en una pésima astronomía. Está regida por el sistema que Ptolomeo estableció en el siglo II de nuestra era y que Copérnico echó por tierra en el siglo XVI. De hecho, la astrología tuvo problemas desde el principio. Los antiguos babilonios tenían trece constelaciones pero querían solamente doce, así que echaron fuera a Ofiuco. Además, Libra no contó entre los signos sino hasta la era de Julio César (siglo I a. C.).

No te dejes engañar. Tu personalidad no está determinada por la posición que el Sol o los planetas ocupaban cuando naciste. Tus decisiones, cómo te alimentas y ejercitas tu ser determinan quién eres. Eres libre para determinar tu propio futuro. Dios compró ese derecho en la cruz. No creas en las palabras engañosas de los astrólogos; en cambio, aprende a confiar en la Palabra de Dios.

Cuando levanten los ojos y vean todo el ejército del cielo, es decir, el sol, la luna y las estrellas, pueden sentirse tentados a postrarse ante ellos y adorarlos. Esos astros los ha designado el Señor, el Dios de ustedes, como dioses de todas las naciones que están debajo del cielo. Pero a ustedes el Señor los tomó y los sacó de Egipto, de ese horno donde se funde el hierro, para que fueran el pueblo de su propiedad, como lo son ahora (Deuteronomio 4: 19, 20).

Hay quienes argumentarán que independientemente de sus bases científicas incorrectas, la astrología es efectiva, por lo menos para ellos. Pero ¿lo es realmente?

David Marshall, en *El mayor desafío del cristianismo*, cita varios estudios de evaluación de la efectividad del horóscopo. Dos me llamaron la atención. De acuerdo con un estudio que publicó la revista *Vibrant Life* en Estados Unidos, los astrólogos hacen pocas predicciones específicas, pero cuando las hacen, se equivocan en el 94% de las ocasiones. Otro estudio de 15,000 profesionales de éxito, que esta vez realizó un especialista francés, demostró que la correlación entre influencia zodiacal y éxito no es mayor en esos profesionales que entre una población tomada al azar. A propósito, el mismo especialista francés tomó el horóscopo de un asesino de masas y lo envió a ciento cincuenta personas que habían solicitado un horóscopo personalizado. Cuando les preguntó cuán exacta era la información, el 94% de los entrevistados contestó que se habían reconocido en el horóscopo.

Si los horóscopos son tan engañosos, ¿por qué tanta gente cree en ellos? Bueno, porque están escritos con bastante habilidad. Los horóscopos están redactados en lenguaje ambiguo y contradictorio, de tal manera que se pueden ajustar a casi cualquier persona. El mago Ian Rowland, en su clásica obra *The Full Facts Book of Cold Reading* [El libro de los datos sobre la lectura en frío], describe los trucos uno por uno. Primero está la artimaña del arco iris: «Una declaración que acredita al cliente una característica de su personalidad y también la contraria». Por ejemplo: «Tú eres en general bastante callado, pero cuando las circunstancias son correctas, puedes ser el alma y la vida de la fiesta si tienes el humor apropiado». También encontramos la declaración Barnum, el uso de hechos borrosos, la técnica del césped más verde, etcétera.

La astrología es algo así como la diosa del paganismo, pero tú, que conoces al Dios verdadero del universo, ¿por qué habrías de caer en su juego?

Dios, Satanás y el huracán Katrina

¿Acaso creen que me complace la muerte del malvado? ¿No quiero más bien que abandone su mala conducta y que viva? Yo, el Señor, lo afirmo (Ezequiel 18: 23).

El 29 de agosto de 2005, el huracán Katrina azotó las costas de Luisiana y Texas en los Estados Unidos y causó la muerte de por lo menos 1,836 personas. Fue el desastre natural más costoso y uno de los más mortales en la historia de ese país. Sin embargo, el dolor que causó ese huracán fue más allá de la devastación económica y de infraestructura. Se inundó el 80% de la ciudad de Nueva Orleans. Una gran cantidad de personas fue incapaz de abandonar la ciudad porque no tenía los medios necesarios. Las cadenas de televisión mostraron personas que morían por falta de atención médica y cadáveres que flotaban en el agua mientras las autoridades no encontraban cómo hacer llegar la ayuda.

El 20 de marzo de 2006, Jon Meacham de la revista *Newsweek* entrevistó a Billy Graham en Nueva Orleans. El título de la entrevista fue: «Dios, Satanás y Katrina». En la misma le preguntó: «¿Qué les dice usted a las personas que preguntan cómo pudo un Dios de amor permitir que esto sucediera?». Graham respondió con suma honestidad: «No lo sé. Y no hay manera de que pueda saberlo». Después mencionó que la avaricia del hombre, su egoísmo y su orgullo hacen que las tragedias naturales sean más dolorosas y que, en muchas otras ocasiones, causan tragedias peores, como las guerras. Por otro lado, también mencionó que Dios ha mostrado su amor por el hombre en la cruz y pronto vendrá para poner fin al sufrimiento.

Hay quienes piensan que las catástrofes naturales son castigos divinos por el pecado. La Biblia afirma lo contrario. No suceden más catástrofes porque, por su misericordia, Dios retiene los «vientos de destrucción» para que las personas puedan aceptar su mensaje de amor (lee Apoc. 7: 1-3). El pecado de la humanidad será castigado en el lago de fuego al final de la historia (Apoc. 20: 11-15), pero no arderá eternamente, sino que destruirá a los que se aferren al pecado. Dios no quiere la muerte del impío, desea su salvación (2 Ped. 3: 9, 10; Rom. 2: 4). Antes del diluvio envió a Noé y este predicó durante ciento veinte años. Antes de la destrucción de Sodoma y Gomorra, Abraham y Lot testificaron a favor de Dios en esas ciudades. Así mismo, antes de que venga el fin, el evangelio será predicado en todo el mundo (Mat. 24: 14). Y tú, ¿ya decidiste dejar que Jesús entre a tu vida?

Robert Oppenheimer

> Porque si, cuando éramos enemigos de Dios, fuimos reconciliados con él mediante la muerte de su Hijo, ¡con cuánta más razón, habiendo sido reconciliados, seremos salvados por su vida! (Romanos 5: 10).

Julius Robert Oppenheimer fue uno de esos personajes que demostraron talento extraordinario desde que eran muy jóvenes. Estudió química y física desde pequeño. Además, durante la infancia llevó a cabo experimentos en el laboratorio. Era también un apasionado coleccionista de rocas e inició un diálogo por correspondencia con los geólogos locales al respecto de ciertas observaciones que había hecho de diferentes formaciones rocosas de Central Park, en la ciudad de Nueva York. Los geólogos quedaron tan impresionados que lo invitaron a dar una conferencia ante la Sociedad de Mineralogía de Nueva York, sin saber que tenía solo doce años. Cuando se dispuso a exponer la presentación tuvieron que conseguir un cajón de madera sobre el que se pudiera subir para alcanzar el atril.

Sin embargo, Robert Oppenheimer luchaba con problemas de depresión. Después de graduarse de la Universidad de Harvard, estudió física teórica en la Universidad de Cambridge con Patrick Blackett, quien había ganado el premio Nobel de Física. Blackett insistía en que Oppenheimer pusiera atención a las minucias de la física experimental, cosa que odiaba. Esto hizo que Oppenheimer se abatiera emocionalmente cada vez más, hasta que llegó el momento en que trató de envenenar a su maestro con una mezcla de sustancias químicas del laboratorio. Por fortuna, Blackett se dio cuenta de que algo andaba mal e informó a las autoridades universitarias. Oppenheimer fue llamado a comparecer ante la junta disciplinaria de la universidad por intento de homicidio. Lo más sorprendente es que la Universidad de Cambridge, después de discutir el asunto, decidió no expulsarlo, sino ponerlo a prueba y exigirle que tuviera sesiones regulares con un famoso psicólogo de Londres.

¿Te lo imaginas? La universidad decidió perdonar y ayudar a una persona que había intentado asesinar a uno de sus profesores más importantes. Dios hizo algo más sorprendente todavía. Cuando la humanidad se rebeló contra él en el jardín del Edén, Dios decidió no exterminarla. En cambio, envió a su Hijo amado para morir por nosotros y salvarnos. ¿Por qué? Cambridge ayudó a Oppenheimer porque sabía que en el futuro haría brillantes contribuciones al conocimiento. Dios lo hizo por amor. Nos amó aunque éramos sus enemigos. Aquellos que han entendido el amor del Señor le entregan sus vidas y viven para él, pero no para recompensar su bondad, sino porque lo aman.

Hay muchas razones por las cuales Dios quiere salvarnos. La principal es porque nos ama. ¿Vas a corresponder tú a ese inmenso amor?

Los factores de la grandeza

Solo te pido que tengas mucho valor y firmeza para obedecer toda la ley que mi siervo Moisés te mandó. No te apartes de ella para nada; solo así tendrás éxito dondequiera que vayas (Josué 1: 7).

Muchos creen que la verdadera grandeza es el producto de una «chispa divina», es decir, que ciertas personas nacieron predestinadas a ser grandes. Pensemos, por ejemplo, en Mozart, quizá el mayor de los genios musicales. Empezó a componer a la edad de cinco años y desde muy pequeño dio conciertos para la nobleza. También en Dante, que escribió la *Divina comedia*, la obra más importante de la literatura italiana, que consiste en 14,233 versos endecasílabos organizados en tercetos que riman en el patrón ABA, BCB, CDC, DED, etcétera. O en Albert Einstein, la imagen del genio puro, que en seis meses, durante 1905, publicó cuatro artículos científicos que resolvieron igual número de misterios, estableció el fundamento de la era atómica y cambió para siempre nuestra forma de percibir el universo. ¿Será que tú y yo, que no tenemos talentos extraordinarios, podemos soñar con hacer algo portentoso?

La comprensión del genio y cómo se crea, ha cambiado considerablemente durante los últimos años. La investigación científica al respecto ha sido condensada en tres libros de gran interés: *The Talent Code* [El código del talento] de Daniel Coyle, *Talent is overrated* [El talento está sobrevalorado] de Geoff Colvin y *Fuera de serie* de Malcolm Gladwell. Básicamente, los autores argumentan que el genio es el resultado de cuatro factores: .

1. Una habilidad un poco superior a la media.
2. Identificación con alguien fuera de serie en el área de habilidad en cuestión.
3. Una necesidad desesperada de tener éxito.
4. Diez mil horas de práctica.

Desde este punto de vista, todos podemos llegar a ser unos «fuera de serie» porque Dios nos ha dado a cada uno por lo menos un talento. Todos cumplimos entonces con la condición básica para el éxito. Los otros tres factores dependen de nuestras propias decisiones. ¿Qué modelo tomamos para nuestro desarrollo personal? ¿Hasta qué punto estamos motivados para superarnos? ¿Tenemos la tenacidad necesaria para practicar durante diez mil horas completas? Solamente tú tienes las respuestas a esas preguntas y, en ese sentido, solamente tú tienes las llaves de tu propio futuro.

Esos cuatro factores del éxito son los mismos para tu vida cristiana. Dios nos ha dado a todos el perdón de los pecados en Cristo. El resto depende de tus propias decisiones. ¿Tienes el valor y la firmeza para aferrarte a Cristo Jesús como tu modelo?

En total, Enoc vivió trescientos sesenta y cinco años, y como anduvo fielmente con Dios, un día desapareció porque Dios se lo llevó (Génesis 5: 23, 24).

A yer te dije que uno de los factores más importantes para llegar a ser un «fuera de serie» es practicar durante diez mil horas. En la década de 1990, el psicólogo K. Anders Ericsson y dos colegas suyos realizaron un estudio en una academia de música de élite en Berlín, Alemania. Con la ayuda de los profesores, dividieron a los estudiantes de violín en tres grupos. En el primero estaban las estrellas que podían llegar a ser solistas de clase mundial. En el segundo estaban los que eran «buenos», pero no como los primeros. En el tercer grupo estaban los que, probablemente, no tocarían profesionalmente pero podrían ser maestros en el sistema de educación pública. A los estudiantes de los tres grupos les hicieron la misma pregunta: ¿Cuántas horas has practicado durante toda tu carrera desde que tomaste el violín por primera vez?

Todos los estudiantes habían empezado más o menos al mismo tiempo, a los cinco años de edad. Durante sus primeros años practicaban más o menos lo mismo, dos o tres horas por semana. Las diferencias se empezaron a notar después de los ocho años. Los mejores tocaban seis horas por semana a los nueve años, ocho horas a los doce, dieciséis horas a los catorce, treinta horas a los veinte. De hecho, a los veinte años, todos los del primer grupo habían acumulado diez mil horas de práctica. En contraste, los del segundo grupo solamente ocho mil horas y los del tercer grupo cuatro mil.

¿Qué podríamos decir de Mozart, el niño prodigio por excelencia? La realidad es que nació en una familia de músicos y empezó a tocar y ejecutar desde muy temprano. De hecho, el crítico de música Harold Schonberg dice que Mozart se desarrolló lentamente porque no compuso sus mejores obras sino hasta que llevaba veinte años componiendo música.

El neurólogo Daniel Levin dice que diez mil horas de práctica es lo que se necesita para ser un experto en cualquier área: deportes, literatura, arte, entre otras áreas. Me gustaría que imaginaras qué pasaría si aplicaras el mismo principio a tu vida espiritual. Imagínate que hicieras el experimento de «practicar» tu relación con Cristo durante diez mil horas, incluirlo conscientemente en las decisiones que tomas a diario e invitarlo a acompañarte dondequiera que vayas. Te convertirías en una persona «fuera de serie» como Enoc. ¿Por qué no comenzar ahora mismo?

¿Es el resultado del esfuerzo?

No te vuelvas orgulloso ni olvides al Señor tu Dios, quien te sacó de Egipto, la tierra donde viviste como esclavo. [...] No se te ocurra pensar: «Esta riqueza es fruto de mi poder y de la fuerza de mis manos» (Deuteronomio 8: 14, 17).

El psicólogo Roger Barnsley fue el primero en notar, a mediados de la década de los ochenta, el fenómeno de la edad relativa. Se refería al hecho de que, por un margen abrumador, la gran mayoría de los jugadores profesionales de *hockey* sobre hielo había nacido en el mes de enero. Había cinco veces y medio más jugadores nacidos en enero que en noviembre, por ejemplo. El segundo mes con más incidencia era febrero; y marzo, el tercero.

La razón es muy sencilla. La fecha límite para la elegibilidad en las ligas infantiles es el 1º de enero. Esto quiere decir que un niño nacido el 1º de enero de cierto año, jugará con un niño nacido el 20 de noviembre del mismo año. Esta diferencia de edad en la infancia y la preadolescencia es muy significativa. Los niños con mayor edad son más grandes y maduros físicamente y probablemente acabarán jugando con las estrellas. En la siguiente liga los reclutarán mejores equipos y tendrán mejores entrenadores. Esto quiere decir que el sistema de ligas infantiles favorece a los niños nacidos al principio del año. Lo mismo sucede en el béisbol. La mayoría de los jugadores nacieron en agosto. La fecha límite de elegibilidad es el 31 de julio. En el equipo nacional checo de fútbol juvenil de 2007, quince de los 21 jugadores habían nacido entre enero y marzo y ninguno después de septiembre. La fecha límite de elegibilidad es el 1º de enero.

¿Por qué te menciono todo esto? Si damos una cruda mirada a la realidad nos daremos cuenta de que el éxito no depende únicamente de nuestro trabajo personal. Depende también de las oportunidades que recibimos. Algunos tienen más oportunidades que otros para alcanzar el «éxito» en esta vida. Pero eso no importa. El éxito temporal se acabará. Todos tenemos, sin embargo, la máxima oportunidad para ser salvos. Sin importar en qué fecha nacimos, el Espíritu Santo trabajará incansablemente para «favorecer» nuestra salvación. A fin de cuentas, se habrán hecho todos los esfuerzos para llevar a cabo la salvación de cada individuo. Así que no importa cuánto éxito tengamos en las cosas temporales o en las cosas eternas; nunca debemos olvidar que las ventajas que Dios nos dio hicieron posible nuestras victorias. El Señor te ama y puede hacer que salgas vencedor.

En el viaje sucedió que, al acercarse a Damasco, una luz del cielo relampagueó de repente a su alrededor. Él cayó al suelo y oyó una voz que le decía: «Saulo, Saulo, ¿por qué me persigues?» (Hechos 9: 3, 4).

La historia de la conversión de Saulo es uno de los acontecimientos más importantes de la historia de la iglesia cristiana. En el libro de Hechos se narra tres veces (capítulos 9, 22, 26) y Pablo e refiere a ella en cuatro de sus epístolas (Gál. 1: 11-17; Fil. 3: 4-17; 1 Cor. 15 y 1 Tim. 1: 12-17). La forma en que está narrada y el impacto que causó en la vida de uno de los hombres más importantes del Nuevo Testamento, nos obligan a dedicarle especial atención y contemplarla por lo menos desde tres perspectivas:

1. Como la historia de una conquista en la que Jesús derrota a su enemigo.
2. Como una historia de conversión en la que Jesús transforma a un enemigo en un aliado.
3. Como la historia de un llamamiento o comisión en la que Jesús elige a un emisario para predicar su evangelio.

Hoy quiero concentrarme brevemente en la primera de las perspectivas.

Pablo era enemigo del evangelio y deseaba destruir la iglesia. Dios le enseñó, sin embargo, que todo ataque contra la iglesia lo es contra él mismo. Las iglesias cristianas que se encontraban en lugares como Corinto y Roma (o tu propia ciudad hoy) son el cuerpo de Cristo (1 Cor. 12, Rom. 12). La iglesia es la novia de Cristo, con quien es un solo cuerpo, y al Novio celestial le interesa mucho su iglesia. Bendice a esta gente y bendices a Jesús. Lastima a esta gente y, desde su punto de vista, lo lastimas a él. Por eso deberíamos cuidarnos de no despreciar a la iglesia, porque es un acto que el Señor tomará muy personalmente. Ahora bien, si amas, atesoras y cuidas a la iglesia, en realidad es algo que estás haciendo por él. Jesús resucitado aceptará tu trato para con la iglesia como tu servicio especial para él.

Además, Dios está presto a proteger a su iglesia. Por eso hirió a Pablo con ceguera y luego al mago judío Barjesús (lee Hech. 13: 6-11). En la Biblia, el castigo es acorde al pecado; la ceguera espiritual es castigada con ceguera física. Por eso Dios hirió con oscuridad a Egipto y herirá con oscuridad a la Babilonia mística del tiempo del fin (Apoc. 16: 10).

¿No te parece magnífico pertenecer al pueblo de Dios?

Levántate y entra en la ciudad, que allí se te dirá lo que tienes que hacer (Hechos 9: 6).

La historia de la conversión de Saulo de Tarso también describe cómo Dios transforma a uno de sus más decididos enemigos en uno de sus más poderosos aliados. El trato que el Señor dispensó a Pablo conlleva importantes lecciones para nosotros.

Desde el principio, Dios siempre tuvo grandes planes para Pablo. Dijo a Ananías que Pablo era un instrumento elegido para llevar el evangelio ante reyes y naciones (Hech. 9: 15). Lo que más me sorprende es que Dios no reveló esos planes al fervoroso erudito hebreo. Solamente le dijo que entrara a la ciudad y allí se le indicaría lo que tenía que hacer.

El Señor también tiene planes para nosotros, mucho más elevados de lo que imaginamos, pero muy pocas veces nos los revela. Sencillamente, nos encomienda que realicemos tareas pequeñas. A veces solo nos dice: «Ve a la universidad y allí se te dirá lo que tienes que hacer». O quizás: «Sé consejera del Club de Conquistadores y entonces se te dirá lo que hay que hacer». Otras veces: «Acompaña a ese joven a dar estudios bíblicos y luego se te dirá lo que habrás de hacer», etcétera.

Dios siempre ha actuado así. Jesús lo explicó en la parábola de las monedas de oro (Mat. 25: 14-30) y del dinero (Luc. 19: 11-27). Esta última se refiere a un hombre que se va a un país lejano para heredar un reino y antes deja ciertas cantidades de dinero a cargo de sus siervos. Se proponía que fueran los gobernantes de diferentes ciudades, pero primero les encarga administrar dinero para ver si son dignos de confianza.

Jesús también fue a heredar un reino, pero en tanto vuelve, ha encargado a cada quien ciertas tareas. Al principio son pequeñas, pero nos preparan para cumplir mayores tareas. Esto quiere decir que la mejor preparación para hacer grandes proezas en la vida es llevar a cabo con fidelidad los pequeños quehaceres que Dios pone en nuestro camino.

Lo primero que hizo Pablo fue ir al desierto en el reino nabateo, probablemente para estudiar. Pero también empezó a predicar allí el evangelio con tanto poder, que 2 Corintios 11: 32 dice que el rey Aretas fue a perseguirlo a Damasco. Ese fue apenas el inicio de la obra que Dios tenía para él.

¿Cuál es el talento que Dios te dio? ¿Qué te ha pedido que hagas en el lugar donde estás en este momento? Sé fiel al llevar a cabo tu labor, porque así te preparará Dios para tareas mayores.

Ananías respondió: «Señor, he oído hablar mucho de ese hombre y de todo el mal que ha causado a tus santos en Jerusalén» (Hechos 9: 13).

La historia de la conversión de Pablo tiene una tercera lección para nosotros. Cuando Dios nos llama, quiere que venzamos nuestros prejuicios.

Los prejuicios tienen su origen y su poder en la ignorancia. Solo podemos ver el exterior de una persona, pero no sus luchas. Tampoco podemos ver sus motivos. Solamente la juzgamos por las apariencias. La única manera de superar los prejuicios es obtener una visión de la otra persona a través de los ojos de Jesucristo.

Dios conocía perfectamente a Saulo y decidió revelar a Ananías varias de esas cosas para ayudarlo a vencer sus prejuicios. Te invito a leer Hechos 9: 11-16. Luego haz una lista de las cosas que Dios conocía sobre Saulo. Sabía su nombre y su lugar de nacimiento. Conocía al dueño de la casa donde se encontraba, Judas, y la dirección exacta, la calle llamada Derecha. También sabía lo que estaba haciendo en ese preciso momento, orar, y lo que acaba de ver en visión: que Ananías se presentaría y le pondría las manos encima para que recuperara su vista. Dios también conocía el futuro de Pablo.

Alguna vez oí que hay aproximadamente tantas estrellas en el universo como granos de arena en todas las playas del mundo. Cuando supe de esa estimación me quedé atónito. ¡Nuestro Sol es como un grano de arena más de todos los que hay en nuestro planeta! Sin embargo, Dios sabe en este preciso momento quién soy, dónde estoy, qué he visto, qué hago y cuál es mi futuro. Nada lo puede tomar por sorpresa. En sus manos estoy totalmente seguro.

Ananías venció sus prejuicios y obedeció al Señor. Dios también pidió a Pablo que venciera los suyos. Pidió a ese fariseo de fariseos, que se enorgullecía de su raza, de sus orígenes y de la condición única del pueblo de Israel como el pueblo de Dios (lee Fil. 3: 4-6), que predicara el evangelio a los despreciados gentiles.

Pablo fue alumno de Gamaliel, un fariseo muy prominente del judaísmo del siglo primero. La Misná (Sotá IX, 15) dice que cuando Gamaliel murió, la gloria de la ley cesó y la pureza y la abstinencia murieron. Uno pensaría que con estas credenciales Pablo enseñaría el evangelio a la élite de Jerusalén, pero Dios tenía otros planes. Permite que los tuyos se sujeten hoy al cronograma de Dios.

> El año de la muerte del rey Uzías, vi al Señor excelso y sublime, sentado en un trono; las orlas de su manto llenaban el templo (Isaías 6: 1).

El año en que murió el rey Uzías, también conocido como Azarías, fue probablemente el 740 o 739 a. C. Su reino fue quizás el más glorioso de Judá después del de Salomón. Reinó durante 52 años. La gloria de su reinado incluyó grandes construcciones e infraestructura para la agricultura y la ganadería, lo que propició una era de bonanza económica. Uzías también conformó un enorme ejército y, además, llevó a cabo importantes avances en tácticas de guerra durante su reinado (2 Crón. 26: 15). Por si fuera poco, Uzías recuperó el puerto de Eilat, derrotó a los filisteos, sometió a las tribus árabes e impuso tributo sobre los amonitas. Cuando se hizo grande, sin embargo, se ensoberbeció contra Dios y, en consecuencia, fue herido con lepra (2 Crón. 26: 16-23). Murió de esta enfermedad el año en que Isaías recibió una de las visiones más importantes de su vida.

Debieron ser tiempos muy difíciles. Tiglat Piléser III, rey de Asiria, había subido al trono unos cinco años antes (745 a. C.), y con él surgió el Imperio Neoasirio. En el mismo 745 sometió a Babilonia. En el 744 venció a sus enemigos en el noroeste. En el 743 venció a Sardur II de Urartu y su aliado en el norte de Siria. En el 740, Arpad, la capital de la coalición opuesta a Asiria al norte de Siria, sucumbió, y con ella la coalición. Probablemente, esta la había dirigido Uzías, según el *Comentario bíblico adventista*.

Debemos recordar que Asiria fue probablemente el imperio más cruel de la antigüedad. Su fama se debía a que sus soldados no solo cometían actos de crueldad, sino que los utilizaban como propaganda. Eran realmente sanguinarios. Una inscripción del rey Asurnasirpal II (883 a. C.) decía lo siguiente: «Sus hombres, jóvenes y viejos, tomé como prisioneros. A algunos les corté los pies y las manos; a otros las narices, las orejas y los labios. De las orejas de los jóvenes hice un montón; de las cabezas de los viejos construí una torre».

Isaías ejercería su ministerio en los momentos más difíciles de la historia de la monarquía judía. Por eso Dios le dio una visión de su grandeza antes de empezar. Quería que el profeta comprendiera que el Señor es mayor que todos los poderes enemigos. Es posible que tú y yo vivamos en los momentos más difíciles de la historia. También necesitamos una visión personal de la grandeza de Dios.

Acaz envió entonces mensajeros a Tiglat Piléser, rey de Asiria, con este mensaje: «Ya que soy tu servidor y vasallo, ven y líbrame del poder del rey de Siria y del rey de Israel, que se han puesto en mi contra» (2 Reyes 16: 7).

Durante su ministerio, a Isaías le tocó ser testigo de la invasión de Judá por Asiria y de la destrucción de Israel y su capital Samaria, pero su fe en Dios nunca vaciló. Asiria podía ser un imperio muy poderoso y cruel, pero el profeta había visto el poder del Señor en el templo.

En contraste con la fe de Isaías estaba la debilidad de Acaz. Cuando se vio amenazado por las maquinaciones de los reyes de Siria y de Israel, envió a pedir ayuda a Tiglat Piléser, rey de Asiria, diciéndole: «Ya que soy tu servidor y vasallo [literalmente, "hijo"] ven y líbrame» (2 Rey. 16: 7).

No comprenderemos esta terrible acción hasta que la veamos en el contexto bíblico. En la teología bíblica, los reyes hijos de David eran considerados **hijos y siervos de Dios** en virtud del pacto que él había hecho con David (lee 2 Sam. 7: 14). Esto quiere decir que el Señor les garantizaba su protección. Acaz, sin embargo, no tuvo fe en Dios y prefirió hacerse «hijo» y «siervo» del rey de Asiria. Eran términos significativos en el lenguaje diplomático de aquel tiempo. Acaz se hacía literalmente un súbdito de Tiglat Piléser y rechazaba, por falta de fe, la promesa divina de protección. El rompimiento del pacto con Dios fue caro para Judá. Desde ese momento en adelante, hasta el fin de la dinastía, los reyes davídicos pagaron tributo a poderes extranjeros.

¿Por qué hizo eso Acaz? Porque no comprendía la grandeza de Dios. Se había deslumbrado con el poder de los Asirios y el de sus enemigos, pero sin dedicar tiempo a conocer la grandeza y el poder de Dios. No estaba preparado para enfrentar las amenazas del enemigo porque no sabía quién era su Señor.

El pueblo de Dios volverá a enfrentarse a una crisis similar. Apocalipsis dice que los habitantes de la tierra dirán en el tiempo del fin: «¿Quién como la bestia? ¿Quién puede combatirla?» (Apoc. 13: 4). Pero olvidarán que la verdadera pregunta será: ¿Quién como el Cordero? «¿Quién podrá mantenerse en pie?» (Apoc. 6: 15-17).

Aquellos que hayan aprendido a vivir en la presencia de Dios no se dejarán intimidar por poderes extraños. Al contrario, sabrán que Dios es más poderoso y pueden confiar en él.

¿Qué le pedirás a Dios?

Yo te ruego que le des a tu siervo discernimiento para gobernar a tu pueblo y para distinguir entre el bien y el mal. De lo contrario, ¿quién podrá gobernar a este gran pueblo tuyo? (1 Reyes 3: 9).

No recuerdo la fecha exacta, pero sí con bastante claridad el mensaje que recibí en mi teléfono celular varios años atrás: «Te ganaste una Ford Lobo del año y además quinientos mil pesos. Llama al teléfono…» Como te podrás imaginar, el mensaje me emocionó bastante. De inmediato, me imaginé conduciendo un precioso vehículo nuevo y empecé a pensar cómo gastaría el dinero (¿o mejor debía ahorrarlos?). Solo había un problema: ¡Yo no había participado en ningún sorteo! Las empresas que yo había contratado tampoco habían hecho una rifa. Con más calma, me di a la tarea de examinar con mayor detenimiento el mensaje. No me llevó mucho tiempo descubrir que era una estratagema para obtener información personal y después usarla para fines poco éticos.

Salomón, sin embargo, sí recibió una oferta genuina de Dios: «Pídeme lo que quieras» (1 Rey. 3: 5). El joven monarca, que entonces ya era muy inteligente, pidió a Dios sabiduría para gobernar al pueblo que se le había encargado. El Señor se sintió tan contento por la petición de Salomón que no solo le dio más sabiduría de la que alguien tuvo antes o después de él, sino que también le dio riquezas y fama.

Salomón se hizo tan famoso y rico que «todo el mundo procuraba visitarlo para oír la sabiduría que Dios le había dado» (1 Rey. 10: 24). Fue el más grande filósofo. Pero también escritor, músico, botánico, zoólogo, ornitólogo, herpetólogo e ictiólogo (lee 1 Rey. 4: 29-34). No ha existido ni existirá nadie con el genio de Salomón.

Albert Einstein es considerado uno de los intelectos más prolíficos en la historia de la humanidad. En 1905, cuando trabajaba como examinador de tercera clase en una oficina de patentes en Suiza, y su tesis no había sido aprobada todavía, en su tiempo libre escribió cuatro artículos que transformaron la ciencia de su tiempo. El primero demostró que la luz puede ser concebida a la vez como partículas y como ondas. El segundo probó la existencia de los átomos y las moléculas. El tercero, sobre la teoría de la relatividad, demostró que el espacio y el tiempo no son absolutos. El cuarto destacó la equivalencia que existe entre masa y energía que describe la ecuación $e=mc^2$. ¡No está nada mal para unos meses de trabajo!

Pero Salomón todavía fue más grande. Pide hoy a Dios sabiduría para resolver los múltiples desafíos que tienes por delante.

Si a alguno de ustedes le falta sabiduría, pídasela a Dios, y él se la dará, pues Dios da a todos generosamente sin menospreciar a nadie (Santiago 1: 5).

Ayer te comentaba que Dios dio a Salomón más inteligencia que a alguna otra persona que haya existido antes o después de él. Hoy mi mensaje para ti es que Dios te ha hecho la misma oferta que le hizo a Salomón. Santiago 1: 5 dice que si nos falta sabiduría, Dios promete dárnosla sin menospreciar a nadie. ¡Es una oferta espectacular! Déjame contarte de algunas personas de asombrosa inteligencia.

Albert Einstein, considerado por algunos el más grande genio de todos los tiempos, era un admirador de Thomas Young. Este fue un niño prodigio. A los dos años aprendió a leer y a los cuatro había leído la Biblia dos veces. A los catorce años sabía griego y latín, pero además estaba familiarizado con el francés, el italiano, el hebreo, el caldeo, el siríaco, el samaritano, el árabe, el persa, el turco y el amárico. Fue el primero en resolver parcialmente los jeroglíficos egipcios (especialmente la Piedra de Rosetta). En 1802 propuso la teoría ondulatoria de la luz. Por si fuera poco, también hizo contribuciones científicas importantes en diversos campos como la visión, la mecánica de sólidos, la energía, la fisiología, el lenguaje, la armonía musical y la egiptología. Hacia el final de su vida, Young había escrito 63 artículos en la *Encyclopaedia Britannica*, entre ellos «*Languages*», en que compara la gramática y el vocabulario de cuatrocientos idiomas. No es extraño que se lo haya considerado como «la última persona que lo sabía todo».

¿Quiere decir el versículo de esta mañana que si le pedimos a Dios, nos hará tan inteligentes como Thomas Young? Podría, pero quiere darnos algo diferente que es aún mejor, por más que te cueste creerlo. Nos quiere dar sabiduría.

La sabiduría y la inteligencia son cosas distintas. Salomón era tanto inteligente (como los eruditos) como sabio. La sabiduría que Salomón pidió es descrita en 1 Reyes 3: 9 como la capacidad «para distinguir entre el bien y el mal». En pocas palabras, la capacidad para tomar buenas decisiones (puedes comparar con Sant. 3: 13-16). Es lo más valioso que Dios nos puede dar. Porque esta capacidad es fundamental para que seamos felices en esta tierra y para que vayamos al cielo. ¿Por qué no pides a Dios que te dé la capacidad de discernir entre el bien y el mal en esta mañana?

¡Ve y cambia el mundo!

Vayan y hagan discípulos de todas las naciones, bautizándolos en el nombre del Padre y del Hijo y del Espíritu Santo, enseñándoles a obedecer todo lo que les he mandado a ustedes. Y les aseguro que estaré con ustedes siempre, hasta el fin del mundo (Mateo 28: 19, 20).

Hace años existía en la Ciudad de México, cerca de la intersección entre la avenida Insurgentes y el Eje 7 Sur, una venta de bocadillos que se llamaba «El capricho». Nos gustaba ir allí. Los bocadillos eran de tamaño descomunal. Yo diría colosales, quizá arrogantes… Además, deliciosos. El problema es que, una vez que te servían el bocadillo en el plato, era difícil darle el primer mordisco. Sencillamente, la boca es muy pequeña. ¿Por dónde empezar?

¿No te parece que la petición que Dios nos hace de predicar el evangelio en todo el mundo está más allá de nuestra capacidad? Es una tarea colosal, enorme, desmedida, gigantesca.

Consulté el reloj de población mundial el 9 de noviembre de 2011 a las 11:46 de la mañana y éramos un total de 7,001,870,040 habitantes. Pero el reloj avanza muy rápidamente. Solo en el tiempo que te lleva leer esta página habrán nacido alrededor de 1,500 personas más. Muchos sitios en Internet llevan la cuenta de la población mundial; uno que puedes consultar es www.worldometers.info/world-population. La población aumenta a un ritmo mayor del que podemos evangelizar, pero Dios es poderoso y prometió estar con nosotros hasta el final, así que cumplir la orden es factible. Pero, ¿cómo? ¿Por dónde podemos empezar a cumplir con esa colosal misión?

Permíteme sugerirte que necesitamos una «pandemia» del evangelio. El virus debe ser especialmente agresivo y altamente contagioso para que pueda «infectar» a la población mundial. Las pandemias son potentes. El 18 de marzo de 2009 se identificó por primera vez en la Ciudad de México el estallido de una epidemia de gripe que luego se transformaría en pandemia. Al virus se le dio el nombre A (H1N1). Su avance fue tan rápido que pocos días después, el gobierno, literalmente, detuvo la actividad del país con la esperanza de contenerlo. El impacto fue enorme. En las escuelas se suspendieron las clases durante dos semanas. No hubo reuniones masivas. Los equipos de fútbol mexicanos jugaron los partidos correspondientes a esa semana en estadios totalmente vacíos. El impacto económico de la epidemia obligó al país a solicitar crédito por cuarenta y siete mil millones de dólares.

¿Te imaginas cómo se transformaría nuestra sociedad si nos «infectara» el «virus» del evangelio? ¿Qué cosas crees que pasarían? ¿No piensas que sería magnífico? De paso, ¿qué sucedería si el virus del evangelio afectara tu vida?

> Como no los encontraron, arrastraron a Jasón y a algunos otros hermanos ante las autoridades de la ciudad, gritando: «¡Estos que han trastornado el mundo entero han venido también acá!» (Hechos 17: 6).

Las epidemias han influido con fuerza sobre la conciencia y la imaginación humanas. Se estima que, en el siglo XIV (su punto más álgido fue de 1348 a 1350), la peste negra se llevó por delante entre el treinta y el sesenta por ciento de la población europea en un período de dos años. El impacto fue tan grande que la población mundial se redujo considerablemente en esos años. De hecho, Europa necesitó ciento cincuenta años para recuperarse de la pérdida de población.

Europa no fue la misma desde entonces. Las monarquías dictaron nuevas leyes económicas como resultado de la plaga. La epidemia también produjo agitación social. Por ejemplo, en agosto de 1349 las comunidades judías de Colonia y Maguncia, en Alemania, fueron completamente exterminadas porque se las culpó sin razón de la epidemia. La peste negra también afectó gravemente a la religión, la economía y la política. Consulta la *Enciclopedia Británica* o *Wikipedia* si quieres tener más información.

La gripe española, que brotó justo después de la Primera Guerra Mundial y es considerada la mayor de la historia, causó la muerte de entre cincuenta y cien millones de personas en todo el mundo. De hecho, murieron más personas por la epidemia que por el conflicto armado.

La humanidad respeta tanto el poder global de las epidemias que ha montado un impresionante sistema de alerta y defensa global. La Organización Mundial de la Salud publica un registro epidemiológico semanal con noticias del estado de las epidemias en todo el mundo. Estados Unidos tiene un sistema llamado GeoSentinel que rastrea las enfermedades infecciosas entre los viajeros. La popular lista de correo ProMED-mail envía un informe diario del estado de todas las epidemias en el mundo.

Las autoridades temen a las epidemias por su poder destructivo, pero cuando he comparado al evangelio con una epidemia, me refiero a un contagio restaurador. ¿Por qué el evangelio ha perdido poder para cambiar el mundo? El problema es que la humanidad se ha hecho resistente. La gran mayoría de los cristianos han dejado de actuar como agentes transmisores del evangelio y se han convertido en vacunas contra el mismo. Una vacuna contiene un agente similar a los microbios de cierta enfermedad, y normalmente está hecho de formas débiles o muertas del verdadero agente patológico. Aquellos cristianos que «parecen» cristianos pero no lo son, aquellos cuya religión está «muerta», no sirven para transmitir el evangelio; sino que son como vacunas contra él. ¿Eres tú uno de ellos?

Todo comienza con uno

> Dios, que ordenó que la luz resplandeciera en las tinieblas, hizo brillar su luz en nuestro corazón para que conociéramos la gloria de Dios que resplandece en el rostro de Cristo (2 Corintios 4: 6).

El 28 de agosto de 1854 a las 6:00 de la mañana, después de una noche de calor especialmente opresivo, la bebé de Thomas y Sara Lewis empezó a vomitar y sus evacuaciones se volvieron muy líquidas, verdes y con un olor penetrante. La niña había contraído cólera.

La familia mandó llamar al doctor William Rogers y mientras este llegaba, Sara exprimió los pañales de la niña en una cubeta de agua tibia, descendió al sótano de la casa y la vació en la fosa séptica que se encontraba frente al edificio, en el número 40 de la Calle Broad. Así empezó la epidemia de cólera más agresiva en la historia de la ciudad de Londres, que duraría poco más de diez días y causaría la muerte de 616 personas en una zona de apenas algunas manzanas.

En aquel tiempo se creía que el cólera se transmitía por medio de miasmas, por el aire. Lo que no se sabía es que el cólera se transmitía por el agua. En un fascinante estudio titulado *The Ghost Map* [El mapa fantasma], Steven Johnson relata la historia de cómo John Snow y Henry Whitehead trabajaron incansablemente durante meses, rastreando el origen y desarrollo de la epidemia, luchando contra la superstición y la obstinación de científicos equivocados, para demostrar que el cólera se había diseminado por el agua. Sin la ayuda de computadoras ni de equipos modernos lograron rastrear el origen de la epidemia hasta la bebé Lewis y encontraron cómo la fosa séptica que estaba enfrente de la casa había contaminado la fuente de la Calle Broad que se encontraba a unos pocos metros de distancia.

La hazaña de esos dos hombres puso el fundamento de la epidemiología moderna, transformó el desarrollo arquitectónico de las ciudades y la estructura del gobierno. La tragedia es que la fuente de la Calle Broad era famosa por la calidad de su agua. Algunas personas venían de otros barrios a beber de ella. En señal de gratitud, los hijos enviaban a sus padres agua de aquella fuente a localidades lejanas.

La epidemia empezó con la enfermedad de un bebé, pero el pozo le dio a la epidemia su fuerza devastadora. Dios nos ha elegido como portadores del «virus» del evangelio. ¿Eres un agente portador del virus del evangelio, o por el contrario transmites la destrucción?

Ustedes son la luz del mundo. Una ciudad en lo alto de una colina no puede esconderse (Mateo 5:14).

Tres factores o reglas gobiernan la vida y el poder de una epidemia. Rompen el equilibrio entre una enfermedad contenida y una epidemia avasalladora. Las reglas son las mismas ya sea que nos refiramos a una epidemia social, como las modas, o una epidemia biológica como la gripe española del siglo XX. Malcolm Gladwell ha analizado las epidemias sociales en su libro *The Tipping Point* [El momento crítico]. Por su parte, Steven Johnson y John Barry han investigado las epidemias biológicas (cólera y gripe respectivamente) en sus libros *The Ghost Map* [El mapa fantasma] y *The Great Influenza* [La gran gripe]. Las reglas son:

1. Un medio de transmisión efectivo.
2. Un virus altamente contagioso.
3. Un ambiente propicio.

Toda epidemia tiene un «paciente cero». Una sola persona que crea una reacción en cadena que llega muy lejos. No importa la cantidad de portadores, sino su calidad.

En las epidemias sociales existen tres tipos de portadores que hacen posibles las epidemias: están los conectores, los expertos y los vendedores. Los conectores conocen a tantas personas, su red de contactos es tan amplia, que sus ideas tienen mucha influencia. Por su parte, los expertos son los que tienen tanto conocimiento que las personas confían en sus opiniones. Finalmente, los vendedores tienen la capacidad de convencer, de vender una idea.

Randy Shilts, en su libro *And the Band Played On* [Y la banda siguió tocando], discute extensamente el «paciente cero» del sida. Era un auxiliar de vuelo sumamente seductor, un sujeto encantador. Aseguró que había tenido relaciones sexuales con dos mil quinientas personas en Estados Unidos. Se descubrió que contagió, por lo menos, a cuarenta de los primeros pacientes de sida. Personas como él inician las epidemias sociales.

La experiencia de Paul Revere es un clásico de la historia de la independencia de Estados Unidos. El 18 de abril de 1775, un muchacho avisó a Revere que los británicos marcharían al día siguiente a Lexington para arrestar a John Hanckok, Samuel Adams y a los líderes rebeldes en el pueblo de Concord, para confiscar sus armas y aplastar el movimiento de rebelión que estaba surgiendo. Revere subió a su caballo a las diez de la noche y salió a galope tendido para advertir a las comunidades con el fin de que se prepararan para luchar. Cuando las fuerzas británicas llegaron al día siguiente, se encontraron con una férrea resistencia que provocó su retirada. Así empezó la guerra de Independencia de los Estados Unidos. Una epidemia de libertad que transformó a la nación.

Y tú, ¿con qué especialidad te identificas? ¿Conoces a mucha gente, tienes mucha información o eres capaz de vender lo que sea?

351

Las pistas de Blue

La gente se asombraba de su enseñanza, porque la impartía como quien tiene autoridad y no como los maestros de la ley (Marcos 1: 22).

El segundo componente vital de una epidemia es un germen altamente contagioso. Los virus tienen la misteriosa habilidad de mutar e innovar. Tienen la capacidad de recombinarse, es decir, pueden introducir su material genético en el ADN de organismos no relacionados con ellos. Es como si un día, una joven de cabello negro despertara con el cabello rojo después de haber trabajado durante un año en un cubículo contiguo al de una pelirroja.

Una de las grandes preocupaciones de las organizaciones sanitarias mundiales es que el virus H5N1, de la gripe aviar, mute en un virus que sea transferible entre seres humanos. El índice de mortalidad sería del 75%. ¿Te imaginas? Podría pasar si el virus de la gripe aviar se encontrara con un virus de la gripe humana tipo A, por ejemplo, en el mismo ser humano. Hay algunos científicos que piensan que esto sucederá inevitablemente.

¿Cómo podemos crear un virus del evangelio que sea efectivo? Hace tiempo, el canal estadounidense de televisión *Nickelodeon* decidió crear un programa que captara la atención de los niños y les enseñara a aprender, que reemplazara a *Plaza Sésamo*. El resultado fue *Las pistas de Blue*, que tuvo un éxito extraordinario. ¿Cómo lograron crearlo? Un proceso de investigación riguroso indicó que el programa tendría que tener las siguientes cuatro características. Primero, era preciso que la información fuera práctica, que el público pudiera saber cómo se aplicaba esa información a su vida personal. Segundo, la estructura del mensaje tenía que ser narrativa. A los seres humanos nos gustan las historias y las entendemos. Tercero, era necesario que hubiera una oportunidad de participación, de manera que el público se involucrase, respondiera e interactuara con la historia. Finalmente, la repetición del mensaje era un requisito indispensable porque fija el mensaje en la mente.

Esa lista de cuatro factores es muy interesante. Siempre que hablemos a otros de Cristo tendríamos que evaluar si nuestra enseñanza se amolda a estos factores. ¿Es el nuestro un mensaje práctico, útil para la vida de quien escucha? ¿Tiene una estructura narrativa fácil de seguir y entender? ¿Ofrecemos oportunidades para que nuestro público participe, reaccione y se involucre en el mensaje, o solamente deseamos que nos escuche pacientemente? ¿Repetimos el mensaje para que se quede grabado en la mente?

Nuestro mensaje es inmutable. No puede ni debe cambiar. Sin embargo, nuestro modo de presentarlo debe sufrir una mutación que lo haga más contagioso para los que nos oyen. Debemos utilizar medios efectivos, envolverlo atractivamente y presentarlo con convicción.

Un contexto propicio

Ustedes son la sal de la tierra. Pero si la sal se vuelve insípida, ¿cómo recobrará su sabor? Ya no sirve para nada, sino para que la gente la deseche y la pisotee (Mateo 5: 13).

El tercer factor de una epidemia es un ambiente propicio. La epidemia de cólera que se desató en Londres en 1854 solo pudo haber sucedido en un lugar como la Londres de aquella época. El censo de 1851 había concluido que ahí vivían 2.4 millones de personas. Pero no tenía sistema de alcantarillado. Además, con la población humana convivía una cantidad enorme de ganado y animales domésticos.

¿Te imaginas una ciudad con esa cantidad de gente y animales sin alcantarillado? La fetidez de la ciudad era realmente insoportable. Mucha de la basura y los desechos humanos y de los animales iba a dar al río Támesis. Numerosas casas tenían fosas sépticas abiertas en el patio trasero o en el sótano, con unos cuantos ladrillos a manera de puentes para pasar a pie.

En aquel tiempo, en Londres, cerca de cien mil personas hurgaban entre la basura para rescatar cosas de valor. Las pocas cloacas estaban totalmente congestionadas. El gas metano que se producía naturalmente por la podredumbre explotaba de vez en cuando sin previo aviso, e incineraba a algún infortunado recolector. Londres se ahogaba literalmente en sus propios desechos. No es difícil imaginar por qué en las grandes ciudades las epidemias eran tan frecuentes.

El ambiente en que brota una epidemia es muy importante. A veces pensamos que la sociedad actual provee un contexto adverso para el evangelio, pero no es verdad. Es un terreno estéril para nuestra manera de anunciar el evangelio. La realidad es que conforme avanza el tiempo, el evangelio se hace cada vez más relevante con respecto a las necesidades humanas más fundamentales. Nuestra sociedad se destruye por la violencia y la inseguridad. Necesita al mismo Jesús que nos dejó la paz que el mundo no puede dar, al Jesús que detuvo la espada de Pedro y restauró la oreja de Malco. La realidad de nuestras familias es cada vez más triste. La sociedad necesita al mismo Jesús que en las bodas de Caná transformó el agua en vino.

Las circunstancias son en realidad favorables para un nuevo despertar religioso y me parece que ya está sucediendo. El texto de hoy dice que tenemos que ser como la sal que se mezcla con los alimentos y les da sabor. Nosotros debemos involucrarnos con la sociedad y contribuir con el sabor del evangelio para su bienestar. ¿Ya comenzaste a actuar?

Angustia y liberación en la playa

En mi angustia invoqué al Señor; clamé a mi Dios, y él me escuchó desde su templo; ¡mi clamor llegó a sus oídos! (Salmo 18: 6).

A lo largo de la historia, muchos cristianos han repetido las palabras del texto de hoy. Dios escucha los clamores de sus hijos y los libra de sus angustias. Mi tía Altagracia es una cristiana humilde y entregada. Una vez fue con su hija y sus nietos a pasar un día en la playa. El día transcurrió como de costumbre en esos casos: nadar, jugar, descansar y comer.

Cuando llegó la hora de volver a casa, mi tía se subió al automóvil con sus nietos. Entonces Marcelito comenzó a sufrir un ataque de asma, su enfermedad crónica. Mi tía gritó:

—¡Flor, apúrate, Marcelito ya comenzó con su ataque de asma! ¿Dónde está su medicina?

Mi prima fue corriendo al automóvil, había olvidado la medicina y era necesario apresurarse para llegar a casa. Mientras buscaba frenéticamente la llave, observó que los labios de Marcelito comenzaban a ponerse azules. El problema era grave. Era necesario llegar pronto a la casa. Pero la llave no aparecía. Aterrada, comprendió que la había perdido en la playa. Otra mirada a Marcelito fue suficiente para que el pánico se apoderara de ella.

Corrieron hacia la playa, pero cuando llegaron encontraron que la marea había cubierto totalmente la arena. Mi tía comprendió que la vida de su nieto estaba en serio peligro. Cada instante podía significar la vida y la muerte. Urgía hallar la llave, pero el agua le llegaba a la rodilla en el lugar donde habían pasado todo el día. ¿Cómo encontrar la llave en aquel mar? Imposible. Las olas lo habían revuelto todo y la arena hervía literalmente debajo de sus pies.

Entonces mi tía hizo lo que dice nuestro texto de hoy. Clamó a Dios. Le habló en tono familiar al Señor a quien conocía muy bien. De lo más hondo de su corazón suplicó al Dios a quien había dedicado su vida, y a quien presentara sus angustias y aflicciones: «Señor, Dios mío, necesito esa llave. Dámela por favor», dijo en una oración surgida de lo más hondo de su ser y purificada con las abundantes lágrimas que fluían de sus ojos. Luego se inclinó, metió las manos al agua, las hundió lo más que pudo, tomó un puñado de arena y levantó las manos. Cuando las abrió, la llave apareció ante sus ojos.

Busca al Señor todos los días para conocerlo. Luego clama a él cuando lo necesites y te escuchará.

Ustedes sembraron maldad, cosecharon crímenes y comieron el fruto de la mentira, porque confiaron en sus carros y en la multitud de sus guerreros (Oseas 10: 13).

El compendio *A Treasury of Jewish Folklore* [Antología del folklore judío] cuenta la historia de Reb Feivel, que vivía en la ciudad de Ternopil, Ucrania. Cierto día, mientras estaba sentado en su casa profundamente absorto en la lectura del Talmud, oyó un gran bullicio afuera. Se asomó a la ventana y vio un grupo de chiquillos traviesos. «De seguro están a punto de hacer una travesura», pensó Feivel.

—Niños, corran a la sinagoga —les dijo, asomado a la ventana y, con tal de recuperar su tranquilidad, agregó lo primero que se le ocurrió—: Vayan a ver que allí hay un monstruo marino, ¡y vaya monstruo! Es un ser de cinco pies, tres ojos y una barba como la del chivo, pero verde.

Por supuesto, los niños salieron corriendo y Reb Feivel regresó a sus estudios. Sonrió para sus adentros al pensar en la artimaña con la que había alejado a aquellos bribones. Pero al poco rato sus estudios fueron nuevamente interrumpidos, esta vez por el ruido de pasos. Cuando miró por la ventana vio a varios judíos que pasaban corriendo.

—¿A dónde van tan de prisa? —les preguntó.

—A la sinagoga —contestaron los judíos—. ¿No se enteró? Allí hay un monstruo marino, un ser con cinco piernas, tres ojos y una barba como la de un chivo, pero verde.

Feivel se rió con ganas pensando en la broma que había gastado, y volvió a enfrascarse en su estudio del Talmud. Pero apenas comenzaba a concentrarse cuando oyó el bullicio de un gran tumulto en la calle. ¿Y qué vio al asomarse por la ventana? Una multitud corría hacia la sinagoga.

—¿Qué sucede? —les gritó.

—Vaya pregunta, ¿no se enteró? —le respondieron—. Delante de la sinagoga hay un monstruo marino. Es un ser con cinco pies, tres ojos, y una barba como de chivo, pero verde.

Cuando la multitud ya se alejaba, Reb Feivel se percató de que entre ellos se encontraba el rabino.

—¡Santo Dios! —exclamó—. Si el rabino en persona se ha unido a toda esa gente, algo sucede de verdad. Donde hay humo, hay fuego.

Sin pesarlo dos veces, Reb Feivel tomó su sombrero y corrió tras la multitud.

—¿Quién sabe? —murmuró para sus adentros mientras corría sin aliento, rumbo a la sinagoga.

Nunca mientas, pues puedes terminar por engañarte a ti mismo. La mentira es muy poderosa. ¡Ten cuidado! Sus consecuencias son desastrosas.

El médico
de las montañas

Hermanos, no sean niños en su modo de pensar. Sean niños en cuanto a la malicia, pero adultos en su modo de pensar (1 Corintios 14: 20).

A mediados del siglo XVII se corrió la voz entre la alta sociedad europea de que un médico rural suizo llamado Michael Schuppach practicaba un tipo diferente de medicina. Utilizaba polvos obtenidos de fuentes naturales para llevar a cabo curaciones milagrosas. Muy pronto, una gran cantidad de personas acaudaladas de todo el continente, afectadas de diversas enfermedades, reales o imaginarias, decidió emprender el difícil peregrinaje hasta la aldea alpina de Langnau, donde vivía y trabajaba Schuppach. Durante su ardua caminata los peregrinos pasaban por los más espléndidos paisajes de Europa y respiraban el aire puro de Suiza. Para cuando llegaban a Langnau, ya estaban medio curados. El lugar se convirtió en una zona de descanso y deleite para los visitantes.

El «médico de las montañas» tenía una botica en el poblado. El lugar se convirtió en un espectáculo. Multitudes llenaban el pequeño recinto, donde había estanterías llenas de frasquitos multicolores que contenían los remedios. Los médicos de la época recetaban medicinas de sabores y nombres pavorosos. Schuppach tenía medicamentos con nombres como «El aceite de la alegría», «Florecillas para el corazón», y todas tenían sabor dulce y agradable. Era un centro de curación mental y contaba con la enajenación, la credulidad y la ingenuidad de la gente.

El «médico de las montañas» era un maestro que conocía la psicología de los enfermos. Un enfermo le contó que se había tragado una carreta cargada de heno, con el conductor incluido, lo que le causaba intensos dolores en el pecho. Schuppach lo escuchó con toda seriedad y paciencia. Lo examinó y afirmó que podía oír el chasquido de un látigo en el abdomen del paciente. Acto seguido le administró un sedante y un purgante. El hombre se durmió en una silla a la puerta de la farmacia. En cuanto despertó se puso a vomitar y acto seguido vio pasar por allí, a toda velocidad, un carro cargado de heno (el «médico de las montañas» lo había contratado ex profeso), y el chasquido del látigo que esgrimía el conductor hizo sentir al «enfermo» que, de alguna manera, lo había expulsado gracias a la medicina administrada por el médico.

Puedes pensar que es algo ridículo. Y tienes razón. Pero no te confíes. Aún hay quien cree las más extrañas y (sin ánimo de ofender) ridículas afirmaciones en asuntos religiosos y espirituales. Recuerda, los cristianos tienen que ser «adultos» en su modo de pensar. Y tú, ¿cómo piensas?

Más vale joven pobre pero sabio que rey viejo pero necio, que ya no sabe recibir consejos (Eclesiastés 4: 13).

Se cuenta que, en tiempos antiguos, un rey de Tartaria salió a caminar en compañía de algunos de sus nobles. A un lado del camino había un monje que gritaba:
—¡A quienquiera que me dé cien dinares le daré un buen consejo!
El rey se acercó y le dijo:
—¿Cuál es el buen consejo que me das por cien dinares?
—Señor —contestó el religioso—, ordena que me entreguen esa suma y te lo diré de inmediato.
Así lo hizo el rey, esperando escuchar algo extraordinario. El monje le dijo:
—Mi consejo es este: «Nunca comiences algo sin haber reflexionado sobre cuál será el final de tu empresa».
Al oírlo todos los nobles se echaron a reír. Pero el rey dijo:
—No se rían del buen consejo que me ha dado. Nadie ignora que todos debiéramos pensar muy bien antes de emprender cualquier cosa. Pero a diario somos culpables de no recordarlo y las consecuencias son muy graves. Valoro mucho el consejo que me ha dado este monje.
El rey decidió tener siempre presente el consejo recibido y ordenó que fuera grabado en letras de oro sobre las paredes y en una fuente de plata. Algún tiempo después, un conspirador intentó asesinar al rey. Sobornó al cirujano real con la promesa de conseguirle el cargo de primer ministro del reino si clavaba un bisturí envenenado en el brazo del soberano. Cuando llegó el momento de hacer una sangría al rey, llevaron una fuente para recoger en ella la sangre real. De pronto el cirujano reparó en las palabras grabadas en el recipiente: «Nunca comiences algo sin haber reflexionado sobre cuál será el final de tu empresa». Solo entonces se dio cuenta de que, si el conspirador llegaba a ser rey, podía hacerlo asesinar de inmediato, con lo cual no tendría necesidad de cumplir con lo pactado.
El rey, al ver temblar al cirujano, le preguntó qué le sucedía. El cirujano confesó la verdad, el conspirador fue apresado y el rey mandó llamar a todos los que habían estado presentes cuando el monje dio su consejo, y les dijo: «¿Todavía se ríen del religioso?».
El joven pobre y sabio puede ser mejor que un rey si oye el consejo de quienes lo aman. El consejo de Dios primero, luego los de los padres, y al final el de los sabios.

Aprovecha todas las oportunidades

Les digo que se valgan de las riquezas mundanas para ganar amigos, a fin de que cuando estas se acaben haya quienes los reciban a ustedes en las viviendas eternas (Lucas 16: 9).

¿Te parece confuso el texto de hoy? Pues lee el siguiente relato árabe y luego lo entenderás.

Un visir había servido a su amo durante unos treinta años y era reconocido y admirado por su lealtad, sinceridad y devoción a Dios. Esa sinceridad, sin embargo, le había ganado en la corte muchos enemigos que difundieron falsas historias sobre su «ambigüedad» y «perfidia». Día y noche llenaron los oídos del sultán, hasta que él también comenzó a dudar del inocente visir y al final condenó a muerte al hombre que le había servido fielmente durante tantos años. En aquel lugar era costumbre que los condenados a muerte fueran atados de pies y manos y arrojados al corral en el cual estaban encerrados los más feroces perros de caza del sultán, que de inmediato se abalanzarían sobre la víctima y la desgarrarían.

Sin embargo, antes de ser arrojado a los perros, el visir pidió que se le concediera un último deseo: «Me gustaría que me diesen diez días de gracia, para que pueda pagar mis deudas, cobrar lo que me deben, devolver los objetos cuya guarda se me encomendó, distribuir mis bienes entre mis familiares y designar un tutor para mis hijos». Después de asegurarse de que el visir no escaparía, el sultán concedió su pedido. El visir corrió a su casa, recogió cien monedas de oro y fue a visitar a quien cuidaba los perros del rey. Le ofreció las monedas de oro y le dijo: «Déjame cuidar a los perros durante diez días». El hombre aceptó y durante los siguientes diez días el visir cuidó de los perros con suma atención, limpiándolos, cepillándolos y alimentándolos muy bien. Al final los perros comían de su mano.

Transcurridos los diez días el visir fue llamado, se repitieron los cargos, lo ataron de pies y manos y lo arrojaron a los perros. Para asombro del sultán, los perros corrieron a lamerle las manos y los hombros. Le habían perdonado la vida. El sultán también le perdonó la vida por su sagacidad. Aprove... la única oportunidad que tenía para salvarse.

Aunque no podemos aplaudir los medios que el visir usó para salvarse, sí debemos reconocer su habilidad para echar mano de las oportunidades que tuvo a su alcance. Como dice el *Comentario bíblico adventista* al hablar de la parábola del mayordomo infiel: «La verdad a la cual dirige la atención es que deberíamos aprovechar las oportunidades presentes para asegurar nuestro bienestar eterno».

¿Aprovechas todas tus oportunidades presentes para obtener tu salvación eterna?

Día y noche repetían sin cesar: «Santo, santo, santo es el Señor Dios Todopoderoso, el que era y que es y que ha de venir» (Apocalipsis 4: 8).

¿Cantan en realidad los seres vivientes día y noche, sin cesar, por toda la eternidad, «Santo, santo, santo»? ¿O es una forma de referirse a la gratitud eterna que llena sus corazones porque el Cordero de Dios pagó el alto precio de la redención?

La historia de Philip Paul Bliss puede ayudarnos a comprenderlo mejor. Fue un misionero predicador y compositor de himnos que trabajó con Dwight L. Moody en sus campañas de evangelización. En cierta ocasión, en diciembre del año 1876, Philip y su esposa Lucy dejaron a sus hijos de cuatro y un año de edad con amigos y familiares y tomaron el tren para asistir a un compromiso en el tabernáculo de Moody. Mientras el tren cruzaba el río Ashtabula en Ohio, Estados Unidos, el puente se derrumbó y el tren cayó a las heladas aguas. Philip se salvó, pero regresó al tren con el fin de buscar a su esposa, que se encontraba atrapada en un vagón incendiado. Nunca se recuperaron los cuerpos de Philip y Lucy, pero sí el baúl de Philip. Contenía el manuscrito de la letra de lo que llegó a ser un conocido himno: «*I Will Sing of My Redeemer*» [Cantaré de mi Redentor].

¿No es paradójico alegrarse por la muerte de Cristo en una cruz? ¿Por qué es tan extraordinario contemplar la historia del pago que realizó por nuestra salvación? ¿Cómo podría ese himno ser una fuente de consuelo para los hijos de Philip y Lucy?

Solo quien comprende la magnitud y la gravedad de su condición perdida puede apreciar y agradecer la grandeza del sacrificio de Cristo. Los cánticos del Apocalipsis (5: 9-13; 7: 9-17; 12: 10-12) son entonados por los redimidos, aquellos que ya comprendieron la ruina de la cual Jesús los rescató. Al ver el abismo, comprenden «la cantera» de donde Cristo los rescató, según dice el profeta Isaías (51: 1). Por eso la alabanza de los redimidos es perfecta y eterna. Por la misma razón, los que más comprenden su condición pecaminosa y experimentan la salvación de Cristo son expertos e incesantes en su alabanza y adoración del Cordero.

Philip Paul Bliss había dedicado su vida a la predicación del evangelio y la gloria de Cristo era lo más importante para él. Alabemos a Cristo como redimidos que han sido salvados de la muerte eterna.

Hay más dicha en dar que en recibir - 1

Con mi ejemplo les he mostrado que es preciso trabajar duro para ayudar a los necesitados, recordando las palabras del Señor Jesús: «Hay más dicha en dar que en recibir» (Hechos 20: 35).

Este es uno de los dichos de Jesús que nos cuesta más trabajo comprender. No hay duda de que nuestro Señor desea que demos para ayudar a los demás, pero las razones por las que debemos dar son desconcertantes. Jesús no dice que demos para ser salvos. Tampoco dice que lo hagamos porque eso es lo correcto. Jesús simplemente argumenta que tenemos que dar porque el que da es más feliz. Pero, ¿es verdad que el que da es más feliz que el que recibe?

Cuando vivía en la Ciudad de México me sucedió algo que me hizo pensar en esta aseveración de Jesús. Cierto sábado volvía de Toluca, una población ubicada a unos cincuenta minutos de trayecto de la capital del país, adonde había ido a predicar. Como el sol se había ocultado, decidí visitar un almacén muy grande que habían inaugurado recientemente justo al lado de la carretera. El estacionamiento se encontraba casi vacío. Antes de entrar al almacén, una familia joven atrajo mi atención. El padre, la madre y una jovencita de unos quince años acompañaban a un menor de unos trece años, que jugaba con una motocicleta a control remoto en el enorme estacionamiento. De niño a mí siempre me gustaron mucho los juguetes a control remoto, pero nunca había visto uno tan potente como esa motocicleta. El niño la conducía con mucha destreza y a gran velocidad. Durante un buen tiempo disfruté del espectáculo. Después se me vino una idea a la cabeza. Acercarme al niño y preguntarle:

—¿Qué tal, amigo? ¿Te sientes feliz?

—Por supuesto —respondería—. ¿No te parece maravillosa mi motocicleta?

—Claro. Es preciosa. Pero, ¿te gustaría ser más feliz?

—Bueno, yo creo que sí.

—Mira, Jesús dice que es más feliz el que da que el que recibe. ¿Qué te parece si le regalamos a algún niño pobre tu motocicleta? ¡Será un regalo fantástico para él! Te aseguro que serás más feliz si lo haces.

¿Qué te parece? ¿Tú crees que el niño habría aceptado mi propuesta? Posiblemente no. Hasta suena a disparate. Lo que pasa es que mucha gente insiste en creer que para ser feliz necesita gozar de las posesiones materiales. ¿Es dar realmente un mayor motivo de felicidad que recibir? Yo creo que sí. ¿Hacia dónde se orienta tu vida? ¿A dar o a recibir?

Si reparto entre los pobres todo lo que poseo, y si entrego mi cuerpo para que lo consuman las llamas, pero no tengo amor, nada gano con eso (1 Corintios 13: 3).

Repito mi pregunta de ayer: ¿El que da es realmente más feliz que el que recibe? Nuestra dificultad para entender esta aseveración de Jesús radica en el hecho de que la naturaleza humana tiende hacia la dirección opuesta. El ser humano es ambicioso; tenga mucho o poco. Esta tendencia por conseguir y obtener revela una característica esencial de la humanidad: el sentido profundo de que algo nos falta, carecemos de algo, no estamos completos.

Algunos acumulan objetos; otros, relaciones, logros o títulos, porque muy dentro de nosotros sentimos una carencia de seguridad, afecto, realización o autoestima. Pareciera que una ley del espíritu impide que haya vacíos en nuestra vida. Hay que llenar todo espacio de algún modo.

¿Dónde empezó todo esto? En el Edén. La serpiente logró convencer a Eva de que algo le faltaba, que le habían quitado o negado algo, que necesitaba llenar ese vacío. Pero era ficticio. No necesitaba el «conocimiento del bien y del mal»; de hecho, estaba mejor sin él. Finalmente sucedió lo que Eva no quería. La obtención del conocimiento del bien y del mal le produjo un vacío, una ruptura, puesto que se perdió la relación con Dios y el derecho al árbol de la vida. Desde entonces los seres humanos intentamos colmar esos espacios vacíos.

El décimo mandamiento pone el dedo en la llaga: «No codicies» (Éxo. 20: 17). Ataca la esencia de nuestras carencias como seres humanos, la codicia. El apóstol Pablo expresó lo mismo en términos diferentes: «Raíz de todos los males es el amor al dinero» (1 Tim. 6: 10).

Podrías decirme: «Ya entendí, lo que quieres decir es que tenemos que dar para llenar nuestra vida de significado». Bueno, la verdad es que eso no siempre sirve. La Biblia también dice que podemos dar todo lo que tenemos a los pobres y de todas maneras sentirnos miserables, además de quedar pobres (1 Cor. 13: 3).

Lo que Jesús quiso decir no es que demos para ser felices, sino que demos porque somos felices. La generosidad es una expresión de riqueza, de plenitud, de suficiencia. «Solo da quien tiene». Cuando Cristo ha llenado tu vida y te ha dado salvación, entonces puedes dar y ser feliz. ¿Te alegra dar o compartes solamente lo que te sobra?

Un regalo sorpresa

Hemos recibido noticias de su fe en Cristo Jesús y del amor que tienen por todos los santos a causa de la esperanza reservada para ustedes en el cielo. De esta esperanza ya han sabido por la palabra de verdad, que es el evangelio (Colosenses 1: 4, 5).

La esperanza cristiana no solo está «reservada» en el cielo, sino que es activa y dinámica en el corazón de todos los cristianos. La señora Stella Thornhope lidiaba sola con sus primeras navidades. Su esposo había muerto pocos días antes, víctima de un cáncer. Se sentía sola y triste y decidió que no decoraría su casa para la época decembrina.

Bien entrada la tarde, un día, llamaron a la puerta. Ahí estaba un joven repartidor con una caja.

—¿Señora Thornhope?

Ella asintió.

—¿Podría firmar aquí, por favor? —preguntó el muchacho.

La señora lo invitó a entrar y cerró la puerta para protegerse del frío.

—¿Qué hay en la caja?— preguntó, después de firmar el papel.

El joven sonrió y abrió la caja. Dentro se agitaba un cachorrito, un cobrador dorado. El joven levantó al ansioso perrito.

—Es para usted, señora— explicó—. Tiene seis semanas y está a punto para que usted lo eduque.

El cachorrito comenzó a menear la cola de felicidad al verse librado del cautiverio.

—¿Quién lo envió? —preguntó la señora Thornhope.

El joven le pasó un sobre a la mujer.

—Todo está explicado aquí, en este sobre, señora —dijo—. Al perrito lo compraron en julio pasado, mientras su madre todavía estaba preñada. La intención era que fuera un regalo de Navidad para usted.

—¿Quién me envió este cachorro? —preguntó otra vez con desesperación la mujer.

—Su esposo, señora —contestó el muchacho, al dar la vuelta para salir—. Feliz Navidad.

La mujer abrió entonces la carta de su esposo. La escribió tres semanas antes de morir. La había dejado en el criadero de perros para que la entregaran con el cachorro como su último regalo. La carta estaba llena de amor, ánimo y recomendaciones de fortaleza. Prometía que esperaba el día en que se volvieran a encontrar en la venida de Cristo.

La señora Thornhope se secó las lágrimas, tomó al perrito y se dirigió a buscar los adornos de Navidad. Quería que los vecinos supieran lo feliz que se sentía.

Dios tiene un buen estilo para enviarnos una señal de luz y recordarnos que la vida es más fuerte que la muerte. La luz es más poderosa que la oscuridad. Dios es más poderoso que Satanás. Anímate, pues. Dios lo tiene todo bajo control. Feliz Navidad para ti y para los tuyos ahora y siempre.

Hoy les ha nacido en la ciudad de David un Salvador, que es Cristo el Señor (Lucas 2: 11).

Una emocionante historia verídica ilustra el hecho de que la Navidad todavía es una ocasión en la que muchos pueden «encontrar». La cuenta Leo R. Van Dolson en *El Rey ha nacido*.

Cierta Navidad se presentaba muy amarga para un joven pastor y su esposa. Habían tomado a su cargo una vieja capilla descuidada que había conocido tiempos mejores. Según contaban, años atrás, en la iglesia y entre sus miembros había habido alegría y amistad. Pero de eso hacía mucho tiempo; ahora solo quedaba el recuerdo de ese brillante pasado.

El pastor había iniciado una entusiasta campaña para devolver al templo parte de su hermosura anterior con pintura, martillo, clavos… y mucho amor. Él y su esposa amaban aquella iglesia y ese amor hizo todavía más dolorosa la herida cuando una terrible tormenta arruinó aún más al viejo y altivo edificio. Después de la tormenta, el pastor y su esposa contemplaron el estrado llorando, porque allí, en el muro frontal, había una «herida abierta». Las furiosas ráfagas habían hecho caer una parte del revoque y destruido la poca belleza que quedaba. Y solo faltaban unos días para la Navidad. En ese momento triste el pastor secó sus lágrimas y las de su esposa:

—Querida, tenemos que asistir a la feria en beneficio de los jóvenes—, dijo.

Volviendo la mirada hacia atrás mientras salían, se sintieron desanimados, pero en sus corazones surgió el recuerdo de una promesa: «El Señor proveerá». Con todo, aun entonces no pudieron imaginar cómo de maravillosa sería la provisión que llegó ese mismo día y que más tarde consideraron milagrosa.

Todavía tristes, pero con una sonrisa dibujada en el rostro, fueron a la feria y observaron a los asistentes que hacían ofertas en las subastas de diversos artículos. Cuando se exhibió un mantel de color dorado y marfil, de unos cinco metros de largo, hubo muy pocas ofertas. Evidentemente aquella tela, hermosa pero demasiado larga y anticuada, a nadie atraía. No exactamente… a nadie excepto al pastor y a su esposa.

Sus ojos se encontraron como si expresaran el mismo pensamiento. Sin vacilar ofrecieron la generosa suma de seis dólares y medio. Ningún otro asistente vio más valor en aquella tela insignificante, de modo que nadie ofreció más. El pastor y su esposa pagaron y se apresuraron a volver a la iglesia. Entonces extendieron y fijaron el mantel por encima del feo agujero en el revoque del estrado.

Amor y esfuerzo para hacer de la Navidad lo que debiera ser. ¿Has sentido tristeza en la época de Navidad?

Después de que Jesús nació en Belén de Judea en tiempos del rey Herodes, llegaron a Jerusalén unos sabios procedentes del Oriente. «¿Dónde está el que ha nacido rey de los judíos?», preguntaron. «Vimos levantarse su estrella y hemos venido a adorarlo» (Mateo 2: 1-2).

El pastor y su esposa miraron hacia el estrado. Era un espectáculo. La belleza que nadie, fuera de ellos, había visto durante la subasta, surgía ahora de la tela. El manto cubría exactamente la porción dañada de la pared. Repentinamente, el ambiente navideño llenó la capilla con su calidez, quizá por primera vez en muchos años.

La segunda parte del milagro sucedió la víspera de Navidad. El pastor vio a una ancianita frente a la parada del autobús, temblando de frío. Le dijo que el vehículo tardaría todavía una hora en pasar y la invitó a entrar a la capilla para resguardarse del frío. La agradecida ancianita caminó hacia la iglesia y explicó en un inglés mal pronunciado, que ella vivía en otro pueblo, que se había trasladado en respuesta a un aviso publicado en el periódico en que se solicitaba una institutriz, pero por causa de su inglés deficiente no la habían contratado.

Una vez dentro de la iglesia, la mujer miró hacia el estrado y sus ojos se abrieron con sorpresa.

—Hermoso, ¿verdad? —dijo el pastor, satisfecho por el brillo de la expresión del rostro de ella.

—¡Este es mi mantel para fiestas! —exclamó—. Mi finado esposo lo mandó hacer especialmente para mí en Bohemia. ¡Es este!

Ella procedió a contar al pastor la triste historia de cómo había vivido con su esposo en Viena hasta que los nazis tomaron el poder. El esposo la envió a Suiza, con la promesa de que la seguiría tan pronto como pudiera. Pero con el correr de los años, perdió la esperanza de volver a verlo. Finalmente, alguien le dijo que su esposo había muerto en un campo de concentración.

Ahora, muchos años más tarde, la víspera de Navidad, en un país muy distante de Viena y de Suiza, cuando la habían rechazado para un empleo porque su inglés era deficiente, el pasado volvía repentina y sorpresivamente al presente. Los recuerdos fluían con lágrimas mientras la anciana salía a tomar el ómnibus.

Hay muchas personas que esta Navidad necesitan amor. Procura darles el calor de tu comprensión y cariño como Jesús lo hizo siempre en su vida terrenal.

Cuando llegaron a la casa, vieron al niño con María, su madre; y postrándose lo adoraron. Abrieron sus cofres y le presentaron como regalos oro, incienso y mirra. Entonces, advertidos en sueños de que no volvieran a Herodes, regresaron a su tierra por otro camino (Mateo 2: 11).

Esa noche, al terminar la reunión de Nochebuena, llena de alegría y amor fraternal, el anciano relojero del pueblo se acercó al pastor.

—Esa tela —le dijo—, me recuerda a mi esposa, que en paz descanse. Ella y yo tuvimos un mantel exactamente igual en nuestra casa de Viena.

Al pastor se le hizo un nudo en la garganta. Llamó a su esposa y con el anciano buscaron y encontraron a la familia que había puesto el anuncio en el periódico. Consiguieron de ella la dirección de la anciana que había solicitado el empleo, pero que hablaba un inglés deficiente. Luego la buscaron y la encontraron.

Cuando los ancianos esposos (que habían pensado el uno del otro que habían muerto hacía años) se abrazaron entre sollozos, el pastor y su esposa también lloraron. Todo el desánimo, el chasco y la tristeza que aquella cruel tormenta había traído se habían transformado en bendiciones. El Señor realmente había hecho una provisión.

La Navidad debería ser una época de búsqueda y encuentros, una ocasión para descubrir otra vez al Cristo que le da su verdadero sentido. La parte más extraña del relato de los sabios de Oriente que encontraron a Jesús en Belén, es que, en ese tiempo, los que se consideraban más sabios de Jerusalén no se molestaron en buscarlo. Por eso no lo encontraron. Sabían exactamente dónde nacería. Indicaron a los sabios dónde encontrarlo. Pero no se interesaron lo suficiente como para buscarlo ellos mismos. ¿Por qué? Estaban tan seguros de su propia sabiduría que terminaron haciendo el ridículo, por todos los siglos, como los hombres más necios de sus días.

De paso, recordemos que fue la estrella la que guió a los sabios a Jerusalén. Pero las Escrituras los guiaron a Belén. Vivimos en una época en que los hombres «más sabios» de nuestro mundo todavía se burlan de la historia de Belén. Pero los verdaderos sabios encuentran a Jesús y lo adoran, lo reconocen como el Rey que vino a nosotros para que pasemos toda la eternidad en su reino de gloria.

Busquemos y encontremos a Jesús cada día de la vida, para que podamos tener parte en su reino de gloria. La Navidad es la mejor época para buscarlo y encontrarlo.

Isaí le presentó a siete de sus hijos, pero Samuel le dijo: «El Señor no ha escogido a ninguno de ellos. ¿Son estos todos tus hijos?». «Queda el más pequeño», respondió Isaí, «pero está cuidando el rebaño». «Manda a buscarlo», insistió Samuel, «que no podemos continuar hasta que él llegue» (1 Samuel 16: 10, 11).

Justo después de la Primera Guerra Mundial, un joven profesor de Psicología de la Universidad de Stanford inició uno de los estudios científicos sobre inteligencia más famosos de la historia. Con la ayuda de un equipo bien organizado y una cuantiosa ayuda financiera, Lewis Terman decidió efectuar pruebas de inteligencia a todos los niños de las escuelas primarias y secundarias de California con el propósito de identificar a los genios que pudiera haber entre ellos. Terman estaba convencido de que la capacidad intelectual es lo más importante de un individuo y que los genios que lograra identificar en el grupo serían los futuros líderes del país. Cuando las pruebas terminaron, Terman había calificado la inteligencia de doscientos cincuenta mil alumnos y había encontrado a mil cuatrocientos setenta niños (menos del uno por ciento del total) con un coeficiente intelectual entre 140 y 200. Todos esos niños eran genios y recibieron el apodo de «termitas».

El tiempo, sin embargo, no le dio la razón a Lewis Terman. Cuando los «termitas» llegaron a la edad adulta se hizo evidente que la inteligencia no es lo que más importa. Algunos «termitas» escribieron libros; otros, artículos eruditos, y otros fueron empresarios de éxito, pero pocos de ellos tuvieron alguna importancia nacional y ninguno obtuvo el premio Nobel o algún reconocimiento internacional. La mayoría estudió carreras comunes y una cantidad sorprendente de ellos experimentó el fracaso profesional. Lo más sorprendente fue, sin embargo, que el estudio había eliminado por falta de capacidad intelectual a William Shockley y a Luis Álvarez, que más tarde ganarían el premio Nobel de Física.

El estudio de Terman ha demostrado que no se necesita ser un genio para hacer cosas grandes en la vida. Hay otras cosas que son más importantes. Te sugiero algunas: creatividad, capacidad de trabajar duro, habilidad para trabajar en equipo y tener buenas relaciones sociales, disciplina e integridad moral.

Al joven David, un simple pastor de ovejas, su padre lo puso a un lado porque quizá pensaba que no tenía mucho futuro, o porque era muy pequeño. Es posible que otros hagan lo mismo contigo, pero no te preocupes. Aprovecha las circunstancias en que te encuentras y aprende las lecciones que te servirán para hacer cosas mayores en el futuro. Dios, que observa tu corazón, reconocerá tus esfuerzos y los recompensará.

La muralla estaba hecha de jaspe, y la ciudad era de oro puro, semejante a cristal pulido (Apocalipsis 21: 18).

¿Te has imaginado cómo sería una ciudad de oro puro? La Biblia describe la Nueva Jerusalén, la ciudad que será la capital del reino universal de Dios y que tiene 2,200 kilómetros de perímetro, como una metrópoli hecha de oro puro semejante al cristal pulido, con una muralla de jaspe, doce perlas sólidas como puertas y cimientos de diferentes piedras preciosas. La urbe es realmente extraordinaria pero, ¿no te parece un poco exagerada? Bueno, evidentemente no lo es para Dios.

De acuerdo a la revista *Time*, los científicos descubrieron en el universo, a muchísimos millones de distancia de la Tierra, un diamante que es tan grande como un planeta. A 600,000 kilómetros de distancia se encuentra una estrella que tiene una masa mayor a la de nuestro Sol pero que solo mide escasos 24 kilómetros de diámetro, y da vueltas sobre su propio eje más de cien veces por minuto. ¡Alrededor de esa estrella gira un diamante que tiene el tamaño de Júpiter! Este planeta tiene un volumen tan grande que en él caben 1,300 planetas del tamaño de la Tierra. Es algo tan extraordinario que ni siquiera lo puedo imaginar.

Esa diminuta pero poderosísima estrella es un púlsar, lo que quedó de una estrella enorme que estalló y se colapsó sobre sí misma. Los púlsares fueron descubiertos en la década de 1960. Desde entonces, los científicos han descubierto cientos y cientos de ellos. Según Matthew Bailes, astrónomo de la Universidad Swinburne de Tecnología, en Australia, originalmente esa pareja de cuerpos celestes era un par de estrellas ordinarias que orbitaban en torno a un centro común. Una era más o menos como nuestro Sol, la otra quizá diez veces mayor. La estrella mayor estalló y dejó en su lugar a una estrella de neutrones. Mientras, la estrella similar a nuestro Sol envejeció, con el tiempo se achicó, perdió sus capas exteriores y acabó colapsándose para convertirse en lo que conocemos como estrella enana blanca.

¿Te imaginas los tesoros que hay escondidos en el universo? Será fantástico poder viajar por los diferentes planetas, estrellas y sistemas solares, ver y conocer la diversidad de la creación de Dios. Esa es una de las cosas que me gustará hacer cuando vivamos en el cielo nuevo y la tierra nueva que Dios ha preparado para nosotros. ¿Te gustaría unirte conmigo en uno de estos viajes? Todavía hay tiempo para anotarse en el grupo. ¿Quieres ir?

Astrología, ¿juego inocente?

En sus palabras no hay sinceridad; en su interior solo hay corrupción. Su garganta es un sepulcro abierto; con su lengua profieren engaños (Salmo 5: 9).

Después de los comentarios que te hecho en otras ocasiones, quizá te quede una inquietud: «¿Qué tiene de malo que yo lea el horóscopo por diversión? Ya sé que es un engaño. Además, también sé que solo Dios conoce mi futuro, así que no me dejaré engañar; quiero entretenerme un poco y nada más». ¿Es la astrología un juego inocente? No, no lo es.

En *El mayor desafío del cristianismo*, David Marshall reproduce el testimonio de Charles Strohmer, astrólogo que se convirtió al cristianismo. Dice que hay dos tipos de astrólogos, los charlatanes y los profesionales. El primer tipo me hizo recordar a un compañero de preparatoria de mi esposa, que escribía los horóscopos en el periódico local. Strohmer dice que la fuerza de los astrólogos profesionales reside en las «revelaciones personales» que reciben de espíritus al leer las cartas astrales. Son secretos que solo el cliente conoce. Estas «revelaciones» son impresionantes, según Strohmer, tanto para el astrólogo como para el cliente. Una vez hecha la revelación, el cliente está listo para aceptar todo lo que el astrólogo prediga.

Satanás no conoce el futuro, pero conoce perfectamente nuestro pasado, nuestras circunstancias, nuestros deseos y nuestras posibilidades. Utiliza toda esta información para engañarnos. Ir al astrólogo es entrar en relación directa con Satanás, por eso Dios lo prohíbe expresamente en muchos pasajes de la Escritura (lee, por ejemplo, Deut. 18: 9-12). ¿Por qué muchas de estas predicciones personales se cumplen? Por una parte, porque la gente cree tan profundamente en su poder, que va y cumple la profecía. Por otra, no olvidemos que Satanás también escucha nuestras conversaciones, observa nuestra conducta y puede predecir, con muchas probabilidades de acertar, lo que va a suceder.

Así le sucedió a Saúl. El espíritu que habló en casa de la pitonisa de Endor no era Samuel, sino un espíritu del mal, y engañó completamente al monarca. Satanás fue astuto. Había adulado a Saúl para que quebrantara los mandamientos divinos, luego lo traicionó y destruyó totalmente su ánimo, su valor y su capacidad para pensar. Saúl murió al día siguiente cumpliendo la profecía satánica. Si hubiera buscado a Dios con arrepentimiento sincero, su destino habría sido diferente. Pero en medio de su desesperación, recurrió a una salida fácil y fue a caer en la boca del lobo.

Recuerda, la palabra del astrólogo es un sepulcro abierto. No caigas en la tentación de acercarte a esas prácticas ni siquiera por diversión. Mejor busca a Dios con sinceridad y él te guiará por sendas seguras.

En aquella ocasión algunos que habían llegado le contaron a Jesús cómo Pilato había dado muerte a unos galileos cuando ellos ofrecían sus sacrificios (Lucas 13: 1).

Yo no sé si alguna vez te ha ocurrido, pero más de una vez he querido tener la oportunidad de preguntar al Señor si ha leído el periódico del día y pedirle que me explique por qué han sucedido algunas cosas. Cierto día, un grupo de personas le preguntaron sobre las noticias más recientes. El encabezado de un periódico de aquella época habría dicho así: «Fieles masacrados mientras ofrecían sacrificios al Señor».

Un grupo de galileos fieles había ido a Jerusalén para adorar. Quizá se dejaron llevar por la emoción religiosa que se tornó en frenesí, y luego en revuelta política. Pilato, que no tenía escrúpulos, los había inmolado sobre los mismos altares en los que habían ofrecido sus sacrificios. La respuesta de Jesús fue muy significativa: «¿Piensan ustedes que esos galileos, por haber sufrido así, eran más pecadores que todos los demás? ¡Les digo que no! De la misma manera, todos ustedes perecerán, a menos que se arrepientan» (Luc. 13: 2, 3).

Jesús no respondió por qué sucedió aquel hecho. Solamente aclara que cuando vienen las calamidades no debemos pensar que tal cosa les pasó a tales personas porque eran más pecadoras que los demás. Debemos pensar, sin embargo, que a menos que nos arrepintamos, todos acabaremos muriendo. Dios nos llama al arrepentimiento por medio de diversas circunstancias.

Luego Cristo contó la historia de un hombre que tenía una higuera en un viñedo. El hombre intentó durante tres años que la higuera diera fruto pero no tuvo éxito. Entonces pidió al viñador que la cortara, pero este intercedió para que tuviera un año más de oportunidad (lee Luc. 13: 6-9).

¿Te has puesto a pensar qué extraña es esa historia? Las higueras no están en los viñedos. Producen higos, no uvas. ¿Qué hacía la higuera allí? Aparentemente, tanto el dueño como el viñador se habían encariñado con ella y no habían querido cortarla. La higuera estaba allí por gracia. El único argumento que puede ofrecer el viñador para que se le dé un año más de vida a la higuera es que la ama y desea trabajar en ella. Si no tiene éxito, deja al dueño la triste tarea de cortarla porque él no quiere.

¿Por qué te dio Dios vida este año? Yo creo que por gracia. Nos ha dado su protección sencillamente porque nos ama. ¿No crees que deberíamos corresponder a ese amor con frutos de arrepentimiento?

Más valiosa
que la «Perla de Asia»

Donde tengan ustedes su tesoro, allí estará también su corazón (Lucas 12: 34).

En 1628, un grupo de buzos persas encontró la «Perla de Asia». Pesa seiscientos quilates, tiene la forma de una gota, de unos siete centímetros de largo y cinco de espesor, y es la perla natural más grande que existe. Unos saqueadores la robaron de la tumba del emperador Quianlong, emperador manchú de la China, en 1799, un siglo después de su muerte. El paradero de la perla fue un misterio hasta que apareció dieciocho años más tarde en Hong Kong, usada como garantía por un cuantioso préstamo que jamás fue devuelto. Después un comprador de nombre desconocido de París compró la perla por un precio que nunca fue revelado.

Hace dos mil años Jesucristo contó la historia de un mercader que compró una perla de gran precio: «Se parece el reino de los cielos a un comerciante que andaba buscando perlas finas. Cuando encontró una de gran valor, fue y vendió todo lo que tenía y la compró» (Mat. 13: 45, 46). Como dijo William Barclay en *Mateo*: «En el mundo antiguo las perlas ocupaban un lugar muy especial en el corazón de los hombres. La gente procuraba obtener una perla hermosa no solo por su valor monetario, sino por su belleza. Encontraban un placer estético en poseer y mirar una perla [...]. Las fuentes principales de perlas en aquellos tiempos eran las costas del Mar Rojo y las de la lejana Gran Bretaña. Pero un mercader estaría dispuesto a revisar todos los mercados del mundo para encontrar una perla de singular belleza».

Esta, como todas las parábolas y todas las enseñanzas de Jesús, está llena de significado. Pero un significado evidente es que el mercader que busca buenas perlas es una persona que busca diligentemente un Salvador. Este Salvador vale tanto como todo lo que esa persona tiene, así como la perla valía todo para el mercader. Si la salvación es gratuita y no podemos comprarla, ¿por qué el mercader vendió todo lo que tenía para comprarla? Porque lo que poseemos a menudo nos posee a nosotros. Porque las posesiones pueden controlar nuestra vida, algo que solamente Dios debiera hacer. La salvación cuesta todo lo que tenemos, pero su valor es inestimable.

¿Ya vendiste todo lo que tienes? ¿Ya compraste la perla de gran precio? No dudes un solo instante. La transacción vale la pena.

Un error terrible

Al malvado lo atrapan sus malas obras; las cuerdas de su pecado lo aprisionan (Proverbios 5: 22).

Una mañana de primavera de 1932, un grupo de personas se había reunido en el campamento Kearny, en San Diego, para presenciar la llegada de la aeronave de helio más grande del mundo, el *USS Akron*. Esta enorme nave de casi 240 metros de largo había sido inaugurada el año anterior y representaba el clímax de la tecnología de aviación. Doscientos reclutas de la marina de los Estados Unidos esperaban listos para sujetar las numerosas cuerdas de la aeronave y asegurarla firmemente a tierra. Cuando finalmente llegó, tuvo problemas para estabilizarse debido a ráfagas de aire ascendente. Finalmente, después de cuatro intentos, la tripulación de tierra fue capaz de sujetar las cuerdas y asegurar la trompa a tierra. Sin embargo, una corriente de aire empezó a levantar la cola de la enorme aeronave.

La tripulación quiso sujetarla pero sin éxito. Primero se levantó sesenta centímetros, luego un metro, después un metro y medio. ¿Qué hacer? La tripulación era inexperta y no comprendía la fuerza de la aeronave. Cuando alcanzó tres metros, la tripulación se dejó caer a tierra y cayeron unos sobre otros pero sin hacerse mayor daño. Uno de ellos esperó hasta los seis metros y se rompió un brazo en la caída. Mientras el *USS Akron* se levantaba cada vez más, la multitud se dio cuenta con horror de que tres hombres todavía permanecían aferrados a la cuerda. Uno de ellos, el marino Edsall, se desplomó hacia la muerte desde los cincuenta metros de altura como un saco de arena. El *USS Akron* seguía elevándose. Después, la multitud horrorizada vio cómo el marino Nigel M. Henton cayó moviéndose desesperadamente y rebotó en el suelo duro sin que se pudiera hacer nada para salvarlo. El tercero, Charles «Bud» Cowart, fue encontrado con vida milagrosamente dos horas después. No se sabe si consiguió amarrarse con la cuerda o la tripulación de la nave logró rescatarlo.

Muchas veces cometemos el error de creer que podemos controlar ciertas situaciones y nos aferramos a ellas creyendo que finalmente las someteremos. Cuando las cosas empeoran, se hace más difícil soltarlas porque las consecuencias son más dolorosas y quedamos atrapados en una situación sin salida. No cometas ese error. Reconoce desde bien temprano lo que está mal en tu vida y córtalo de raíz. Enfréntate a una caída pequeña hoy para que mañana no tengas que arrojarte a un precipicio. ¿No crees que vale la pena?

Ha llegado el momento de renovar tu

Suscripción

2014

Esta es la lista de materiales que están a tu disposición para tu estudio diario y el de toda tu familia. Indica en la casilla la cantidad de cada material que deseas obtener para el año 2014, y entrega esta hoja al director de publicaciones o a la persona responsable de las suscripciones **antes de que finalice el mes de julio.**

Nombre _____

Ciudad _____

Iglesia _____ Distrito_____

Pastor _____ Misión / Asociación_____

Edad	Material	Cantidad
0-2	*Cuna – Alumno	
	*Cuna – Maestro	
3-5	*Jardín de infantes – Alumno	
	*Jardín de infantes – Maestro	
6-9	*Primarios – Alumno	
	*Primarios – Maestro	
10-12	*Menores – Alumno	
	*Menores – Maestro	
13-14	*FeReal.net – Alumno	
	*FeReal.net – Maestro	
15-18	*Jóvenes – Alumno	
	*Jóvenes – Maestro	
18+	*El Universitario	
18+	*Adultos – Alumno	
	* Adultos – Maestro	
	*Tres en Uno	
	**Matutina para adultos	
	**Matutina para la mujer	
	**Matutina para jóvenes	
	**Matutina para primarios	
	**Matutina para preescolares	
	***Revista misionera	

Importante:

* Cada suscripción anual del material de Escuela Sabática incluye un folleto o libro (caso del Tres en Uno), por trimestre; es decir, cuatro al año. Por ejemplo, si colocas la cifra 1 en la casilla «Cantidad» de El Universitario, al principio de cada trimestre del próximo año recibirás un ejemplar. Si escribes 2, recibirás dos ejemplares cada trimestre, y así sucesivamente.

** Todas las matutinas son un libro anual que se entrega al comienzo del año.

*** Cada suscripción de la revista misionera incluye los doce números del año.

APIA
Asociación Publicadora Interamericana
2905 NW 87 Ave. Doral, Florida 33172 EE.UU.
tel. (305) 599 0037 fax (305) 592 8999
mail@iadpa.org www.iadpa.org

Agencia de Publicaciones México Central, A. C.
Uxmal 431 Col. Narvarte 03020 México D. F.
tel. (55) 5687 2100 fax (55) 5543 9446
ventas@gemaeditores.com.mx - www.gemaeditores.com.mx

Firma: _____ Fecha: _____ de julio de 2013

Guía para el Año Bíblico
en orden cronológico

ENERO

- [ ] 1. Gén. 1, 2
- [ ] 2. Gén. 3-5
- [ ] 3. Gén. 6-9
- [ ] 4. Gén. 10, 11
- [ ] 5. Gén. 12-15
- [ ] 6. Gén. 16-19
- [ ] 7. Gén. 20-22
- [ ] 8. Gén. 23-26
- [ ] 9. Gén. 27-29
- [ ] 10. Gén. 30-32
- [ ] 11. Gén. 33-36
- [ ] 12. Gén. 37-39
- [ ] 13. Gén. 40-42
- [ ] 14. Gén. 43-46
- [ ] 15. Gén. 47-50
- [ ] 16. Job 1-4
- [ ] 17. Job 5-7
- [ ] 18. Job 8-10
- [ ] 19. Job 11-13
- [ ] 20. Job 14-17
- [ ] 21. Job 18-20
- [ ] 22. Job 21-24
- [ ] 23. Job 25-27
- [ ] 24. Job 28-31
- [ ] 25. Job 32-34
- [ ] 26. Job 35-37
- [ ] 27. Job 38-42
- [ ] 28. Éxo. 1-4
- [ ] 29. Éxo. 5-7
- [ ] 30. Éxo. 8-10
- [ ] 31. Éxo. 11-13

FEBRERO

- [ ] 1. Éxo. 14-17
- [ ] 2. Éxo. 18-20
- [ ] 3. Éxo. 21-24
- [ ] 4. Éxo. 25-27
- [ ] 5. Éxo. 28-31
- [ ] 6. Éxo. 32-34
- [ ] 7. Éxo. 35-37
- [ ] 8. Éxo. 38-40
- [ ] 9. Lev. 1-4
- [ ] 10. Lev. 5-7
- [ ] 11. Lev. 8-10
- [ ] 12. Lev. 11-13
- [ ] 13. Lev. 14-16
- [ ] 14. Lev. 17-19
- [ ] 15. Lev. 20-23
- [ ] 16. Lev. 24-27
- [ ] 17. Núm. 1-3
- [ ] 18. Núm. 4-6
- [ ] 19. Núm. 7-10
- [ ] 20. Núm. 11-14
- [ ] 21. Núm. 15-17
- [ ] 22. Núm. 18-20
- [ ] 23. Núm. 21-24
- [ ] 24. Núm. 25-27
- [ ] 25. Núm. 28-30
- [ ] 26. Núm. 31-33
- [ ] 27. Núm. 34-36
- [ ] 28. Deut. 1-3

MARZO	ABRIL
❑ 1. Deut. 4-6	❑ 1. 1 Sam. 21-24
❑ 2. Deut. 7-9	❑ 2. 1 Sam. 25-28
❑ 3. Deut. 10-12	❑ 3. 1 Sam. 29-31
❑ 4. Deut. 13-16	❑ 4. 2 Sam. 1-4
❑ 5. Deut. 17-19	❑ 5. 2 Sam. 5-8
❑ 6. Deut. 20-22	❑ 6. 2 Sam. 9-12
❑ 7. Deut. 23-25	❑ 7. 2 Sam. 13-15
❑ 8. Deut. 26-28	❑ 8. 2 Sam. 16-18
❑ 9. Deut. 29-31	❑ 9. 2 Sam. 19-21
❑ 10. Deut. 32-34	❑ 10. 2 Sam. 22-24
❑ 11. Jos. 1-3	❑ 11. Sal. 1-3
❑ 12. Jos. 4-6	❑ 12. Sal. 4-6
❑ 13. Jos. 7-9	❑ 13. Sal. 7-9
❑ 14. Jos. 10-12	❑ 14. Sal. 10-12
❑ 15. Jos. 13-15	❑ 15. Sal. 13-15
❑ 16. Jos. 16-18	❑ 16. Sal. 16-18
❑ 17. Jos. 19-21	❑ 17. Sal. 19-21
❑ 18. Jos. 22-24	❑ 18. Sal. 22-24
❑ 19. Juec. 1-4	❑ 19. Sal. 25-27
❑ 20. Juec. 5-8	❑ 20. Sal. 28-30
❑ 21. Juec. 9-12	❑ 21. Sal. 31-33
❑ 22. Juec. 13-15	❑ 22. Sal. 34-36
❑ 23. Juec. 16-18	❑ 23. Sal. 37-39
❑ 24. Juec. 19-21	❑ 24. Sal. 40-42
❑ 25. Rut 1-4	❑ 25. Sal. 43-45
❑ 26. 1 Sam. 1-3	❑ 26. Sal. 46-48
❑ 27. 1 Sam. 4-7	❑ 27. Sal. 49-51
❑ 28. 1 Sam. 8-10	❑ 28. Sal. 52-54
❑ 29. 1 Sam. 11-13	❑ 29. Sal. 55-57
❑ 30. 1 Sam. 14-16	❑ 30. Sal. 58-60
❑ 31. 1 Sam. 17-20	

MAYO

- [ ] 1. Sal. 61-63
- [ ] 2. Sal. 64-66
- [ ] 3. Sal. 67-69
- [ ] 4. Sal. 70-72
- [ ] 5. Sal. 73-75
- [ ] 6. Sal. 76-78
- [ ] 7. Sal. 79-81
- [ ] 8. Sal. 82-84
- [ ] 9. Sal. 85-87
- [ ] 10. Sal. 88-90
- [ ] 11. Sal. 91-93
- [ ] 12. Sal. 94-96
- [ ] 13. Sal. 97-99
- [ ] 14. Sal. 100-102
- [ ] 15. Sal. 103-105
- [ ] 16. Sal. 106-108
- [ ] 17. Sal. 109-111
- [ ] 18. Sal. 112-114
- [ ] 19. Sal. 115-118
- [ ] 20. Sal. 119
- [ ] 21. Sal. 120-123
- [ ] 22. Sal. 124-126
- [ ] 23. Sal. 127-129
- [ ] 24. Sal. 130-132
- [ ] 25. Sal. 133-135
- [ ] 26. Sal. 136-138
- [ ] 27. Sal. 139-141
- [ ] 28. Sal. 142-144
- [ ] 29. Sal. 145-147
- [ ] 30. Sal. 148-150
- [ ] 31. 1 Rey. 1-4

JUNIO

- [ ] 1. Prov. 1-3
- [ ] 2. Prov. 4-7
- [ ] 3. Prov. 8-11
- [ ] 4. Prov. 12-14
- [ ] 5. Prov. 15-18
- [ ] 6. Prov. 19-21
- [ ] 7. Prov. 22-24
- [ ] 8. Prov. 25-28
- [ ] 9. Prov. 29-31
- [ ] 10. Ecl. 1-3
- [ ] 11. Ecl. 4-6
- [ ] 12. Ecl. 7-9
- [ ] 13. Ecl. 10-12
- [ ] 14. Cant. 1-4
- [ ] 15. Cant. 5-8
- [ ] 16. 1 Rey. 5-7
- [ ] 17. 1 Rey. 8-10
- [ ] 18. 1 Rey. 11-13
- [ ] 19. 1 Rey. 14-16
- [ ] 20. 1 Rey. 17-19
- [ ] 21. 1 Rey. 20-22
- [ ] 22. 2 Rey. 1-3
- [ ] 23. 2 Rey. 4-6
- [ ] 24. 2 Rey. 7-10
- [ ] 25. 2 Rey. 11-14:20
- [ ] 26. Joel 1-3
- [ ] 27. 2 Rey. 14: 21-25
  Jon. 1-4
- [ ] 28. 2 Rey. 14:26-29
  Amós 1-3
- [ ] 29. Amós 4-6
- [ ] 30. Amós 7-9

JULIO

- [ ] 1. 2 Rey. 15-17
- [ ] 2. Ose. 1-4
- [ ] 3. Ose. 5-7
- [ ] 4. Ose. 8-10
- [ ] 5. Ose. 11-14
- [ ] 6. 2 Rey. 18, 19
- [ ] 7. Isa. 1-3
- [ ] 8. Isa. 4-6
- [ ] 9. Isa. 7-9
- [ ] 10. Isa. 10-12
- [ ] 11. Isa. 13-15
- [ ] 12. Isa. 16-18
- [ ] 13. Isa. 19-21
- [ ] 14. Isa. 22-24
- [ ] 15. Isa. 25-27
- [ ] 16. Isa. 28-30
- [ ] 17. Isa. 31-33
- [ ] 18. Isa. 34-36
- [ ] 19. Isa. 37-39
- [ ] 20. Isa. 40-42
- [ ] 21. Isa. 43-45
- [ ] 22. Isa. 46-48
- [ ] 23. Isa. 49-51
- [ ] 24. Isa. 52-54
- [ ] 25. Isa. 55-57
- [ ] 26. Isa. 58-60
- [ ] 27. Isa. 61-63
- [ ] 28. Isa. 64-66
- [ ] 29. Miq. 1-4
- [ ] 30. Miq. 5-7
- [ ] 31. Nah. 1-3

AGOSTO

- [ ] 1. 2 Rey. 20, 21
- [ ] 2. Sof. 1-3
- [ ] 3. Hab. 1-3
- [ ] 4. 2 Rey. 22-25
- [ ] 5. Abd. y Jer. 1, 2
- [ ] 6. Jer. 3-5
- [ ] 7. Jer. 6-8
- [ ] 8. Jer. 9-12
- [ ] 9. Jer. 13-16
- [ ] 10. Jer. 17-20
- [ ] 11. Jer. 21-23
- [ ] 12. Jer. 24-26
- [ ] 13. Jer. 27-29
- [ ] 14. Jer. 30-32
- [ ] 15. Jer. 33-36
- [ ] 16. Jer. 37-39
- [ ] 17. Jer. 40-42
- [ ] 18. Jer. 43-46
- [ ] 19. Jer. 47-49
- [ ] 20. Jer. 50-52
- [ ] 21. Lam.
- [ ] 22. 1 Crón. 1-3
- [ ] 23. 1 Crón. 4-6
- [ ] 24. 1 Crón. 7-9
- [ ] 25. 1 Crón. 10-13
- [ ] 26. 1 Crón. 14-16
- [ ] 27. 1 Crón. 17-19
- [ ] 28. 1 Crón. 20-23
- [ ] 29. 1 Crón. 24-26
- [ ] 30. 1 Crón. 27-29
- [ ] 31. 2 Crón. 1-3

SEPTIEMBRE

- ❑ 1. 2 Crón. 4-6
- ❑ 2. 2 Crón. 7-9
- ❑ 3. 2 Crón. 10-13
- ❑ 4. 2 Crón. 14-16
- ❑ 5. 2 Crón. 17-19
- ❑ 6. 2 Crón. 20-22
- ❑ 7. 2 Crón. 23-25
- ❑ 8. 2 Crón. 26-29
- ❑ 9. 2 Crón. 30-32
- ❑ 10. 2 Crón. 33-36
- ❑ 11. Eze. 1-3
- ❑ 12. Eze. 4-7
- ❑ 13. Eze. 8-11
- ❑ 14. Eze. 12-14
- ❑ 15. Eze. 15-18
- ❑ 16. Eze. 19-21
- ❑ 17. Eze. 22-24
- ❑ 18. Eze. 25-27
- ❑ 19. Eze. 28-30
- ❑ 20. Eze. 31-33
- ❑ 21. Eze. 34-36
- ❑ 22. Eze. 37-39
- ❑ 23. Eze. 40-42
- ❑ 24. Eze. 43-45
- ❑ 25. Eze. 46-48
- ❑ 26. Dan. 1-3
- ❑ 27. Dan. 4-6
- ❑ 28. Dan. 7-9
- ❑ 29. Dan. 10-12
- ❑ 30. Est. 1-3

OCTUBRE

- ❑ 1. Est. 4-7
- ❑ 2. Est. 8-10
- ❑ 3. Esd. 1-4
- ❑ 4. Hag. 1, 2
  Zac. 1, 2
- ❑ 5. Zac. 3-6
- ❑ 6. Zac. 7-10
- ❑ 7. Zac. 11-14
- ❑ 8. Esd. 5-7
- ❑ 9. Esd. 8-10
- ❑ 10. Neh. 1-3
- ❑ 11. Neh. 4-6
- ❑ 12. Neh. 7-9
- ❑ 13. Neh. 10-13
- ❑ 14. Mal. 1-4
- ❑ 15. Mat. 1-4
- ❑ 16. Mat. 5-7
- ❑ 17. Mat. 8-11
- ❑ 18. Mat. 12-15
- ❑ 19. Mat. 16-19
- ❑ 20. Mat. 20-22
- ❑ 21. Mat. 23-25
- ❑ 22. Mat. 26-28
- ❑ 23. Mar. 1-3
- ❑ 24. Mar. 4-6
- ❑ 25. Mar. 7-10
- ❑ 26. Mar. 11-13
- ❑ 27. Mar. 14-16
- ❑ 28. Luc. 1-3
- ❑ 29. Luc. 4-6
- ❑ 30. Luc. 7-9
- ❑ 31. Luc. 10-13

NOVIEMBRE

- ☐ 1. Luc. 14-17
- ☐ 2. Luc. 18-21
- ☐ 3. Luc. 22-24
- ☐ 4. Juan 1-3
- ☐ 5. Juan 4-6
- ☐ 6. Juan 7-10
- ☐ 7. Juan 11-13
- ☐ 8. Juan 14-17
- ☐ 9. Juan 18-21
- ☐ 10. Hech. 1, 2
- ☐ 11. Hech. 3-5
- ☐ 12. Hech. 6-9
- ☐ 13. Hech. 10-12
- ☐ 14. Hech. 13, 14
- ☐ 15. Sant. 1, 2
- ☐ 16. Sant. 3-5
- ☐ 17. Gál. 1-3
- ☐ 18. Gál. 4-6
- ☐ 19. Hech. 15-18:11
- ☐ 20. 1 Tes. 1-5
- ☐ 21. 2 Tes. 1-3
     Hech. 18:12-19:20
- ☐ 22. 1 Cor. 1-4
- ☐ 23. 1 Cor. 5-8
- ☐ 24. 1 Cor. 9-12
- ☐ 25. 1 Cor. 13-16
- ☐ 26. Hech. 19:21-20:1
     2 Cor. 1-3
- ☐ 27. 2 Cor. 4-6
- ☐ 28. 2 Cor. 7-9
- ☐ 29. 2 Cor. 10-13
- ☐ 30. Hech. 20:2
     Rom. 1-4

DICIEMBRE

- ☐ 1. Rom. 5-8
- ☐ 2. Rom. 9-11
- ☐ 3. Rom. 12-16
- ☐ 4. Hech. 20:3-22:30
- ☐ 5. Hech. 23-25
- ☐ 6. Hech. 26-28
- ☐ 7. Efe. 1-3
- ☐ 8. Efe. 4-6
- ☐ 9. Fil. 1-4
- ☐ 10. Col. 1-4
- ☐ 11. Heb. 1-4
- ☐ 12. Heb. 5-7
- ☐ 13. Heb. 8-10
- ☐ 14. Heb. 11-13
- ☐ 15. Fil.
     1 Ped. 1, 2
- ☐ 16. 1 Ped. 3-5
- ☐ 17. 2 Ped. 1-3
- ☐ 18. 1 Tim. 1-3
- ☐ 19. 1 Tim. 4-6
- ☐ 20. Tito 1-3
- ☐ 21. 2 Tim. 1-4
- ☐ 22. 1 Juan 1, 2
- ☐ 23. 1 Juan 3-5
- ☐ 24. 2 Juan
     3 Juan y Judas
- ☐ 25. Apoc. 1-3
- ☐ 26. Apoc. 4-6
- ☐ 27. Apoc. 7-9
- ☐ 28. Apoc. 10-12
- ☐ 29. Apoc. 13-15
- ☐ 30. Apoc. 16-18
- ☐ 31. Apoc. 19-22

Ser **diferente,** ¡para ser mejor!,

exige convicción, arrojo y valentía.

Defender los principios
y valores cristianos
es lo que el mundo necesita.

Este es un libro para jóvenes
que están al día, escrito con un lenguaje
de hoy, que cautivará tu atención
desde la primera hasta la última página.

Si te atreves a ser diferente
en un mundo globalizado;
si no eres conformista
en un mundo uniformista,
ESTE ES TU LIBRO.

APIA

Asociación Publicadora Interamericana
2905 NW 87 Ave. Doral, Florida 33172 EE.UU.
tel. (305) 599 0037 fax (305) 592 8999
mail@iadpa.org www.iadpa.org

GEMA EDITORES

Agencia de Publicaciones México Central, A. C.
Uxmal 431 Col. Narvarte 03020 México D. F.
tel. (55) 5687 2100 fax (55) 5543 9446
ventas@gemaeditores.com.mx - www.gemaeditores.com.mx

¿Qué imagen tienes de Dios?

¿Un tirano?

¿Cruel?

¿Tierno?

¿Bondadoso?

EL DIOS QUE NO ME ENSEÑARON

DWIGHT K. NELSON

En las páginas de este libro encontrarás pruebas de que la imagen de Dios nunca ha cambiado... **El problema es que a veces la distorsionamos.**

APIA
Asociación Publicadora Interamericana
2905 NW 87 Ave. Doral, Florida 33172 EE.UU.
tel. (305) 599 0037 fax (305) 592 8999
mail@iadpa.org www.iadpa.org

GEMA EDITORES
Agencia de Publicaciones México Central, A. C.
Uxmal 431 Col. Narvarte 03020 México D. F.
tel. (55) 5687 2100 fax (55) 5543 9446
ventas@gemaeditores.com.mx - www.gemaeditores.com.mx